Qu'est-ce qu'on mange?

Volume 3

Qu'est-ce qu'on mange?

Le Québec en 820 plats

Volume 3

Les Cercles de Fermières du Québec

CONCEPTION
ET RÉALISATION

SCRIPTUM COMMUNICATIONS INC.
1600, boul. René-Lévesque Ouest
Bureau 1250
Montréal (Québec)
H3H 1P9

Coordination et mise en marché
Hélène Héroux, Gaétan Frigon
Direction artistique
Patrice Resther, Marc Fortier
Production et infographie
René Guérin, Céline Forcier
Recherche
Odile Coiteux

Photographe
Michel Paquet, Nouvelle Vision inc.
Chef
Laurent Saget
Cuisinière
Thérèse Maurice
Stylistes
Michèle Painchaud, Linda McKenty

Photos des régions
Mia et Klaus

Rédaction
Diane Mérineau, Orthofolies

Analyse nutritionnelle
Brigitte Coutu, diététiste

Pré-impression
Litho Montérégie inc.

Impression
Métropole Litho inc.

Distribution
Messageries Dynamiques
Québec Livres
Les Cercles de Fermières du Québec

ÉDITEUR

Les Cercles de Fermières du Québec
1043, rue Tiffin
Longueuil (Québec)
J4P 3G7

Présidente provinciale
Louise Déziel-Fortin

Conseiller spécial à l'éditeur
Renée Lavergne, Lavergne et Associés inc.

Conseiller juridique
Robert Brunet, c.r., Brunet et Brunet

Dépôt légal, troisième trimestre 1994.

Bibliothèque nationale du Québec.

Bibliothèque nationale du Canada.

Publié par Scriptum Communications inc. pour Les Cercles de Fermières du Québec.

ISBN: 2-920908-21-9

Message de la présidente

En publiant ce troisième volume de la série *Qu'est-ce qu'on mange?* nous avons voulu donner la chance, à toutes les personnes qui s'intéressent à l'art culinaire, d'avoir dans leur cuisine une collection de recettes qui feront les délices de bien des gourmets.

Depuis 1915, des milliers de membres des Cercles de Fermières du Québec ont partagé leur savoir-faire culinaire et l'ont ainsi perfectionné, au fil du temps. Et dans ce livre, publié à l'occasion du 80e anniversaire de notre association, nous vous dévoilons 820 spécialités inédites de toutes les régions du Québec.

Fortes de l'expérience acquise lors de nos publications antérieures et avec l'aide d'un jury formé d'experts en art culinaire, nous avons fait la sélection des recettes que vous retrouvez dans ce livre d'une valeur inestimable.

Également, nous innovons cette année en accompagnant chacune des recettes d'une analyse nutritionnelle réalisée par une diététiste professionnelle.

C'est avec un sentiment de fierté que nous vous présentons cette publication. Nous espérons qu'elle trouvera une place de choix dans de nombreux foyers et qu'elle favorisera le bon goût et l'art de vivre.

Nous voudrions exprimer notre reconnaissance à toutes celles qui ont bien voulu nous faire partager leurs secrets de cordons-bleus. Elles donnent ainsi à ceux et celles qui utiliseront cet ouvrage la possibilité de profiter d'une tradition familiale d'hospitalité, de joie et de santé.

Bienvenue à notre table et bon appétit!

Louise Déziel-Fortin

Louise Déziel-Fortin

Présidente provinciale
Les Cercles de Fermières
du Québec

Préface

Avant d'accepter de préfacer ce troisième volume de la série *Qu'est-ce qu'on mange?*, je me suis interrogé: Qu'est-ce que l'Institut de tourisme et d'hôtellerie du Québec a en commun avec une publication de recettes régionales rédigées par les Cercles de Fermières du Québec?

Sans y répondre immédiatement et sans m'en rendre compte, cette question a ravivé dans mon esprit plusieurs souvenirs reliés à toutes ces femmes, grands-mères, mères de famille et amies, qui ont été ou qui sont encore membres d'un Cercle de Fermières.

À travers mes réflexions, et en songeant, entre autres, aux actions sociales que les Cercles de Fermières ont toujours mises de l'avant en ce qui concerne le chapitre de l'émancipation de la femme québécoise, le mot clef et catalyseur qui revenait continuellement à mon esprit était *patrimoine*.

Si l'on considère que dans l'histoire du Québec, le patrimoine culinaire est l'une des principales richesses nationales qui a permis et permet encore à la gastronomie québécoise de se distinguer, *Qu'est-ce qu'on mange?* ou *Le Québec en 820 plats* répond à ma question. Ce volume y arrive par son concept même et en s'inscrivant sans équivoque dans les préoccupations de formation et d'éducation de l'ITHQ à l'égard du développement de la cuisine régionale au Québec.

À la lecture de cet ouvrage, regroupant 820 recettes qui se distinguent toutes par leur originalité, leur facilité de réalisation, leur authenticité régionale et, de façon plus particulière pour cette troisième édition, par leur analyse nutritionnelle, on ne peut que se féliciter de cet apport important à la préservation de notre patrimoine culinaire. Un tel recueil fait honneur à la créativité québécoise et ce, grâce à la collaboration et l'entraide de quelque 45 000 femmes engagées dans notre société et déterminées à demeurer actives au sein de notre devenir.

Ne pouvant féliciter personnellement chacune des auteures de ce volume, je désire transmettre mes vives félicitations et par la même occasion, rendre hommage à travers ce court texte, à toutes celles qui, de près ou de loin, ont collaboré à la réalisation de ce magnifique volume.

Pour notre part, la troisième édition de *Qu'est-ce qu'on mange?* rejoint les deux premières qui, à leur parution, ont immédiatement intégré notre bibliothèque et enrichi notre collection de volumes de cuisine. Cette collection est mise à la disposition des étudiants et étudiantes de notre institution de même qu'à la disposition de tous les professionnels de l'industrie de la restauration et de l'alimentation à la recherche d'idées nouvelles et de conseils pratiques.

En terminant, je désire souhaiter à toutes les membres Fermières du Québec un très joyeux 80ᵉ anniversaire de fondation et à tous les lecteurs et lectrices, beaucoup de plaisir à réaliser ces recettes.

Pierre D. Brodeur

Directeur général
Institut de tourisme
et d'hôtellerie du Québec

7

Les Cercles de Fermières du Québec : 80 ans d'implication au féminin

À leur fondation en 1915, les Cercles de Fermières du Québec visaient un objectif simple mais ambitieux: la promotion des femmes. Pour y arriver et affirmer leur volonté, ils se structurent de façon à devenir indépendants de toute tutelle et cherchent aussi à concilier traditionnel et moderne, ancien et nouveau. La voie du féminisme contemporain était pavée.

Jusqu'à la révolution tranquille, ce mouvement est resté l'un des plus importants lieux publics de l'autonomie des femmes. Longtemps liée aux rouages de l'État et de l'Église, son histoire est très révélatrice de l'évolution du Québec. Quatre-vingts ans plus tard,

près de 45 000 membres témoignent de son étonnante vitalité. Les Cercles ont su, sans se renier, s'adapter à la société moderne et y contribuer très activement.

La naissance d'une organisation moderne

Au tournant du siècle, l'idée d'associations féminines rurales flotte dans l'air de nombreux pays européens. En Ontario, les *Homemakers Clubs* comptent déjà des milliers de membres. Autant d'atouts pour un projet d'association de fermières que l'agronome Alphonse Désilets lance lors du Congrès de la Jeunesse catholique canadienne de 1914. Ses espoirs se réa-

lisent dès 1915 avec la création des premiers Cercles à Chicoutimi, Roberval, Champlain et Trois-Rivières.

À leurs débuts, ils relèvent du ministère de l'Agriculture qui désigne un directeur «chargé de veiller à l'accomplissement du programme et des statuts généraux, à l'utilisation profitable des octrois et valeurs que le ministère accorde aux divers groupements». Jusqu'en 1925, le gouvernement joue un rôle déterminant dans la définition des objectifs des Cercles.

À cette période de développement mesuré succède une autre qui témoigne de l'éclosion du mouvement. Elle se caractérise par une nouvelle organisation qui octroie plus de pouvoirs à la direction provinciale des Cercles. La préservation et le développement de l'artisanat s'ajoutent à la vocation agricole.

À la grandeur de la province dès 1939

De 1920 à 1923, on passe de 39 à 86 Cercles, de 2000 à 5000 membres. Et cet accroissement est continu. En 1939, toute la province s'intéresse aux 568 Cercles regroupant 24 272 adhérentes.

Le ministère ne peut maintenir le niveau de son apport à une telle organisation. Dès 1925, il diminue ses services en compensant par une légère augmentation de la subvention annuelle. Et celle-ci, calculée

Roberval, 1915: création du premier Cercle de Fermières.

Les membres Fermières de St-Raymond posent fièrement sur un char allégorique à l'honneur des arts domestiques (St-Jean-Baptiste, 1950).

per capita, devient régulière. L'essor des industries domestiques est en partie redevable de cet encouragement sans y être subordonné. Par exemple, dans certains cas, le gouvernement rembourse la moitié des coûts d'un métier à tisser par Cercle.

Le ministère appuie cette association de femmes qui contribue à moderniser l'agriculture tout en maintenant les industries domestiques ancestrales. Il tente aussi de promouvoir ses membres au rang de professionnelles.

Pour lui, les Cercles sont d'utilité agricole et rurale. Néanmoins et en partie à son insu, ils réussissent à repousser les limites géographiques et économiques dans lesquelles on voulait les confiner. De plus, ils s'affirment comme association voulant répondre aux attentes des femmes rurales.

Le rôle du clergé

Au début des années 40, le ministère tente de prendre une nouvelle distance tandis que le clergé, localement et au niveau des archevêchés, se penche sur le phénomène. Au moment où les Cercles envisagent de se constituer en fédérations sur la base de fédérations agronomiques régionales, l'épiscopat cherche à les convaincre d'adopter plutôt les subdivisions diocésaines. Et devant l'ampleur du mouvement, il s'inquiète et veut réaffirmer son influence.

Le clergé met sur pied deux regroupements. L'Union Catholique des Fermières (UCF) s'adresse aux femmes des milieux ruraux. Les Cercles d'Économie Domestique (CED) sont conçus pour les citadines. Ces associations peuvent, espère-t-on, remplacer les Cercles de Fermières. Mais ces derniers sont là pour rester et les autorités religieuses doivent vite déchanter.

Révolution tranquille: la laïcisation du mouvement

Les associations féminines ne seront pas épargnées par le vent de changement amorcé par la révolution tranquille. À leur manière, elles abordent les années 60 en cherchant à se prendre en main. Il est difficile de savoir précisément comment le contexte social a joué dans la fondation de l'Association féminine pour l'éducation et l'action sociale (AFEAS). Cette histoire, si proche, reste difficile à écrire.

Après avoir tenté d'attirer les membres des Cercles de

Mme Marielle Primeau, présidente, attribue le trophée qui porte son nom (congrès provincial, 1980).

Débats intéressants lors d'un congrès provincial tenu au Parlement de Québec (vers 1955).

Fermières dans l'UCF ou les CED, l'épiscopat, peut-être las des conflits, tente une nouvelle stratégie: la fusion des trois associations. En novembre 1963, un comité est chargé d'étudier cette possibilité.

Des hésitations apparaissent de part et d'autre. Les Cercles, eux-mêmes en voie de réorganisation, estiment ne pas avoir été suffisamment avertis du projet et ne peuvent s'engager davantage. En fait, ils s'opposent fortement à une fusion impliquant de nouveaux rapports avec le ministère et l'abolition de ses octrois de base. Considérant qu'ils ne sont pas prêts pour de telles transformations, ils se retirent des discussions.

L'ensemble de ces tractations a pour effet d'ébranler les Cercles et de les pousser à s'émanciper de la tutelle, même formelle, du ministère de l'Agriculture. Le clergé aura ainsi été le détonateur bien involontaire de l'émancipation féminine québécoise.

La voie de l'autonomie

L'arrivée des années 60 signifie donc des changements comme cette tendance à se doter de structures décisionnelles. Les rapports entre le ministère et les Cercles se compliquent. Et comme ils ne sont plus formés en majorité de membres ruraux ou pratiquant l'agriculture, il devient urgent de revoir les critères d'attribution et de gestion des subventions.

Pour remédier à des problèmes de recrutement et de développement, les compromis recherchés seront concrétisés dans des remaniements structurels. Discutées en comités et en congrès dès 1963, l'incorporation et l'adoption d'une charte verront le jour en 1968. Après de nombreuses hésitations et de longs débats sur la pertinence d'un remaniement aussi profond, on parvint à s'entendre. Celles qui re-

doutaient la rupture avec le ministère sont rassurées. D'autres, qui désiraient que les statuts entérinent l'autonomie de leur organisation et en reflètent la diversité, obtiennent aussi satisfaction.

À cette époque, le premier souci des Cercles est d'obtenir pour leurs membres une place aussi grande que possible dans la société. Le visage français de la province et la dignité de la femme chrétienne en sont les principaux paramètres. Prêts à affronter les changements, ils ne vont pas nécessairement en tirer de nouvelles conceptions du rôle des femmes. Ils maintiendront plutôt le credo qui leur a valu la popularité.

Les trois priorités de l'association

Actuellement et par ordre d'importance, l'association définit trois priorités: défense et promotion de la femme, éducation et rôle social et, finalement, agriculture. Préoccupés par la formation et une information toujours meilleure, les Cercles cherchent à intervenir dans les dossiers qui les préoccupent. L'action auprès de femmes considérées comme porteuses d'un nouveau dynamisme et la volonté de les représenter aiguillonnent l'association vers de nouveaux défis.

La membre Fermière d'aujourd'hui est active, dynamique, entreprenante, avenante et mère de familie. Elle se fait connaître à l'occasion de conférences et de débats tenus sur des thèmes annuels. Les Cercles ont l'avantage d'être le plus ancien regroupement et l'une des plus importantes associations de femmes au Québec.

Par leur fonctionnement, les Cercles ne sont pas très différents des autres groupes. Leur cheminement traduit, par bien des aspects, la dynamique entre monde rural et monde urbain et leur interpénétration. Ni à l'avant-garde du progrès, ni en retard sur leur temps, ils traduisent les hésitations, les avancées et les reculs de leurs membres.

Les recettes des membres sont toujours aussi appréciées! Lancement de **La Table en fête**, *en 1987.*

À l'ombre ou à l'abri du pouvoir, les Cercles répercutent les politiques sociales et participent à leur élaboration. Dans la modernisation du Québec contemporain, quand elle ne sert pas de garde-fou, leur modération contribue à maintenir un équilibre.

Quatre-vingts années ont suffi à donner aux Cercles de Fermières un renom et une envergure exploités pour le meilleur de leurs membres par une direction éclairée.

À l'occasion du congrès de Chicoutimi, en 1989, les responsables des relations publiques reçoivent le « Guide de la relationniste ».

D'après
Femmes de parole
de Yolande Cohen

11

Qu'est-ce qu'on mange? Volume 3
Un livre assaisonné d'idées nouvelles

En panne d'inspiration, qui n'a pas déjà pâli d'envie en humant les fumets s'échappant des maisons voisines, ou défailli de nostalgie au simple souvenir des bons plats de maman?

De l'utopie à la réalité, il y a pourtant un livre chargé de promesses gourmandes: *Qu'est-ce qu'on mange?* À l'instar des 350 000 exemplaires des volumes précédents qui ont déjà enrichi nos cuisines québécoises, le volume 3 s'y taille rapidement une place de choix.

La qualité d'un livre de recettes étant étroitement liée à son concept et à la minutie qui régit chacune des étapes de la production, *Qu'est-ce qu'on mange?* Volume 3 est truffé d'excellentes idées qui en rendent la consultation agréable et facile.

- Les recettes, rédigées dans un style clair et concis, sont segmentées de façon à isoler chacune des étapes de la préparation, pour permettre de visualiser celles-ci d'un seul coup d'œil.

Par ailleurs, les recettes sont rédigées suivant l'ordre logique de préparation, et les ingrédients y figurent suivant l'ordre d'utilisation, ce qui se traduit, pour le lecteur, en un gain de temps appréciable.

- Chaque recette a fait l'objet d'une analyse nutritionnelle rigoureuse, ce qui permet d'en connaître la valeur nutritive et l'apport énergétique (calories). Les recettes mettent d'ailleurs en vedette des produits de chez nous, que l'on trouve habituellement dans les supermarchés.

- Chaque recette est suivie du nom de son auteure, ainsi que d'une note complémentaire qui la personnalise.

- Chacun des six chapitres comporte une recette primée, choisie par un jury composé d'experts, et s'agrémente d'un texte descriptif de l'une de nos plus belles régions.

- Grâce au talent de toute une équipe, et à l'utilisation de la fibre optique, les photos de chaque plat véhiculent les parfums et les arômes mieux que ne le ferait la saveur des mots. De magnifiques photos des plus beaux sites du Québec rehaussent, de surcroît, le concept d'une cuisine québécoise régionale.

- Pour faciliter la consultation, le livre comporte un double système d'index, l'un énumérant les recettes par catégories de plats (entrées, potages, desserts, etc.), l'autre par catégories d'aliments. De plus, la trame de chaque chapitre est colorée de façon particulière, ce qui simplifie grandement la recherche.

Quelques précisions utiles

Emploi de la virgule

La virgule a un rôle important à jouer dans les listes d'ingrédients.

D'une part, elle isole l'ingrédient de l'opération qu'il doit subir (exemple: 4 courgettes, pelées et hachées).

D'autre part, la virgule détermine si l'ingrédient doit être mesuré avant ou après l'opération indiquée. Ainsi, «125 ml (½ tasse) de crème, fouettée» implique que la crème doit être mesurée AVANT d'être fouettée. Au contraire, «125 ml (½ tasse) de crème fouettée» implique que la crème doit être mesurée APRÈS avoir été fouettée.

Temps de cuisson ou de réfrigération

Les temps de cuisson ou de réfrigération indiqués, quoique établis avec rigueur, sont toujours approximatifs, les températures variant habituellement légèrement d'un appareil électroménager à l'autre.

Ceci étant dit, pourquoi rester plus longtemps sur votre appétit?

Répertoire des recettes

Qu'est-ce qu'on mange? Harcelé sur la question de la monotonie du menu, de la spécialité maison servie à toutes les sauces, quand ce n'est pas carrément sur la qualité du service... qui n'a pas, au moins une fois la semaine, envie de rendre son tablier?

Ce ne sont pourtant ni les efforts ni l'imagination qui manquent. Mais l'horloge, qui égrène les heures à une allure folle, nous laisse rarement quelques instants de répit. Comment régler son tour de ronde sans sacrifier les plaisirs de la table ni empiéter sur les précieux moments de loisirs? Voilà toute la question!

C'est pourquoi *Qu'est-ce qu'on mange?* arrive à point nommé. Ce livre, truffé d'idées nouvelles, regorge de recettes gagnantes qui, malgré leur air de famille, diffèrent des nôtres par ce «petit quelque chose» qui fait parfois toute la différence, mais auquel on a rarement le temps de penser.

13

Table des matières

CHAPITRE 3

Plats principaux 133

(Index général p. 478)

CHAPITRE 6

Desserts

329

(Index général p. 481)

Quand les flots rouges et mauves se seront obscurcis et que le firmament en portera le deuil, la nuit ne sera pas la nuit, mais un jour sans lumière.

Des poids et des mesures pour ne rien prendre à la légère

En cuisine, il n'y a pas deux poids, deux mesures. La réussite d'un plat s'explique bien souvent par le dosage minutieux des ingrédients. Pour vous aider à vous y retrouver, voici quelques exemples d'équivalences pertinents.

Températures du four

Même la chaleur se mesure en degrés, qu'on les nomme Fahrenheit ou Celsius. Pour vous permettre de cuire les aliments juste à point, voici deux systèmes qui s'équivalent.

Degrés Fahrenheit	Degrés Celsius
0 °F	-18 °C
150 °F	70 °C
175 °F	80 °C
190 °F	90 °C
200 °F	110 °C
250 °F	130 °C
275 °F	150 °C
300 °F	160 °C
325 °F	170 °C
350 °F	180 °C
375 °F	190 °C
400 °F	200 °C
425 °F	220 °C
450 °F	230 °C
475 °F	240 °C
500 °F	250 °C

Principales mesures utilisées

L'heure est au système métrique, simple, précis et efficace. La première place lui revient donc de droit. Mais que les plus nostalgiques se consolent. Le système impérial a conservé, dans ce livre, toute son importance d'antan.

Système métrique	Système impérial
1 l	4 tasses
500 ml	2 tasses
430 ml	1 ¾ tasse
400 ml	1 ⅔ tasse
375 ml	1 ½ tasse
325 ml	1 ⅓ tasse
310 ml	1 ¼ tasse
250 ml	1 tasse
180 ml	¾ tasse
150 ml	⅔ tasse
125 ml	½ tasse
75 ml	⅓ tasse
60 ml	¼ tasse
45 ml	3 c. à soupe
30 ml	2 c. à soupe
15 ml	1 c. à soupe
5 ml	1 c. à thé
2 ml	½ c. à thé
1 ml	¼ c. à thé

Autres cieux, autres mœurs!

S'il est d'usage, au Québec, de mesurer les ingrédients, il est plus courant, en Europe, d'utiliser le pèse-aliments. Voici donc quelques équivalences pour simplifier la vie de nos voisins d'outre-mer.

	Mesures	Poids
Sucre	550 ml	500 g
Farine tout usage	750 ml	500 g
Farine de blé entier	950 ml	500 g
Farine à pâtisserie	875 ml	500 g
Margarine	500 ml	500 g
Graisse végétale	600 ml	500 g
Lait	500 ml	500 g
Beurre	500 ml	500 g
10 œufs moyens	500 ml	500 g

Des données précieuses: l'analyse nutritionnelle

Vous apprécierez les recettes savoureuses de *Qu'est-ce qu'on mange?* Volume 3 ou *Le Québec en 820 plats*. D'autant plus que vous trouverez, au début de chacune d'elles, un tableau résumant d'une façon minutieuse sa valeur nutritive et son apport énergétique.

Vous connaîtrez donc, pour chaque plat, son contenu nutritif par portion en calories, en protéines, en lipides (ou matières grasses), en glucides (les sucres en font partie), en fibres et en cholestérol.

Ces renseignements vous seront utiles pour contrôler votre consommation de certains éléments nutritifs ou encore, si vous devez surveiller votre poids.

L'analyse nutritionnelle a été réalisée par Brigitte Coutu, diététiste professionnelle, à l'aide du logiciel *Food Processor Plus* (ESHA Research, 1992). À moins d'indication contraire, toutes les recettes utilisant du lait ont été analysées avec du lait entier. Cependant, vous pouvez réduire leur teneur en gras et en calories en remplaçant le lait entier par du lait écrémé ou partiellement écrémé.

Lorsqu'un choix est donné, l'analyse nutritionnelle est basée sur l'ingrédient le plus nutritif (ex.: le lait plutôt que la crème). Elle ne tient pas compte des ingrédients facultatifs, des suggestions d'accompagnement et des garnitures.

En guise de référence, vous trouverez au bas de cette page un tableau des recommandations nutritionnelles de Santé Canada pour une journée. Elles vous aideront à juger de la valeur nutritive d'une recette par rapport à l'ensemble d'un repas et des aliments consommés au cours d'une journée. Notez que les besoins varient selon l'âge, le sexe, la taille et le niveau d'activité. En règle générale, les enfants et les personnes âgées ont des besoins moins élevés alors que les adolescents et les femmes enceintes ou qui allaitent ont des besoins plus grands.

Nous vous invitons maintenant à profiter des plaisirs de la table.

Chaudrée de palourdes St-Bruno

Portions:	4
Préparation:	15 minutes
Cuisson:	20 minutes
Degré de difficulté:	faible

Énergie: 299 cal	Protéines: 16 g
Lipides: 17 g	Cholestérol: 47 mg
Glucides: 23 g	Fibres: 3,7 g

125 ml (½ tasse) d'eau, ou plus

375 ml (1 ½ tasse) de pommes de terre en cubes

60 g (2 oz) de lard salé, en dés

75 ml (⅓ tasse) d'oignons hachés

2 ml (½ c. à thé) de sel

1 pincée de poivre

1 pincée de bicarbonate de soude

1 boîte de 796 ml (28 oz) de tomates

2 boîtes de 284 ml (10 oz) de palourdes

Amener l'eau à ébullition dans une casserole.

Ajouter les pommes de terre et réduire la chaleur.

Laisser mijoter 15 minutes environ, jusqu'à tendreté.

Pendant ce temps, faire revenir le lard salé 2 ou 3 minutes dans un poêlon.

Ajouter les oignons et poursuivre la cuisson 5 minutes environ, jusqu'à ce qu'ils soient légèrement dorés.

Saler et poivrer.

Ajouter le bicarbonate de soude, les tomates, les palourdes et leur jus.

Laisser mijoter 2 ou 3 minutes, juste pour réchauffer.

Micheline Massé,
St-Bruno

Pour mériter le nom de « chaudrée », un potage doit savoir s'inspirer de la mer. La muse de celui-ci? Nulle autre que la palourde, un mollusque bivalve fort prisé.

Apports nutritionnels quotidiens

	Femme adulte	Homme adulte
Énergie*	1900 calories	2700 calories
Protéines	51 g	64 g
Lipides	65 g	90 g
Cholestérol	300 mg	300 mg
Glucides	260 g	370 g
Fibres**	25 à 35 g	25 à 35 g

* Une calorie équivaut à 4,18 kilojoules.
** Santé Canada n'a pas quantifié sa recommandation en fibres. Les professionnels de la santé s'entendent généralement pour recommander entre 25 et 35 grammes de fibres par jour.

Asperges et crevettes à l'estragon

Portions :	6
Préparation :	15 minutes
Cuisson :	15 minutes
Degré de difficulté :	faible

Énergie : 241 cal	Protéines :		7 g
Lipides :	23 g	Cholestérol : 113 mg
Glucides :	4 g	Fibres :	1,2 g

36 crevettes grises

30 asperges fraîches

60 ml (¼ tasse) de beurre

250 ml (1 tasse) de crème 35 %

Sel et poivre

1 ml (¼ c. à thé) d'estragon séché

Persil frais haché, au goût

Plonger les crevettes dans une casserole d'eau bouillante salée. Couvrir et laisser mijoter 10 minutes.

Égoutter et décortiquer.

Disposer les asperges côte à côte dans un grand poêlon, puis les arroser de 60 ml (¼ tasse) d'eau bouillante. Couvrir et cuire 4 minutes environ, à feu doux, jusqu'à tendreté.

Égoutter les asperges sans les retirer du poêlon. Ajouter le beurre et réchauffer tout en remuant, pour bien les en enrober.

Retirer les asperges du poêlon à l'aide d'une spatule trouée, puis les disposer dans les assiettes.

Enrober les crevettes de beurre en procédant de la même façon. Déposer entre les asperges.

Verser la crème dans le poêlon. Saler et poivrer.

Ajouter l'estragon et amener à ébullition. Laisser bouillir 2 minutes, jusqu'à léger épaississement.

Napper chaque portion de sauce. Garnir de persil frais.

Gisèle Thouin,
Châteauguay

S i l'asperge pointe fièrement la tête, ce n'est pas sans raison. Cette entrée simple, mais raffinée, saura justifier son élégance.

Carrés aux coeurs d'artichaut

Portions :	64 carrés
Préparation :	30 minutes
Cuisson :	40 minutes
Degré de difficulté :	faible

Énergie :	27 cal	Protéines :	2 g
Lipides :	2 g	Cholestérol :	18 mg
Glucides :	1 g	Fibres :	0,3 g

2 pots de 170 g (6 oz) de cœurs d'artichaut marinés

1 oignon, tranché finement

1 gousse d'ail, tranchée finement

4 œufs

1 pincée d'origan

30 ml (2 c. à soupe) de persil haché

Quelques gouttes de sauce au piment fort (type Tabasco)

1 ml (¼ c. à thé) de sel

1 ml (¼ c. à thé) de poivre

60 ml (¼ tasse) de chapelure fine

250 g (½ lb) de cheddar, râpé

Préchauffer le four à 170 °C (325 °F).

Égoutter les cœurs d'artichaut en ayant soin de récupérer la marinade.

Réserver la moitié de la marinade pour un usage ultérieur. Verser le reste dans un poêlon et y cuire l'oignon et l'ail de 4 à 5 minutes, à feu moyen. Laisser tiédir.

Couper les cœurs d'artichaut en petits morceaux.

Battre les œufs dans un bol. Assaisonner d'origan, de persil et de sauce au piment fort.

Saler et poivrer. Incorporer les cœurs d'artichaut, la marinade tiédie, la chapelure et le cheddar.

Verser la préparation dans un moule de 20 cm (8 po) de côté, beurré.

Cuire 35 minutes environ, jusqu'à ce qu'un cure-dent en ressorte sec.

Laisser tiédir, puis couper en 64 carrés de 2,5 cm (1 po) de côté.

Servir trois ou quatre carrés par portion.

Lorraine Faucher,
Ste-Marie-de-Beauce

L e cœur déchiré en morceaux, les petits artichauts n'en continuent pas moins de se faire aimer, dans cette entrée de choix savamment parfumée.

Entrées chaudes

Champignons aux fines herbes

Portions :	6
Préparation :	15 minutes
Cuisson :	12 minutes
Degré de difficulté :	faible

Énergie : 138 cal	Protéines :	3 g
Lipides : 12 g	Cholestérol :	37 mg
Glucides : 6 g	Fibres :	1,1 g

30 ml (2 c. à soupe) de beurre

500 g (1 lb) de champignons, coupés en petits cubes

Persil, au goût

Ciboulette, au goût

15 ml (1 c. à soupe) de farine

250 ml (1 tasse) de crème 15 %

Sel et poivre

Faire chauffer 15 ml (1 c. à soupe) de beurre dans un poêlon.

Y faire revenir les champignons de 6 à 8 minutes environ, à feu moyen, jusqu'à ce qu'ils perdent leur eau.

Saupoudrer de persil et de ciboulette.

Faire fondre le reste du beurre dans une petite casserole.

Ajouter la farine et bien mélanger.

Ajouter la crème et les champignons. Saler et poivrer.

Poursuivre la cuisson à feu doux, en remuant constamment, jusqu'à épaississement.

Servir chaud sur des rôties non beurrées, coupées en quatre.

Gilberte Loiselle,
Beauport

Champignons en petits chaussons

Portions :	16 chaussons
Préparation :	25 minutes
Cuisson :	30 minutes
Refroidissement :	1 heure
Degré de difficulté :	moyen

Énergie : 177 cal	Protéines :	3 g
Lipides : 16 g	Cholestérol :	43 mg
Glucides : 6 g	Fibres :	0,5 g

375 g (13 oz) de fromage à la crème, ramolli

125 ml (½ tasse) de margarine, ramollie

125 ml (½ tasse) de farine

15 ml (1 c. à soupe) de beurre

1 oignon, haché

250 g (½ lb) de champignons, tranchés finement

2 ml (½ c. à thé) de sel

1 ml (¼ c. à thé) de thym

30 ml (2 c. à soupe) de farine

60 ml (¼ tasse) de crème sure

1 œuf battu

Mélanger le fromage, la margarine et la farine au robot, jusqu'à ce que la préparation forme une boule.

Diviser en deux portions et emballer séparément dans une pellicule de plastique. Réfrigérer 1 heure.

Préchauffer le four à 200 °C (400 °F).

Faire chauffer le beurre dans un poêlon. Y faire revenir l'oignon et les champignons 5 minutes environ, jusqu'à tendreté.

Ajouter le sel, le thym et la farine. Bien mélanger. Incorporer la crème sure. Laisser tiédir.

Sur une surface farinée, abaisser la moitié de la pâte en une mince couche.

À l'emporte-pièce, y tailler des cercles de 7 cm (2 ¾ po) de diamètre.

Déposer 5 ml (1 c. à thé) de garniture aux champignons sur chaque cercle, puis en badigeonner les pourtours d'œuf battu.

Replier en demi-lune et presser à l'aide d'une fourchette pour bien sceller.

Déposer les chaussons sur une plaque à pâtisserie non beurrée, puis les badigeonner d'œuf battu.

Pratiquer trois petites incisions sur chacun.

Cuire les chaussons de 10 à 12 minutes, jusqu'à ce qu'ils soient dorés.

Répéter l'opération avec le reste de la pâte et de la garniture.

Gisèle Bélanger,
St-Pamphile

 l'heure du cocktail, ces champignons rivaliseront d'élégance.

 défaut de robot, couper la farine dans le fromage à l'aide de deux couteaux, tout comme pour une pâte brisée.

Champignons farcis aux graines de tournesol

Portions :	4
Préparation :	20 minutes
Cuisson :	30 minutes
Degré de difficulté :	moyen

Énergie : 234 cal	Protéines :	6 g
Lipides : 22 g	Cholestérol :	1 mg
Glucides : 7 g	Fibres :	1,9 g

12   gros champignons

60   ml (¼ tasse) d'huile végétale

5   ml (1 c. à thé) d'oignon haché finement

60   g (2 oz) de tofu, émietté

15   ml (1 c. à soupe) de tamari ou de sauce soya

1   pincée de thym

1   pincée de basilic

1   pincée de sauge

100   ml (⅓ tasse + 5 c. à thé) de graines de tournesol broyées

15   ml (1 c. à soupe) de parmesan râpé

Préchauffer le four à 180 °C (350 °F).

Enlever les pieds des champignons de manière à dégager la cavité des chapeaux. Hacher les pieds.

Faire chauffer l'huile dans un grand poêlon.

Y faire revenir les pieds de champignons, l'oignon et le tofu 8 minutes environ, jusqu'à ce que les champignons soient tendres.

Ajouter le tamari, puis assaisonner de thym, de basilic et de sauge.

Poursuivre la cuisson 2 minutes à feu doux, en remuant de temps en temps.

Retirer du feu et ajouter les graines de tournesol. Bien mélanger.

Placer les chapeaux côte à côte dans un plat peu profond allant au four.

Farcir de la préparation précédente et saupoudrer de parmesan.

Cuire environ 20 minutes. Garnir de persil frais.

Jacqueline Cossette,
Charlesbourg

*P**our une entrée mariant harmonieusement les textures, ces tendres bouchées méritent d'être présentées sur une tranche de courgette bien croquante.*

Châtaignes d'eau au bacon

Portions :	4
Préparation :	10 minutes
Cuisson :	30 minutes
Degré de difficulté :	faible

Énergie : 199 cal	Protéines :	5 g
Lipides : 6 g	Cholestérol :	11 mg
Glucides : 33 g	Fibres :	1,2 g

8   tranches de bacon

16   châtaignes d'eau

125   ml (½ tasse) de cassonade

150   ml (⅔ tasse) de ketchup

Préchauffer le four à 180 °C (350 °F).

Couper les tranches de bacon en deux, sur la largeur.

Enrouler chaque châtaigne dans une demi-tranche de bacon et maintenir en place à l'aide d'un cure-dent.

Déposer les châtaignes côte à côte dans une lèchefrite.

Cuire de 15 à 20 minutes, jusqu'à ce que le bacon soit croustillant.

Dégraisser la lèchefrite.

Dans un bol, mélanger la cassonade et le ketchup.

Verser sur les châtaignes d'eau et poursuivre la cuisson de 8 à 10 minutes.

Servir bien chaud.

Thérèse Mignault,
Alma

*L**a châtaigne d'eau est l'amande du fruit de la macre, une plante aquatique des étangs, aux longues feuilles flottantes ou immergées.*

Chaussons légers aux tomates fraîches

Portions :	25 chaussons
Préparation :	1 heure
Cuisson :	15 minutes
Degré de difficulté :	moyen

Énergie :	90 cal	Protéines :	3 g
Lipides :	8 g	Cholestérol :	20 mg
Glucides :	3 g	Fibres :	0,3 g

500 ml (2 tasses) de tomates
fraîches coupées en cubes

5 échalotes, tranchées finement

5 ml (1 c. à thé) de basilic

5 ml (1 c. à thé) d'origan

Sel et poivre

10 feuilles de pâte filo

125 ml (½ tasse)
de beurre fondu

500 ml (2 tasses)
de cheddar fort râpé

45 ml (3 c. à soupe)
de graines de sésame

Préchauffer le four à 180 °C (350 °F).

Dans un bol, mélanger les tomates et
les échalotes. Assaisonner de basilic
et d'origan. Saler et poivrer.

Badigeonner une feuille de pâte filo
de beurre fondu et couvrir d'une
autre feuille. Couper en cinq bandes,
dans le sens de la largeur.

Déposer 15 ml (1 c. à soupe) de la
préparation de tomates et une égale
quantité de cheddar à environ
2,5 cm (1 po) du bord inférieur droit
de chaque bande. Replier le coin de
la bande en diagonale sur la garniture, de façon à former un angle
droit. Continuer de replier la bande
à angle droit pour former un chausson triangulaire. Badigeonner de
beurre les cinq chaussons obtenus,
puis les saupoudrer de graines de
sésame.

Répéter l'opération avec le reste
des ingrédients, de façon à obtenir
25 chaussons.

Déposer les chaussons côte à côte sur
deux plaques à pâtisserie beurrées,
puis les cuire de 10 à 15 minutes,
jusqu'à ce qu'ils soient dorés.

Lucie Clément-Drolet,
L'Assomption

Courgettes farcies St-Bruno

Portions :	4
Préparation :	20 minutes
Cuisson :	35 minutes
Degré de difficulté :	faible

Énergie :	79 cal	Protéines :	2 g
Lipides :	6 g	Cholestérol :	16 mg
Glucides :	6 g	Fibres :	2 g

2 courgettes (non pelées)

30 ml (2 c. à soupe) de beurre

1 échalote, hachée finement

30 ml (2 c. à soupe)
de poivron vert
haché finement

4 gros champignons,
hachés finement

30 ml (2 c. à soupe)
de céleri haché finement

1 tomate, pelée et
coupée en dés

30 ml (2 c. à soupe)
de concentré
pour bouillon de poulet

30 ml (2 c. à soupe) de
chapelure

Préchauffer le four à 180 °C (350 °F).

Couper les courgettes en deux, hori-
zontalement.

À l'aide d'une cuillère, creuser une
cavité sur toute leur longueur, de
façon à pouvoir les farcir.

Couper en dés la chair prélevée.
Réserver.

Faire fondre le beurre dans un
poêlon, puis y faire revenir
l'échalote de 2 à 3 minutes, à feu
moyen.

Ajouter le poivron, les champignons, le céleri, ainsi que les
dés de tomate et de courgettes.
Bien mélanger.

Poursuivre la cuisson de 4 à
5 minutes. Incorporer le concentré
pour bouillon, ainsi que la
chapelure.

Farcir les demi-courgettes de cette
préparation et cuire environ
30 minutes.

Servir bien chaud.

Micheline Leclerc,
St-Bruno

Pour éviter que les feuilles de pâte filo ne se dessèchent,
les couvrir d'un linge propre et humide en attendant
de les utiliser.

Bien cannelées et biseautées, les courgettes farcies
attendent leur escorte de croûtons à l'ail chauds.

Feuilles de vigne farcies

Portions :	40 feuilles
Préparation :	30 minutes
Cuisson :	1 heure 30 minutes
Degré de difficulté :	moyen

Énergie : 47 cal	Protéines :	3 g
Lipides : 2 g	Cholestérol :	11 mg
Glucides : 3 g	Fibres :	0 g

500 g (1 lb) de bœuf haché
maigre

125 ml (½ tasse) de riz à grains
courts (cru)

5 ml (1 c. à thé) de sel

1 ml (¼ c. à thé) de poivre

1 pot de 500 ml (2 tasses)
de feuilles de vigne

375 ml (1 ½ tasse), environ,
de bouillon de poulet

30 ml (2 c. à soupe) de beurre
fondu

Le jus de 2 citrons

500 ml (2 tasses) de yogourt

1 gousse d'ail, hachée

5 feuilles de menthe fraîches,
hachées

Dans un bol, mélanger le bœuf
haché et le riz.

Saler et poivrer. Réserver.

Blanchir dix feuilles de vigne à la
fois, 20 secondes environ, dans une
casserole d'eau bouillante.

Rincer aussitôt à l'eau froide et
égoutter.

Étendre les feuilles de vigne, puis les
farcir chacune de 15 ml (1 c. à soupe)
de préparation de bœuf.

Rouler chaque feuille de façon à
former un cigare.

Les tasser côte à côte dans une casserole, puis couvrir de bouillon de
poulet.

Amener à ébullition.

Réduire la chaleur et laisser mijoter
1 heure 30 minutes.

Filtrer le bouillon. Ajouter le beurre
et le jus de citron. Bien mélanger. En
arroser les feuilles.

Mélanger le yogourt, l'ail et la menthe. Servir en accompagnement.

Suzanne Gagné,
Stoke

*P*our que le yogourt s'imprègne fortement des parfums
de l'ail et de la menthe fraîche, le réfrigérer au moins
8 heures après lui avoir ajouté un peu d'huile.

Feuilleté aux épinards et au fromage

Portions :	18
Préparation :	30 minutes
Cuisson :	50 minutes
Degré de difficulté :	moyen

Énergie : 93 cal	Protéines :	6 g
Lipides : 6 g	Cholestérol :	51 mg
Glucides : 3 g	Fibres :	0,7 g

3 œufs, battus

600 g (20 oz) d'épinards
décongelés, hachés
et égouttés

325 ml (1 ⅓ tasse) de cottage

250 ml (1 tasse) de feta émiettée

30 ml (2 c. à soupe) de persil
frais haché

30 ml (2 c. à soupe) d'aneth
frais haché

Ciboulette hachée, au goût

1 ml (¼ c. à thé)
de marjolaine

1 ml (¼ c. à thé) de sel

1 ml (¼ c. à thé) de poivre

4 feuilles de pâte filo, coupées
en deux

30 ml (2 c. à soupe) d'huile
d'olive

Préchauffer le four à 190 °C (375 °F).

Dans un bol, mélanger les œufs, les
épinards, le cottage et la feta.
Assaisonner de persil, d'aneth, de
ciboulette et de marjolaine.

Saler et poivrer. Réserver.

Déposer ½ feuille de pâte filo au
fond d'un plat de 30 cm x 23 cm
(12 po x 9 po), allant au four.
Badigeonner d'un peu d'huile
d'olive.

Couvrir de trois autres demi-feuilles
de pâte, en les badigeonnant de la
même façon.

Étaler sur la pâte la garniture
d'épinards.

Couvrir de quatre autres demi-
feuilles de pâte, en procédant
comme précédemment.

Cuire environ 50 minutes, jusqu'à ce
que la croûte soit dorée.

Découper en 18 rectangles.

Si désiré, servir avec une béchamel.

Manon Hamelin,
Repentigny

*L*a pâte filo, ou phyllo, remplace avantageusement
la pâte brisée quand il s'agit de limiter l'apport
calorique d'une entrée.

Fondue de poireaux et fruits de mer

Portions :	6
Préparation :	20 minutes
Cuisson :	10 minutes
Degré de difficulté :	faible

Énergie : 289 cal	Protéines :	15 g
Lipides : 18 g	Cholestérol :	116 g
Glucides : 17 g	Fibres :	2,4 g

5 poireaux (partie blanche)

60 ml (¼ tasse) de beurre

250 ml (1 tasse) de crème 15 %

2 ml (½ c. à thé), ou plus, de cari

250 g (½ lb) de pétoncles, tranchés finement sur l'épaisseur

250 g (½ lb) de crevettes grises décortiquées

Persil, au goût

Laver les poireaux, puis les hacher finement.

Faire fondre 30 ml (2 c. à soupe) de beurre dans un poêlon.

Y faire revenir les poireaux de 8 à 10 minutes environ, à feu moyen, jusqu'à ce qu'ils soient tendres et translucides.

Transvaser la fondue de poireaux dans une casserole et réserver au chaud.

Faire fondre le reste du beurre dans le même poêlon. Y verser la crème et assaisonner de cari. Ajouter les pétoncles et les crevettes.

Tout en mélangeant, laisser mijoter de 2 à 3 minutes environ, à feu moyen.

Répartir la fondue de poireaux dans des assiettes chaudes. Garnir de la préparation de fruits de mer. Saupoudrer de persil.

Si désiré, décorer chaque portion d'une grosse crevette non décortiquée.

Madeleine J. Frenette,
Cap-Santé

*D*es oeufs de lompe, rouges et noirs, couronnent avec brio cette entrée royale, destinée à séduire les plus fins palais.

Fricadelles de courgettes à la muscade

Portions :	25 fricadelles
Préparation :	20 minutes
Cuisson :	7 minutes par poêlée
Dégorgement :	10 minutes
Degré de difficulté :	faible

Énergie : 39 cal	Protéines :	1 g
Lipides : 2 g	Cholestérol :	9 mg
Glucides : 5 g	Fibres :	0,5 g

4 courgettes (non pelées)

22 ml (1 ½ c. à soupe) de gros sel

1 oeuf

1 ml (¼ c. à thé) de muscade

Poivre

250 ml (1 tasse) de farine

45 ml (3 c. à soupe) d'huile d'olive

Couper les courgettes en deux, sur la longueur, et les épépiner.

Les râper, puis les saupoudrer de gros sel.

Laisser dégorger 10 minutes.

Rincer les courgettes à l'eau froide, puis les presser dans un tamis pour en extraire tout le liquide.

Dans un bol, mélanger les courgettes, l'oeuf, la muscade et le poivre.

Ajouter suffisamment de farine pour obtenir une pâte épaisse.

Faire chauffer l'huile dans un poêlon.

Y déposer la pâte par cuillerées et cuire 3 ou 4 minutes de chaque côté.

Yvette Parisien,
Papineauville

*U*n bol de crème sure parmi les fricadelles brûlantes fera germer l'idée d'une rafraîchissante trempette.

Au-dessus du fleuve constellé de fils d'or, des gerbes d'étincelles éclaboussent la ville, puis s'éteignent en pétaradant dans un mystérieux silence. (Montréal)

Tomates farcies de la charcutière

Portions :		8
Préparation :		30 minutes
Cuisson :		30 minutes
Degré de difficulté :		moyen

Énergie : 208 cal	Protéines :	8 g
Lipides : 16 g	Cholestérol :	36 mg
Glucides : 10 g	Fibres :	2,1 g

8 tomates

  Sel, pour le dégorgement

15 ml (1 c. à soupe) de beurre

15 ml (1 c. à soupe) d'huile

1 oignon, haché

125 ml (½ tasse)
  de champignons tranchés

200 g (7 oz) de chair à saucisse

100 g (3 ⅓ oz)
  de jambon blanc, en dés

15 ml (1 c. à soupe) de chapelure

  Sel et poivre

1 échalote, hachée

1 gousse d'ail, hachée

5 ml (1 c. à thé) de persil

5 ml (1 c. à thé) de basilic

15 ml (1 c. à soupe)
  de beurre mélangé à 15 ml
  (1 c. à soupe) de farine

Préchauffer le four à 180 °C (350 °F).

Couper une fine tranche sous les tomates et trancher une calotte au sommet. Les évider. Hacher finement les calottes et la pulpe. Réserver.

Saler légèrement l'intérieur des tomates, puis les laisser dégorger à l'envers sur du papier absorbant.

Faire chauffer le beurre et l'huile dans un poêlon et y faire revenir l'oignon et les champignons 5 minutes environ. Retirer du feu.

Incorporer la chair à saucisse, le jambon et la chapelure. Saler et poivrer.

Farcir les tomates de cette préparation et les placer côte à côte dans un plat allant au four. Cuire 20 minutes environ.

Pendant ce temps, laisser mijoter les calottes et la pulpe 10 minutes environ, dans une petite casserole. Filtrer la sauce obtenue au tamis. Ajouter l'échalote, l'ail, le persil et le basilic.

Retirer les tomates du four et incorporer leur jus de cuisson à la sauce. Ajouter le beurre et la farine. Poursuivre la cuisson en mélangeant, jusqu'à épaississement.

Napper les assiettes de sauce et déposer une tomate farcie dans chacune. Servir aussitôt.

Marie-Thérèse Grégoire,
St-Alexandre

L e dégorgement débarrasse les tomates de leur excédent d'eau, ce qui évite à la farce d'en être imbibée.

Vol-au-vent forestière

Portions :		6
Préparation :		10 minutes
Cuisson :		5 minutes
Degré de difficulté :		faible

Énergie : 380 cal	Protéines :	6 g
Lipides : 28 g	Cholestérol :	34 mg
Glucides : 28 g	Fibres :	2,4 g

90 ml (6 c. à soupe) de beurre

500 g (1 lb) de champignons,
  hachés finement

1 oignon d'Espagne,
  haché finement

5 ml (1 c. à thé) de sel

1 ml (¼ c. à thé) de poivre

1 ml (¼ c. à thé) de thym

30 ml (2 c. à soupe) de farine

125 ml (½ tasse) de yogourt

6 vol-au-vent, réchauffés

Faire chauffer le beurre dans un poêlon.

Y faire revenir les champignons et l'oignon 5 minutes environ, à feu vif, en remuant constamment.

Saler et poivrer.

Ajouter le thym et la farine.

Bien mélanger.

Retirer du feu et incorporer le yogourt.

Garnir les vol-au-vent de cette préparation et servir.

Francine Desrochers-Brodeur,
Roxton Pond

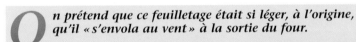

O n prétend que ce feuilletage était si léger, à l'origine, qu'il « s'envola au vent » à la sortie du four.

Roulade au brocoli des Aulnaies

Portions :	8
Préparation :	25 minutes
Cuisson :	35 minutes
Degré de difficulté :	moyen

Énergie :	231 cal	Protéines :	10 g
Lipides :	17 g	Cholestérol :	125 mg
Glucides :	11 g	Fibres :	1,1 g

Chapelure, au goût

45 ml (3 c. à soupe) de beurre

60 ml (¼ tasse) de farine

1 pincée de muscade

2 ml (½ c. à thé)
de moutarde sèche

1 ml (¼ c. à thé) de sel

1 pincée de poivre

500 ml (2 tasses) de lait

125 g (¼ lb)
de cheddar fort râpé

3 blancs d'œufs

3 jaunes d'œufs

750 ml (3 tasses) de brocoli haché

Préchauffer le four à 200 °C (400 °F).

Saupoudrer de chapelure une plaque à pâtisserie chemisée de papier ciré généreusement beurré. Réserver.

Faire fondre le beurre dans une casserole. Ajouter la farine, la muscade et la moutarde. Saler et poivrer.

Tout en mélangeant, ajouter graduellement le lait et poursuivre la cuisson à feu doux, jusqu'à épaississement. Incorporer le cheddar et mélanger jusqu'à ce qu'il ait fondu. Réserver cette sauce au chaud.

Dans un bol, battre les blancs d'œufs jusqu'à formation de pics fermes. Réserver.

Dans un autre bol, fouetter les jaunes d'œufs en ajoutant graduellement la moitié de la sauce.

Incorporer aux blancs d'œufs en pliant délicatement à l'aide d'une spatule de caoutchouc.

Verser cette pâte à soufflé dans la plaque à pâtisserie et cuire environ 20 minutes.

Pendant ce temps, cuire le brocoli 5 minutes environ dans une casserole d'eau bouillante salée, jusqu'à tendreté. Égoutter.

Renverser le soufflé cuit sur un linge et en retirer le papier. Saupoudrer le soufflé de chapelure et y étendre le brocoli, ainsi que la moitié de la sauce qui reste. Rouler et trancher.

Servir avec le reste de la sauce.

Antoinette Dupuis,
St-Roch-des-Aulnaies

Cuit dans une plaque à pâtisserie, ce soufflé mince et léger, impossible à rater, ne risque pas de s'affaisser à sa sortie du four.

Tomates farcies aux spaghettis

Portions :	12
Préparation :	15 minutes
Cuisson :	5 minutes
Dégorgement :	10 minutes
Degré de difficulté :	faible

Énergie :	99 cal	Protéines :	3 g
Lipides :	6 g	Cholestérol :	18 mg
Glucides :	8 g	Fibres :	1 g

12 tomates

Sel, pour le dégorgement

250 ml (1 tasse) de spaghettis cuits

250 ml (1 tasse) de béchamel épaisse, chaude (votre recette ou du commerce)

250 ml (1 tasse) de fromage râpé

Sel et poivre

Persil, au goût

Chapelure, au goût

30 ml (2 c. à soupe) de beurre

Couper une fine tranche sous les tomates, pour leur éviter de rouler, et trancher une calotte au sommet. Les évider à l'aide d'une petite cuillère.

Réserver la pulpe pour un usage ultérieur.

Saler légèrement l'intérieur des tomates. Renverser et laisser dégorger 10 minutes, sur du papier absorbant.

Mélanger les spaghettis, la béchamel chaude et le fromage râpé. Saler et poivrer.

Farcir les tomates de cette préparation, puis les saupoudrer de persil et de chapelure. Garnir de noisettes de beurre.

Placer les tomates côte à côte dans un plat allant au four, puis les gratiner de 3 à 5 minutes, sous le gril.

Servir sur des feuilles de laitue et décorer de persil.

Jeannine St-Pierre,
Courcelles

Qui a dit qu'on ne pouvait rien faire d'un reste de spaghettis? Ces tomates farcies sont la preuve éloquente du contraire.

Entrées chaudes

Entrées chaudes
Pâtes et crêpes

Coquillettes aux tomates et au basilic

Portions :	4
Préparation :	10 minutes
Cuisson :	30 minutes
Degré de difficulté :	faible

Énergie : 246 cal	Protéines :	3 g
Lipides : 18 g	Cholestérol :	0 mg
Glucides : 19 g	Fibres :	1,7 g

250 ml (1 tasse) de coquillettes

15 ml (1 c. à soupe) d'huile

2 grosses tomates, coupées en petits dés

60 ml (¼ tasse) d'huile d'olive

15 ml (1 c. à soupe) de basilic frais haché

Persil, au goût

Sel et poivre

Préchauffer le four à 180 °C (350 °F).

Faire cuire les pâtes de 7 à 8 minutes dans une casserole d'eau bouillante salée additionnée de 15 ml (1 c. à soupe) d'huile d'olive.

Égoutter et déposer dans un plat allant au four.

Ajouter les tomates, l'huile d'olive et le basilic haché.

Saupoudrer de persil, au goût.

Saler et poivrer.

Couvrir et réchauffer 20 minutes environ.

Noëlla Boutin,
St-Athanase

*P*our servir froid, ajouter simplement les tomates, l'huile et les assaisonnements aux pâtes cuites, avant de les réfrigérer 1 heure.

Crêpes aux asperges laurentiennes

Portions :	24 crêpes
Préparation :	30 minutes
Cuisson :	50 minutes
Degré de difficulté :	moyen

Énergie : 127 cal	Protéines :	5 g
Lipides : 9 g	Cholestérol :	59 mg
Glucides : 8 g	Fibres :	0,4 g

4 œufs

315 ml (1 ¼ tasse) de lait

125 ml (½ tasse) de farine

1 pincée de muscade

2 ml (½ c. à thé) de sel

7 ml (1 ½ c. à thé) de sucre

2 boîtes de 340 ml (12 oz) d'asperges, égouttées

125 ml (½ tasse) de beurre

125 ml (½ tasse) de farine

2 ml (½ c. à thé) de sel

1 pincée de poivre

1 l (4 tasses) de lait

250 ml (1 tasse) de cheddar râpé

Battre les œufs dans un bol. Incorporer le lait et la farine. Ajouter la muscade, le sel et le sucre. Mélanger jusqu'à consistance lisse.

Badigeonner de beurre un poêlon de 12 cm (5 po) de diamètre. Y verser juste assez de pâte pour en couvrir le fond. Cuire jusqu'à ce que des bulles se forment à la surface de la crêpe. Retourner et poursuivre la cuisson 30 secondes environ.

Répéter l'opération jusqu'à épuisement de la pâte.

Déposer 1 ou 2 asperges sur chaque crêpe, puis rouler en un cylindre. Déposer les crêpes côte à côte dans un plat allant au four.

Préchauffer le four à 200 °C (400 °F).

Faire fondre le beurre dans une casserole. Incorporer la farine. Saler et poivrer. Ajouter le lait et poursuivre la cuisson tout en mélangeant, jusqu'à épaississement. Ajouter le fromage et mélanger jusqu'à ce qu'il ait fondu.

Verser la sauce sur les crêpes et cuire 20 minutes.

Claire Perroux,
St-Laurent

*O*n vend, dans les boutiques de cuisine, une crêpière électrique qui permet de réaliser des crêpes aussi fines que la plus délicate dentelle.

Entrées chaudes
Poissons et fruits de mer

Chaussons au saumon

Portions :	4
Préparation :	20 minutes
Cuisson :	20 minutes
Degré de difficulté :	faible

Énergie : 647 cal	Protéines :	21 g
Lipides : 47 g	Cholestérol :	49 mg
Glucides : 35 g	Fibres :	1,7 g

1 boîte de 213 g (7 oz) de saumon, égoutté

1 branche de céleri, hachée

½ poivron vert, haché finement

5 ml (1 c. à thé) d'échalote hachée

1 pincée de poivre

2 ml (½ c. à thé) d'estragon

125 ml (½ tasse) de fromage râpé

60 ml (¼ tasse) de mayonnaise

250 g (½ lb) de pâte feuilletée

1 jaune d'œuf battu

1 boîte de 284 ml (10 oz) de crème de champignons

150 ml (⅔ tasse) de lait

Préchauffer le four à 190 °C (375 °F).

Mélanger le saumon, le céleri, le poivron et l'échalote. Assaisonner de poivre et d'estragon. Incorporer le fromage et la mayonnaise. Réserver.

Sur une surface farinée, abaisser la pâte feuilletée en une mince couche. À l'aide d'un emporte-pièce d'environ 9 cm (3 ¾ po) de diamètre, y tailler huit cercles. Y répartir la préparation de saumon, puis en badigeonner les pourtours de jaune d'œuf battu. Replier en demi-lunes. Déposer sur une plaque à pâtisserie. Cuire 20 minutes.

Faire chauffer la crème de champignons et le lait à feu doux, tout en mélangeant. Servir les chaussons chauds, nappés de sauce.

Suzanne Gaudet-St-Pierre,
Ste-Foy

À **défaut de pâte feuilletée, on peut tout simplement utiliser des tranches de pain, ou encore, de la pâte à chaussons prête à cuire, du commerce.**

Aumônières farcies du cardinal des mers

Portions :	4
Préparation :	30 minutes
Cuisson :	15 minutes
Degré de difficulté :	moyen

Énergie : 1032 cal	Protéines :	17 g
Lipides : 99 g	Cholestérol :	342 mg
Glucides : 10 g	Fibres :	0,8 g

4 feuilles de pâte filo

100 ml (⅓ tasse + 5 c. à thé) de beurre fondu (clarifié, de préférence)

8 feuilles d'épinards, blanchies et égouttées

250 g (½ lb) de homard, tranché finement

250 ml (1 tasse) de vin blanc sec

90 ml (⅓ tasse + 1 c. à soupe) de fumet de poisson (votre recette ou du commerce)

30 ml (2 c. à soupe) d'échalotes hachées

350 ml (1 ⅓ tasse + 5 c. à thé) de crème 35 %

Sel et poivre

60 ml (¼ tasse) de jus de citron

250 ml (1 tasse) de beurre

Préchauffer le four à 190 °C (375 °F).

Badigeonner une feuille de pâte filo de beurre clarifié, puis la plier en quatre. Badigeonner de nouveau.

Déposer au centre le quart des épinards, puis le quart du homard.

Ramener les coins de la pâte au centre, puis exercer une légère torsion, juste au-dessus de la farce, pour former une aumônière (bourse).

Procéder de la même façon pour les trois autres aumônières.

Badigeonner de beurre, puis déposer sur une plaque à revêtement antiadhésif. Cuire environ 15 minutes, jusqu'à ce que la pâte soit dorée.

Verser le vin et le fumet de poisson dans une casserole. Ajouter les échalotes et laisser réduire de moitié, à feu vif. Ajouter la crème et laisser mijoter à feu doux, jusqu'à ce que le liquide ait réduit de moitié. Saler et poivrer. Ajouter le jus de citron, en remuant au fouet. Incorporer le beurre, morceau par morceau, tout en fouettant jusqu'à consistance onctueuse.

Verser un peu de sauce dans chacune des assiettes, puis y déposer une aumônière farcie.

Diane Desjardins,
Cacouna

P **our clarifier le beurre, faire fondre dans une casserole, puis couler dans un autre récipient, de sorte que le dépôt blanchâtre reste dans la casserole.**

Bouchées au crabe de Chandler

Portions :	48 boulettes
Préparation :	20 minutes
Cuisson :	20 minutes
Degré de difficulté :	faible

Énergie : 58 cal	Protéines :	2 g
Lipides : 5 g	Cholestérol :	13 mg
Glucides : 0,5 g	Fibres :	0,1 g

Huile, pour friture

340 g (12 oz) de crabe cuit
(frais ou décongelé)

Cari, au goût

45 ml (3 c. à soupe)
de jus de citron ou
de limette

Sel, au goût

2 œufs, battus

90 ml (⅓ tasse + 1 c. à soupe)
d'amandes moulues ou de
chapelure

Dans une friteuse, faire chauffer l'huile à 190 °C (375 °F).

Hacher le crabe.

Ajouter le cari et le jus de citron.

Saler, au goût.

Façonner la préparation en 48 boulettes de 2,5 cm (1 po) de diamètre.

Tremper les boulettes dans les œufs battus, puis les passer dans les amandes moulues.

Frire les boulettes 5 minutes environ, douze à la fois.

Égoutter sur du papier absorbant et réserver au chaud.

Anonyme,
Chandler

Bouchées feuilletées aux crevettes

Portions :	6
Préparation :	20 minutes
Cuisson :	15 minutes
Degré de difficulté :	faible

Énergie : 416 cal	Protéines :	19 g
Lipides : 28 g	Cholestérol :	159 mg
Glucides : 23 g	Fibres :	1,3 g

30 ml (2 c. à soupe) de beurre

500 g (1 lb) de crevettes grises,
décortiquées et hachées

2 échalotes, hachées

Sel et poivre

6 champignons, hachés

15 ml (1 c. à soupe) de persil

5 ml (1 c. à thé) de cari

375 ml (1 ½ tasse) de sauce
Béchamel (votre recette ou
du commerce)

60 ml (¼ tasse) de cheddar ou
de mozzarella râpée

6 vol-au-vent

Préchauffer le four à 200 °C (400 °F).

Faire fondre le beurre dans une casserole, puis y faire revenir les crevettes et les échalotes 3 minutes environ, à feu moyen. Saler et poivrer.

Ajouter les champignons, le persil et le cari. Poursuivre la cuisson 2 ou 3 minutes. Ajouter la béchamel et le fromage.

Tout en mélangeant, poursuivre la cuisson quelques minutes, à feu doux, jusqu'à ce que le fromage ait fondu.

Farcir les vol-au-vent de cette préparation, puis les déposer sur une plaque à pâtisserie.

Cuire de 7 à 8 minutes, jusqu'à ce qu'ils soient dorés.

Servir sur des feuilles de laitue et garnir de persil.

Jacqueline Lessard,
Courcelles

n prévision des invités surprises, congeler les bouchées au crabe. Juste avant de servir, les réchauffer 20 minutes, sans les décongeler, au four préchauffé à 200 °C (400 °F).

On peut remplacer les crevettes par du poulet ou du saumon, ou encore, doubler la quantité des ingrédients requis pour servir en plat principal.

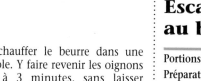

Crevettes nordiques en coquille

Portions :	8
Préparation :	40 minutes
Cuisson :	25 minutes
Degré de difficulté :	moyen

Énergie : 469 cal	Protéines :	16 g
Lipides : 32 g	Cholestérol :	100 mg
Glucides : 28 g	Fibres :	1 g

Pâte brisée pour 2 abaisses (p. 445)

30   ml (2 c. à soupe) de beurre

60   ml (¼ tasse) d'oignons hachés finement

60   ml (¼ tasse) de farine

375 ml (1 ½ tasse) de lait chaud

125 ml (½ tasse) de crème 35 %

Sel et poivre

150 ml (⅔ tasse) de gruyère râpé

1   ml (¼ c. à thé) de muscade

375 ml (1 ½ tasse) de crevettes nordiques cuites et décortiquées

250 ml (1 tasse), environ, de mozzarella râpée

Préchauffer le four à 190 °C (375 °F).

Diviser la pâte en huit boules. Sur une surface farinée, abaisser chaque boule en un cercle d'environ 18 cm (7 po) de diamètre.

Mouler chaque abaisse sur le côté galbé d'une coquille Saint-Jacques, en ayant soin d'en replier les rebords sous la coquille pour bien l'y fixer.

Déposer sur l'abaisse une autre coquille Saint-Jacques.

Cuire de 8 à 10 minutes, puis démouler délicatement. Réserver.

Réduire la chaleur du four à 180 °C (350 °F).

Faire chauffer le beurre dans une casserole. Y faire revenir les oignons de 2 à 3 minutes, sans laisser prendre couleur.

Ajouter la farine et poursuivre la cuisson 2 minutes, en mélangeant.

Ajouter le lait chaud et la crème.

Saler et poivrer.

Tout en mélangeant, poursuivre la cuisson de 3 à 4 minutes, jusqu'à épaississement.

Ajouter le gruyère et assaisonner de muscade. Faire mijoter à feu doux, en remuant constamment, jusqu'à ce que le fromage soit fondu.

Incorporer les crevettes.

Garnir les coquilles de la préparation de crevettes, puis les déposer sur une plaque à pâtisserie. Saupoudrer de mozzarella.

Cuire environ 8 minutes.

Servir aussitôt.

Émilia Marquis,
Grosses-Roches

Escalopes de saumon au beurre à l'échalote

Portions :	4
Préparation :	30 minutes
Cuisson :	7 minutes
Refroidissement :	30 minutes
Degré de difficulté :	moyen

Énergie : 644 cal	Protéines :	42 g
Lipides : 51 g	Cholestérol :	193 mg
Glucides : 4 g	Fibres :	1,6 g

125 g (¼ lb) de beurre à l'échalote (votre recette ou du commerce)

625 g (1 ¼ lb) de filets de saumon

75   ml (⅓ tasse) de beurre

350 ml (1 ½ tasse) de fèves vertes cuites

15   ml (1 c. à soupe) de sel

5   ml (1 c. à thé) de poivre

Jus de ¼ de citron

Rouler le beurre à l'échalote dans du papier ciré, de façon à former un cylindre. Réfrigérer au moins 30 minutes, jusqu'à fermeté.

Laver les filets de saumon et bien les assécher. À l'aide d'un couteau, couper le saumon en fines tranches obliques, sur l'épaisseur. Réserver.

Faire chauffer 30 ml (2 c. à soupe) de beurre dans un poêlon. Y faire revenir les fèves 2 ou 3 minutes. Saler et poivrer. Réserver au chaud.

Faire fondre le reste du beurre dans un poêlon, puis y déposer les escalopes. Saler et poivrer. Arroser de jus de citron et laisser mijoter 2 minutes, à feu doux. Retourner les escalopes. Couvrir et poursuivre la cuisson 2 minutes. Réserver.

Couper le cylindre de beurre à l'échalote en quatre rondelles. Réserver.

Déposer les fèves au centre des assiettes, puis y répartir les escalopes de saumon. Garnir de rondelles de beurre à l'échalote.

Anonyme,
St-Maxime

*P*our parer aux imprévus, on peut congeler les coquilles de pâte brisée précuites et les garnir, au choix, selon la recette choisie.

*P*our canneler les citrons, pratiquer de fines rainures sur la longueur, à l'aide d'un zesteur, puis les trancher finement.

Pain de poisson sans façon

Portions :	16
Préparation :	20 minutes
Cuisson :	40 minutes
Degré de difficulté :	faible

Énergie : 135 cal	Protéines :		18 g
Lipides :	6 g	Cholestérol : 134 mg
Glucides :	2 g	Fibres :	0,4 g

60 ml (¼ tasse) d'eau froide

15 ml (1 c. à soupe) de gélatine

1 kg (2 lb) de filets de poisson, cuits à la vapeur

7 œufs

1 boîte de 156 g (5 ½ oz) de pâte de tomate

125 ml (½ tasse) de crème 35 %

Sel et poivre

Préchauffer le four à 160 °C (300 °F).

Verser l'eau froide dans un bol. Saupoudrer de gélatine et laisser gonfler 5 minutes.

Dans un bol, écraser le poisson à la fourchette.

Ajouter les œufs, la pâte de tomate et la crème. Mélanger jusqu'à consistance homogène. Saler et poivrer.

Faire fondre la gélatine au bain-marie, puis l'incorporer à la préparation précédente.

Verser dans deux moules à pain beurrés.

Déposer ces derniers dans un grand plat contenant de l'eau et couvrir de papier d'aluminium.

Cuire 40 minutes environ, jusqu'à ce que le pain de poisson se détache des parois du moule. Laisser tiédir et couper en tranches.

Servir tiède ou froid, avec des tranches de citron ou de langoustine. Accompagner d'une mayonnaise maison.

Thérèse Néel,
Mont-Saint-Grégoire

Gâteau roulé au saumon

Portions :	12
Préparation :	30 minutes
Cuisson :	30 minutes
Degré de difficulté :	moyen

Énergie : 316 cal	Protéines :		14 g
Lipides :	20 g	Cholestérol : 105 mg
Glucides :	20 g	Fibres :	0,8 g

Pâte brisée pour 2 abaisses (p. 445)

1 boîte de 440 g (15,5 oz) de saumon

60 ml (¼ tasse) de lait

30 ml (2 c. à soupe) de jus de citron

1 oignon, râpé

22 ml (1 ½ c. à soupe) de persil haché

2 ml (½ c. à thé) de sel

1 gousse d'ail, hachée

60 ml (¼ tasse) de beurre

60 ml (¼ tasse) de farine

Sel et poivre

500 ml (2 tasses) de lait

4 œufs durs, hachés

5 ml (1 c. à thé) de persil haché

Préchauffer le four à 180 °C (350 °F).

Sur une surface farinée, abaisser la pâte en un rectangle de 38 cm x 25 cm (15 po x 10 po). Réserver.

Dans un bol, mélanger le saumon, le lait, le jus de citron, l'oignon, le persil, le sel et l'ail.

Étendre cette préparation sur le rectangle de pâte, jusqu'à 1 cm (½ po) des bords. Rouler en un cylindre. Déposer sur une plaque à pâtisserie beurrée, et cuire environ 30 minutes, jusqu'à ce que la pâte soit dorée.

Faire fondre le beurre dans une casserole. Incorporer la farine. Saler et poivrer.

Ajouter le lait et poursuivre la cuisson tout en mélangeant, jusqu'à épaississement. Incorporer les œufs et le persil hachés.

Couper le cylindre en tranches et napper chaque portion de sauce aux œufs.

Madeleine Dufour,
Prévost

Vous pouvez congeler les restes de poisson émiettés au fur et à mesure, jusqu'à ce qu'il y en ait suffisamment pour préparer un pain, soit environ 1 l (4 tasses).

Pour une sauce citronnée à l'oseille, ajouter quelques gouttes de jus de citron et 5 ml (1 c. à thé) d'oseille hachée à 500 ml (2 tasses) de sauce Béchamel.

Roulade de pétoncles

Portions :	8
Préparation :	45 minutes
Cuisson :	25 minutes
Degré de difficulté :	moyen

Énergie :	349 cal	Protéines :	8 g
Lipides :	30 g	Cholestérol :	119 mg
Glucides :	10 g	Fibres :	1,4 g

1   gousse d'ail

250 g (½ lb) de pétoncles

1   œuf

1   pincée de sel

1   pincée de piment de Cayenne

125 ml (½ tasse) de crème 15 %

5   ml (1 c. à thé) d'estragon

8   feuilles de pâte filo

125 ml (½ tasse) de beurre fondu

60   ml (¼ tasse) de farine
     de maïs, pour saupoudrer

1   l (4 tasses) d'épinards crus
     hachés

75   ml (⅓ tasse) de crevettes
     grises, cuites et décortiquées

250 ml (1 tasse) de vin blanc sec

2   échalotes, tranchées

8   grains de poivre

5   ml (1 c. à thé) d'estragon

5   ml (1 c. à thé) de crème 15 %

125 ml (½ tasse) de beurre

1   pincée de sel

Préchauffer le four à 190 °C (375 °F).

Hacher l'ail au robot culinaire. Ajouter les pétoncles et l'œuf. Saler et assaisonner de piment de Cayenne. Actionner de nouveau l'appareil jusqu'à ce que le tout soit haché très finement. Sans cesser de mélanger, incorporer la crème en un mince filet, jusqu'à consistance homogène. Transvaser dans un bol et assaisonner d'estragon. Laisser refroidir.

Placer une feuille de pâte filo sur du papier ciré, puis la badigeonner de beurre fondu. Saupoudrer de farine de maïs. Répéter l'opération en superposant les autres feuilles.

Étaler les épinards sur le rectangle de pâte. Étendre la mousse de pétoncles sur la longueur du rectangle, tout près du bord, en une bande de 5 cm (2 po) de largeur. Y enfoncer les crevettes à intervalles réguliers.

En se servant du papier ciré, rouler le rectangle en un cylindre, sur la largeur, en commençant par le côté mousse.

Placer sur une plaque à pâtisserie beurrée et cuire de 20 à 25 minutes, jusqu'à ce que la pâte soit dorée.

Dans une casserole, amener le vin à ébullition avec les échalotes, le poivre et l'estragon.

Laisser frémir 10 minutes environ, jusqu'à ce que le liquide ait réduit de moitié.

À feu très doux, ajouter la crème, le beurre et le sel en fouettant constamment, jusqu'à épaississement.

Couper le cylindre en tranches diagonales et servir avec la sauce.

Christine Tremblay,
Repentigny

*P*our obtenir des tranches oblongues, tel qu'illustré, rouler la pâte en demi-sphère. L'effet n'en sera que plus spectaculaire, et vous récolterez deux fois plus d'ovations.

Soufflés de pétoncles à la crème

Portions :	4
Préparation :	20 minutes
Cuisson :	25 minutes
Degré de difficulté :	moyen

Énergie : 224 cal	Protéines :	10 g
Lipides : 19 g	Cholestérol :	269 g
Glucides : 4 g	Fibres :	0

150 g (5 oz) de pétoncles frais

2 œufs

2 jaunes d'œufs

125 ml (½ tasse) de crème 35 %

125 ml (½ tasse) de lait

10 ml (2 c. à thé)
de vermouth ou
de vin blanc

Sel et poivre du moulin

1 pincée de piment
de Cayenne

Feuilles de laitue Boston

Préchauffer le four à 200 °C (400 °F).

Déposer les pétoncles, les œufs et les jaunes d'œufs dans le récipient du mélangeur.

Actionner l'appareil jusqu'à consistance crémeuse. Ajouter la crème, le lait et le vermouth.

Saler et poivrer.

Assaisonner de piment de Cayenne, puis actionner l'appareil quelques secondes, jusqu'à consistance homogène.

Verser cette préparation dans quatre ramequins généreusement beurrés.

Déposer ceux-ci dans une lèchefrite, puis y verser de l'eau jusqu'au tiers de la hauteur des ramequins.

Cuire les soufflés 25 minutes, jusqu'à ce qu'ils soient dorés et bien gonflés.

Servir dans des assiettes individuelles tapissées de laitue.

Suzanne Fiset,
Berthier-sur-Mer

Vol-au-vent « marée haute »

Portions :	4
Préparation :	20 minutes
Cuisson :	10 minutes
Degré de difficulté :	faible

Énergie : 703 cal	Protéines :	25 g
Lipides : 57 g	Cholestérol : 253 mg
Glucides : 24 g	Fibres :	1,5 g

30 ml (2 c. à soupe) de beurre

1 échalote, hachée

227 g (½ lb) de crevettes
nordiques décongelées

227 g (½ lb) de goberge
décongelée

375 ml (1 ½ tasse) de crème 35 %

Sel et poivre

5 ml (1 c. à thé)
de fécule de maïs

15 ml (1 c. à soupe) d'eau

1 poivron vert, en dés

1 poivron rouge, en dés

4 gros vol-au-vent

Paprika, au goût

Faire chauffer 15 ml (1 c. à soupe) de beurre dans une casserole, puis y faire revenir l'échalote 1 minute, à feu vif.

Ajouter les crevettes et la goberge, et poursuivre la cuisson 2 minutes.

Réduire la chaleur du feu et ajouter la crème. Saler et poivrer. Poursuivre la cuisson 2 ou 3 minutes, juste pour réchauffer.

Délayer la fécule dans l'eau, et en épaissir la sauce, au besoin.

Réserver au chaud.

Dans une autre casserole, faire chauffer le reste du beurre. Y faire revenir les dés de poivrons 3 minutes environ, à feu moyen-vif. Incorporer à la préparation précédente.

Verser la sauce aux fruits de mer sur les vol-au-vent.

Saupoudrer de paprika.

Simonne Pinsonneault,
St-Rémi

Quand il s'agit de pétoncles, on se méprend souvent sur le genre. Pourtant, la féminité ne saurait convenir à ce mollusque robuste, par ailleurs tendre et délicat.

Les savoureuses « crevettes de Matane », qui font chaque année l'objet d'un célèbre festival, ont pour appellation véritable celle de « crevettes nordiques ».

Crevettes en coupe mystère

Portions :		8
Préparation :		40 minutes
Cuisson :		20 minutes
Degré de difficulté :		moyen

Énergie : 378 cal	Protéines :	17 g
Lipides : 22 g	Cholestérol :	103 g
Glucides : 28 g	Fibres :	1,1 g

Pâte brisée pour 2 abaisses
(p. 445)

Beurre fondu,
pour badigeonner

15   ml (1 c. à soupe) de beurre

1   oignon, tranché finement

60   ml (¼ tasse) de céleri tranché
finement

2   gousses d'ail, hachées

Sel et poivre

30   ml (2 c. à soupe) de farine

500   ml (2 tasses) de lait

500   g (1 lb) de crevettes grises,
cuites et décortiquées

Préchauffer le four à 200 °C (400 °F).

Abaisser la pâte sur une surface
farinée, puis la tailler en lanières de
2,5 cm (1 po) de largeur.

Badigeonner les lanières de beurre,
puis les enrouler en spirale autour de
moules pour cornets en métal, de
façon à les couvrir entièrement.

Cuire de 15 à 20 minutes, jusqu'à ce
que la pâte soit dorée.

Pendant ce temps, préparer la sauce
aux crevettes.

Faire fondre le beurre dans une
casserole.

Y faire revenir l'oignon, le céleri et
l'ail, de 5 à 8 minutes, à feu moyen,
sans laisser prendre couleur. Saler et
poivrer.

Saupoudrer de farine et bien
mélanger. Incorporer le lait et amener à ébullition, tout en brassant.

Réduire la chaleur et faire mijoter
5 minutes environ, en remuant
constamment, jusqu'à épaississement.

Ajouter les crevettes et poursuivre la
cuisson 2 ou 3 minutes, juste pour
réchauffer.

Démouler les cornets de pâte et les
remplir de sauce aux crevettes.
Coucher les cornets dans les
assiettes. Si désiré, garnir de crevettes
et de tranches de citron.

Simone Routhier,
Thetford-Mines

À *défaut de moules pour cornets, enrouler la pâte autour*
de véritables cornets qu'il suffira ensuite d'émietter.

Vol-au-vent maritimes

Portions :		6
Préparation :		25 minutes
Cuisson :		15 minutes
Degré de difficulté :		faible

Énergie : 456 cal	Protéines :	16 g
Lipides : 30 g	Cholestérol :	80 mg
Glucides : 27 g	Fibres :	1 g

105   ml (⅓ tasse + 2 c. à soupe)
de beurre

125   ml (½ tasse) d'oignons hachés

125   ml (½ tasse) de champignons

375   ml (1 ½ tasse) de fumet
de poisson

250   ml (1 tasse)
de filet de turbot haché

250   ml (1 tasse)
de goberge hachée

60   ml (¼ tasse) de pétoncles

1   feuille de laurier

5   ml (1 c. à thé) de sel

2   ml (½ c. à thé) de poivre

90   ml (⅓ tasse + 1 c. à soupe)
de farine

15   ml (1 c. à soupe)
de jus de citron

125   ml (½ tasse)
de vin blanc sec

5   ml (1 c. à thé) de pâte
de tomate

1   ml (¼ c. à thé) de fines herbes

1   ml (¼ c. à thé) de thym haché

1   ml (¼ c. à thé) d'origan

1   pincée de paprika

60   ml (¼ tasse) de crevettes
nordiques cuites
et décortiquées

60   ml (¼ tasse) d'huîtres
fumées

6   vol-au-vent

Faire fondre 15 ml (1 c. à soupe) de
beurre dans une casserole. Ajouter
les oignons et les champignons.
Couvrir et laisser fondre. Ajouter le
fumet de poisson et amener à ébullition. Ajouter le turbot, la goberge,
les pétoncles et la feuille de laurier.
Saler et poivrer. Laisser mijoter
2 minutes.

Passer la préparation dans une passoire, en ayant soin de recueillir le
bouillon de cuisson. Réserver. Jeter la
feuille de laurier.

Faire fondre le reste du beurre dans
une autre casserole. Retirer du feu et
ajouter la farine. Bien mélanger.
Ajouter le bouillon de cuisson
réservé, le jus de citron, le vin blanc
sec et la pâte de tomate. Assaisonner
de fines herbes, de thym, d'origan et
de paprika. Amener à ébullition.
Réduire la chaleur et laisser mijoter
3 minutes, jusqu'à épaississement.

Verser la sauce sur les poissons, puis
ajouter les crevettes et les huîtres.
Servir sur des vol-au-vent.

Jeannette Mélançon,
Montmorency

L *e vent salin du large est chargé d'inspiration gourmande.*
Turbot, goberge, pétoncles, crevettes et huîtres fumées
orchestrent dans l'assiette un déferlement de saveurs.

Entrées chaudes

Entrées chaudes
Tartelettes et quiches

Mini-quiches aux asperges

Portions :	12
Préparation :	15 minutes
Cuisson :	5 minutes
Degré de difficulté :	faible

Énergie : 180 cal	Protéines :	5 g
Lipides : 14 g	Cholestérol : 127 mg
Glucides : 9 g	Fibres :	0,5 g

6   œufs

2   ml (½ c. à thé) de sel

1   ml (¼ c. à thé) de poivre

150   ml (⅔ tasse) de crème 15 %

30   ml (2 c. à soupe) de beurre

1   boîte de 284 ml (10 oz) d'asperges, égouttées et coupées en morceaux

12   croûtes pour tartelettes ou 4 croûtes de 15 cm (6 po) de diamètre, réchauffées (votre recette ou du commerce)

    Paprika, au goût

Dans un bol, battre les œufs en mousse légère.

Saler et poivrer.

Ajouter la crème et bien mélanger.

Faire fondre le beurre au bain-marie.

Ajouter la préparation précédente et chauffer tout en mélangeant, jusqu'à épaississement.

Incorporer les asperges.

Verser dans les croûtes réchauffées et saupoudrer de paprika. Servir.

*Jeannine Ouellet,
St-Alexandre-de-Kamouraska*

Dans les petites quiches, les meilleurs condiments! Pour faire vos délices de celles-ci, optez pour la coriandre, la moutarde sèche ou le thym. Et s'il vous chante de les parfumer, allez-y d'un soupçon de jus de citron.

Quiche à l'effeuillée d'endives

Portions :	8
Préparation :	20 minutes
Cuisson :	1 heure 5 minutes
Degré de difficulté :	faible

Énergie : 449 cal	Protéines :	16 g
Lipides : 34 g	Cholestérol : 183 mg
Glucides : 22 g	Fibres :	4,5 g

    Pâte brisée pour 1 abaisse (p. 445)

125   ml (½ tasse) de beurre

4   endives, en rondelles

1   oignon, haché

250   ml (1 tasse) de gruyère râpé

250   ml (1 tasse) de jambon en dés

4   œufs

250   ml (1 tasse) de crème 15 %

    Sel et poivre

    Muscade, au goût

Préchauffer le four à 190 °C (375 °F).

Abaisser la pâte sur une surface farinée, puis en foncer un moule à quiche de 23 cm (9 po) de diamètre.

Faire fondre le beurre dans une casserole.

Y faire revenir les endives et l'oignon de 5 à 8 minutes environ, sans laisser prendre couleur.

Laisser refroidir, puis étendre dans l'abaisse.

Parsemer de gruyère et de dés de jambon. Réserver.

Dans un bol, battre les œufs et la crème.

Saler et poivrer. Assaisonner de muscade. Verser dans l'abaisse.

Cuire environ 1 heure. Servir immédiatement.

*Rita Laplante,
Rouyn-Noranda*

L'aguichante quiche est très polyvalente.

Tarte aux tomates et au cheddar

Portions :	8
Préparation :	10 minutes
Cuisson :	45 minutes
Degré de difficulté :	faible

Énergie : 210 cal	Protéines :	7 g
Lipides :	14 g	Cholestérol :	18 mg
Glucides :	16 g	Fibres :	1,4 g

1   abaisse de pâte brisée précuite (p. 445)

15   ml (1 c. à soupe) de moutarde forte

250   ml (1 tasse) de cheddar fort râpé

4   tomates, tranchées finement

10   ml (2 c. à thé) de sucre

    Fines herbes, au goût

    Sel et poivre

6   tranches épaisses de tomate

75   ml (⅓ tasse) de mozzarella râpée

Préchauffer le four à 150 °C (300 °F).

Badigeonner l'abaisse de moutarde forte, puis saupoudrer de cheddar râpé.

Couvrir des fines tranches de tomates.

Saupoudrer de sucre et assaisonner de fines herbes, au goût. Saler et poivrer.

Garnir de tranches de tomate épaisses et saupoudrer de mozzarella.

Cuire 45 minutes, jusqu'à ce que le fromage soit doré.

Anonyme,
Lachine

Tartelettes au thon et au p'tit cheddar

Portions :	8
Préparation :	15 minutes
Cuisson :	15 minutes
Degré de difficulté :	faible

Énergie : 272 cal	Protéines :	12 g
Lipides :	19 g	Cholestérol :	40 g
Glucides :	13 g	Fibres :	0,3 g

1   boîte de 235 g (8 oz) de pâte pour croissants, prête à cuire

1   boîte de 170 g (6 oz) de thon égoutté

75   ml (⅓ tasse) de céleri haché

75   ml (⅓ tasse) de mayonnaise

250   ml (1 tasse) de cheddar râpé

30   ml (2 c. à soupe) d'échalotes hachées finement

15   ml (1 c. à soupe) de poivron vert haché finement

    Sel et poivre

Préchauffer le four à 190 °C (375 °F).

Foncer huit moules à muffins beurrés de pâte pour croissants. Réserver.

Dans un bol, mélanger le thon, le céleri, la mayonnaise, le cheddar, les échalotes et le poivron.

Saler et poivrer.

Répartir uniformément cette préparation dans les moules à muffins.

Cuire de 10 à 15 minutes, jusqu'à ce que la pâte soit dorée.

Servir chaque portion sur une feuille de laitue.

Gisèle Côté,
St-Basile

Les tartelettes réalisées avec de la pâte pour croissants font un pied-de-nez au traditionnel sandwich qui sonne trop souvent l'heure du lunch.

Tout ce qui fond a pour cela d'excellentes raisons. S'il s'agit du fromage, on l'attribuera à la chaleur. Si c'est vous, on l'attribuera, bien sûr... à sa saveur.

Entrées chaudes

Tartelettes feuilletées aux crevettes

Portions :	8
Préparation :	15 minutes
Cuisson :	20 minutes
Degré de difficulté :	faible

Énergie : 252 cal	Protéines :	8 g
Lipides : 18 g	Cholestérol :	79 mg
Glucides : 14 g	Fibres :	0,3 g

1 boîte de 235 g (8 oz)
de pâte pour croissants,
prête à cuire

15 ml (1 c. à soupe) de beurre

60 ml (¼ tasse)
de champignons
tranchés finement

½ gousse d'ail, hachée

1 oignon, haché finement

250 g (½ lb) de fromage
à la crème

1 boîte de 113 g (4 oz)
de crevettes, égouttées

Sel et poivre

Thym, au goût

Préchauffer le four à 200 °C (400 °F).

Foncer huit moules à muffins beurrés de pâte pour croissants, en la laissant dépasser. Réserver.

Faire fondre le beurre dans un poêlon.

Y faire revenir les champignons, l'ail et l'oignon de 5 à 8 minutes, sans laisser prendre couleur.

Retirer du feu et incorporer le fromage à la crème. Mélanger jusqu'à consistance homogène.

Incorporer les crevettes. Saler et poivrer. Assaisonner de thym.

Répartir uniformément la préparation de crevettes dans les moules, puis replier la pâte sur le dessus.

Cuire 15 minutes, jusqu'à ce que la pâte soit dorée.

Monique D. Gagnon,
Beaumont

Tartelettes gourmandes au crabe des neiges

Portions :	10
Préparation :	10 minutes
Cuisson :	15 minutes
Degré de difficulté :	faible

Énergie : 235 cal	Protéines :	11 g
Lipides : 13 g	Cholestérol :	47 mg
Glucides : 19 g	Fibres :	0,8 g

1 boîte de 113 g (4 oz)
de chair de crabe des neiges,
égouttée

1 boîte de 113 g (4 oz)
de crevettes, égouttées

125 ml (½ tasse) de mayonnaise

250 ml (1 tasse)
de mozzarella râpée

125 ml (½ tasse)
d'échalotes hachées

125 ml (½ tasse) de jus de citron

1 pincée de paprika

2 ml (½ c. à thé) de cari

2 boîtes de 212 g (7 ½ oz)
de pâte pour petits pains,
prête à cuire

Préchauffer le four à 180 °C (350 °F).

Dans un bol, mélanger la chair de crabe, les crevettes, la mayonnaise, la mozzarella, les échalotes et le jus de citron.

Assaisonner de paprika et de cari.

Tout en exerçant une pression, à la fourchette, pour former dans la pâte une cavité, répartir la préparation sur les vingt petits pains.

Cuire de 12 à 15 minutes, jusqu'à ce que les petits pains soient dorés.

Servir deux pains par portion.

Thérèse Leblanc,
St-Denis-de-Brompton

Pour un méli-mélo maritime, on peut utiliser, dans des proportions égales, des crevettes, ainsi que de la chair de crabe et de homard.

Introduite dans la pâte crue à l'aide d'une fourchette, la garniture cuira à l'intérieur de la miche, parfaitement auréolée de sa croûte dorée.

Tarte aux tomates et au fromage d'Oka

Portions :	10
Préparation :	20 minutes
Cuisson :	30 minutes
Dégorgement :	30 minutes
Degré de difficulté :	faible

Énergie : 313 cal	Protéines :	14 g
Lipides : 24 g	Cholestérol :	54 mg
Glucides : 12 g	Fibres :	0,8 g

Pâte brisée pour 1 abaisse
(p. 445)

Sel

3 tomates rouges, en
tranches de 1 cm (½ po)

5 ml (1 c. à thé) de moutarde
forte

500 g (1 lb) de oka, râpé

15 ml (1 c. à soupe) de basilic
frais haché

30 ml (2 c. à soupe)
de parmesan râpé

30 ml (2 c. à soupe) de beurre
fondu

Poivre

Préchauffer le four à 200 °C (400 °F).

Abaisser la pâte sur une surface farinée, puis en foncer une plaque à pizza.

Piquer la pâte à la fourchette.

Cuire de 8 à 10 minutes environ, jusqu'à ce que la croûte soit légèrement dorée. Laisser refroidir.

Réduire la chaleur du four à 180 °C (350 °F).

Saler les tomates et les déposer sur une grille. Les laisser dégorger 30 minutes.

Badigeonner la croûte de moutarde et la saupoudrer de oka râpé.

Y étaler uniformément les tranches de tomates.

Dans un bol, mélanger le basilic, le parmesan, le beurre fondu et le poivre. Verser sur les tomates.

Cuire de 20 à 25 minutes, dans la partie supérieure du four.

Louise Gratton,
Oka

L e Oka, un fromage fabriqué au Québec par les moines trappistes, s'apparente au port-salut, à pâte pressée et à croûte lavée.

Cailles sur canapés de l'arrière-saison

Portions :	4
Préparation :	30 minutes
Cuisson :	30 minutes
Degré de difficulté :	moyen

Énergie : 524 cal	Protéines :	28 g
Lipides : 29 g	Cholestérol :	225 mg
Glucides : 19 g	Fibres :	0,8 g

4 cailles

8 fines lanières de lard
ou de bacon

75 ml (⅓ tasse) de beurre

Sel et poivre

60 ml (¼ tasse) de cognac

250 ml (1 tasse) de raisins frais,
pelés

250 ml (1 tasse) de vin blanc sec

4 tranches de pain, écroûtées

120 g (4 oz) de mousse de foie

Barder chaque caille de deux fines lanières de lard, en disposant celles-ci en croix.

Faire fondre la moitié du beurre dans un poêlon. À feu moyen, y dorer les cailles de toute part, 10 minutes environ. Saler et poivrer. Ajouter le cognac et flamber. Couvrir et poursuivre la cuisson 10 minutes environ, à feu doux.

Ajouter les raisins et le vin blanc. Déglacer en raclant bien le fond du poêlon à l'aide d'une spatule. Laisser mijoter 10 minutes.

Pendant ce temps, faire chauffer le reste du beurre dans un autre poêlon, puis y dorer les tranches de pain des deux côtés, à feu vif.

Retirer du poêlon et tartiner chaque canapé de 30 g (1 oz) de mousse de foie. Placer au centre des assiettes et y déposer une caille. Répartir les raisins tout autour. Napper de sauce.

Isabelle Gagnon,
La Pocatière

Q uand les feuilles d'automne frissonnent, c'est le temps des petits plats de gibier mitonnés, et des cailles apprêtées à la vigneronne.

Feuilleté croustillant au jambon

Portions :	12
Préparation :	20 minutes
Cuisson :	20 minutes
Degré de difficulté :	faible

Énergie : 431 cal	Protéines :	16 g	
Lipides : 33 g	Cholestérol :	86 mg	
Glucides : 18 g	Fibres :	0,5 g	

454 g (1 lb) de pâte feuilletée (du commerce)

10 ml (2 c. à thé) de moutarde forte, délayée dans une égale quantité d'eau

250 g (½ lb) de jambon, finement tranché

12 fines tranches de gruyère ou de cheddar fondu

1 jaune d'œuf

15 ml (1 c. à soupe) d'eau

250 ml (1 tasse) de crème 35 %

10 ml (2 c. à thé) de moutarde préparée

Préchauffer le four à 200 °C (400 °F).

Diviser la pâte feuilletée en deux.

Sur une surface farinée, abaisser chaque portion en un rectangle de 38 cm x 25 cm (15 po x 10 po).

Placer l'une des abaisses dans une lèchefrite de mêmes dimensions, puis la badigeonner de moutarde forte.

Couvrir de tranches de jambon, puis de tranches de fromage. Déposer sur le tout la seconde abaisse.

Bien sceller.

Dans un bol, battre le jaune d'œuf avec l'eau. En badigeonner la pâte.

Cuire de 15 à 20 minutes, jusqu'à ce que la pâte feuilletée soit dorée.

Couper en 12 rectangles.

Mélanger la crème et la moutarde préparée. Servir avec le feuilleté.

Diane Lessard,
St-Gédéon

*U**ne sauce crème et moutarde s'impose tout naturellement pour relever subtilement les rectangles feuilletés au jambon et gruyère.*

Rouleaux au jambon et aux légumes

Portions :	4
Préparation :	15 minutes
Cuisson :	15 minutes
Degré de difficulté :	faible

Énergie : 394 cal	Protéines :	20 g	
Lipides : 33 g	Cholestérol : 126 mg		
Glucides : 5 g	Fibres :	1 g	

1 courgette, pelée

1 carotte, pelée

250 g (½ lb) de cheddar ou de brie

4 tranches de jambon blanc

125 ml (½ tasse) de crème 35 %

Sel et poivre, au goût

Préchauffer le four à 180 °C (350 °F).

Tailler la courgette et la carotte en bâtonnets de 13 cm x 1 cm (5 po x ½ po).

Blanchir les bâtonnets de carotte 3 minutes dans une casserole d'eau bouillante. Ajouter les bâtonnets de courgette et poursuivre la cuisson 2 minutes. Égoutter.

Tailler la moitié du fromage en quatre bâtonnets. Râper le reste du fromage ou le couper en petits morceaux. Réserver.

Sur la largeur de chaque tranche de jambon, déposer un bâtonnet de fromage, deux bâtonnets de carotte et autant de bâtonnets de courgette. Rouler et maintenir à l'aide d'un cure-dent.

Déposer sur une plaque à pâtisserie et cuire 10 minutes.

Pendant ce temps, faire chauffer la crème dans une casserole. Ajouter le fromage râpé et poursuivre la cuisson à feu doux, tout en mélangeant, jusqu'à épaississement. Saler et poivrer.

Verser la sauce dans quatre assiettes chaudes, puis y déposer un rouleau de jambon.

Si désiré, garnir chaque portion de dés de poivron, de quartiers de mandarine et de tomates cerises farcies de mayonnaise.

Suzanne Lafaille,
Coaticook

*C**ette entrée colorée ouvrira l'appétit sans l'entamer vraiment, si l'on opte pour la crème 15 %, beaucoup plus légère.*

Saucisses en sauce aigre-douce

Portions :		12
Préparation :		15 minutes
Cuisson :		25 minutes
Degré de difficulté :		faible
Énergie : 370 cal	Protéines :	10 g
Lipides : 39 g	Cholestérol :	50 mg
Glucides : 9 g	Fibres :	0,1 g

Huile, pour friture

1 kg (2 lb) de saucisses de bœuf ou de porc, congelées depuis au moins 24 heures

125 ml (½ tasse) de cassonade

5 ml (1 c. à thé) de vinaigre

30 ml (2 c. à soupe) de ketchup

60 ml (¼ tasse) d'oignons hachés (ou au goût)

4 gouttes de sauce anglaise (Worcestershire)

500 ml (2 tasses) d'eau

Sel et poivre

Dans une friteuse, préchauffer l'huile à 190 °C (375 °F).

Couper la saucisse congelée en morceaux de 2,5 cm (1 po), puis essorer ceux-ci à l'aide de papier absorbant.

Frire environ 5 minutes dans l'huile, puis égoutter sur du papier absorbant. Réserver.

Dans une casserole, mélanger la cassonade, le vinaigre, le ketchup, les oignons hachés, la sauce anglaise et l'eau.

Saler et poivrer.

Amener à ébullition.

Réduire la chaleur et laisser mijoter 20 minutes environ, jusqu'à ce que la sauce ait réduit de moitié.

Au moment de servir, réchauffer les saucisses dans la sauce.

Liliane Croteau,
Asbestos

*P*résentés bien chauds dans leur sauce sucrée légèrement acidulée, ces chefs-d'œuvre de petits hors-d'œuvre voleront à coup sûr la vedette d'un repas-buffet.

Vol-au-vent au poulet

Portions :		8
Préparation :		10 minutes
Cuisson :		10 minutes
Degré de difficulté :		faible
Énergie : 370 cal	Protéines :	9 g
Lipides : 28 g	Cholestérol :	28 mg
Glucides : 23 g	Fibres :	1,7 g

30 ml (2 c. à soupe) de beurre

2 oignons, hachés

15 champignons, hachés

125 ml (½ tasse) de poulet cuit coupé en dés

60 ml (¼ tasse) de mayonnaise

Quelques gouttes de sauce anglaise (Worcestershire)

Sel et poivre

24 vol-au-vent miniatures précuits (du commerce)

125 ml (½ tasse) de cheddar râpé

Préchauffer le four à 190 °C (375 °F).

Faire chauffer le beurre dans un poêlon.

Y faire revenir les oignons et les champignons 3 minutes.

Ajouter le poulet, la mayonnaise et la sauce anglaise.

Bien mélanger.

Saler et poivrer.

Déposer les vol-au-vent sur une plaque à pâtisserie et y répartir la préparation de poulet.

Saupoudrer de cheddar râpé.

Cuire de 7 à 8 minutes.

Brigitte Fortin,
St-Hilarion

*S*ervi dans une pâte feuilletée avec champignons et cheddar, l'humble prétendant de basse-cour, heureux de sa destinée, a une succulente raison de se pavaner.

Entrées froides
Aspics, mousses et gelées

Aspic endimanché de légumes et de fruits

Portions :	8
Préparation :	20 minutes
Cuisson :	–
Refroidissement :	3 heures
Degré de difficulté :	faible

Énergie : 84 cal	Protéines :	2 g
Lipides : 0 g	Cholestérol :	0 mg
Glucides : 20 g	Fibres :	1,4 g

250 ml (1 tasse) de jus d'orange

2 sachets de gélatine

60 ml (¼ tasse) de sucre

2 ml (½ c. à thé) de sel

Le jus de 2 citrons

1 boîte de 398 ml (14 oz) d'ananas en morceaux

1 boîte de 284 ml (10 oz) de quartiers de mandarines, égouttés

250 ml (1 tasse) de carottes grossièrement râpées

125 ml (½ tasse) de céleri tranché finement

Verser le jus d'orange dans une casserole et le saupoudrer de gélatine. Laisser gonfler 5 minutes.

Tout en mélangeant, faire fondre la gélatine à feu doux dans la partie supérieure d'un bain-marie. Retirer du feu. Incorporer le sucre, le sel et le jus de citron.

Égoutter les ananas en ayant soin d'en récupérer le jus. Incorporer ce dernier à la préparation précédente. Réfrigérer environ 15 minutes, jusqu'à ce que la préparation ait la consistance de blancs d'œufs.

Ajouter les morceaux d'ananas, les quartiers de mandarines, les carottes et le céleri.

Verser dans un moule d'une contenance de 1,5 l (6 tasses), huilé et rincé à l'eau froide.

Réfrigérer au moins 3 heures, jusqu'à ce que l'aspic soit ferme.

Rose-Aimée Gauthier,
Normandin

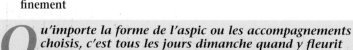

Qu'importe la forme de l'aspic ou les accompagnements choisis, c'est tous les jours dimanche quand y fleurit une rose de navet blanc.

Mini-aspics de poivrons

Portions :	4
Préparation :	20 minutes
Cuisson :	20 minutes
Refroidissement :	2 heures
Degré de difficulté :	moyen

Énergie : 81 cal	Protéines :	2 g
Lipides : 0 g	Cholestérol :	0 mg
Glucides : 19 g	Fibres :	0,8 g

2 poivrons rouges ou verts

15 ml (1 c. à soupe) de poireau haché (partie verte)

15 ml (1 c. à soupe) de feuilles de céleri hachées

75 ml (⅓ tasse) de sucre

45 ml (3 c. à soupe) de jus de citron

1 pincée de sel

1 pincée de poivre

Quelques gouttes de colorant alimentaire rouge ou vert, selon la couleur des poivrons (facultatif)

60 ml (¼ tasse) d'eau froide

1 sachet de gélatine

Épépiner les poivrons, les débarrasser de leurs filaments et les hacher.

Dans une casserole, mélanger les poivrons, le poireau, les feuilles de céleri, le sucre et le jus de citron. Saler et poivrer.

Ajouter quelques gouttes de colorant alimentaire, si désiré, pour accentuer la couleur des poivrons. Laisser mijoter de 15 à 20 minutes, jusqu'à ce que les poivrons soient tendres.

Réduire en purée au mélangeur, puis passer au tamis.

Ajouter suffisamment d'eau chaude au liquide recueilli pour obtenir 500 ml (2 tasses). Réserver au chaud.

Verser 60 ml (¼ tasse) d'eau froide dans un bol. Saupoudrer de gélatine et laisser gonfler 5 minutes.

Verser lentement le liquide chaud sur la gélatine et mélanger jusqu'à dissolution.

Verser dans quatre moules d'une contenance de 125 ml (½ tasse) et réfrigérer au moins 2 heures, jusqu'à ce que la gelée soit ferme.

Marcelle Légaré,
St-Philippe-de-Néri

Râper sur la gelée un peu de poivron de couleur contrastante. Garnir chaque portion de crevettes, de crudités ou de marinades, au choix.

Aspic de thon Normandin

Portions :	6
Préparation :	20 minutes
Cuisson :	–
Refroidissement :	3 heures
Degré de difficulté :	faible

Énergie : 595 cal	Protéines :	12 g
Lipides : 61 g	Cholestérol : 123 mg	
Glucides : 3 g	Fibres :	0,2 g

60 ml (¼ tasse) d'eau froide

30 ml (2 c. à soupe) de gélatine

250 ml (1 tasse) de morceaux
de thon ou de truite cuite

2 œufs durs, hachés

125 ml (½ tasse)
de céleri haché finement

15 ml (1 c. à soupe)
d'oignon haché finement

Sel, au goût

500 ml (2 tasses) de mayonnaise

Verser l'eau froide dans un bol. Saupoudrer de gélatine et laisser gonfler 5 minutes.

Dans un bol, mélanger le thon, les œufs, le céleri et l'oignon. Saler, au goût.

Mettre la mayonnaise dans un autre bol. Réserver.

Faire fondre la gélatine au bain-marie ou de 15 à 20 secondes au micro-ondes, à puissance maximale. Verser lentement sur la mayonnaise et bien mélanger. Incorporer à la préparation de thon.

Verser dans un moule d'une contenance d'environ 1 l (4 tasses), huilé et rincé à l'eau froide.

Réfrigérer au moins 3 heures, jusqu'à ce que l'aspic soit ferme.

Démouler dans une assiette de service tapissée de laitue.

Marie Bouchard,
Normandin

*P*our alléger de beaucoup cette entrée, côté gras et calories, remplacer la mayonnaise par de la sauce à salade.

Aspic de thon et de crevettes

Portions :	6
Préparation :	20 minutes
Cuisson :	–
Refroidissement :	3 heures
Degré de difficulté :	faible

Énergie : 236 cal	Protéines :	15 g
Lipides : 19 g	Cholestérol : 50 mg	
Glucides : 3 g	Fibres :	0,8 g

60 ml (¼ tasse) d'eau froide

1 sachet de gélatine

125 ml (½ tasse) de mayonnaise

125 ml (½ tasse) de carottes râpées

250 ml (1 tasse) de céleri en cubes

60 ml (¼ tasse)
d'échalotes hachées

1 boîte de 184 g (6 ½ oz)
de thon, égoutté

1 boîte de 113 g (4 oz)
de crevettes, égouttées

5 ml (1 c. à thé)
de moutarde sèche

Sel et poivre

Sel à l'oignon, au goût

Verser l'eau froide dans un bol. Saupoudrer de gélatine et laisser gonfler 5 minutes. Dissoudre la gélatine dans la partie supérieure d'un bain-marie.

Dans un grand bol, mélanger la mayonnaise et la gélatine dissoute. Incorporer les carottes, le céleri, les échalotes, le thon, les crevettes et la moutarde. Saler et poivrer. Assaisonner de sel à l'oignon.

Verser dans un moule d'une contenance de 1 l (4 tasses), huilé et rincé à l'eau froide.

Réfrigérer au moins 3 heures, jusqu'à ce que l'aspic soit ferme. Servir avec des craquelins.

Claudette Gagné,
St-Cœur-de-Marie

*U*n petit secret : rien de plus simple que de dissoudre la gélatine au micro-ondes, de 15 à 20 secondes, à puissance maximale.

Entrées froides

Aspic de homard

Portions :	6
Préparation :	20 minutes
Cuisson :	–
Refroidissement :	3 heures
Degré de difficulté :	faible

Énergie : 129 cal		Protéines :	11 g
Lipides :	8 g	Cholestérol :	57 mg
Glucides :	3 g	Fibres :	0,3 g

60 ml (¼ tasse) d'eau froide

1 sachet de gélatine

250 ml (1 tasse) de crème 15 %

30 ml (2 c. à soupe) de jus de citron

2 ml (½ c. à thé) de sauce anglaise (Worcestershire)

2 ml (½ c. à thé) de sel

375 ml (1 ½ tasse) de homard cuit en morceaux

125 ml (½ tasse) de poivron vert en dés

125 ml (½ tasse) de céleri en dés

Saupoudrer l'eau froide de gélatine et laisser gonfler 5 minutes.

Faire fondre la gélatine dans la partie supérieure d'un bain-marie ou de 15 à 20 secondes au micro-ondes, à puissance maximale.

Laisser refroidir légèrement.

Verser la crème dans un bol. Incorporer la gélatine fondue, le jus de citron, la sauce anglaise et le sel.

Réfrigérer 15 minutes, jusqu'à ce que la préparation ait la consistance de blancs d'œufs.

Ajouter le homard, le poivron et le céleri.

Bien mélanger. Verser dans un moule d'une contenance d'environ 1 l (4 tasses), huilé et rincé à l'eau froide.

Réfrigérer au moins 3 heures, jusqu'à ce que l'aspic soit ferme.

Couper en tranches et servir sur des feuilles de laitue verte ou de radicchio. Si désiré, garnir de quartiers de citron et d'œufs durs.

Anonyme,
Gaspé

*I*l est beaucoup plus facile de savourer le homard en aspic que d'avoir à le décortiquer. L'apprêter en gelée dans une crème citronnée... voilà une excellente idée!

Aspic de dinde

Portions :	14
Préparation :	30 minutes
Cuisson :	5 minutes
Refroidissement :	3 heures
Degré de difficulté :	faible

Énergie : 84 cal		Protéines :	14 g
Lipides :	2 g	Cholestérol :	33 mg
Glucides :	1 g	Fibres :	0,1 g

1 l (4 tasses) de bouillon de poulet

2 sachets de gélatine

Sel et poivre

1 l (4 tasses) de dinde cuite coupée en dés

60 ml (¼ tasse) de céleri haché finement

60 ml (¼ tasse) d'échalotes hachées

Feuilles de laitue, au goût

Verser 125 ml (½ tasse) de bouillon dans un bol.

Saupoudrer de gélatine et laisser gonfler 5 minutes.

Amener le reste du bouillon à ébullition dans une casserole.

Saler et poivrer.

Ajouter la gélatine et mélanger jusqu'à dissolution.

Réfrigérer 15 minutes environ, jusqu'à ce que la préparation ait la consistance de blancs d'œufs.

Incorporer la dinde, le céleri et les échalotes.

Verser dans un moule d'une contenance d'environ 2,5 l (10 tasses), huilé et rincé à l'eau froide.

Réfrigérer 3 heures, jusqu'à ce que l'aspic soit ferme.

Tapisser une assiette de service de feuilles de laitue, puis y démouler l'aspic.

Jeanne-d'Arc Turgeon,
Sherbrooke

*C*omment accommoder les restes d'une dinde? À cette question de taille correspond une multitude d'apprêts divers dont l'aspic, qui prône l'harmonie des formes.

Mousse à la moutarde

Portions :	6
Préparation :	15 minutes
Cuisson :	5 minutes
Refroidissement :	3 heures
Degré de difficulté :	faible

Énergie :	161 cal	Protéines :	6 g
Lipides :	11 g	Cholestérol :	171 mg
Glucides :	11 g	Fibres :	0,1 g

250 ml (1 tasse) d'eau

1 sachet de gélatine

4 œufs, battus

125 ml (½ tasse) de vinaigre
de cidre

60 ml (¼ tasse) de sucre

22 ml (1 ½ c. à soupe)
de moutarde sèche

2 ml (½ c. à thé) de curcuma

1 ml (¼ c. à thé) de sel

250 ml (1 tasse)
de crème fouettée

Verser 60 ml (¼ tasse) d'eau froide dans un bol.

Saupoudrer de gélatine et laisser gonfler 5 minutes.

Mélanger les œufs, le reste de l'eau, le vinaigre, le sucre et la gélatine dans la partie supérieure d'un bain-marie.

Assaisonner de moutarde, de curcuma et de sel.

Tout en mélangeant, faire chauffer à feu doux jusqu'à épaississement.

Réfrigérer 15 minutes environ, jusqu'à ce que la préparation ait la consistance de blancs d'œufs.

Incorporer la crème fouettée, en pliant délicatement à l'aide d'une spatule de caoutchouc.

Verser dans un moule d'une contenance de 1 l (4 tasses), huilé et rincé à l'eau froide.

Réfrigérer au moins 3 heures, jusqu'à fermeté.

Monique McNicoll,
Fleurimont

Cette mousse aigre-douce sera tout autant appréciée en entrée qu'en accompagnement de la viande froide et de la volaille.

Aspic de légumes

Portions :	8
Préparation :	15 minutes
Cuisson :	–
Refroidissement :	4 heures
Degré de difficulté :	faible

Énergie :	45 cal	Protéines :	0,6 g
Lipides :	2,8 g	Cholestérol :	2 mg
Glucides :	5 g	Fibres :	0,4 g

1 paquet de 85 g (3 oz)
de poudre pour gelée
à l'ananas

1 paquet de 85 g (3 oz)
de poudre pour gelée
au citron

500 ml (2 tasses) d'eau bouillante

30 ml (2 c. à soupe)
de mayonnaise

250 ml (1 tasse) de chou râpé

125 ml (½ tasse)
de carottes râpées

125 ml (½ tasse) de céleri râpé

125 ml (½ tasse) d'oignons râpés

Mélanger les poudres pour gelée dans un grand bol.

Ajouter l'eau bouillante et la mayonnaise.

Battre jusqu'à consistance lisse et homogène.

Laisser tiédir 5 minutes environ.

Ajouter le chou, les carottes, le céleri et les oignons.

Bien mélanger.

Verser dans un moule d'une contenance de 1,5 l (6 tasses), huilé et rincé à l'eau froide, ou encore, dans des moules individuels.

Laisser refroidir complètement à température ambiante et réfrigérer au moins 4 heures.

Démouler l'aspic juste avant de servir.

Jocelyne Abran,
Brownsburg

Quand tout un potager repose sous la givre, longtemps après l'été, on se souvient curieusement des gelées estivales rafraîchissantes regorgeant de légumes croquants.

Mousse de poisson Marieville

Portions :	8
Préparation :	15 minutes
Cuisson :	–
Refroidissement :	3 heures
Degré de difficulté :	faible

Énergie : 247 cal	Protéines :		17 g
Lipides :	18 g	Cholestérol :	47 mg
Glucides :	6 g	Fibres :	0,1 g

90 ml (⅓ tasse + 1 c. à soupe)
d'eau froide

2 sachets de gélatine

180 ml (¾ tasse) de mayonnaise

250 ml (1 tasse) de crème
de tomate

500 g (1 lb) de morue ou
de flétan, cuit et effeuillé

7 ml (1 ½ c. à thé) de sel

7 ml (1 ½ c. à thé) de sucre

Verser l'eau froide dans un bol. Saupoudrer de gélatine et laisser gonfler 5 minutes.

Faire fondre la gélatine dans la partie supérieure d'un bain-marie ou de 15 à 20 secondes au micro-ondes, à puissance maximale.

Dans un bol, mélanger la mayonnaise et la crème de tomate. Incorporer la gélatine et le poisson. Ajouter le sel et le sucre. Bien mélanger.

Verser dans un moule d'une contenance de 1 l (4 tasses), huilé et rincé à l'eau froide, ou dans des moules individuels de 125 ml (½ tasse).

Réfrigérer au moins 3 heures, jusqu'à ce que la mousse soit ferme.

Démouler sur un nid de laitue et garnir, au goût, de tranches de concombre, d'olives farcies, de tranches de tomate et de filets d'anchois roulés.

Laurette Lévesque,
Marieville

S ervie avec une salade de légumes, cette mousse nutritive constituera un souper léger et complet pour quatre personnes.

Mousse de saumon à la bonne franquette

Portions :	6
Préparation :	20 minutes
Cuisson :	–
Refroidissement :	3 heures
Degré de difficulté :	faible

Énergie : 451 cal	Protéines :		26 g
Lipides :	37 g	Cholestérol :	155 mg
Glucides :	3 g	Fibres :	0 g

5 blancs d'œufs

3 boîtes de 213 g (7 ½ oz)
de saumon, égoutté ou une
même quantité de saumon
frais, cuit et effeuillé

500 ml (2 tasses) de crème 35 %

Sel et poivre

Dans un bol, monter les blancs d'œufs en neige.

Passer au mélangeur, avec le saumon, jusqu'à consistance homogène.

Transvaser dans le bol.

Dans un autre bol, fouetter la crème jusqu'à formation de pics fermes.

Incorporer à la préparation précédente en pliant délicatement à l'aide d'une spatule de caoutchouc.

Saler et poivrer.

Verser dans un moule d'une contenance de 2 l (8 tasses), huilé et rincé à l'eau froide.

Réfrigérer au moins 3 heures, jusqu'à ce que la mousse soit ferme.

Claire Belleau,
Lévis

U ne entrée, même vite faite, a droit à un brin de toilette et de coquetterie. Celle-ci ne fait pas exception à la règle. Bien persillée et citronnée, elle saura mettre en appétit.

Mousse de saumon St-Anicet

Portions :	6
Préparation :	25 minutes
Cuisson :	5 minutes
Refroidissement :	3 heures
Degré de difficulté :	moyen

Énergie : 516 cal	Protéines :	21 g
Lipides : 44 g	Cholestérol : 132 mg	
Glucides : 11 g	Fibres :	0,9 g

60 ml (¼ tasse) d'eau froide

1 sachet de gélatine

1 boîte de 284 ml (10 oz) de soupe aux tomates concentrée

250 ml (1 tasse) de fromage à la crème

1 boîte de 213 g (7 ½ oz) de crevettes, égouttées

1 boîte de 213 g (7 ½ oz) de saumon, égoutté

125 ml (½ tasse) de céleri en dés

125 ml (½ tasse) d'échalotes hachées

125 ml (½ tasse) de mayonnaise

125 ml (½ tasse) de vinaigrette crémeuse

5 ml (1 c. à thé) de persil haché

Verser l'eau froide dans un bol. Saupoudrer de gélatine et laisser gonfler 5 minutes.

Faire chauffer la soupe aux tomates au bain-marie, jusqu'à ébullition. Passer au mélangeur avec le fromage.

Transvaser dans la partie supérieure du bain-marie. Ajouter la gélatine. Incorporer les crevettes, le saumon, le céleri et les échalotes. Bien mélanger. Retirer du feu et laisser tiédir. Incorporer la mayonnaise, la vinaigrette et le persil.

Verser dans un moule d'une contenance de 1,5 l (6 tasses), huilé et rincé à l'eau froide. Réfrigérer au moins 3 heures.

Thérèse Noël,
St-Anicet

La légèreté des mousses n'entame pas l'appétit!

Mousse au tofu Ste-Sabine

Portions :	6
Préparation :	20 minutes
Cuisson :	–
Refroidissement :	4 heures
Degré de difficulté :	faible

Énergie : 153 cal	Protéines :	9 g
Lipides : 12 g	Cholestérol :	4 mg
Glucides : 5 g	Fibres :	0,5 g

60 ml (¼ tasse) d'eau froide

1 sachet de gélatine

250 g (½ lb) de tofu, émietté

1 carotte, en tronçons

2 échalotes, tranchées

2 gousses d'ail, hachées finement

180 ml (¾ tasse) de yogourt ou de mayonnaise

1 ml (¼ c. à thé) de moutarde forte

5 ml (1 c. à thé) de tamari ou de sauce soya (facultatif)

1 ml (¼ c. à thé) de curcuma

45 ml (3 c. à soupe) de persil frais haché

Sel et poivre

45 ml (3 c. à soupe) d'huile de canola (ou autre)

Verser l'eau froide dans un bol. Saupoudrer de gélatine et laisser gonfler 5 minutes.

Passer au robot le tofu, la carotte, les échalotes, l'ail, le yogourt, la moutarde, le tamari, le curcuma et le persil, jusqu'à consistance homogène. Saler et poivrer.

Verser lentement l'huile dans l'appareil en marche. Mélanger jusqu'à consistance lisse. Réserver.

Faire fondre la gélatine dans la partie supérieure d'un bain-marie.

Ajouter à la préparation précédente et mélanger jusqu'à consistance homogène.

Verser la préparation dans un moule d'une contenance de 750 ml (3 tasses), huilé et rincé à l'eau froide.

Réfrigérer au moins 4 heures, jusqu'à ce que la mousse soit ferme.

Servir sur un nid de laitue, avec des craquelins.

Si désiré, garnir de quartiers de tomate, de bâtonnets de carotte et de persil.

Monique Côté,
Ste-Sabine

D'une texture irréprochable, colorée à souhait et aromatisée juste à point, cette mousse a pourtant un point faible: sa teneur en calories!

*S*ur la rivière au regard sombre, les frimas sont venus
abattre leurs paupières, illuminant, le long des rives,
les cils embroussaillés des arbres.

Truite du ruisseau en gelée

Portions :	8
Préparation :	20 minutes
Cuisson :	–
Refroidissement :	2 heures
Degré de difficulté :	moyen

Énergie : 293 cal	Protéines :	19 g
Lipides : 23 g	Cholestérol :	51 mg
Glucides : 2 g	Fibres :	0,4 g

150 ml (⅔ tasse) d'eau froide

1 sachet de gélatine

150 ml (⅔ tasse) de jus de tomate

45 ml (3 c. à soupe)
de vinaigrette espagnole
(type Catalina)

150 ml (⅔ tasse) d'huile végétale

4 truites de 20 cm (8 po),
cuites, parées et effeuillées

45 ml (3 c. à soupe)
de persil haché

1 oignon, haché finement

30 ml (2 c. à soupe) de poivron
vert haché finement

30 ml (2 c. à soupe) de poivron
rouge haché finement

1 branche de céleri,
tranchée finement

3 ml (¾ c. à thé) de sel

3 ml (¾ c. à thé) de poivre

Verser 60 ml (¼ tasse) d'eau dans un bol. Saupoudrer de gélatine et laisser gonfler 5 minutes.

Dans une casserole, faire chauffer le jus de tomate et le reste de l'eau.

Ajouter la gélatine, la vinaigrette et l'huile, puis mélanger jusqu'à dissolution.

Retirer du feu.

Incorporer les truites, le persil, l'oignon, les poivrons et le céleri.

Saler et poivrer.

À l'aide d'une cuillère à crème glacée, façonner la préparation en huit boules. Déposer celles-ci sur une plaque à pâtisserie et réfrigérer 2 heures, jusqu'à fermeté.

Servir sur un nid de laitue romaine. Décorer chaque portion d'une tomate cerise, d'un champignon et d'un bouquet de persil.

Andrée Girard,
Laterrière

Les histoires de pêche connaissent parfois un dénouement heureux... quand elles nous permettent de mordre à l'hameçon de la gourmandise.

Canapés et croûtons

Canapés au crabe Bellecombe

Portions :	48 canapés
Préparation :	10 minutes
Cuisson :	–
Refroidissement :	1 heure
Degré de difficulté :	faible

Par craquelin :

Énergie : 43 cal	Protéines :	2 g
Lipides : 3 g	Cholestérol :	13 mg
Glucides : 2 g	Fibres :	0,1 g

250 g (8 oz)
de fromage à la crème,
ramolli

340 g (12 oz) de chair de crabe
(fraîche ou en conserve)

2 échalotes, hachées

30 ml (2 c. à soupe)
de jus de citron

30 ml (2 c. à soupe)
de mayonnaise

2 ml (½ c. à thé)
d'assaisonnement
pour bifteck

Quelques gouttes de sauce au piment fort (type Tabasco)

Sel et poivre

48 craquelins aux légumes

Dans un bol, mélanger le fromage, la chair de crabe et les échalotes.

Incorporer le jus de citron, la mayonnaise, l'assaisonnement pour bifteck et la sauce au piment fort.

Saler et poivrer.

Réfrigérer 1 heure.

Tartiner les craquelins de cette préparation.

Servir six canapés par personne.

Nicole Chouinard,
Bellecombe

Nul besoin d'avoir faim pour dévorer à belles dents ces canapés au crabe, relevés juste à point.

Craquelins aux crevettes et au fromage

Portions :	48 craquelins
Préparation :	5 minutes
Cuisson :	–
Refroidissement :	2 heures
Degré de difficulté :	faible

Par craquelin :

Énergie :	39 cal	Protéines :	1 g
Lipides :	3 g	Cholestérol :	11 mg
Glucides :	2 g	Fibres :	0,1 g

250 g (8 oz) de fromage
à la crème, ramolli

30 ml (2 c. à soupe)
de mayonnaise

1 boîte de 142 g (5 oz)
de petites crevettes,
égouttées

3 échalotes,
hachées finement

48 craquelins
(type Melba)

Dans un bol, mélanger le fromage, la mayonnaise, les crevettes et les échalotes.

Réfrigérer au moins 2 heures.

En tartiner les craquelins.

Servir 6 craquelins par portion.

Marcelle Bilodeau,
Mc Watters

*G*rignoter avant les repas coupe-t-il vraiment l'appétit? Il semble que ces petits craquelins auraient plutôt tendance à le décupler au centuple.

Mini-biscottes au thon et au fromage

Portions :	36 biscottes
Préparation :	10 minutes
Cuisson :	1 minute 30 secondes
Degré de difficulté :	faible

Par biscotte :

Énergie :	52 cal	Protéines :	3 g
Lipides :	3 g	Cholestérol :	6 g
Glucides :	2 g	Fibres :	0,1 g

CUISSON MICRO-ONDES

1 boîte de 184 g (6,5 oz)
de thon, égoutté

75 ml (⅓ tasse) de mayonnaise

1 ml (¼ c. à thé)
de jus de citron

Poivre

36 biscottes de 4 cm
(1 ½ po) de côté

125 g (¼ lb) de gruyère ou de
fromage fondu en tranches,
coupé en morceaux

30 ml (2 c. à soupe)
d'échalote hachée

Dans un bol, mélanger le thon, la mayonnaise, le jus de citron et le poivre.

En tartiner les biscottes.

Couvrir de morceaux de fromage et parsemer d'échalote hachée.

Dans un plat rond conçu pour micro-ondes, disposer en cercle la moitié des biscottes.

Cuire 45 secondes environ, ou jusqu'à ce que le fromage commence à fondre.

Procéder de la même façon avec le reste des biscottes.

Ginette Blais,
St-Paul-Abbotsford

*P*our des biscottes maison, écroûter des tranches de pain de mie, les fendre en quatre, puis les griller jusqu'à ce qu'elles soient croustillantes et dorées.

Entrées froides
Fromages

Boulettes au fromage

Portions:	8
Préparation:	15 minutes
Cuisson:	–
Refroidissement:	8 heures
Degré de difficulté:	faible

Énergie: 306 cal	Protéines:	14 g
Lipides: 27 g	Cholestérol:	81 mg
Glucides: 4 g	Fibres:	0,2 g

250 g (8 oz) de fromage
à la crème, ramolli

125 ml (½ tasse) de crème sure

500 ml (2 tasses) de cheddar râpé

1 boîte de 170 g (6 oz) de
jambon en flocons,
égoutté et effeuillé
(ou de jambon haché)

60 ml (¼ tasse) d'échalotes
hachées finement

3 gouttes de sauce au piment
fort (type Tabasco)

125 ml (½ tasse) de pacanes
hachées finement
ou de chapelure

30 ml (2 c. à soupe)
de persil haché

Dans un bol, battre le fromage et la crème sure jusqu'à consistance lisse.

Ajouter le cheddar, le jambon, les échalotes et la sauce au piment fort. Bien mélanger.

Couvrir et réfrigérer 8 heures.

Façonner la préparation en deux douzaines de boulettes.

Mélanger les pacanes et le persil, puis y rouler les boulettes au fromage de façon à les enrober complètement.

Servir avec un assortiment de craquelins.

Anonyme,
St-Isidore

*P*our une présentation inusitée, disposer les boulettes en grappe, puis coiffer le tout de belles grandes feuilles de vigne. Ne surtout pas oublier le verre de vin blanc.

Terrine de cottage et de gruyère

Portions:	8
Préparation:	15 minutes
Cuisson:	–
Refroidissement:	4 heures
Degré de difficulté:	faible

Énergie: 180 cal	Protéines:	15 g
Lipides: 10 g	Cholestérol:	32 g
Glucides: 4 g	Fibres:	0 g

180 ml (¾ tasse) de vin blanc sec

1 ½ sachet de gélatine

750 ml (3 tasses) de cottage

250 ml (1 tasse) de crème sure

125 ml (½ tasse) de gruyère râpé

15 ml (1 c. à soupe) de persil
haché

1 pincée de paprika

5 ml (1 c. à thé) de sel

Poivre, au goût

Verser le vin blanc dans un bol.

Saupoudrer de gélatine et laisser gonfler 5 minutes.

Faire fondre la gélatine dans la partie supérieure d'un bain-marie, ou de 15 à 20 secondes au micro-ondes, à puissance maximale.

Retirer du feu et ajouter le cottage, la crème sure et le gruyère.

Assaisonner de persil et de paprika.

Saler et poivrer.

Passer au mélangeur jusqu'à consistance homogène.

Verser dans un moule de 18 cm x 10 cm (7 ½ po x 4 po), huilé.

Réfrigérer environ 4 heures, jusqu'à fermeté.

Couper en tranches.

Marcelle Ross,
Chicoutimi

*B*lanche comme neige, cette entrée de cottage et de crème sure est bien de chez nous. Ce qui ne l'empêche pas d'emprunter au gruyère des Alpes son petit goût corsé.

Fromage moulé aux œufs et au caviar

Portions :	8
Préparation :	15 minutes
Cuisson :	–
Refroidissement :	2 heures
Degré de difficulté :	faible

Énergie : 239 cal	Protéines :		8 g
Lipides :	22 g	Cholestérol : 209 mg
Glucides :	4 g	Fibres :	0,2 g

250 g (8 oz) de fromage
   à la crème, ramolli

250 ml (1 tasse) de crème sure

6 œufs durs, hachés

1 oignon, haché très finement

30 ml (2 c. à soupe)
   de mayonnaise

   Caviar ou œufs de lompe,
   au goût

Dans un bol, mélanger le fromage et la crème sure jusqu'à consistance homogène.

Étendre dans un moule à fond amovible de 23 cm (9 po) de diamètre, beurré.

Dans un bol, mélanger les œufs, l'oignon et la mayonnaise.

Étendre sur la préparation précédente.

Réfrigérer au moins 2 heures.

Juste avant de servir, parsemer de caviar ou d'œufs de lompe, au goût.

Servir sur des biscottes.

Annette J. Gignac,
St-Gilbert

Nos biscottes préférées méritent d'être croquées avec une tartinade de choix comme celle-ci, au fromage et aux œufs.

Fromage moulé aux crevettes de la Restigouche

Portions :	8
Préparation :	20 minutes
Cuisson :	–
Refroidissement :	1 heure
Degré de difficulté :	faible

Énergie : 389 cal	Protéines :		13 g
Lipides :	36 g	Cholestérol : 108 mg
Glucides :	5 g	Fibres :	0,4 g

250 g (8 oz) de fromage
   à la crème, ramolli

125 ml (½ tasse) de mayonnaise

60 ml (¼ tasse) de crème sure

250 ml (1 tasse) de crevettes
   grises cuites et décortiquées

250 ml (1 tasse) de sauce
   au raifort pour fruits de mer

500 ml (2 tasses)
   de mozzarella râpée

1 poivron vert, haché

1 tomate, en dés

3 échalotes, hachées

   Biscottes, en accompagnement

Dans un bol, mélanger le fromage, la mayonnaise et la crème sure. Étendre cette préparation dans un plat de pyrex d'environ 23 cm (9 po) de diamètre.

Garnir de crevettes et napper de sauce au raifort pour fruits de mer. Saupoudrer de mozzarella.

Dans un bol, mélanger le poivron, les dés de tomate et les échalotes. En couvrir la préparation. Réfrigérer au moins 1 heure. Servir avec des biscottes.

Cécile Lagacé,
Bonaventure

On hésite souvent entre une entrée de fromage ou de fruits de mer. Cette recette combine les deux éléments d'heureuse façon.

Entrées froides
Fruits
Agrumes et avocats à la vinaigrette

Portions :		4
Préparation :		15 minutes
Cuisson :		–
Refroidissement :		30 minutes
Degré de difficulté :		faible

Énergie : 148 cal	Protéines :	2 g
Lipides : 11 g	Cholestérol :	0 mg
Glucides : 13 g	Fibres :	3 g

1 pamplemousse

1 orange

1 avocat mûr

30 ml (2 c. à soupe) de jus de citron

15 ml (1 c. à soupe) d'huile végétale

1 ml (¼ c. à thé) d'assaisonnement, au choix

Au-dessus d'un bol, peler à vif le pamplemousse et l'orange, en ayant soin de récupérer le jus qui s'en écoule. Défaire en sections. Réserver.

Peler l'avocat et le couper en deux. Le dénoyauter et le trancher. Arroser d'un peu de jus de citron.

Ajouter aux agrumes et mélanger.

Dans un bol, mélanger le jus des agrumes et l'huile. Assaisonner, au goût.

Verser sur les fruits et bien mélanger.

Réfrigérer au moins 30 minutes.

Servir dans des coupes individuelles. Garnir de feuilles de menthe, si désiré.

Anonyme,
Adamsville

*P*our un plat coloré, remplacer la moitié des sections de pamplemousse orangé par des sections de pamplemousse rose et conserver aux avocats leur écorce.

Poires Neptune

Portions :		8
Préparation :		20 minutes
Cuisson :		15 minutes
Refroidissement :		30 minutes
Degré de difficulté :		moyen

Énergie : 249 cal	Protéines :	6 g
Lipides : 14 g	Cholestérol :	67 mg
Glucides : 26 g	Fibres :	2,5 g

4 poires Bartlett

750 ml (3 tasses) d'eau

125 ml (½ tasse) de sucre

Jus de 1 citron

125 g (4 oz) de crevettes nordiques cuites et décortiquées

250 g (8 oz) de fromage à la crème

15 ml (1 c. à soupe) d'échalote hachée finement

15 ml (1 c. à soupe) de persil frais haché finement

5 ml (1 c. à thé) de sel au céleri

Sel et poivre

30 ml (2 c. à soupe) de mayonnaise

1 laitue Boston

Peler les poires et les couper en deux.

En retirer le cœur.

Dans une casserole, amener l'eau à ébullition avec le sucre et le jus de citron.

Laisser bouillir 5 minutes.

Réduire la chaleur, ajouter les poires et les pocher 10 minutes.

Égoutter les poires et réfrigérer 30 minutes.

Dans un bol, écraser les crevettes avec le fromage, à l'aide d'une fourchette.

Ajouter l'échalote, lé persil et le sel au céleri.

Saler et poivrer.

Ajouter la mayonnaise et mélanger jusqu'à consistance onctueuse.

Réfrigérer 30 minutes.

Si désiré, tapisser les assiettes de laitue.

Déposer une demi-poire dans chaque assiette, puis les farcir de la préparation au fromage.

Rollande Sauvé,
St-Louis-de-Gonzague

*L*e bon goût réside souvent dans la simplicité. L'élégance naturelle de la poire, jointe à la saveur authentique de la crevette nordique... et le tour est joué!

Poires farcies au crabe

Portions :	8
Préparation :	10 minutes
Cuisson :	–
Degré de difficulté :	faible

Énergie : 141 cal	Protéines :	7 g
Lipides : 7 g	Cholestérol : 42 mg
Glucides : 13 g	Fibres :	1,8 g

120 g (4 oz) de fromage
à la crème

15 ml (1 c. à soupe)
de mayonnaise

2 échalotes,
hachées finement

1 boîte de 213 g (7 ½ oz)
de crabe, égoutté

1 boîte de 340 ml (12 oz)
de demi-poires, égouttées

8 feuilles de laitue

Passer le fromage au mélangeur
jusqu'à ce qu'il soit ramolli.

———

Transvaser dans un bol.

———

Ajouter la mayonnaise et mélanger
jusqu'à consistance lisse et crémeuse.

———

Incorporer les échalotes et le crabe.

———

Farcir huit demi-poires de cette préparation, puis les disposer sur des
feuilles de laitue.

———

Garnir de persil et servir avec des
biscottes.

Aline C. Dupéré,
Jonquière

*C*ette entrée, que l'on peut également servir en entremets,
sera tout aussi rafraîchissante si l'on substitue au
crabe des crevettes cuites, décortiquées et hachées.

Dés d'avocats et crevettes
à la ciboulette

Portions :	6
Préparation :	20 minutes
Cuisson :	–
Degré de difficulté :	faible

Énergie : 573 cal	Protéines :	22 g
Lipides : 51 g	Cholestérol : 180 mg
Glucides : 11 g	Fibres :	3,2 g

3 avocats

Jus de 1 citron

250 ml (1 tasse) de mayonnaise

125 ml (½ tasse) de crème 15 %

15 ml (1 c. à soupe) de sauce
anglaise (Worcestershire)

15 ml (1 c. à soupe)
de ciboulette hachée

500 g (1 lb) de crevettes grises,
cuites et décortiquées

6 feuilles de laitue

Couper les avocats en deux et les
dénoyauter.

———

En prélever la chair sans abîmer
l'écorce, puis la couper en dés.

———

Arroser les dés d'avocats, ainsi que
les écorces évidées, de jus de citron.

———

Dans un bol, mélanger la mayonnaise, la crème, la sauce anglaise et la
ciboulette.

———

Égoutter les dés d'avocats et les
répartir dans les écorces évidées.

———

Napper de sauce et garnir de crevettes.

———

Servir sur des feuilles de laitue.

———

Décorer de persil.

Marcelle Ross,
Chicoutimi

L'avocat, qui s'oxyde très rapidement au contact de l'air,
nécessite qu'on l'arrose de jus de citron, sitôt coupé.
Il aurait grise mine sans cette délicate attention.

Avocats aux crevettes parfumés de cognac

Portions :	2
Préparation :	15 minutes
Cuisson :	–
Degré de difficulté :	faible

Énergie : 431 cal	Protéines :		12 g
Lipides : 38 g	Cholestérol :		110 g
Glucides : 9 g	Fibres :		3,1 g

24   crevettes fraîches,
     cuites et décortiquées

1   avocat

30   ml (2 c. à soupe)
     de jus de citron

1   échalote, hachée

15   ml (1 c. à soupe) de cognac

60   ml (¼ tasse) de mayonnaise

     Sel et poivre

Hacher environ 14 crevettes. Réserver.

Couper l'avocat en deux et le dénoyauter.

En prélever la chair sans abîmer l'écorce, puis l'écraser à la fourchette dans un bol, avec le jus de citron.

Ajouter l'échalote, le cognac, la mayonnaise et les crevettes hachées.

Saler et poivrer.

Bien mélanger.

Répartir cette préparation dans les demi-écorces.

Garnir chaque portion de 5 crevettes.

Francine Lebrasseur,
St-Jogues

Avocats farcis à la salade de fruits

Portions :	4
Préparation :	20 minutes
Cuisson :	–
Refroidissement :	30 minutes
Degré de difficulté :	faible

Énergie : 360 cal	Protéines :		3 g
Lipides : 16 g	Cholestérol :		0 mg
Glucides : 47 g	Fibres :		6,4 g

2   avocats

60   ml (¼ tasse) de Cointreau
     (ou autre liqueur)

3   oranges

60   ml (¼ tasse) de sucre glace

1   pincée de gingembre

15   ml (1 c. à soupe) de sucre
     vanillé (ou ordinaire)

125 ml (½ tasse) de fraises

1   banane

     Jus de 1 citron

Couper les avocats en deux et les dénoyauter. En prélever la chair et la couper en dés.

Déposer dans un bol et arroser aussitôt de Cointreau.

Peler les oranges et couper la chair en cubes. Ajouter aux avocats, ainsi que la moitié du sucre glace, le gingembre et le sucre vanillé. Bien mélanger.

Réfrigérer 30 minutes.

Laver les fraises, les équeuter et les couper en deux. Mettre dans un bol et saupoudrer du reste du sucre glace.

Réserver au réfrigérateur.

Peler la banane, la couper en rondelles et l'arroser de jus de citron.

Juste avant de servir, mélanger les oranges, les fraises et les tranches de banane. En farcir les demi-avocats.

Thérèse Lamonde,
St-François

*Q*uand l'avocat s'associe aux crevettes, l'harmonie des saveurs est parfaite. Une rasade de cognac n'a jamais fait de tort à une entrée raffinée digne de ce nom.

*L*es soupers en plein air ont aussi droit à une entrée d'apparat. Celle-ci, qui allie avocats, fruits tropicaux et fraises, est subtilement relevée de liqueur à l'orange.

Entrées froides

Entrées froides
Légumes

Betteraves farcies à la mode du potager

Portions :	6
Préparation :	30 minutes
Cuisson :	–
Refroidissement :	8 heures
Degré de difficulté :	moyen

Énergie : 172 cal	Protéines :	1 g
Lipides : 11 g	Cholestérol :	8 mg
Glucides : 20 g	Fibres :	1,7 g

500 ml (2 tasses) de vinaigre

500 ml (2 tasses) d'eau

60 ml (¼ tasse) de sucre

6 betteraves, cuites et pelées

250 ml (1 tasse) de concombre en dés

250 ml (1 tasse) de céleri en dés

90 ml (⅓ tasse + 1 c. à soupe) de mayonnaise régulière ou bouillie (p. 93)

Persil ou paprika, au goût

Dans un bol, mélanger le vinaigre, l'eau et le sucre. Réserver.

Couper une fine tranche sous les betteraves pour en assurer la stabilité.

Tailler un capuchon de 2,5 cm (1 po) au sommet. À l'aide d'une cuillère parisienne, évider délicatement les betteraves de façon à pouvoir les farcir, en préservant environ 0,6 cm (¼ po) de chair.

Placer les betteraves côte à côte dans un plat juste assez grand pour les contenir. Couvrir d'eau vinaigrée et réfrigérer 8 heures.

Mélanger le concombre et le céleri. Égoutter les betteraves et les farcir de cette préparation.

Dresser les betteraves dans des assiettes tapissées de laitue. Garnir chaque portion de 15 ml (1 c. à soupe) de mayonnaise et saupoudrer de persil ou de paprika.

Annette Bourdua,
Varennes

L *a chair des betteraves évidées pourra être utilisée pour agrémenter salades et potages.*

Coeurs d'artichaut St-Gabriel

Portions :	4
Préparation :	15 minutes
Cuisson :	17 minutes
Refroidissement :	4 heures
Degré de difficulté :	faible

Énergie : 206 cal	Protéines :	3 g
Lipides : 15 g	Cholestérol :	0 mg
Glucides : 11 g	Fibres :	4,8 g

1 boîte de 398 g (14 oz) de coeurs d'artichaut

180 ml (¾ tasse) de vin blanc sec

180 ml (¾ tasse) de bouillon de poulet

Jus de ½ citron

30 ml (2 c. à soupe) d'huile d'olive

2 gousses d'ail, hachées

2 échalotes, hachées

1 bouquet garni (thym, persil, laurier)

Sel et poivre

1 tomate, pelée et coupée en morceaux

Égoutter les coeurs d'artichaut, les couper en deux et les mettre dans une petite casserole.

Arroser de vin blanc, de bouillon, de jus de citron et d'huile d'olive. (Les artichauts doivent tout juste être couverts du liquide.)

Ajouter les gousses d'ail, les échalotes et le bouquet garni.

Saler et poivrer.

Amener à ébullition.

Réduire la chaleur et laisser mijoter 7 minutes environ.

Ajouter les morceaux de tomate et poursuivre la cuisson 10 minutes.

Réfrigérer au moins 4 heures, jusqu'à parfait refroidissement.

Ghislaine Lavoie
St-Onésime

L *es plats qui se préparent d'avance, comme celui-ci, permettent une gestion efficace du temps, d'où une augmentation substantielle des heures de loisir.*

Betteraves farcies au cottage

Portions :	6
Préparation :	20 minutes
Cuisson :	–
Degré de difficulté :	moyen

Énergie :	61 cal	Protéines :	6 g
Lipides :	2 g	Cholestérol :	6 mg
Glucides :	6 g	Fibres :	1,3 g

6   betteraves, cuites et pelées

250 ml (1 tasse) de cottage

60   ml (¼ tasse)
      de ciboulette fraîche hachée

      Sel à l'oignon, au goût

      Poivre au céleri, au goût

Couper une fine tranche sous les betteraves pour en assurer la stabilité.

Tailler un capuchon de 2,5 cm (1 po) au sommet.

À l'aide d'une cuillère parisienne, évider délicatement les betteraves de façon à pouvoir les farcir, en préservant environ 0,6 cm (¼ po) de chair.

Tailler en dés la chair des betteraves évidées. Mélanger avec le cottage, puis incorporer la ciboulette fraîche. Saler et poivrer.

Farcir les betteraves de la préparation précédente et les coiffer de leur capuchon.

Servir dans des assiettes chemisées de laitue. Accompagner, si désiré, de champignons marinés.

Juliette Lemonde,
Ste-Rosalie

Pour laisser entrevoir la farce d'alléchante façon, couper la moitié du capuchon.

Carrés aux courgettes

Portions :	12
Préparation :	20 minutes
Cuisson :	40 minutes
Degré de difficulté :	faible

Énergie :	186 cal	Protéines :	6 g
Lipides :	13 g	Cholestérol :	77 mg
Glucides :	10 g	Fibres :	1 g

125 ml (½ tasse) d'huile

250 ml (1 tasse) de préparation
      pour pâte tout usage (type
      Bisquick ou Betty Crocker)

4   œufs, battus

750 ml (3 tasses)
      de courgettes râpées

125 ml (½ tasse) d'oignons râpés

250 ml (1 tasse) de parmesan râpé

1   gousse d'ail, hachée

30   ml (2 c. à soupe)
      de persil haché

2   ml (½ c. à thé) d'origan

2   ml (½ c. à thé) de sel

Préchauffer le four à 180 °C (350 °F).

Dans un bol, mélanger l'huile, la préparation pour pâte tout usage et les œufs battus, jusqu'à consistance homogène. Incorporer les courgettes, les oignons, le parmesan et l'ail. Assaisonner de persil, d'origan et de sel. Bien mélanger.

Étendre uniformément la préparation sur une plaque à pâtisserie. Cuire de 30 à 40 minutes.

Laisser refroidir et couper en carrés.

Gisèle Côté,
St-Basile

On trouve, dans le commerce, une préparation pour pâte qui porte son nom à ravir. Crêpes, gâteaux, biscuits, croûtes à pizza... aucune cause gourmande ne la rebute.

Champignons marinés

Portions :	10
Préparation :	15 minutes
Cuisson :	–
Refroidissement :	8 heures
Degré de difficulté :	faible

Énergie :	96 cal	Protéines :	2 g
Lipides :	7 g	Cholestérol :	0 mg
Glucides :	8 g	Fibres :	1,2 g

150 ml (⅔ tasse) de vinaigre de vin à l'estragon

75 ml (⅓ tasse) d'huile végétale

30 ml (2 c. à soupe) de sucre

30 ml (2 c. à soupe) d'eau

5 ml (1 c. à thé) de basilic

5 ml (1 c. à thé) de thym

2 gouttes de sauce au piment fort (type Tabasco)

1 ml (¼ c. à thé) de chilis broyés

1 gousse d'ail, tranchée finement

2 ml (½ c. à thé) de sel

Poivre du moulin, au goût

1 oignon, tranché et défait en anneaux

750 g (1 ½ lb) de champignons

Dans un grand bol, mélanger le vinaigre de vin, l'huile, le sucre et l'eau.

Assaisonner de basilic, de thym, de sauce au piment fort, de chilis broyés et d'ail.

Saler et poivrer.

Ajouter l'oignon et bien mélanger.

Nettoyer les champignons et couper la partie terreuse de la tige. Ajouter à la vinaigrette et bien mélanger.

Couvrir et réfrigérer au moins 8 heures.

Servir sur des feuilles de laitue.

Ann Mathers,
Vaudreuil

P iqués de cure-dents de couleur, ces champignons gorgés de vinaigrette piquante feraient la joie de tous les pique-niqueurs.

Cœurs d'artichaut à la vinaigrette

Portions :	4
Préparation :	10 minutes
Cuisson :	–
Refroidissement :	4 heures
Degré de difficulté :	faible

Énergie : 275 cal	Protéines :	5 g
Lipides : 24 g	Cholestérol :	14 mg
Glucides : 12 g	Fibres :	4,8 g

125 ml (½ tasse) de vinaigrette, au choix

60 ml (¼ tasse) de vin blanc sec

45 ml (3 c. à soupe) de céleri haché finement

1 échalote, hachée finement

1 boîte de 398 g (14 oz) de cœurs d'artichaut

Feuilles de laitue

60 ml (¼ tasse) de crevettes nordiques cuites et décortiquées

8 olives farcies

Verser la vinaigrette et le vin blanc dans un bol.

Ajouter le céleri et l'échalote. Bien mélanger.

Égoutter les cœurs d'artichaut et les ajouter à la vinaigrette.

Laisser mariner 4 heures, au réfrigérateur.

Égoutter les cœurs d'artichaut et les répartir dans les assiettes, sur des feuilles de laitue.

Agrémenter chaque portion de crevettes et d'olives farcies.

Marcelle Brouillé,
Rosemont

U ne vinaigrette aux fines herbes et à l'ail n'aura pas son pareil pour attendrir les petits cœurs d'artichaut.

Bouillons et consommé

Bouillon aux olives de Grantham

Portions :	8
Préparation :	10 minutes
Cuisson :	5 minutes
Degré de difficulté :	faible

Énergie :	38 cal	Protéines :	2 g
Lipides :	2 g	Cholestérol :	0 mg
Glucides :	3 g	Fibres :	0,5 g

2 l (8 tasses) de bouillon
   de poulet ou de bœuf

1 boîte de 156 g (5 ½ oz)
   de pâte de tomate

250 ml (1 tasse)
     d'olives dénoyautées,
     tranchées en fines lanières

Sel et poivre

Amener le bouillon de poulet à ébullition dans une casserole.

Incorporer la pâte de tomate et réduire la chaleur.

Ajouter les olives et laisser mijoter 5 minutes environ. Saler et poivrer.

Servir chaud.

Jeanne-d'Arc Boutin,
Grantham

*P**ourquoi limiter les olives aux hors-d'oeuvre? Rouges ou vertes, farcies ou non, elles peuvent agrémenter les potages et bouillons.*

Bouillon à la tomate des Courcelles

Portions :	6
Préparation :	10 minutes
Cuisson :	15 minutes
Degré de difficulté :	faible

Énergie :	102 cal	Protéines :	3 g
Lipides :	5 g	Cholestérol :	12 mg
Glucides :	15 g	Fibres :	3 g

30 ml (2 c. à soupe) de beurre

2 oignons, tranchés

125 ml (½ tasse)
     de céleri tranché

1,5 l (6 tasses) de jus de tomate

4 clous de girofle

30 ml (2 c. à soupe)
    de persil haché

15 ml (1 c. à soupe)
    de basilic haché

1 gousse d'ail

1 feuille de laurier

75 ml (⅓ tasse) de yogourt

Faire fondre le beurre dans une casserole.

Y faire suer les oignons et le céleri à feu doux, de 2 à 3 minutes, sans laisser prendre couleur.

Ajouter le jus de tomate.

Assaisonner de clous de girofle, de persil, de basilic, d'ail et de laurier.

Réduire la chaleur et laisser mijoter 15 minutes.

Filtrer le bouillon au tamis fin ou dans une passoire chemisée d'étamine.

Verser dans les bols et couronner chaque portion d'une cuillerée de yogourt.

Jeannine St-Pierre,
Courcelles

*P**anaché de yogourt, ce bouillon parfumé pourrait tout aussi bien être servi glacé.*

Consommé aux petits légumes

Portions :	8
Préparation :	45 minutes
Cuisson :	1 heure 45 minutes
Degré de difficulté :	moyen

Énergie :	55 cal	Protéines :	3 g
Lipides :	1 g	Cholestérol :	0 mg
Glucides :	8 g	Fibres :	0,6 g

2   blancs d'œufs

375   g (13 oz) de bœuf cru, débarrassé de ses filaments et de toute graisse visible

1   carcasse de poulet cru, le cou et le gésier, hachés au couperet

180   ml (¾ tasse) de poireau en dés (partie blanche)

125   ml (½ tasse) de carotte en dés

2,5   l (10 tasses) de bouillon de poulet froid, dégraissé

45   ml (3 c. à soupe) de tapioca

125   ml (½ tasse) de poireau taillé en petits dés (partie blanche), blanchi

125   ml (½ tasse) de carotte taillée en petits dés, blanchie

Verser les blancs d'œufs dans une casserole d'une contenance de 4 l (16 tasses). Les fouetter légèrement, puis ajouter le bœuf, la carcasse, le cou et le gésier de poulet, de même que le poireau et la carotte.

Ajouter le bouillon de poulet dégraissé. Amener à ébullition et réduire aussitôt la chaleur. Laisser mijoter 1 heure 15 minutes environ, à petits bouillons. Retirer du feu. Réserver.

Verser 500 ml (2 tasses) du bouillon obtenu dans une petite casserole.

Amener à ébullition et ajouter le tapioca. Réduire la chaleur et laisser mijoter 30 minutes environ. Passer au tamis et ajouter le bouillon de cuisson au bouillon de viande. Réserver le tapioca.

Au-dessus d'une casserole, passer le bouillon de viande dans une passoire chemisée d'étamine ou d'un linge propre humide. Ajouter le tapioca. Garnir de poireau et de carotte. Servir bien chaud.

Rolande Martin,
St-Aubert

E n cuisant, le bœuf cru et les blancs d'œufs absorberont toutes les impuretés du bouillon, ce qui le rendra clair et limpide.

Crèmes

Crème d'asperges printanière au cerfeuil

Portions :	6
Préparation :	10 minutes
Cuisson :	45 minutes
Degré de difficulté :	moyen

Énergie : 145 cal		Protéines :	4 g
Lipides :	11 g	Cholestérol :	28 mg
Glucides :	9 g	Fibres :	1,5 g

500   g (1 lb) d'asperges fraîches

60   ml (¼ tasse) de beurre

30   ml (2 c. à soupe) d'oignon haché

    Sel et poivre

60   ml (¼ tasse) de farine

1,25 l (5 tasses) de bouillon de poulet chaud

2   ml (½ c. à thé) de cerfeuil

60   ml (¼ tasse) de crème 15 %

    Paprika, au goût

Laver les asperges et séparer les têtes des tiges. Cuire les tiges 5 minutes dans une casserole d'eau bouillante salée. Ajouter les têtes et poursuivre la cuisson 5 minutes. Égoutter les asperges, puis hacher les tiges. Réserver.

Faire fondre le beurre dans une casserole. Y faire revenir l'oignon 5 minutes environ, à feu doux, sans laisser prendre couleur. Ajouter les tiges d'asperges. Saler et poivrer, puis incorporer la farine. Tout en mélangeant, ajouter le bouillon de poulet, puis assaisonner de cerfeuil. Laisser mijoter 30 minutes.

Passer au robot jusqu'à consistance lisse et homogène. Transvaser dans la casserole. Ajouter la crème et les têtes d'asperges réservées. Poursuivre la cuisson 2 ou 3 minutes, tout en mélangeant, juste pour réchauffer.

Verser dans des bols à soupe et saupoudrer de paprika. Servir.

Jeannine Béland
Neuville

A u printemps, le cerfeuil vaut la peine d'être cultivé. La saveur de ses feuilles s'apparente à celle de l'estragon, tandis que son parfum, anisé, convient à l'asperge.

Crème de champignons du boisé

Portions :	6
Préparation :	15 minutes
Cuisson :	18 minutes
Degré de difficulté :	faible

Énergie : 115 cal	Protéines :	2 g
Lipides : 11 g	Cholestérol :	30 mg
Glucides : 3 g	Fibres :	0,2 g

45 ml (3 c. à soupe) de beurre

250 ml (1 tasse) de champignons
hachés

15 ml (1 c. à soupe) de farine

1 l (4 tasses) de bouillon
de poulet chaud

Sel et poivre

125 ml (½ tasse) de crème 15 %

Persil haché

Faire fondre le beurre dans une
casserole.

Y faire suer les champignons hachés
10 minutes, à feu doux, jusqu'à ce
qu'ils aient rendu leur eau.

Incorporer la farine et bien
mélanger.

Ajouter le bouillon de poulet.

Saler et poivrer.

Amener à ébullition.

Dès les premiers bouillons, réduire la
chaleur et laisser mijoter de 4 à 5
minutes, jusqu'à léger épaississement.

Ajouter la crème et poursuivre la
cuisson 2 ou 3 minutes, tout en
mélangeant, juste pour réchauffer.

Garnir chaque portion de persil
haché.

Anonyme,
St-Nazaire

Pour une présentation différente, passer la moitié de la
crème de champignons au robot, jusqu'à consistance
homogène, puis transvaser dans la casserole.

Crème de brocoli

Portions :	6
Préparation :	15 minutes
Cuisson :	15 minutes
Degré de difficulté :	faible

Énergie : 139 cal	Protéines :	2 g
Lipides : 12 g	Cholestérol :	39 mg
Glucides : 7 g	Fibres :	0,9 g

250 ml (1 tasse) d'eau

250 ml (1 tasse) de brocoli haché
(tiges et fleurons)

1 pomme de terre, coupée
en morceaux

30 ml (2 c. à soupe) de beurre

1 oignon, haché

1 gousse d'ail, tranchée
finement

500 ml (2 tasses) de bouillon
de poulet

5 ml (1 c. à thé) de sel au céleri

Sel et poivre

125 ml (½ tasse) de crème 35 %

Dans une casserole, amener l'eau à
ébullition. Ajouter le brocoli et la
pomme de terre.

Réduire la chaleur et laisser mijoter
10 minutes. Réserver.

Faire fondre le beurre dans une autre
casserole. Y faire revenir l'oignon et
l'ail 1 minute, à feu moyen.

Ajouter le brocoli, la pomme de terre
et leur eau de cuisson, ainsi que le
bouillon de poulet.

Passer au mélangeur jusqu'à consistance lisse et homogène.

Transvaser dans la casserole. Ajouter
le sel au céleri. Saler et poivrer.

Amener à ébullition et ajouter la
crème.

Réchauffer en mélangeant constamment, mais sans laisser bouillir.

Yvette Blais,
Princeville

Pour cette recette, on peut remplacer le brocoli par
du chou-fleur. Mais en cas d'hésitation, opter pour
le brocofleur, un hybride issu des deux variétés.

Crème de chou-fleur de l'Islet

Portions :	10
Préparation :	20 minutes
Cuisson :	20 minutes
Degré de difficulté :	faible

Énergie : 106 cal	Protéines :		4 g
Lipides :	5 g	Cholestérol :	10 mg
Glucides :	13 g	Fibres :	3,3 g

2   l (8 tasses) de bouillon
     de poulet

1   chou-fleur, défait en petits
     bouquets

250 ml (1 tasse) de poireau en dés
     (partie blanche)

125 ml (½ tasse) de céleri en dés

1   pomme de terre, pelée
     et coupée en dés

     Sarriette, au goût

     Thym, au goût

     Sel et poivre

30   ml (2 c. à soupe) de beurre

45   ml (3 c. à soupe) de farine

125 ml (½ tasse) de crème 10 %

Verser le bouillon de poulet dans une casserole. Ajouter le chou-fleur, le poireau, le céleri et la pomme de terre. Assaisonner de sarriette et de thym. Saler et poivrer.

Amener à ébullition. Dès les premiers bouillons, réduire la chaleur et laisser mijoter 15 minutes environ, jusqu'à ce que les légumes soient tendres.

Égoutter les légumes en ayant soin de récupérer le bouillon, puis les passer au mélangeur, jusqu'à consistance homogène.

Faire fondre le beurre dans une casserole. Ajouter la farine et bien mélanger. Ajouter le bouillon et cuire à feu doux tout en brassant, jusqu'à léger épaississement.

Incorporer la purée de légumes réservée et laisser mijoter 2 minutes.

Ajouter la crème et poursuivre la cuisson 2 ou 3 minutes, juste pour réchauffer. Servir aussitôt.

Édith Tremblay,
L'Islet-sur-mer

L'aneth, le romarin, la muscade et la ciboulette feraient tout aussi bon ménage avec cette crème, veloutée à souhait.

Crème de citrouille orangée

Portions :	8
Préparation :	20 minutes
Cuisson :	20 minutes
Degré de difficulté :	faible

Énergie : 131 cal	Protéines :		3 g
Lipides :	6 g	Cholestérol :	18 mg
Glucides :	17 g	Fibres :	2,7 g

750 ml (3 tasses) de citrouille
     coupée en dés

500 ml (2 tasses) de carottes
     coupées en dés

500 ml (2 tasses) de pommes
     de terre coupées en dés

1   ml (¼ c. à thé)
     de gingembre

250 ml (1 tasse) d'eau salée

45   ml (3 c. à soupe) de beurre

125 ml (½ tasse)
     d'oignons hachés

375 ml (1 ½ tasse) de lait ou
     de crème 15 %

Dans une casserole, mélanger les dés de citrouille, de carottes et de pommes de terre.

Saupoudrer de gingembre. Ajouter l'eau salée et amener à ébullition. Réduire la chaleur et faire mijoter environ 15 minutes, en brassant, jusqu'à tendreté.

Égoutter les légumes.

Faire fondre le beurre dans une casserole. Y faire revenir les oignons à feu doux, environ 5 minutes, jusqu'à ce qu'ils soient transparents.

Ajouter le lait et les légumes égouttés.

Passer au mélangeur jusqu'à consistance lisse.

Poursuivre la cuisson 2 ou 3 minutes, juste pour réchauffer.

Jeannette Nault,
St-Claude

Orangé comme la pleine lune de fin d'octobre, ce potage pourrait fort bien contenir la courge édentée du soir de l'Halloween.

Crème de courgettes jardinière

Portions :	6
Préparation :	15 minutes
Cuisson :	18 minutes
Degré de difficulté :	faible

Énergie : 88 cal	Protéines :		3 g
Lipides : 3 g	Cholestérol :		8 mg
Glucides : 14 g	Fibres :		2,2 g

750 ml (3 tasses) d'eau

15 ml (1 c. à soupe)
de concentré de bouillon
de poulet

15 ml (1 c. à soupe) de beurre

1 oignon, haché

1 poireau, haché
(partie blanche)

2 gousses d'ail, hachées

1 pomme de terre, en dés

2 carottes, en dés

1 branche de céleri, en dés

2 ml (½ c. à thé) de sarriette

2 ml (½ c. à thé) de sauge

1 courgette, râpée

1 ml (¼ c. à thé) de sucre

1 ml (¼ c. à thé) de muscade

1 pincée de coriandre

250 ml (1 tasse) de lait 2 %

Ciboulette, au goût

Persil haché ou paprika,
au goût

Dans une casserole, amener l'eau à
ébullition avec le concentré de
bouillon et le beurre.

Ajouter l'oignon, le poireau et l'ail.
Dès que l'ébullition reprend, ajouter
les dés de pomme de terre, de
carottes et de céleri.

Assaisonner de sarriette et de sauge.
Laisser mijoter 10 minutes.

Ajouter la courgette râpée, le sucre,
la muscade et la coriandre.

Poursuivre la cuisson 5 minutes, à
feu doux.

Ajouter le lait, puis passer au
mélangeur jusqu'à consistance lisse.

Réchauffer 2 ou 3 minutes, en évi-
tant l'ébullition.

Saupoudrer de ciboulette et de persil
ou de paprika.

Marie-Jeanne Ross,
Forestville

*P**arce qu'en plus d'être vitaminée elle confère au potage
sa jolie couleur, la peau des courgettes ne devrait pas
être reléguée aux oubliettes.*

Crème d'épinards panachée

Portions :	6
Préparation :	15 minutes
Cuisson :	25 minutes
Degré de difficulté :	faible

Énergie : 212 cal	Protéines :		4 g
Lipides : 18 g	Cholestérol :	40 mg
Glucides : 10 g	Fibres :		0,8 g

30 ml (2 c. à soupe) de beurre

30 ml (2 c. à soupe) d'huile

1 oignon, haché finement

1 gousse d'ail, écrasée

250 ml (1 tasse) d'épinards
hachés finement

45 ml (3 c. à soupe) de farine

625 ml (2 ½ tasses) de bouillon
de poulet chaud

375 ml (1 ½ tasse) de lait

Poivre noir, au goût

5 ml (1 c. à thé) de muscade

Jus de 1½ citron

90 ml (6 c. à soupe)
de crème 35 %

30 ml (2 c. à soupe) d'amandes
effilées grillées

Dans une casserole, faire chauffer le
beurre et l'huile. Y faire revenir
l'oignon et l'ail 3 ou 4 minutes, à feu
moyen.

Ajouter les épinards et bien
mélanger. Saupoudrer de farine et
poursuivre la cuisson 1 minute, tout
en brassant.

Ajouter le bouillon de poulet.
Amener à ébullition. Dès les premiers bouillons, réduire la chaleur et
laisser mijoter 20 minutes environ,
jusqu'à léger épaississement.

Retirer du feu et laisser refroidir.

Passer au mélangeur, jusqu'à consistance homogène.

Transvaser dans la casserole. Ajouter
le lait, poivrer et assaisonner de muscade. Laisser mijoter 2 ou 3 minutes,
juste pour réchauffer.

Verser dans des bols à soupe.

Arroser chaque portion de quelques
gouttes de jus de citron, puis de
15 ml (1 c. à soupe) de crème 35 %,
en traçant une spirale ou un zigzag.

Saupoudrer d'amandes grillées.

Rita Laguë,
Granby

*L**a consistance d'un potage est matière de goût. Si celui-ci
semble trop épais, ne pas hésiter à l'allonger d'un peu de
lait ou de bouillon de poulet chaud.*

Crème de poireaux et de carottes

Portions :	8
Préparation :	10 minutes
Cuisson :	50 minutes
Degré de difficulté :	faible

Énergie : 137 cal	Protéines :		4 g
Lipides :	7 g	Cholestérol :	4 mg
Glucides :	22 g	Fibres :	2,5 g

45 ml (3 c. à soupe) d'huile

4 poireaux, émincés

3 pommes de terre, en cubes

1 carotte, en tranches

45 ml (3 c. à soupe) de farine

2 ml (½ c. à thé) de basilic

2 ml (½ c. à thé) d'estragon

2 ml (½ c. à thé) de sarriette

Sel et poivre

1,25 l (5 tasses) de bouillon de poulet

250 ml (1 tasse) de lait

Fines herbes fraîches, au goût

Faire chauffer l'huile dans une casserole.

Y faire revenir les poireaux 3 minutes, à feu moyen.

Ajouter les cubes de pommes de terre et les tranches de carotte. Poursuivre la cuisson 5 minutes.

Ajouter la farine et bien mélanger.

Assaisonner de basilic, d'estragon et de sarriette.

Saler et poivrer.

Arroser de bouillon et amener à ébullition.

Réduire la chaleur et laisser mijoter 40 minutes.

Passer au mélangeur jusqu'à consistance homogène.

Transvaser dans la casserole et ajouter le lait et les fines herbes.

Laisser mijoter 2 ou 3 minutes, juste pour réchauffer. Servir tiède.

Mme Antoine Lévesque,
St-Philippe-de-Néri

*P*our varier, saupoudrer chaque portion de fromage râpé, au choix, et gratiner au four.

Velouté de betteraves

Portions :	4
Préparation :	15 minutes
Cuisson :	25 minutes
Degré de difficulté :	faible

Énergie : 137 cal	Protéines :		4 g
Lipides :	6 g	Cholestérol :	58 mg
Glucides :	17 g	Fibres :	2,4 g

15 ml (1 c. à soupe) de margarine

½ oignon, haché finement

500 ml (2 tasses) de bouillon de poulet

30 ml (2 c. à soupe) de riz à grains longs

500 ml (2 tasses) de dés de betteraves mi-cuites

15 ml (1 c. à soupe) de vinaigre de vin rouge ou de vinaigre de fruits

Poivre, au goût

2 ml (½ c. à thé) de moutarde forte

1 jaune d'œuf

45 ml (3 c. à soupe) de crème 10 %

45 ml (3 c. à soupe) de lait

30 ml (2 c. à soupe) de persil frais haché

Faire chauffer la margarine dans une casserole. Y fondre l'oignon 3 minutes, à feu doux. Ajouter le bouillon de poulet et le riz. Amener à ébullition.

Ajouter les dés de betteraves, le vinaigre et le poivre. Réduire la chaleur et laisser mijoter 20 minutes.

Réduire en purée au robot. Passer au tamis et transvaser dans la casserole. Incorporer la moutarde et bien fouetter. Amener à ébullition.

Dans un petit bol, battre le jaune d'œuf, la crème et le lait. Tout en fouettant, incorporer un peu de la purée de betteraves, puis transvaser dans la casserole en mélangeant constamment. Poursuivre la cuisson 2 ou 3 minutes, juste pour réchauffer. Saupoudrer de persil haché.

Micheline Massé,
St-Bruno-de-Montarville

*U*n velouté ne sera jamais un potage comme les autres. Mais peu s'en faut. Lisse et onctueux, il doit sa texture aux jaunes d'œufs qu'il contient.

Crème de tomates aux fines herbes

Portions :	6
Préparation :	15 minutes
Cuisson :	12 minutes
Degré de difficulté :	faible

Énergie : 162 cal	Protéines :	4 g
Lipides : 11 g	Cholestérol :	32 mg
Glucides : 33 g	Fibres :	2,1 g

60 ml (¼ tasse) de beurre

1 oignon, haché finement

30 ml (2 c. à soupe) de farine

500 ml (2 tasses) de lait

1 boîte de 796 ml (28 oz) de tomates broyées

Fines herbes, au goût

Sel et poivre

Faire fondre le beurre dans une casserole.

Y faire revenir l'oignon 5 minutes environ, sans laisser prendre couleur.

Saupoudrer de farine et mélanger environ 30 secondes.

Tout en brassant, ajouter graduellement le lait.

Amener à ébullition en remuant constamment.

Ajouter les tomates et poursuivre la cuisson tout en mélangeant, jusqu'aux premiers bouillons.

Assaisonner de fines herbes.

Saler et poivrer.

Carmen Bélanger,
Ste-Thérèse

Parmi les aromates qui parfument le mieux la tomate, mentionnons le persil, la ciboulette, le cerfeuil, les feuilles de céleri, le thym et le basilic.

Crème aux feuilles de radis

Portions :	4
Préparation :	10 minutes
Cuisson :	25 minutes
Degré de difficulté :	faible

Énergie : 90 cal	Protéines :	3 g
Lipides : 5 g	Cholestérol :	2 mg
Glucides : 9 g	Fibres :	0,9 g

15 ml (1 c. à soupe) d'huile

10 feuilles de radis

1 oignon, en rondelles

750 ml (3 tasses) de bouillon de poulet

1 pomme de terre, en dés

60 ml (¼ tasse) de lait

Sel et poivre

Faire chauffer l'huile dans une casserole.

Y faire revenir les feuilles de radis et l'oignon 5 minutes environ, à feu doux, jusqu'à ce que ce dernier soit transparent.

Ajouter le bouillon et les dés de pomme de terre.

Amener à ébullition.

Réduire la chaleur et laisser mijoter 20 minutes.

Passer au mélangeur jusqu'à consistance homogène.

Transvaser dans la casserole et ajouter le lait.

Saler et poivrer.

Laisser mijoter 2 ou 3 minutes, juste pour réchauffer.

Anonyme,
Marieville

Les feuilles de radis, ou fanes, peuvent également entrer dans la confection d'une purée d'épinards ou d'oseille.

Potages

Potage froid aux épinards

Portions :	4
Préparation :	15 minutes
Cuisson :	10 minutes
Refroidissement :	4 heures
Degré de difficulté :	faible

Énergie : 192 cal	Protéines :		5 g
Lipides :	13 g	Cholestérol :	35 mg
Glucides :	15 g	Fibres :	2,4 g

30 ml (2 c. à soupe) de beurre

1 oignon, haché

2 gousses d'ail, tranchées finement

45 ml (3 c. à soupe) de fécule de maïs

750 ml (3 tasses) de bouillon de poulet

1 sac de 284 g (10 oz) d'épinards, lavés, équeutés et déchirés en morceaux

30 ml (2 c. à soupe) de jus de citron

5 ml (1 c. à thé) d'estragon

250 ml (1 tasse) de crème 10 %

2 ml (½ c. à thé) de sel

2 ml (½ c. à thé) de poivre

Faire fondre le beurre dans une casserole. Y faire revenir l'oignon et l'ail de 2 à 3 minutes. Saupoudrer de fécule de maïs.

Tout en mélangeant, ajouter graduellement le bouillon de poulet et amener à ébullition.

Réduire aussitôt la chaleur, puis ajouter les épinards.

Couvrir et laisser mijoter 5 minutes environ, jusqu'à ce que les épinards soient tendres.

Passer au mélangeur jusqu'à consistance homogène. Transvaser dans la casserole.

Ajouter le jus de citron, l'estragon et la crème. Saler et poivrer. Amener à ébullition et retirer aussitôt du feu.

Réfrigérer au moins 4 heures.

Verser dans des bols.

Margo Rœ,
Pincourt

Un filet de crème, une cuillerée de yogourt ou une touche de crème sure : autant de façons alléchantes de signer son œuvre.

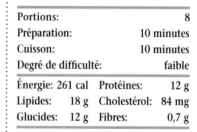

Bisque de crabe au sherry

Portions :	8
Préparation :	10 minutes
Cuisson :	10 minutes
Degré de difficulté :	faible

Énergie : 261 cal	Protéines :		12 g
Lipides :	18 g	Cholestérol :	84 mg
Glucides :	12 g	Fibres :	0,7 g

1 boîte de 284 ml (10 oz) de crème de champignons concentrée

1 boîte de 284 ml (10 oz) de crème d'asperges concentrée

560 ml (2 ¼ tasses) de lait

250 ml (1 tasse) de crème 35 %

60 ml (¼ tasse) de pâte de tomate

75 ml (⅓ tasse) de sherry

2 boîtes de 142 g (5 oz) de crabe, égoutté

Sel et poivre

Croûtons (facultatif)

Dans une casserole, mélanger la crème de champignons, la crème d'asperges, le lait, la crème, la pâte de tomate et le sherry, jusqu'à consistance homogène.

Incorporer la chair de crabe.

Saler et poivrer.

Amener à ébullition.

Réduire la chaleur et laisser mijoter 10 minutes.

Rectifier l'assaisonnement.

Si désiré, garnir de croûtons.

Huguette Brunet,
St-Joachim

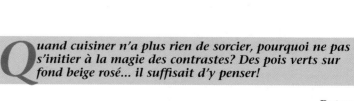

Quand cuisiner n'a plus rien de sorcier, pourquoi ne pas s'initier à la magie des contrastes? Des pois verts sur fond beige rosé... il suffisait d'y penser!

Potage « mer et prés »

Portions :	6
Préparation :	30 minutes
Cuisson :	20 minutes
Degré de difficulté :	moyen

Énergie : 179 cal	Protéines :	10 g
Lipides : 12 g	Cholestérol :	48 mg
Glucides : 9 g	Fibres :	0,5 g

45 ml (3 c. à soupe) de beurre

30 ml (2 c. à soupe) de farine

500 ml (2 tasses) de lait

2 ml (½ c. à thé) de sel

Poivre, au goût

500 ml (2 tasses) de bouillon de poulet

½ oignon, tranché finement

1 gousse d'ail, finement hachée

75 ml (⅓ tasse) de brocoli (tige) en fins bâtonnets

60 ml (¼ tasse) de pomme de terre en fins bâtonnets

75 ml (⅓ tasse) de crevettes grises décortiquées

75 ml (⅓ tasse) de pétoncles

125 ml (½ tasse) de morue en cubes

125 ml (½ tasse) de saumon en cubes

60 ml (¼ tasse) de cheddar jaune râpé

Persil haché, au goût

Faire fondre 30 ml (2 c. à soupe) de beurre dans une casserole.

Ajouter la farine et bien mélanger.

Ajouter le lait et chauffer tout en remuant, jusqu'à épaississement.

Saler et poivrer. Réserver cette béchamel.

Amener le bouillon de poulet à ébullition dans une autre casserole.

Ajouter l'oignon, l'ail, le brocoli et la pomme de terre.

Laisser bouillir 5 minutes et incorporer à la béchamel. Réserver.

Faire fondre le reste du beurre dans un poêlon. Y faire revenir les crevettes, les pétoncles, la morue et le saumon de 2 à 3 minutes environ.

Incorporer à la préparation précédente et laisser mijoter 2 ou 3 minutes, juste pour réchauffer.

Saupoudrer chaque portion de cheddar et de persil. Si désiré, agrémenter de croûtons.

Sylvie Santerre,
St-Philippe-de-Néri

*C**revettes, pétoncles, morue et saumon: un quatuor maritime bien de chez nous, en harmonie dans une même soupière.*

Chaudrée de palourdes St-Bruno

Portions :	4
Préparation :	15 minutes
Cuisson :	20 minutes
Degré de difficulté :	faible

Énergie : 299 cal	Protéines :	16 g
Lipides : 17 g	Cholestérol :	47 mg
Glucides : 23 g	Fibres :	3,7 g

125 ml (½ tasse) d'eau, ou plus

375 ml (1 ½ tasse) de pommes de terre en cubes

60 g (2 oz) de lard salé, en dés

75 ml (⅓ tasse) d'oignons hachés

2 ml (½ c. à thé) de sel

1 pincée de poivre

1 pincée de bicarbonate de soude

1 boîte de 796 ml (28 oz) de tomates

2 boîtes de 284 ml (10 oz) de palourdes

Amener l'eau à ébullition dans une casserole.

Ajouter les pommes de terre et réduire la chaleur.

Laisser mijoter 15 minutes environ, jusqu'à tendreté.

Pendant ce temps, faire revenir le lard salé 2 ou 3 minutes dans un poêlon.

Ajouter les oignons et poursuivre la cuisson 5 minutes environ, jusqu'à ce qu'ils soient légèrement dorés.

Saler et poivrer. Ajouter aux pommes de terre.

Ajouter le bicarbonate de soude, les tomates, les palourdes et leur jus.

Laisser mijoter 2 ou 3 minutes, juste pour réchauffer.

Micheline Massé,
St-Bruno

*P**our mériter le nom de « chaudrée », un potage doit savoir s'inspirer de la mer. La muse de celui-ci? Nulle autre que la palourde, un mollusque bivalve fort prisé.*

G risés par le galop des marées, l'air salin du grand large et la liberté qu'inspirent les vastes horizons, les cordages et filets attendent patiemment les pêcheurs.

Potage de saumon Marieville

Portions :	6
Préparation :	15 minutes
Cuisson :	25 minutes
Degré de difficulté :	faible

Énergie :	147 cal	Protéines :	12 g
Lipides :	4 g	Cholestérol :	21 mg
Glucides :	16 g	Fibres :	2,7 g

1   boîte de 213 g (7 ½ oz) de saumon

1   boîte de 796 ml (28 oz) de tomates

250   ml (1 tasse) de pommes de terre en dés

1   branche de céleri, hachée finement

125   ml (½ tasse) d'échalotes hachées

125   ml (½ tasse) d'oignons hachés finement

     Sel et poivre

1   ml (¼ c. à thé) de thym

1   ml (¼ c. à thé) d'estragon émietté

500   ml (2 tasses) de lait 2 %

Égoutter le saumon en ayant soin d'en recueillir le jus. Réserver.

Verser le jus du saumon dans une casserole. Ajouter les tomates, puis les écraser au pilon. Ajouter les pommes de terre, le céleri, les échalotes et les oignons hachés. Saler et poivrer. Assaisonner de thym et d'estragon.

Amener à ébullition. Réduire la chaleur et laisser mijoter de 20 à 25 minutes, jusqu'à ce que les légumes soient tendres.

Émietter le saumon et en écraser les arêtes. L'ajouter au potage. Tout en mélangeant, incorporer le lait.

Laisser mijoter 2 ou 3 minutes, juste pour réchauffer.

Laurette Lévesque,
Marieville

Consistant à souhait, ce potage au lait regorge de saumon et d'excellents légumes. L'accompagner de pain de blé entier pour un repas énergétique complet.

Potage aux crevettes de Maria

Portions :	4
Préparation :	15 minutes
Cuisson :	25 minutes
Degré de difficulté :	faible

Énergie :	168 cal	Protéines :	16 g
Lipides :	5 g	Cholestérol :	111 mg
Glucides :	16 g	Fibres :	1,9 g

15   ml (1 c. à soupe) d'huile

3   échalotes, hachées finement

1   branche de céleri, hachée finement

1   boîte de 540 ml (19 oz) de jus de tomate

125   ml (½ tasse) de ketchup

1   goutte de sauce au piment fort (type Tabasco)

3   gouttes de sauce anglaise (Worcestershire)

500   ml (2 tasses) de crevettes nordiques cuites et décortiquées

     Persil haché, au goût

Faire chauffer l'huile dans une casserole.

Y faire revenir les échalotes et le céleri de 5 à 7 minutes, sans laisser prendre couleur.

Ajouter le jus de tomate, le ketchup, la sauce au piment fort et la sauce anglaise. Bien mélanger.

Laisser mijoter environ 20 minutes, puis ajouter les crevettes.

Saupoudrer de persil.

Si désiré, décorer chaque portion d'une brindille de céleri feuillue et de deux crevettes.

Colette Normandeau,
Maria

Pour servir ce potage froid, ne le laisser mijoter que 5 minutes, puis le réfrigérer de 3 à 4 heures.

Soupe aux huîtres et au vin blanc

Portions :	6
Préparation :	20 minutes
Cuisson :	3 minutes
Degré de difficulté :	faible

Énergie : 150 cal	Protéines :		10 g
Lipides : 6,2 g	Cholestérol :		61 mg
Glucides : 10 g	Fibres :		0,1 g

36　huîtres fraîches

125　ml (½ tasse) de vin blanc sec

750　ml (3 tasses) de lait chaud

2　ml (½ c. à thé) de sel

1　ml (¼ c. à thé) de poivre

1　pincée de piment de Cayenne

45　ml (3 c. à soupe)
　de craquelins émiettés
　(type biscuits soda)

15　ml (1 c. à soupe)
　de persil haché

Ouvrir les huîtres et les décoquiller, en ayant soin d'en recueillir le jus.

Passer ce dernier au tamis, puis le verser dans une casserole.

Ajouter les huîtres et le vin blanc sec.

Amener à ébullition et retirer aussitôt du feu.

Ajouter le lait chaud.

Saler et poivrer.

Assaisonner d'une pincée de piment de Cayenne.

Incorporer les craquelins émiettés et parsemer de persil haché.

Servir bien chaud, avec un petit bol de craquelins émiettés.

Cécile Chalifoux,
St-Valentin

Soupe-repas aux crevettes et au poisson

Portions :	4
Préparation :	20 minutes
Cuisson :	30 minutes
Degré de difficulté :	faible

Énergie : 200 cal	Protéines :		23 g
Lipides : 7 g	Cholestérol :		95 mg
Glucides : 12 g	Fibres :		2,5 g

30　ml (2 c. à soupe) de beurre

250　ml (1 tasse) d'oignons hachés

250　ml (1 tasse) de céleri en cubes

250　ml (1 tasse) de poireaux
　en cubes (partie blanche)

500　ml (2 tasses) d'eau

375　ml (1 ½ tasse) de jus
　de tomate

15　ml (1 c. à soupe) de concentré
　de bouillon de poulet

120　g (4 oz) de crevettes grises,
　décortiquées

360　g (12 oz) de poisson, en cubes

　　Sel et poivre

Faire fondre le beurre dans une casserole.

Y faire revenir les oignons, le céleri et les poireaux de 5 à 7 minutes environ, sans laisser prendre couleur.

Ajouter l'eau, le jus de tomate et le concentré de bouillon.

Amener à ébullition.

Réduire la chaleur et laisser mijoter de 12 à 15 minutes.

Ajouter les crevettes et le poisson.

Saler et poivrer.

Poursuivre la cuisson de 5 à 10 minutes.

Francine Bigras,
Blainville

Pour décoquiller les huîtres, il vaut mieux s'outiller du couteau court à lame épaisse conçu pour cet usage, plutôt que de s'armer de patience.

Le céleri et le poireau, légumes aromatiques par excellence, contribuent à donner du caractère aux potages qu'ils rehaussent d'ailleurs avec brio.

Soupe aux boulettes de viande

Portions :	8
Préparation :	25 minutes
Cuisson :	1 heure 15 minutes
Degré de difficulté :	faible

Énergie : 263 cal	Protéines :	29 g
Lipides : 12 g	Cholestérol :	92 mg
Glucides : 9 g	Fibres :	2,9 g

500 g (1 lb) de bœuf haché
maigre

500 g (1 lb) de veau haché

Gingembre frais haché,
au goût

5 échalotes, hachées

1 boîte de 284 ml (10 oz)
de champignons, égouttés
et hachés

15 ml (1 c. à soupe) d'huile

1 oignon, haché

1 sachet de soupe à l'oignon
déshydratée

1,5 l (6 tasses) d'eau

1 chou chinois, tranché
finement

15 ml (1 c. à soupe)
de sauce soya

Dans un bol, mélanger le bœuf, le veau, le gingembre, les échalotes et les champignons.

Façonner la préparation en une trentaine de boulettes. Réserver.

Faire chauffer l'huile dans un poêlon. Y faire revenir l'oignon haché 5 minutes environ, jusqu'à ce qu'il soit transparent. Retirer du poêlon et réserver.

Dans le même poêlon, faire revenir les boulettes de viande quelques minutes, jusqu'à ce qu'elles soient dorées de toutes parts.

Ajouter l'oignon, le sachet de soupe déshydratée et l'eau. Amener à ébullition.

Réduire la chaleur et laisser mijoter 1 heure environ.

Ajouter le chou chinois et la sauce soya.

Poursuivre la cuisson 5 minutes environ, jusqu'à ce que le chou soit tendre.

Si désiré, garnir chaque portion d'échalote hachée.

Rachel Loubier,
St-Martin

Servie fumante les soirs d'hiver, cette soupe rustique a de quoi raviver les ardeurs gourmandes des plus frileux.

Potage aux asperges « corne d'abondance »

Portions :	8
Préparation :	15 minutes
Cuisson :	25 minutes
Degré de difficulté :	faible

Énergie : 162 cal	Protéines :	5 g
Lipides : 10 g	Cholestérol :	25 mg
Glucides : 16 g	Fibres :	2,8 g

1,5 l (6 tasses), ou plus,
de bouillon de poulet

500 g (1 lb) d'asperges fraîches,
en tronçons

2 courgettes (non pelées),
en tranches

2 branches de céleri,
avec les feuilles

2 pommes de terre, en cubes

75 ml (⅓ tasse) de beurre

75 ml (⅓ tasse) de farine

1 concombre (non pelé),
en tranches

Sel et poivre

60 ml (¼ tasse) de crème 15 %

Bouquets de persil

Dans une casserole, amener le bouillon de poulet à ébullition.

Ajouter les asperges, les courgettes, le céleri et les pommes de terre.

Réduire la chaleur et laisser mijoter 20 minutes environ, jusqu'à ce que les légumes soient tendres.

Mélanger le beurre et la farine pour former une pâte.

Ajouter graduellement au potage, tout en remuant au fouet, jusqu'à épaississement. Retirer du feu.

Ajouter le concombre et passer le tout au robot jusqu'à consistance homogène. Saler et poivrer.

Ajouter la crème et poursuivre la cuisson 2 ou 3 minutes, juste pour réchauffer.

Si le potage semble trop épais, l'allonger d'un peu de bouillon de poulet.

Garnir de bouquets de persil et servir très chaud.

Aline Picard,
St-Alban

Assaisonner de citron et de thym de fines tranches de courgette revenues au beurre. Placer sur chacune une tête d'asperge. En décorer chaque portion.

Pot-pourri jardinier

Portions :	6
Préparation :	15 minutes
Cuisson :	40 minutes
Degré de difficulté :	faible

Énergie : 53 cal	Protéines :	1 g
Lipides : 2 g	Cholestérol :	5 mg
Glucides : 8 g	Fibres :	2 g

15 ml (1 c. à soupe) de beurre

3 carottes, en dés

1 oignon, haché

250 ml (1 tasse) de rutabaga ou
de panais en dés

Poudre d'ail, au goût

Fines herbes, au goût

Sel et poivre

1,5 l (6 tasses) d'eau

250 ml (1 tasse) de champignons
tranchés finement

Paprika, au goût

Faire fondre le beurre dans une casse-role.

Y faire revenir les carottes, l'oignon et le rutabaga de 8 à 10 minutes environ, sans laisser prendre couleur.

Assaisonner de poudre d'ail et de fines herbes. Saler et poivrer.

Ajouter l'eau et amener à ébullition.

Réduire la chaleur et laisser mijoter environ 25 minutes.

Ajouter les champignons et poursuivre la cuisson 5 minutes.

Passer au mélangeur, si désiré, et saupoudrer de paprika.

Anonyme,
St-Nazaire

Potage de verdure

Portions :	6
Préparation :	15 minutes
Cuisson :	20 minutes
Degré de difficulté :	faible

Énergie : 111 cal	Protéines :	6 g
Lipides : 2 g	Cholestérol :	0,5 mg
Glucides : 20 g	Fibres :	3,5 g

500 ml (2 tasses) d'eau

1 laitue, tranchée finement

1 sac de 300 g (10 oz)
d'épinards

3 pommes de terre, tranchées

1 carotte, hachée finement

1 oignon, tranché

1,5 l (6 tasses) de bouillon
de poulet

60 ml (¼ tasse) de lait écrémé
en poudre

2 ml (½ c. à thé) de thym

5 ml (1 c. à thé), ou plus, de sel

2 ml (½ c. à thé) de poivre

Agent épaississant
« type Veloutine »,
au besoin, ou autre
(facultatif)

Amener 500 ml (2 tasses) d'eau à ébullition dans une casserole.

Ajouter la laitue, les épinards, les pommes de terre, la carotte et l'oignon.

Réduire la chaleur et laisser mijoter 15 minutes environ, jusqu'à ce que les légumes soient tendres.

Passer au mélangeur jusqu'à consistance homogène. Transvaser dans la casserole. Ajouter le bouillon de poulet, le lait écrémé en poudre et le thym.

Saler et poivrer. Laisser mijoter 2 ou 3 minutes, juste pour réchauffer. Si le potage semble trop clair, ajouter un peu d'agent épaississant.

Servir bien chaud, avec des croûtons à l'ail.

Cécile Dupuis,
Gaspé

Potage aux fines herbes du jardin

Portions :	6
Préparation :	20 minutes
Cuisson :	20 minutes
Degré de difficulté :	faible

Énergie : 187 cal	Protéines :	4 g
Lipides : 13 g	Cholestérol :	35 mg
Glucides : 14 g	Fibres :	2,3 g

60   ml (¼ tasse) de beurre

4   oignons, hachés finement

1   poireau, tranché finement
(partie blanche)

30   ml (2 c. à soupe) de farine

1,5   l (6 tasses) de bouillon
de poulet

125   ml (½ tasse) de persil frais
haché

125   ml (½ tasse) de cerfeuil frais
haché

2   ml (½ c. à thé) de basilic
haché

1   brindille d'estragon

125   ml (½ tasse) de crème 15 %

Sel et poivre

Faire chauffer le beurre dans une casserole.

Y faire revenir les oignons et le poireau 5 minutes environ, à feu moyen, sans laisser prendre couleur.

Saupoudrer de farine et bien mélanger.

Ajouter le bouillon de poulet en mélangeant constamment, pour éviter la formation de grumeaux.

Assaisonner de persil, de cerfeuil, de basilic et d'estragon.

Amener à ébullition.

Réduire la chaleur et laisser mijoter 15 minutes.

Retirer du feu et incorporer la crème.

Saler et poivrer.

Marcelle Ross,
Chicoutimi

> **D**u potager à la marmite, les fines herbes conserveront tout leur bouquet si on les congèle avec un peu d'eau, dans des bacs à glaçons.

Potage de légumes saisonniers

Portions :	10
Préparation :	15 minutes
Cuisson :	1 heure
Degré de difficulté :	faible

Énergie : 53 cal	Protéines :	2 g
Lipides : 0,5 g	Cholestérol :	0 mg
Glucides : 12 g	Fibres :	3,3 g

3   oignons, en quartiers

½   pied de céleri, en gros
morceaux

1   poivron vert ou rouge,
en gros morceaux

½   chou, en quartiers

2   carottes, en tronçons

2   tomates fraîches, pelées
et hachées ou 1 boîte
de 540 ml (19 oz) de tomates,
hachées

4   gousses d'ail, hachées

1   sachet de soupe à l'oignon
déshydratée

Persil, au goût

Hacher les oignons, le céleri, le poivron, le chou et les carottes au robot. Déposer dans une grande casserole et couvrir d'eau.

Ajouter les tomates, l'ail et le sachet de soupe à l'oignon déshydratée. Assaisonner de persil.

Amener à ébullition.

Réduire la chaleur et laisser mijoter environ 1 heure, jusqu'à ce que les légumes soient tendres.

Passer au mélangeur jusqu'à consistance homogène.

Alice Charbonneau,
Ste-Anne-des-Plaines

> **C**e potage, sans gras ni sel, convient particulièrement aux personnes soucieuses à la fois de leur santé et de leur silhouette.

Potage aux carottes et au céleri

Portions :	6
Préparation :	20 minutes
Cuisson :	30 minutes
Degré de difficulté :	faible

Énergie : 194 cal	Protéines :	4 g
Lipides : 13 g	Cholestérol :	42 mg
Glucides : 16 g	Fibres :	3,2 g

1 l (4 tasses) de bouillon de poulet

8 carottes, tranchées

2 branches de céleri, tranchées

Feuilles de céleri, au goût

1 oignon, tranché

60 ml (¼ tasse) de persil haché

Sel et poivre

1 feuille de laurier

2 clous de girofle

375 ml (1 ½ tasse) de crème 15 %

Amener le bouillon de poulet à ébullition dans une casserole.

Ajouter les carottes, le céleri et ses feuilles, l'oignon et le persil.

Saler et poivrer.

Assaisonner de laurier et de clous de girofle.

Réduire la chaleur et laisser mijoter de 20 à 30 minutes, jusqu'à ce que les légumes soient tendres.

Passer au mélangeur jusqu'à consistance homogène.

Transvaser dans la casserole et ajouter la crème. Bien mélanger.

Laisser mijoter 2 ou 3 minutes, juste pour réchauffer.

Janine Cyr,
St-Eustache

Les feuilles de céleri rehaussent à merveille les potages et les ragoûts. Pour en avoir toujours sous la main, il suffit de les blanchir et de les congeler.

Potage coloré aux lentilles

Portions :	8
Préparation :	20 minutes
Cuisson :	1 heure 35 minutes
Degré de difficulté :	faible

Énergie : 127 cal	Protéines :	8 g
Lipides : 2 g	Cholestérol :	0 mg
Glucides : 20 g	Fibres :	1,5 g

500 ml (2 tasses) de bouillon de poulet

500 ml (2 tasses) de bouillon de légumes

250 ml (1 tasse) de lentilles rouges ou vertes

10 ml (2 c. à thé) d'huile végétale

250 ml (1 tasse) de carottes hachées

250 ml (1 tasse) de céleri haché

250 ml (1 tasse) d'oignons hachés

250 ml (1 tasse) de navet haché

2 gousses d'ail, hachées

1 ml (¼ c. à thé) d'assaisonnement au chili

1 ml (¼ c. à thé) de cari

10 ml (2 c. à thé) de jus de citron

2 ml (½ c. à thé) de sel

Dans une casserole, amener les bouillons de poulet et de légumes à ébullition. Ajouter les lentilles. Réduire la chaleur et laisser mijoter de 25 à 30 minutes, jusqu'à ce que les lentilles soient tendres. Réserver.

Faire chauffer l'huile dans une casserole. Y faire revenir les carottes, le céleri, les oignons, le navet et les gousses d'ail de 5 à 8 minutes environ, jusqu'à légère coloration.

Ajouter les lentilles et leur bouillon, l'assaisonnement au chili, le cari, le jus de citron et le sel. Amener à ébullition. Réduire la chaleur et laisser mijoter 1 heure environ, jusqu'à ce que les légumes soient tendres. Garnir d'un bouquet de persil et saupoudrer de parmesan râpé.

Monique Campagna,
St-Damien

Cette soupe, suivie d'un sandwich au fromage avec pain de blé entier, puis d'une salade de fruits frais, constitue un repas léger et parfaitement équilibré.

Potage cressonnière

Portions :	6
Préparation :	20 minutes
Cuisson :	25 minutes
Degré de difficulté :	faible

Énergie : 189 cal	Protéines :	5 g
Lipides : 10 g	Cholestérol :	97 mg
Glucides : 22 g	Fibres :	2,1 g

1   l (4 tasses) d'eau

250 ml (1 tasse) de cresson

6   pommes de terre,
     en morceaux

2   jaunes d'œufs

250 ml (1 tasse) de crème 15 %

     Sel et poivre

     Fines herbes, au goût

Amener l'eau à ébullition dans une casserole. Y faire cuire le cresson 15 minutes environ.

Passer le tout au mélangeur, jusqu'à ce que le cresson soit finement haché. Transvaser dans la casserole.

D'autre part, faire cuire les pommes de terre 20 minutes dans une casserole d'eau bouillante salée, jusqu'à tendreté. Égoutter et réduire en purée.

Incorporer à la préparation précédente.

Dans un bol, mélanger les jaunes d'œufs et la crème. Tout en fouettant, ajouter peu à peu au potage. Saler et poivrer. Assaisonner de fines herbes.

Laisser mijoter 2 ou 3 minutes, juste pour réchauffer.

Anne-Marie Chamberland,
Cabano

Potage aux tomates et aux grains de maïs

Portions :	8
Préparation :	10 minutes
Cuisson :	45 minutes
Degré de difficulté :	faible

Énergie : 107 cal	Protéines :	3 g
Lipides : 4 g	Cholestérol :	8 mg
Glucides : 16 g	Fibres :	2 g

30   ml (2 c. à soupe) de beurre

1   oignon, haché

1   boîte de 796 ml (28 oz)
     de tomates

1   l (4 tasses)
     de bouillon de poulet

60   ml (¼ tasse) de riz (cru)

1   boîte de 340 ml (12 oz)
     de maïs en grains

     Sel et poivre

Faire chauffer le beurre dans une casserole.

Y faire revenir l'oignon 5 minutes environ, jusqu'à ce qu'il soit transparent.

Ajouter les tomates et le bouillon.

Amener à ébullition.

Réduire la chaleur et laisser mijoter 10 minutes.

Ajouter le riz et poursuivre la cuisson 20 minutes.

Incorporer le maïs en grains.

Saler et poivrer.

Cuire 10 minutes de plus.

Anne Montambault,
Deschambault

*C*hoisir du cresson aux feuilles vertes et tendres. S'il en reste, le servir en salade ou dans les sandwichs.

*A*u lendemain d'une «épluchette», égrener les épis non consommés. Ils auront tôt fait d'ensoleiller les potages.

Potage à la courgette

Portions :	6
Préparation :	15 minutes
Cuisson :	25 minutes
Degré de difficulté :	faible

Énergie : 149 cal	Protéines :	4 g
Lipides : 6 g	Cholestérol :	3 mg
Glucides : 22 g	Fibres :	2,9 g

30	ml (2 c. à soupe) de margarine
1	oignon, haché
1	branche de céleri, tranchée
1	l (4 tasses) de bouillon de poulet
½	courgette, épépinée et coupée en tronçons
3	pommes de terre, tranchées
4	carottes, hachées
30	ml (2 c. à soupe) de farine, délayée dans un peu d'eau
	Sel et poivre
125	ml (½ tasse) de lait

Faire fondre la margarine dans une casserole.

Y faire revenir l'oignon et le céleri à feu moyen, de 5 à 7 minutes environ, sans laisser prendre couleur.

Ajouter le bouillon de poulet et amener à ébullition.

Ajouter la courgette, les pommes de terre et les carottes.

Réduire la chaleur et laisser mijoter de 15 à 20 minutes environ, jusqu'à ce que les légumes soient tendres.

Incorporer la farine délayée et mélanger jusqu'à léger épaississement.

Passer au robot jusqu'à consistance homogène.

Transvaser dans la casserole.

Saler et poivrer.

Incorporer le lait et laisser mijoter 2 ou 3 minutes, juste pour réchauffer.

Anonyme,
Lyster

Potage de tomates et de courgettes

Portions :	8
Préparation :	10 minutes
Cuisson :	1 heure 10 minutes
Degré de difficulté :	faible

Énergie : 166 cal	Protéines :	4 g
Lipides : 9 g	Cholestérol :	2 mg
Glucides : 20 g	Fibres :	4,6 g

75	ml (⅓ tasse) de margarine
3	branches de céleri, en tronçons
2	oignons, en quartiers
5	carottes, en tronçons
3	gousses d'ail, hachées
3	courgettes, pelées et coupées en tronçons
8	tomates, pelées, épépinées et coupées en quartiers
45	ml (3 c. à soupe) de farine
1	l (4 tasses) de bouillon de poulet
10	ml (2 c. à thé) de basilic
	Sel et poivre
125	ml (½ tasse) de lait ou de crème 15 %

Faire fondre la margarine dans une casserole.

Y faire revenir le céleri, les oignons, les carottes, l'ail, les courgettes et les tomates de 7 à 10 minutes environ, sans laisser prendre couleur.

Saupoudrer les légumes de farine.

Ajouter le bouillon de poulet et bien mélanger.

Assaisonner de basilic.

Saler et poivrer.

Amener à ébullition.

Réduire la chaleur et laisser mijoter 1 heure.

Passer au mélangeur jusqu'à consistance homogène.

Transvaser dans la casserole et ajouter le lait.

Laisser mijoter 2 ou 3 minutes, juste pour réchauffer.

Éliette L. Morand,
Deschambault

L *es ingrédients d'un potage jardinier sont toujours indiqués à titre suggestif. Il suffit d'un brin d'imagination pour apprêter judicieusement un reste de légumes.*

P *our couronner le potage tel qu'illustré, disposer le lait ou la crème en cercle, goutte à goutte. Former ensuite des cœurs, en se servant d'un cure-dent.*

Potage de tomates mûries juste à point

Portions :	8
Préparation :	15 minutes
Cuisson :	8 minutes
Degré de difficulté :	faible

Énergie : 138 cal	Protéines :	4 g
Lipides : 6 g	Cholestérol :	12 mg
Glucides : 19 g	Fibres :	3,3 g

12   tomates rouges

45   ml (3 c. à soupe) de beurre

1   oignon, émincé

2   l (8 tasses)
       de bouillon de poulet

3   pommes de terre, cuites
       et coupées en cubes

15   ml (1 c. à soupe) d'assaison-
       nement à l'italienne

15   ml (1 c. à soupe) de persil

2   ml (½ c. à thé) d'herbes
       salées

       Poivre, au goût

Blanchir les tomates 1 minute dans une casserole d'eau bouillante salée, jusqu'à ce que la peau s'enlève facilement. Peler et couper en cubes.

Faire chauffer le beurre dans un poêlon.

Y faire revenir l'oignon et les tomates 5 minutes environ à feu moyen, en remuant souvent.

Passer au robot avec le bouillon de poulet et les pommes de terre, jusqu'à consistance homogène. (Procéder en plusieurs étapes, au besoin.)

Transvaser dans une casserole. Ajouter l'assaisonnement à l'italienne, le persil et les herbes salées. Poivrer. Amener à ébullition.

Réduire la chaleur et laisser mijoter 2 ou 3 minutes environ, juste pour réchauffer. Si désiré, garnir chaque portion d'un bouquet de persil.

Gisèle Bolduc,
St-Georges-Ouest

Pour être juteuses et bien pulpeuses, les tomates du jardin doivent mûrir dans une terre riche et constamment humide et bénéficier d'un ensoleillement maximal.

Potage de brocoli au cumin

Portions :	4
Préparation :	15 minutes
Cuisson :	15 minutes
Degré de difficulté :	faible

Énergie : 75 cal	Protéines :	5 g
Lipides : 1 g	Cholestérol :	0 mg
Glucides : 14 g	Fibres :	3,7 g

625 ml (2 ½ tasses)
       de bouillon de poulet

250 ml (1 tasse)
       de pommes de terre en cubes

1,25 l (5 tasses) de brocoli haché

2   ml (½ c. à thé) de cumin

       Sel et poivre

Amener le bouillon de poulet à ébullition dans une casserole.

Ajouter les pommes de terre.

Réduire la chaleur et laisser mijoter 10 minutes.

Ajouter le brocoli et poursuivre la cuisson 5 minutes.

Assaisonner de cumin.

Saler et poivrer.

Passer au mélangeur jusqu'à consistance homogène.

Denise Turpin,
Maniwaki

La valeur gustative d'un potage ne se mesure pas forcément au nombre de ses ingrédients. En voici la preuve!

Potage du verger

Portions :	8
Préparation :	10 minutes
Cuisson :	40 minutes
Degré de difficulté :	faible

Énergie : 132 cal	Protéines :	3 g
Lipides : 6 g	Cholestérol :	14 mg
Glucides : 18 g	Fibres :	1,9 g

30 ml (2 c. à soupe) de beurre

2 pommes, tranchées finement

4 pommes de terre, tranchées finement

1 poireau, émincé

1 oignon, tranché finement

1 branche de céleri, tranchée finement

1,5 l (6 tasses) de bouillon de poulet

1 pincée de muscade

1 pincée de cannelle

Sel et poivre

75 ml (⅓ tasse) de crème 15 %

Faire fondre le beurre dans une casserole.

Y faire revenir les pommes, les pommes de terre, le poireau, l'oignon et le céleri de 5 à 8 minutes environ, à feu doux, sans laisser prendre couleur.

Ajouter le bouillon, la muscade et la cannelle.

Saler et poivrer. Amener à ébullition. Réduire la chaleur et laisser mijoter environ 30 minutes, jusqu'à ce que les légumes soient tendres.

Passer au mélangeur jusqu'à consistance homogène.

Transvaser dans la casserole et ajouter la crème.

Laisser mijoter 2 ou 3 minutes, juste pour réchauffer.

Si désiré, garnir de feuilles de persil.

Thérèse Saindon,
Kamouraska

En septembre, quand les pommes émaillent nos vergers, quoi de plus naturel que de les retrouver jusque dans sa soupe ?

Potage au concombre

Portions :	6
Préparation :	15 minutes
Cuisson :	20 minutes
Degré de difficulté :	faible

Énergie : 66 cal	Protéines :	3 g
Lipides : 2 g	Cholestérol :	6 mg
Glucides : 10 g	Fibres :	1,1 g

500 ml (2 tasses) de bouillon de poulet

500 ml (2 tasses) d'eau

1 concombre, pelé, épépiné et coupé en gros morceaux

1 oignon, haché

1 pomme de terre, coupée en morceaux

Sel et poivre

250 ml (1 tasse) de lait

15 ml (1 c. à soupe) de fécule de maïs, délayée dans un peu d'eau

Persil haché, au goût

Verser le bouillon et l'eau dans une casserole. Amener à ébullition.

Ajouter le concombre, l'oignon et la pomme de terre.

Saler et poivrer.

Réduire la chaleur et laisser mijoter 20 minutes environ, jusqu'à ce que les légumes soient tendres.

Passer au mélangeur jusqu'à consistance homogène.

Transvaser dans la casserole.

Ajouter le lait et la fécule de maïs.

Laisser mijoter 2 ou 3 minutes, à feu doux, jusqu'à épaississement.

Saupoudrer de persil haché.

Lorraine Roy,
Armagh

'été, ce potage peut également se servir froid dans une coupe translucide givrée, émergeant d'un nid de glaçons concassés.

Potage sorcier
pour souper d'Halloween

Portions :	6
Préparation :	20 minutes
Cuisson :	25 minutes
Degré de difficulté :	faible

Énergie : 149 cal	Protéines :	3 g
Lipides :	9 g	Cholestérol :	11 mg
Glucides :	16 g	Fibres :	2,2 g

45 ml (3 c. à soupe)
de margarine

1 oignon, haché

1,5 l (6 tasses)
de bouillon de poulet

500 ml (2 tasses)
de citrouille en dés

2 pommes de terre, en dés

2 carottes, tranchées

1 branche de céleri, tranchée

Sel et poivre

180 ml (¾ tasse) de lait

60 ml (¼ tasse) de crème 15 %

Faire fondre la margarine dans une casserole. Y faire revenir l'oignon à feu doux, 5 minutes environ, jusqu'à ce qu'il soit transparent.

Ajouter le bouillon de poulet. Bien mélanger. Ajouter la citrouille, les pommes de terre, les carottes et le céleri.

Amener à ébullition. Réduire la chaleur et laisser mijoter 20 minutes environ, jusqu'à ce que les légumes soient tendres. Saler et poivrer.

Passer au mélangeur jusqu'à consistance homogène.

Transvaser dans la casserole.

Ajouter le lait et la crème, puis laisser mijoter 2 ou 3 minutes, juste pour réchauffer.

Si désiré, décorer chaque portion d'un bouquet de persil frais.

Monique Prévost,
Québec

Par une gourmande métamorphose, la citrouille s'apprête de mille façons, roulant sa bosse du potage au dessert.

Potage aux lentilles blondes

Portions :	4
Préparation :	10 minutes
Cuisson :	1 heure 8 minutes
Degré de difficulté :	faible

Énergie : 191 cal	Protéines :	11 g
Lipides :	7 g	Cholestérol :	16 mg
Glucides :	22 g	Fibres :	4,5 g

30 ml (2 c. à soupe) de beurre

1 oignon, tranché finement

1 branche de céleri, tranchée finement

150 ml (⅔ tasse)
de lentilles blondes

1 l (4 tasses) de bouillon, au choix

1 ml (¼ c. à thé) de piment de la Jamaïque (ou 6 grains écrasés au pilon)

1 ml (¼ c. à thé)
de clou de girofle moulu

Sel et poivre

30 ml (2 c. à soupe)
de cerfeuil haché

Faire fondre le beurre dans une casserole.

Ajouter l'oignon et le céleri.

Couvrir et laisser fondre à feu très doux, 8 minutes environ, sans laisser prendre couleur.

Ajouter les lentilles et le bouillon.

Assaisonner de piment de la Jamaïque et de clou de girofle.

Amener à ébullition.

Réduire la chaleur et laisser mijoter 1 heure environ, jusqu'à ce que les lentilles soient tendres.

Réduire en purée au robot.

Saler et poivrer.

Transvaser dans une soupière et saupoudrer de cerfeuil.

Thérèse Lagacé,
Québec

Tout le plaisir est pour les blondes, bien sûr! Mais avec les lentilles roses, on peut quand même se permettre de réduire de 20 minutes le temps de cuisson.

Potage à l'orge de l'habitant

Portions :	8
Préparation :	15 minutes
Cuisson :	20 minutes
Degré de difficulté :	faible

Énergie : 101 cal	Protéines :	5 g
Lipides : 2 g	Cholestérol :	7 mg
Glucides : 17 g	Fibres :	3,8 g

45   ml (3 c. à soupe) d'orge perlé

500 ml (2 tasses) d'eau

500 ml (2 tasses) de bouillon
         de poulet dégraissé

2   carottes, en cubes

2   branches de céleri, en cubes

2   oignons, en cubes

1   pomme de terre, en cubes

6   fleurons de chou-fleur,
          hachés grossièrement

375 ml (1 ½ tasse) de lait

         Sel et poivre

         Persil, au goût

Déposer l'orge dans un tamis et le rincer sous l'eau froide du robinet. Amener l'eau à ébullition dans une casserole. Ajouter l'orge.

Réduire la chaleur et laisser mijoter 20 minutes.

Pendant ce temps, amener le bouillon de poulet à ébullition dans une autre casserole. Ajouter les carottes, le céleri, les oignons, la pomme de terre et le chou-fleur.

Réduire la chaleur et laisser mijoter 20 minutes, jusqu'à ce que les légumes soient tendres.

Passer au mélangeur jusqu'à consistance homogène. Transvaser dans la casserole.

Ajouter l'orge et son eau de cuisson, ainsi que le lait.

Saler et poivrer.

Laisser mijoter 2 ou 3 minutes, juste pour réchauffer. Garnir de persil.

Servir chaud avec des biscottes.

Graziella Gagnon,
Laverlochère

*I*l est souvent pratique de préparer un potage la veille. L'important, c'est de n'ajouter le lait ou la crème qu'au moment de servir.

Soupe au chou de chez nous

Portions :	6
Préparation :	15 minutes
Cuisson :	45 minutes
Degré de difficulté :	faible

Énergie : 47 cal	Protéines :	2 g
Lipides : 0 g	Cholestérol :	0 mg
Glucides : 11 g	Fibres :	2,3 g

750 ml (3 tasses) de jus
         de légumes

20   ml (4 c. à thé) de concentré
         de bouillon de légumes

750 ml (3 tasses) d'eau

180 ml (¾ tasse) de carottes
         en cubes

60   ml (¼ tasse) de navet
         en cubes

500 ml (2 tasses) de chou haché
         grossièrement

60   ml (¼ tasse) de céleri haché

1   oignon, haché
          grossièrement

10   ml (2 c. à thé) de fines
         herbes, au goût

1   feuille de laurier

1   pincée de sauge

         Sel et poivre

Verser le jus de légumes, le concentré de bouillon et l'eau dans une casserole.

Ajouter les carottes, le navet, le chou, le céleri et l'oignon.

Assaisonner de fines herbes, de laurier et de sauge.

Saler et poivrer.

Laisser mijoter 45 minutes environ, jusqu'à ce que les légumes soient tendres.

Monique Deshaies-Blanchet,
Bécancour

*O*utre le laurier et les fines herbes suggérées, le chou affectionne, entre autres assaisonnements, le piment de la Jamaïque, la moutarde et le cari.

*B**lottie comme un nid d'aigle au creux des collines verdoyantes, la pittoresque région de Charlevoix s'étire paresseusement d'un clocher à l'autre.*

Soupe aux tomates de la champignonnière

Portions :	8
Préparation :	15 minutes
Cuisson :	10 minutes
Degré de difficulté :	faible

Énergie : 22 cal	Protéines :	2 g
Lipides : 0 g	Cholestérol :	0 mg
Glucides : 4 g	Fibres :	1,2 g

2 l (8 tasses) d'eau

500 g (1 lb) de champignons, tranchés

15 ml (1 c. à soupe) d'échalotes hachées

15 ml (1 c. à soupe) de persil haché

250 ml (1 tasse), environ, de tomates en conserve grossièrement hachées (non égouttées)

Sel, au goût

Amener l'eau à ébullition dans une casserole.

Ajouter les champignons.

Réduire la chaleur et laisser mijoter 5 minutes environ, jusqu'à ce que les champignons aient changé de couleur et que le jus de cuisson soit coloré.

Ajouter les échalotes, le persil et les tomates.

Saler, au goût.

Poursuivre la cuisson 2 minutes environ, jusqu'à ce que les échalotes et le persil soient tendres.

Parsemer chaque portion d'échalotes hachées et de persil.

Joyce Roberge,
Neuville

Les champignons cuits dans l'eau ont une saveur naturellement poivrée. N'assaisonner que de sel.

Soupe aux gourganes de Charlevoix

Portions :	12
Préparation :	20 minutes
Cuisson :	3 heures 20 minutes
Degré de difficulté :	faible

Énergie : 349 cal	Protéines :	16 g
Lipides : 12 g	Cholestérol :	10 mg
Glucides : 47 g	Fibres :	12 g

2,75 l (11 tasses) d'eau

500 ml (2 tasses) de bouillon de poulet

125 g (¼ lb) de lard salé, coupé en 4 tranches

1 l (4 tasses) de gourganes

250 ml (1 tasse) d'orge mondé

250 ml (1 tasse) de carottes en cubes

2 branches de céleri, en cubes

180 ml (¾ tasse) de petits pois congelés

125 ml (½ tasse) de poireaux

250 ml (1 tasse) d'oignons en cubes

Sel et poivre

30 ml (2 c. à soupe) de persil haché

Amener l'eau et le bouillon de poulet à ébullition dans une casserole.

Y faire bouillir les tranches de lard salé 1 heure 30 minutes.

Ajouter les gourganes et poursuivre la cuisson 1 heure 30 minutes, à feu moyen.

Ajouter l'orge, les carottes, le céleri, les petits pois, les poireaux et les oignons.

Saler et poivrer.

Poursuivre la cuisson 20 minutes environ, jusqu'à ce que les légumes soient tendres.

Saupoudrer de persil haché.

Cécile Bouchard,

La gourgane, ou fève des marais, nous donne cette soupe-repas rustique, fleuron culinaire de l'une des plus belles régions de la province.

Potages

Soupe aux légumes du potager

Portions :	10
Préparation :	30 minutes
Cuisson :	2 heures
Degré de difficulté :	faible

Énergie :	88 cal	Protéines :	3 g
Lipides :	1 g	Cholestérol :	0 mg
Glucides :	20 g	Fibres :	4,6 g

500 ml (2 tasses) d'eau

500 ml (2 tasses) de jus de tomate

250 ml (1 tasse) de jus de légumes

1 boîte de 796 ml (28 oz) de tomates

2 oignons, hachés finement

500 ml (2 tasses) de céleri en dés

500 ml (2 tasses) de carottes en dés

500 ml (2 tasses) de navet en dés

500 ml (2 tasses) de chou tranché finement

1 ml (¼ c. à thé) de sel

2 cubes pour bouillon de poulet

1 boîte de 340 ml (12 oz) de maïs en grains, égoutté

Verser l'eau, ainsi que les jus de tomate et de légumes dans une grande casserole.

Ajouter les tomates, les oignons, le céleri, les carottes, le navet et le chou. Saler.

Ajouter les cubes pour bouillon de poulet et les grains de maïs.

Amener à ébullition. Réduire la chaleur et laisser mijoter environ 2 heures.

Gilda Plante,
Rouyn-Noranda

Soupe aux légumes et aux coquillettes

Portions :	10
Préparation :	20 minutes
Cuisson :	55 minutes
Degré de difficulté :	faible

Énergie :	156 cal	Protéines :	8 g
Lipides :	6 g	Cholestérol :	6 mg
Glucides :	20 g	Fibres :	1,7 g

30 ml (2 c. à soupe) d'huile d'olive

30 ml (2 c. à soupe) de beurre

1 oignon, haché

1 gousse d'ail

125 ml (½ tasse) de céleri haché

125 ml (½ tasse) de carottes hachées

125 ml (½ tasse) de poivron vert haché

30 ml (2 c. à soupe) de persil

5 ml (1 c. à thé) de basilic

1 boîte de 540 ml (19 oz) de tomates oblongues

30 ml (2 c. à soupe) de pâte de tomate

1 boîte de 284 ml (10 oz) de bouillon de bœuf concentré

750 ml (3 tasses) d'eau

250 ml (1 tasse) de lentilles

500 ml (2 tasses) de chou tranché finement

125 ml (½ tasse) de coquillettes

Sel et poivre

Faire chauffer l'huile et le beurre dans une grande casserole. Ajouter l'oignon, l'ail, le céleri, les carottes et le poivron.

Couvrir et laisser étuver de 5 à 8 minutes à feu très doux, sans laisser prendre couleur.

Assaisonner de persil et de basilic. Ajouter les tomates, la pâte de tomate, le bouillon de bœuf et l'eau. Amener à ébullition.

Réduire la chaleur, couvrir et laisser mijoter 20 minutes.

Ajouter les lentilles et le chou. Poursuivre la cuisson 15 minutes. Ajouter les coquillettes et cuire 15 minutes de plus, jusqu'à ce qu'elles soient tendres.

Saler et poivrer.

Monique B. Dumais,
St-Alexandre-de-Kamouraska

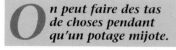 *O**n peut faire des tas de choses pendant qu'un potage mijote.*

 *S**i la soupe semble trop épaisse, l'allonger de bouillon, ou encore, de jus de légumes. Vous en augmenterez la quantité sans en atténuer la saveur.*

Soupe au navet fin gourmet

Portions :	4
Préparation :	10 minutes
Cuisson :	30 minutes
Degré de difficulté :	faible

Énergie : 114 cal	Protéines :	4 g
Lipides :	2 g	Cholestérol :	0 mg
Glucides :	22 g	Fibres :	3,6 g

1   l (4 tasses) de bouillon
     de poulet

1   navet, en morceaux

1   oignon, en quartiers

1   pomme de terre, en quartiers

     Sel et poivre

125 ml (½ tasse) de petites
     pâtes alimentaires cuites

Dans une casserole, amener le bouillon de poulet à ébullition.

Ajouter le navet, l'oignon et la pomme de terre.

Saler et poivrer.

Réduire la chaleur.

Couvrir et laisser mijoter de 20 à 30 minutes, jusqu'à ce que les légumes soient tendres.

Écraser les légumes dans le bouillon, à l'aide d'un pilon à pommes de terre.

Ajouter les pâtes cuites et mélanger.

Si désiré, saupoudrer de persil ou de ciboulette hachée.

Marie-Rose G. Castonguay,
St-Damase-des-Aulnaies

Le rutabaga peut fort bien remplacer le navet. Pour respecter les proportions, toutefois, n'en utiliser que la moitié ou le tiers, selon la grosseur.

Soupe aux tomates et au basilic

Portions :	4
Préparation :	15 minutes
Cuisson :	25 minutes
Degré de difficulté :	faible

Énergie : 148 cal	Protéines :	4 g
Lipides :	8 g	Cholestérol :	0 mg
Glucides :	17 g	Fibres :	4,3 g

30   ml (2 c. à soupe)
     d'huile d'olive

250 ml (1 tasse) d'oignons hachés

15   ml (1 c. à soupe) d'ail haché

125 ml (½ tasse) de carottes
     en petits dés

125 ml (½ tasse) de céleri
     en petits dés

1   boîte de 796 ml (28 oz)
     de tomates

750 ml (3 tasses) de bouillon
     de poulet

10   feuilles de basilic frais ou
     5 ml (1 c. à thé)
     de basilic séché

Faire chauffer l'huile d'olive dans une casserole.

Y faire fondre les oignons, l'ail, les carottes et le céleri à feu doux, de 5 à 8 minutes environ, sans laisser prendre couleur.

Ajouter les tomates et le bouillon de poulet.

Amener à ébullition.

Réduire la chaleur et laisser mijoter 20 minutes, jusqu'à ce que les légumes soient tendres.

Ajouter le basilic et laisser bouillonner quelques instants.

Servir chaud.

Laurette Gagné,
Stoke

Le parfum du basilic s'évanouit à la chaleur. Pour cette raison, on ne l'ajoute toujours qu'en fin de cuisson.

Soupe jardinière à l'œuf

Portions :	12
Préparation :	10 minutes
Cuisson :	30 minutes
Degré de difficulté :	faible

Énergie :	53 cal	Protéines :	3 g
Lipides :	2 g	Cholestérol :	36 mg
Glucides :	6 g	Fibres :	1,2 g

3   l (12 tasses) de bouillon de poulet dégraissé

1   l (4 tasses) de légumes râpés ou tranchés finement, au choix

2   œufs

Amener le bouillon à ébullition dans une casserole.

Ajouter les légumes.

Réduire la chaleur et laisser mijoter environ 30 minutes.

Casser 2 œufs dans le potage, puis battre légèrement à la fourchette.

Retirer du feu.

Si désiré, servir avec de la sauce soya, du persil et des croûtons.

Danièle Grenier-Guilbault,
St-Michel

Soupe aux tomates et au riz

Portions :	6
Préparation :	8 minutes
Cuisson :	30 minutes
Degré de difficulté :	faible

Énergie :	86 cal	Protéines :	2 g
Lipides :	3 g	Cholestérol :	8 mg
Glucides :	13 g	Fibres :	1,8 g

15   ml (1 c. à soupe) de beurre

2   branches de céleri, tranchées finement

1   oignon, tranché finement

1   boîte de 540 ml (19 oz) de tomates

1,25   l (5 tasses) d'eau bouillante

60   ml (¼ tasse) de riz à grains longs

2   ml (½ c. à thé) de sarriette

Sel et poivre

125   ml (½ tasse) de lait

Faire chauffer le beurre dans une casserole.

Y faire revenir le céleri et l'oignon de 5 à 8 minutes, à feu doux, sans laisser prendre couleur.

Ajouter les tomates, l'eau bouillante et le riz. Assaisonner de sarriette.

Saler et poivrer. Laisser mijoter de 20 à 25 minutes.

Ajouter le lait et poursuivre la cuisson 2 ou 3 minutes, juste pour réchauffer.

Gisèle Fortin,
Lévis

*P*our réussir un potage savoureux, rien de tel qu'un bouillon de poulet maison rehaussé d'ail, de céleri, de poireaux et de carottes, et relevé d'un bouquet garni.

*S*i l'on jouit du doux privilège de cultiver ses tomates au soleil, on pourra concocter, pour quelques sous à peine, un potage aussi vitaminé que faible en calories.

Soupe maraîchère de l'Achigan

Portions:	6
Préparation:	20 minutes
Cuisson:	18 minutes
Degré de difficulté:	faible

Énergie: 111 cal	Protéines:		3 g
Lipides:	5 g	Cholestérol:	11 mg
Glucides:	14 g	Fibres:	2 g

30   ml (2 c. à soupe) de beurre

1   oignon, haché

2   carottes, tranchées

2   pommes de terre, tranchées

      Sel et poivre

2   branches de céleri, hachées

2   échalotes, hachées

1   poivron vert, coupé en dés

1   gousse d'ail, pelée

2   feuilles de laurier

1   pincée de thym

      Quelques tiges de persil

1,5   l (6 tasses) de bouillon
      de poulet

Faire fondre le beurre dans une casserole.

Ajouter l'oignon, les carottes et les pommes de terre.

Saler et poivrer.

Couvrir et laisser étuver de 6 à 7 minutes, à feu très doux.

Ajouter le céleri, les échalotes, le poivron et l'ail.

Assaisonner de laurier, de thym et de persil.

Couvrir et poursuivre la cuisson de 5 à 6 minutes.

Ajouter le bouillon de poulet et amener à ébullition.

Réduire la chaleur et laisser mijoter de 5 à 6 minutes, jusqu'à ce que les pommes de terre soient tendres.

Anonyme,
St-Roch-de-l'Achigan

P*our raffiner la présentation, tailler les carottes et les pommes de terre en julienne, c'est-à-dire en fins bâtonnets.*

Q*uand le vent chante dans ses rameaux écarlates, l'érable, de ses longs doigts, joue sur le clavier de l'émoi en insistant surtout sur les troublants silences.*

131

La fabrication des chandelles

Pour ne pas manquer de chandelles pendant les longs mois d'hiver, nos ancêtres en fabriquaient une bonne provision. L'automne, après avoir fait boucherie, ils faisaient bouillir le gras animal et filtraient soigneusement le suif recueilli. Ils attachaient ensuite une série de mèches sur un bâton de bois, puis plongeaient celles-ci à plusieurs reprises dans le suif chaud, jusqu'à ce que les chandelles soient de l'épaisseur désirée. C'est alors qu'ils suspendaient les bâtons pour faire durcir le suif, ce qui devait donner à la pièce l'allure étrange d'une grotte envahie de stalagtites.

Lanaudière • Laurentide

Les régions de Lanaudière, des Laurentides et de l'Outaouais ont un dénominateur commun: la nature. Toutes trois offrent à l'admiration du visiteur des paysages d'une grande beauté, ainsi que de vastes territoires ouverts aux randonnées pédestres, aux excursions en canot ou aux balades à vélo.

Lanaudière

Passé et présent se fondent dans la région de Lanaudière, l'une des premières à avoir été défrichées par les colons venus de France. Paradis de la chasse et de la pêche, la région, semée de pourvoiries, abrite plus au nord de grands espaces sauvages peuplés de forêts. Et si le charme de la nature y est grandiose, les centres urbains ne manquent pas non plus d'attraits.

À Rawdon, par exemple, le village Canadiana Moore vous transporte littéralement au siècle dernier, où des personnages oubliés par le temps s'occupent inlassablement du moulage des chandelles, du filage de la laine et de la confection des courtepointes. Fidèle à son passé, Lanaudière n'en oublie pas moins de faire face à la musique. Chaque année, son célèbre Festival international, l'un des plus prestigieux du genre en Amérique du Nord, accorde son diapason aux plus belles interprétations de musique classique qui soient.

Laurentides

«Laurentides» évoque invariablement les monts St-Sauveur, Tremblant et Avila, ainsi que le sport qu'on y pratique à cœur joie: le ski alpin. Mais c'est rendre piètre justice au ski de randonnée, étroitement lié à la popularité que connaît la région.

C'est Herman Smith Johannsen, surnommé Jackrabbit, qui en a popularisé la pratique au Québec. On doit d'ailleurs à ce Norvégien d'origine, mort en 1986 à l'âge respectable de 111 ans, la piste Maple Leaf qui s'étend depuis Prévost jusqu'à Mont-Tremblant en passant par Ste-Adèle et Ste-Agathe.

CHAPITRE 3

Plats principaux

Cuisiner, est-ce si sorcier? Quand il s'agit du plat principal, oui! S'il suffit de trouver la bonne formule pour envoûter toute une tablée, l'enchantement, par contre, est de courte durée. Il suffit de servir le plat de la veille... pour que le charme soit rompu. Raison de plus de renoncer, une fois pour toutes, à son poussiéreux grimoire. Et place à la diversité!

Mais vers quel ingrédient diriger sa baguette? Voilà toute la question! Au fait, tous ceux qui constituent une bonne source de protéines conviendront. C'est le cas des viandes, de la volaille, des œufs, des fruits de mer et des poissons, mais aussi du tofu et des légumineuses qu'un ajout de céréales ou de produits laitiers métamorphosera en protéines complètes.

Pour le reste, ce n'est pas sorcier... il suffit de varier la formule!

3

Outaouais

Outaouais

Sa proximité avec la capitale fédérale explique sans doute en partie la vocation culturelle que s'est donnée la région. Alors que le Musée canadien des civilisations, à Hull, lève le voile sur la vie des premiers habitants et colons, celui d'Aylmer nous renseigne sur le développement de la ville, l'importance de la rivière Outaouais et la traite des fourrures. La maison de la culture de Gatineau, pour sa part, exhibe fièrement de nombreuses œuvres d'artistes de tous les pays.

Plats principaux

Gigot d'agneau à la mode du rucher

Portions:	8
Préparation:	15 minutes
Cuisson:	2 heures
Degré de difficulté:	faible

Énergie: 247 cal	Protéines:	24 g
Lipides: 6 g	Cholestérol:	88 mg
Glucides: 24 g	Fibres:	0,8 g

1 gigot d'agneau de 2 kg (4 lb)

2 ml (½ c. à thé) de sel

2 ml (½ c. à thé) de poivre

125 ml (½ tasse) de miel

1 gousse d'ail, coupée en très petits morceaux

2 pommes vertes, évidées et tranchées

2 ml (½ c. à thé) de cannelle

Préchauffer le four à 180 °C (350 °F).

Placer le gigot sur la grille d'une lèchefrite, puis le frotter de toutes parts avec le sel et le poivre.

À l'aide d'un pinceau à pâtisserie, le badigeonner de la moitié du miel.

Pratiquer plusieurs entailles sur le gigot, avec la pointe d'un couteau, puis y insérer les morceaux d'ail.

Couvrir le gigot de tranches de pommes et les y maintenir à l'aide de cure-dents.

Badigeonner les pommes du reste du miel et les saupoudrer de cannelle.

Cuire le gigot de 1 heure 45 minutes à 2 heures, en l'arrosant souvent, jusqu'à ce que le jus qui s'en écoule ne soit plus que légèrement rosé.

Déposer le gigot dans un plat de service chaud. Décorer de feuilles de menthe fraîches.

Servir avec des pommes de terre nouvelles et de petits oignons sautés au beurre, ou encore, avec une purée de pommes de terre et navets à la crème, et une salade croquante de céleri-rave taillé en fins bâtonnets.

Laurette Lévesque,
Marieville

RECETTE PRIMÉE

L es plus belles réussites culinaires s'arrosent. Au fait, que serait un gigot d'agneau sans un vin de Bordeaux?

Agneau

Boulettes d'agneau, sauce à la crème

Portions :	6
Préparation :	30 minutes
Cuisson :	15 minutes
Repos :	30 minutes
Degré de difficulté :	faible

Énergie : 407 cal	Protéines :	26 g
Lipides : 32 g	Cholestérol : 135 mg	
Glucides : 2 g	Fibres :	0,2 g

750 g (1 ½ lb) d'agneau haché

30 ml (2 c. à soupe)
de ciboulette séchée

30 ml (2 c. à soupe)
d'oignon en flocons

75 ml (⅓ tasse)
de jus de légumes

1 gousse d'ail,
tranchée finement

30 ml (2 c. à soupe) de beurre

5 ml (1 c. à thé) de beurre

2 échalotes vertes, hachées

60 ml (¼ tasse) de vin blanc sec

125 ml (½ tasse) de crème 35 %

75 ml (⅓ tasse)
de parmesan râpé

Dans un bol, mélanger l'agneau, la ciboulette, l'oignon, le jus de légumes et l'ail. Laisser reposer 30 minutes, au réfrigérateur.

Façonner la préparation d'agneau en six boulettes. Faire chauffer le beurre dans un poêlon, puis y faire revenir les boulettes 6 minutes environ, à feu moyen-vif, jusqu'à ce qu'elles soient dorées de toutes parts. Réserver au chaud.

Faire chauffer le beurre dans le même poêlon, puis y faire revenir les échalotes 3 ou 4 minutes, à feu moyen, sans laisser prendre couleur.

Ajouter le vin blanc et déglacer en raclant bien le fond du poêlon à l'aide d'une spatule. Laisser réduire de moitié, à feu vif.

Ajouter la crème et amener à ébullition. Réduire aussitôt la chaleur. Incorporer le parmesan et fouetter 30 secondes. Arroser les boulettes de sauce.

Servir avec des pâtes aux épinards et accompagner d'une salade.

Colombe Beaumont,
St-Pierre, Montmagny

Pour servir en entrée, façonner l'agneau en minuscules boulettes et les faire revenir au beurre 2 minutes. Déposer sur un nid de pâtes et napper de sauce.

Carré d'agneau persillade

Portions :	4
Préparation :	15 minutes
Cuisson :	22 minutes
Degré de difficulté :	moyen

Énergie : 299 cal	Protéines :	28 g
Lipides : 19 g	Cholestérol : 103 mg	
Glucides : 3 g	Fibres :	0,3 g

15 ml (1 c. à soupe) d'huile

1 carré d'agneau
de 8 côtes, paré

Sel et poivre

1 gousse d'ail, hachée

45 ml (3 c. à soupe)
de persil haché

125 ml (½ tasse) de chapelure

30 ml (2 c. à soupe) de beurre

Préchauffer le four à 200 °C (400 °F).

Badigeonner d'huile le carré d'agneau, puis le dorer dans un poêlon, à feu vif, environ 2 minutes de chaque côté.

Déposer l'agneau dans un plat allant au four et faire cuire 8 minutes. Saler et poivrer. Retourner et poursuivre la cuisson 7 minutes.

Pendant ce temps, mélanger l'ail, le persil et la chapelure. Retirer l'agneau du four et bien presser cette préparation sur sa partie grasse, pour qu'elle y adhère.

Parsemer de noisettes de beurre.

Dorer 3 ou 4 minutes, au four chaud.

Découper le carré d'agneau et servir 2 côtes par portion. Accompagner d'une purée de pommes de terre et d'une julienne de carottes.

Stella Hubert,
Lac-à-la-Croix

Le carré d'agneau est bien meilleur rosé. La chair, non asséchée par une surcuisson, conserve alors toutes ses propriétés gustatives et toute sa tendreté.

Agneau et légumes en fête

Portions :	4
Préparation :	30 minutes
Cuisson :	15 minutes
Degré de difficulté :	moyen

Énergie : 631 cal	Protéines :	29 g
Lipides :	36 g	Cholestérol : 135 mg
Glucides :	47 g	Fibres :	3,3 g

30	ml (2 c. à soupe) de beurre
30	ml (2 c. à soupe) de farine
250	ml (1 tasse) de lait
6	feuilles de menthe hachées
	Sel et poivre
45	ml (3 c. à soupe) de beurre
500	g (1 lb) de surlonge d'agneau, en fines lanières
1	poireau, tranché (partie blanche)
½	poivron rouge, en lanières
½	poivron vert, en lanières
500	ml (2 tasses) de riz cuit
5	ml (1 c. à thé) de graines de sésame
500	ml (2 tasses) de purée de carottes

Faire fondre le beurre dans une casserole. Ajouter la farine et bien mélanger. Tout en brassant, incorporer le lait et les feuilles de menthe. Saler et poivrer. Amener à ébullition et réduire aussitôt la chaleur. Poursuivre la cuisson en remuant constamment, jusqu'à épaississement. Réserver au chaud.

Faire chauffer le beurre dans un grand poêlon. Y faire sauter la viande 6 minutes environ.

Ajouter le poireau, ainsi que les poivrons rouge et vert. Saler et poivrer. Poursuivre la cuisson de 3 à 4 minutes, tout en remuant.

Former un couronne de riz dans chaque assiette. Y répartir l'agneau et arroser d'un peu de béchamel à la menthe. Parsemer de graines de sésame.

Servir avec la purée de carottes et décorer de quelques feuilles de menthe fraîche.

Monique Imbeault,
Mont-Joli

L'assemblage artistique d'un mets principal témoigne du raffinement de l'auteur. Dans ce cas-ci, on comprend que l'agneau ait le cœur à la fête.

Gigot d'agneau de tante Rita

Portions :	6
Préparation :	30 minutes
Cuisson :	1 heure 15 minutes
Degré de difficulté :	moyen

Énergie : 432 cal	Protéines :	45 g
Lipides :	11 g	Cholestérol : 182 mg
Glucides :	48 g	Fibres :	1,5 g

1	gigot d'agneau d'environ 2,5 kg (5 lb)
1	gousse d'ail, écrasée
	Sel et poivre
125	ml (½ tasse) de gelée à la menthe
2	ml (½ c. à thé) de moutarde sèche
30	ml (2 c. à soupe) de jus de citron ou de vinaigre de cidre
1	pincée de basilic
750	ml (3 tasses) de riz cuit, chaud
2	carottes, râpées
60	ml (¼ tasse) d'échalotes tranchées finement
60	ml (¼ tasse) de céleri (avec feuilles) haché finement
1	œuf
30	ml (2 c. à soupe) de jus de citron
	Sel et poivre

Préchauffer le four à 190 °C (375 °F).

Frotter le gigot avec la gousse d'ail. Saler et poivrer.

Placer sur une grille, dans une rôtissoire, et cuire 1 heure 15 minutes, en arrosant souvent.

Dans un bol, mélanger la gelée de menthe, la moutarde et le jus de citron. Assaisonner de basilic. En badigeonner l'agneau 30 minutes environ avant la fin de la cuisson.

Mettre le riz chaud dans un bol à salade. Ajouter les carottes, les échalotes et le céleri.

Dans un petit bol, battre l'œuf avec le jus de citron jusqu'à consistance mousseuse. Saler et poivrer. Ajouter au riz chaud et bien mélanger.

Découper le gigot en fines tranches. Servir avec la salade de riz et la gelée de menthe restante.

Rita Frigon-Baril,
Normandin

Pour une réalisation méthodique de la salade de riz, préparer les légumes la veille et faire cuire le riz pendant les dernières vingt minutes de cuisson du gigot.

3

Bœuf
Abats

Foie de bœuf aux légumes Ste-Apolline

Portions :	4
Préparation :	15 minutes
Cuisson :	20 minutes
Degré de difficulté :	faible

Énergie : 379 cal	Protéines :	26 g
Lipides : 17 g	Cholestérol :	377 mg
Glucides : 32 g	Fibres :	4 g

500 g (1 lb) de foie de bœuf

125 ml (½ tasse) de farine

60 ml (¼ tasse) de beurre

250 ml (1 tasse) d'oignons hachés

375 ml (1 ½ tasse) de céleri tranché en diagonale

375 ml (1 ½ tasse) de carottes tranchées en diagonale

375 ml (1 ½ tasse) de bouillon de bœuf

60 ml (¼ tasse) de ketchup

Couper le foie en fines lanières.

Mettre la farine dans un sac de plastique. Y secouer les lanières de foie par petites quantités, de façon à bien les enrober.

Faire chauffer la moitié du beurre dans un poêlon et y faire revenir les lanières de foie de 2 à 3 minutes environ, à feu moyen-vif. Retirer du poêlon et réserver.

Faire chauffer le reste du beurre dans le même poêlon et y faire revenir les oignons de 3 à 5 minutes, à feu moyen, jusqu'à ce qu'ils soient transparents.

Ajouter le foie, le céleri, les carottes, le bouillon et le ketchup. Poursuivre la cuisson 10 minutes, à feu moyen, jusqu'à ce que les légumes soient tendres. Servir.

Cécile Gagné,
Ste-Apolline

*P**our atténuer l'amertume du foie, il suffit de le faire tremper 1 heure, environ, dans un simple bol de lait. Voilà tout le secret!*

Cœur de bœuf mariné St-Cyrille

Portions :	4
Préparation :	30 minutes
Cuisson :	30 minutes
Marinage :	12 heures
Degré de difficulté :	moyen

Énergie : 522 cal	Protéines :	47 g
Lipides : 20 g	Cholestérol :	321 g
Glucides : 28 g	Fibres :	2,7 g

1 pincée de chilis broyés

1 pincée de thym

1 pincée d'assaisonnement à l'italienne

1 ml (¼ c. à thé) de poudre d'ail

Poivre, au goût

Persil frais, au goût

Ciboulette, au goût

250 ml (1 tasse) de vin rouge

1 cœur de bœuf, dégraissé, dénervé et coupé en lanières

4 pommes de terre, pelées et coupées en quartiers

60 ml (¼ tasse) de beurre

2 oignons, tranchés

15 ml (1 c. à soupe) de sauce anglaise (Worcestershire)

15 ml (1 c. à soupe) de sauce au piment fort (type Tabasco)

Sel et poivre

10 ml (2 c. à thé) de poudre pour sauce instantanée (type Bisto)

Dans un bol, mélanger les ingrédients secs. Arroser de vin rouge. Réserver la marinade obtenue.

Déposer la viande dans la marinade et laisser mariner au moins 12 heures, au réfrigérateur, en mélangeant de temps en temps. Égoutter le bœuf et réserver 125 ml (½ tasse) de la marinade.

Cuire les pommes de terre 15 minutes dans une casserole d'eau bouillante salée. Les égoutter en ayant soin de récupérer environ 125 ml (½ tasse) de leur eau de cuisson.

Faire chauffer la moitié du beurre dans un poêlon. Y faire revenir les oignons de 3 à 5 minutes. Réserver dans un bol.

Faire chauffer le reste du beurre dans le même poêlon. Y faire revenir la viande à feu moyen-vif, 10 minutes environ. Réduire la chaleur et ajouter les oignons, l'eau de cuisson des pommes de terre, ainsi que les sauces anglaise et au piment fort. Saler et poivrer.

Diluer la poudre pour sauce instantanée dans la marinade réservée, puis ajouter au contenu du poêlon. Poursuivre la cuisson en mélangeant constamment, jusqu'à épaississement. Servir avec les pommes de terre.

Denise Deschênes,
St-Cyrille

*O**n a souvent tendance à négliger les abats. Pourtant, il suffit de savoir les mettre en valeur pour les apprécier à leur juste saveur.*

Bœuf
Bœuf haché

Baguette farcie au bœuf haché

Portions :	8
Préparation :	15 minutes
Cuisson :	45 minutes
Degré de difficulté :	faible

Énergie : 391 cal	Protéines :		34 g
Lipides :	17 g	Cholestérol :	90 mg
Glucides :	24 g	Fibres :	2,4 g

30   ml (2 c. à soupe) de beurre

1   oignon, haché finement

1   kg (2 lb) de bœuf haché

     Sel et poivre

1   boîte de 540 ml (19 oz) de
     macédoine de légumes,
     égouttée

1   pain baguette

Préchauffer le four à 180 °C (350 °F).

Faire chauffer le beurre dans un poêlon.

Y faire revenir l'oignon de 3 à 5 minutes environ, jusqu'à ce qu'il soit transparent. Ajouter le bœuf haché. Saler et poivrer. Tout en défaisant la viande à la fourchette, poursuivre la cuisson de 8 à 10 minutes, à feu moyen, jusqu'à ce qu'elle perde sa teinte rosée. Incorporer la macédoine de légumes. Réserver.

Couper une fine calotte, sur toute la longueur du pain baguette, puis en retirer délicatement la mie.

Émietter celle-ci, puis l'incorporer à la préparation de bœuf.

En farcir le pain, le coiffer de sa calotte et l'envelopper dans du papier d'aluminium.

Cuire environ 30 minutes.

Couper le pain en tranches et servir avec une purée de pommes de terre. Accompagner d'une sauce, au choix.

Lucie Pilote,
St-Paul-du-Nord

L'art de bien gérer sa cuisine consiste à ne rien perdre des denrées qu'elle recèle. En ce sens, un reste de légumes conviendra tout autant qu'une macédoine en conserve.

Bœuf au chou et à la tomate

Portions :	6
Préparation :	20 minutes
Cuisson :	30 minutes
Degré de difficulté :	faible

Énergie : 324 cal	Protéines :		23 g
Lipides :	17 g	Cholestérol :	50 mg
Glucides :	22 g	Fibres :	7 g

30   ml (2 c. à soupe) d'huile

3   oignons, en morceaux

500   g (1 lb) de bœuf haché

1   chou, coupé en lanières

1   boîte de 796 ml (28 oz)
     de tomates

1   boîte de 540 ml (19 oz)
     de jus de tomate

5   ml (1 c. à thé) de sauce soya

2   ml (½ c. à thé) d'origan

2   ml (½ c. à thé) de basilic

2   ml (½ c. à thé) d'assaison-
     nement à l'italienne

3   gouttes de sauce
     au piment fort (type Tabasco)

     Poivre, au goût

Faire chauffer l'huile dans une grande casserole.

Y faire revenir les oignons 5 minutes environ, à feu moyen, jusqu'à ce qu'ils soient légèrement colorés.

Ajouter le bœuf haché et poursuivre la cuisson de 8 à 10 minutes, tout en le défaisant à la fourchette, jusqu'à ce qu'il perde sa teinte rosée.

Ajouter le chou et poursuivre la cuisson de 4 à 5 minutes.

Incorporer les tomates, le jus de tomate, la sauce soya, l'origan, le basilic, l'assaisonnement à l'italienne et la sauce au piment fort.

Poivrer, au goût.

Poursuivre la cuisson 10 minutes environ, en remuant de temps en temps, jusqu'à ce que le chou soit à point.

Francine Vermette,
Châteauguay

En cuisine, le « petit quelque chose » qui fait toute la différence se résume bien souvent au dosage particulier des épices et des condiments.

Bœuf haché aux légumes en casserole

Portions :	4
Préparation :	15 minutes
Cuisson :	1 heure
Degré de difficulté :	faible

Énergie : 648 cal	Protéines :	48 g
Lipides : 27 g	Cholestérol : 113 mg	
Glucides : 53 g	Fibres :	7 g

750 g (1 ½ lb) de bœuf haché
    mi-maigre

500 ml (2 tasses) de carottes
    tranchées

500 ml (2 tasses) d'oignons
    tranchés

1   l (4 tasses) de pommes de
    terre en cubes

    Sel et poivre

1   boîte de 284 ml (10 oz) de
    soupe aux tomates concentrée

Préchauffer le four à 170 °C (325 °F).

Étendre le bœuf haché au fond d'un plat allant au four.

Y déposer, en couches superposées, les carottes, les oignons et les pommes de terre.

Saler et poivrer.

Arroser de soupe aux tomates.

Couvrir et cuire 1 heure ou plus, selon le degré de tendreté désiré.

Ghislaine Sincennes,
Ste-Cécile-de-Masham

Bœuf et légumes, façon St-Gilbert

Portions :	2
Préparation :	15 minutes
Cuisson :	1 heure 15 minutes
Degré de difficulté :	faible

Énergie : 505 cal	Protéines :	36 g
Lipides : 16 g	Cholestérol : 81 mg	
Glucides : 57 g	Fibres :	7,5 g

250 g (½ lb) de bœuf haché
    maigre

1   oignon, en rondelles

2   carottes, en rondelles

4   fleurons de brocoli, tranchés

4   fleurons de chou-fleur,
    tranchés

2   pommes de terre, tranchées

1   boîte de 284 ml (10 oz) de
    soupe aux tomates concentrée

    Persil haché, au goût

1   pincée de thym

Préchauffer le four à 180 °C (350 °F).

Étendre le bœuf haché au fond d'un plat de 20 cm x 10 cm (8 po x 4 po), allant au four.

Y déposer, en couches superposées, les rondelles d'oignon, les carottes, le brocoli, le chou-fleur et les pommes de terre.

Arroser de soupe aux tomates.

Parsemer de persil et de thym.

Cuire environ 1 heure 15 minutes, jusqu'à ce que les pommes de terre soient tendres.

Annette J. Gignac,
St-Gilbert

*U*ne excellente façon de consommer des légumes consiste à les mettre en vedette dans les plats cuisinés, plutôt que de les reléguer au second rôle d'accompagnement.

*C*e plat est idéal pour un souper en duo à la bonne franquette. En cas de changement au programme, il suffit de multiplier les ingrédients selon le nombre d'invités surprises.

Bœuf haché aux légumes du visiteur

Portions :	4
Préparation :	15 minutes
Cuisson :	3 heures
Degré de difficulté :	faible

Énergie : 555 cal	Protéines :	49 g
Lipides : 21 g	Cholestérol : 122 mg
Glucides : 45 g	Fibres :	8 g

750 g (1 ½ lb) de bœuf haché

2 oignons, tranchés

4 carottes, en rondelles

4 pommes de terre, tranchées

1 boîte de 540 ml (19 oz) de tomates

½ boîte de 540 ml (19 oz) de sauce tomate

2 branches de céleri, en petits cubes

Sel et poivre

Préchauffer le four à 130 °C (250 °F).

Déposer le bœuf haché dans un plat allant au four.

Y superposer les oignons, les carottes et les pommes de terre.

Passer au mélangeur les tomates et la sauce tomate jusqu'à consistance homogène.

Transvaser dans un bol et ajouter les cubes de céleri.

Saler et poivrer.

Verser sur les légumes.

Couvrir et cuire 3 heures.

Anonyme,
St-Benoît-Labre

Bœuf haché de Lyli

Portions :	6
Préparation :	20 minutes
Cuisson :	20 minutes
Degré de difficulté :	faible

Énergie : 636 cal	Protéines :	43 g
Lipides : 28 g	Cholestérol : 111 mg
Glucides : 52 g	Fibres :	3,5 g

750 ml (3 tasses) d'eau

2 ml (½ c. à thé) de sel

30 ml (2 c. à soupe) de beurre

375 ml (1 ½ tasse) de riz

180 ml (¾ tasse) de carottes en dés

125 ml (½ tasse) de céleri en dés

250 g (½ lb) de champignons, en quartiers

1 oignon, haché finement

30 ml (2 c. à soupe) de feuilles de céleri hachées

30 ml (2 c. à soupe) de persil haché

60 ml (¼ tasse) de poivron vert en dés

1 kg (2 lb) de bœuf haché

Sel et poivre

3 ml (¾ c. à thé) de thym

3 ml (¾ c. à thé) d'assaisonnement à l'italienne

1 boîte de 540 ml (19 oz) de tomates

Sel et poivre

30 ml (2 c. à soupe), ou moins, de fécule de maïs délayée dans une égale quantité d'eau

Dans une casserole, amener l'eau à ébullition avec le sel et la moitié du beurre.

Ajouter le riz, ainsi que les dés de carottes et de céleri. Réduire aussitôt la chaleur.

Couvrir et laisser mijoter 20 minutes environ, jusqu'à ce que le riz ait absorbé tout le liquide.

Pendant ce temps, faire fondre le reste du beurre dans un poêlon. Y faire revenir les champignons de 3 à 4 minutes, à feu moyen-vif.

Ajouter l'oignon, les feuilles de céleri, le persil et le poivron. Poursuivre la cuisson de 3 à 4 minutes, jusqu'à ce que l'oignon soit tendre. Réserver dans un bol.

Tout en le défaisant à la fourchette, faire cuire le bœuf haché dans le même poêlon, de 8 à 10 minutes, jusqu'à ce qu'il ait perdu sa teinte rosée. Saler et poivrer. Ajouter le thym et l'assaisonnement à l'italienne. Incorporer la préparation précédente et laisser mijoter 3 minutes. Réserver au chaud.

Broyer les tomates dans une casserole et amener à ébullition. Saler et poivrer. Réduire la chaleur et ajouter la fécule de maïs. Poursuivre la cuisson en remuant constamment, jusqu'à épaississement.

Répartir le riz cuit dans les assiettes, puis y déposer la préparation à la viande.

Servir la sauce tomate en saucière.

Hélène Tremblay,
Chicoutimi

Rien de tel que de tester des recettes en apparence similaires.

Quand on n'a pas le temps de cuisiner, mais qu'on ne veut pas pour autant se priver, servir ce plat avec une sauce tomate en conserve, assaisonnée au goût.

Bœuf haché étagé aux œufs et au fromage

Portions :	4
Préparation :	15 minutes
Cuisson :	45 minutes
Degré de difficulté :	faible

Énergie : 385 cal	Protéines :	27 g
Lipides : 27 g	Cholestérol : 200 mg
Glucides : 9 g	Fibres :	0,4 g

8 craquelins, environ
(type biscuits soda)

30 ml (2 c. à soupe) de beurre

½ oignon, haché

250 g (½ lb) de bœuf haché

Sel et poivre

2 œufs

180 ml (¾ tasse) de lait

15 ml (1 c. à soupe)
de persil haché

Sel et poivre

2 tranches de fromage fondu,
en lanières

Préchauffer le four à 180 °C (350 °F).

Déposer les craquelins dans un plat en pyrex beurré de 20 cm x 10 cm (8 po x 4 po), de façon à en couvrir le fond. Réserver.

Faire chauffer le beurre dans un poêlon.

Y faire revenir l'oignon et le bœuf haché de 8 à 10 minutes environ, tout en défaisant la viande à la fourchette, jusqu'à ce qu'elle ait perdu sa teinte rosée.

Saler et poivrer. Verser sur les craquelins.

Dans un bol, mélanger les œufs et le lait. Assaisonner de persil. Saler et poivrer. Verser sur la viande.

Cuire environ 30 minutes.

Couvrir de lanières de fromage et poursuivre la cuisson 5 minutes environ, jusqu'à ce qu'elles aient fondu. Servir.

Irène Desgagnés,
St-Jean-de-Coaticook

*A*ccompagné d'un légume vert et d'un petit pain de blé entier, ce plat est tout indiqué pour les sportifs affamés.

Bœuf haché garni à la dinde

Portions :	2
Préparation :	10 minutes
Cuisson :	30 minutes
Degré de difficulté :	faible

Énergie : 520 cal	Protéines :	45 g
Lipides : 31 g	Cholestérol : 229 mg
Glucides : 12 g	Fibres :	1,3 g

250 g (½ lb) de bœuf haché

125 ml (½ tasse) de chapelure

½ oignon, haché finement

1 œuf

Sarriette, au goût

Sel et poivre

2 tranches d'oignon

2 tranches de tomate

2 tranches de dinde

2 tranches de fromage fondu

Préchauffer le four à 200 °C (400 °F).

Mélanger le bœuf, la chapelure, l'oignon, l'œuf et la sarriette.

Saler et poivrer.

Façonner la préparation en deux galettes.

Déposer sur une plaque à pâtisserie et cuire environ 15 minutes.

Garnir chaque galette d'une tranche d'oignon, d'une tranche de tomate, d'une tranche de dinde, puis d'une tranche de fromage.

Poursuivre la cuisson 15 minutes, jusqu'à ce que le fromage ait fondu.

Servir très chaud et accompagner d'un légume, au choix.

Simone Routhier,
St-Maurice-de-Thetford-Mines

*P*our plaire à coup sûr, il n'est pas obligatoire que les galettes de bœuf soient toujours servies en petits pains mollets. En voici la preuve.

Bœuf haché sur riz de Montpellier

Portions :	6
Préparation :	10 minutes
Cuisson :	20 minutes
Degré de difficulté :	faible

Énergie : 416 cal	Protéines :	31 g
Lipides : 23 g	Cholestérol :	76 mg
Glucides : 22 g	Fibres :	2,1 g

30 ml (2 c. à soupe) d'huile

750 g (1 ½ lb) de bœuf haché

60 ml (¼ tasse) d'oignons hachés

1 boîte de 340 ml (12 oz) de maïs, égoutté

1 boîte de 540 ml (19 oz) de tomates, égouttées

280 ml (1 tasse + 2 c. à soupe) de bouillon de bœuf

2 ml (½ c. à thé) de chili

Sel et poivre

½ poivron vert, haché

250 ml (1 tasse) de riz cuit

Faire chauffer l'huile dans un poêlon.

Y faire revenir le bœuf haché de 8 à 10 minutes environ, tout en le défaisant à la fourchette, jusqu'à ce qu'il ait perdu sa teinte rosée.

Ajouter les oignons hachés et poursuivre la cuisson 5 minutes.

Incorporer le maïs, les tomates et le bouillon, puis assaisonner de chili.

Saler et poivrer.

Laisser mijoter 5 minutes environ.

Ajouter le poivron vert et le riz cuit.

Bien mélanger.

Aline Landriault,
Montpellier

3

Pour ensoleiller les plats de tous les jours, il suffit souvent de les pailleter d'or. Vive les grains de maïs!

Bœuf haché « sur le pouce »

Portions :	4
Préparation :	15 minutes
Cuisson :	1 heure 45 minutes
Degré de difficulté :	faible

Énergie : 425 cal	Protéines :	32 g
Lipides : 18 g	Cholestérol :	76 mg
Glucides : 34 g	Fibres :	4,4 g

Un peu de beurre

Sel et poivre

2 pommes de terre, tranchées finement

2 carottes, tranchées finement

1 oignon, tranché finement

500 g (1 lb) de bœuf haché

1 branche de céleri, en cubes

180 ml (¾ tasse) de riz cuit

1 boîte de 540 ml (19 oz) de tomates aux fines herbes

Préchauffer le four à 170 °C (325 °F).

Beurrer un plat en pyrex d'environ 20 cm (8 po) de côté, ou encore, une cocotte à fond épais.

Tout en salant et poivrant chaque couche d'ingrédients, y déposer, en rangs successifs, les pommes de terre, les carottes, l'oignon, le bœuf haché, les cubes de céleri, le riz cuit, puis les tomates.

Cuire environ 1 heure 45 minutes, jusqu'à ce que les légumes soient tendres.

Suzanne Ouellette,
St-Jérôme

Pressés? Le bœuf haché arrive à la rescousse! Mais le tempo effréné qui orchestre sa préparation ne doit jamais justifier une dégustation au même rythme.

Fricadelles de bœuf, façon tournedos

Portions :		8
Préparation :		20 minutes
Cuisson :		30 minutes
Degré de difficulté :		faible

Énergie : 260 cal	Protéines :	25 g
Lipides : 14 g	Cholestérol :	94 mg
Glucides : 8 g	Fibres :	1,1 g

750 g (1 ½ livre) de bœuf haché maigre

1 œuf

125 ml (½ tasse) de pommes de terre râpées

125 ml (½ tasse) de carottes râpées

125 ml (½ tasse) d'oignons hachés

15 ml (1 c. à soupe) de sauce anglaise (Worcestershire) ou de sauce soya

5 ml (1 c. à thé) de sel

1 ml (¼ c. à thé) de poivre

8 tranches de bacon

325 ml (1 ⅓ tasse) de jus de tomate

125 ml (½ tasse) d'oignons hachés

2 branches de persil, hachées

1 ml (¼ c. à thé) de thym

1 ml (¼ c. à thé) de basilic

30 ml (2 c. à soupe) de farine délayée dans une égale quantité d'eau

Préchauffer le four à 180 °C (350 °F).

Mélanger le bœuf, l'œuf, les pommes de terre, les carottes et les oignons. Assaisonner de sauce anglaise. Saler et poivrer.

Façonner la préparation en huit galettes, puis les entourer chacune d'une tranche de bacon. Maintenir à l'aide d'un cure-dent.

Déposer sur une plaque à pâtisserie. Cuire 30 minutes.

Verser le jus de tomate dans une casserole. Ajouter les oignons. Assaisonner de persil, de thym et de basilic. Amener à ébullition. Réduire la chaleur et laisser mijoter 10 minutes. Incorporer la farine et poursuivre la cuisson tout en mélangeant, jusqu'à épaississement. Servir avec les fricadelles.

Yolande Palin,
Ste-Brigide

Beaucoup moins dispendieuses que les tournedos de boucherie, ces fricadelles sont tout aussi savoureuses, et d'une tendreté irréprochable.

Gâteau renversé au bœuf haché

Portions :		4
Préparation :		30 minutes
Cuisson :		45 minutes
Degré de difficulté :		moyen

Énergie : 685 cal	Protéines :	36 g
Lipides : 36 g	Cholestérol :	98 mg
Glucides : 52 g	Fibres :	2,3 g

30 ml (2 c. à soupe) de beurre

60 ml (¼ tasse) d'oignons hachés

1 boîte de 284 ml (10 oz) de soupe aux tomates concentrée

2 ml (½ c. à thé) de sel

500 g (1 lb) de bœuf haché

375 ml (1 ½ tasse) de farine

15 ml (1 c. à soupe) de poudre à pâte

5 ml (1 c. à thé) de sel au céleri

5 ml (1 c. à thé) de paprika

2 ml (½ c. à thé) de sel

Poivre, au goût

45 ml (3 c. à soupe) de graisse fondue

180 ml (¾ tasse) de lait

Préchauffer le four à 220 °C (425 °F).

Faire fondre le beurre dans un poêlon. Y faire revenir les oignons 5 minutes environ, à feu moyen, sans laisser prendre couleur.

Ajouter la soupe aux tomates et le sel. Incorporer la viande et poursuivre la cuisson 10 minutes environ, en la défaisant à la fourchette. Transvaser la préparation dans un plat en pyrex de 20 cm (8 po) de côté. Réserver.

Dans un bol, mélanger la farine, la poudre à pâte, le sel au céleri et le paprika. Saler et poivrer. Incorporer la graisse fondue. Ajouter graduellement le lait, tout en mélangeant jusqu'à consistance lisse.

Verser sur la viande et cuire 30 minutes.

Renverser sur une assiette de service.

Nicole Robert,
Lac-Mégantic

Quand un plat principal se transforme en gâteau, il ne peut que plaire aux enfants. En profiter, incognito, pour y incorporer des légumes.

Gratin de bœuf haché
à la courge musquée

Portions :	6
Préparation :	20 minutes
Cuisson :	55 minutes
Degré de difficulté :	faible

Énergie : 523 cal	Protéines :		24 g
Lipides :	33 g	Cholestérol :	98 mg
Glucides :	34 g	Fibres :	5,1 g

1	courge musquée
30	ml (2 c. à soupe) d'huile
500	g (1 lb) de bœuf haché
750	ml (3 tasses) d'un assortiment de poivrons, carottes, oignons et céleri hachés
500	ml (2 tasses) de sauce mexicaine (salsa)
1	œuf
125	ml (½ tasse) de mayonnaise
250	ml (1 tasse) de farine
10	ml (2 c. à thé) de poudre à pâte

Couper la courge en deux, sur la longueur, puis l'épépiner. La déposer dans une casserole, côté coupé dessous. Verser dans la casserole environ 2,5 cm (1 po) d'eau salée. Amener à ébullition. Couvrir et laisser mijoter 15 minutes. Égoutter et laisser tiédir. Prélever la chair cuite et la réduire en purée. Réserver.

Préchauffer le four à 200 °C (400 °F).

Faire chauffer l'huile dans une casserole. Y faire revenir le bœuf et l'assortiment de légumes 10 minutes environ, en défaisant la viande à la fourchette, jusqu'à ce qu'elle ait perdu sa teinte rosée. Égoutter, puis incorporer la sauce mexicaine. Verser dans un plat beurré d'une capacité de 3 l (12 tasses).

Dans un bol, mélanger la purée de courge réservée, l'œuf et la mayonnaise. Incorporer la farine et la poudre à pâte. Étendre sur la viande. Cuire environ 30 minutes, au four préchauffé, jusqu'à ce que le tout soit bien doré.

Anonyme,
St-Augustin

Version micro-ondes: perforer la courge à maints endroits et la cuire 12 minutes, à puissance maximale, en la retournant à mi-cuisson. Laisser reposer 15 minutes.

Pâté chinois au riz

Portions :	4
Préparation :	15 minutes
Cuisson :	45 minutes
Degré de difficulté :	faible

Énergie : 286 cal	Protéines :		26 g
Lipides :	12 g	Cholestérol :	120 mg
Glucides :	16 g	Fibres :	0,3 g

500	ml (2 tasses) d'un reste de viande cuite hachée
5	ml (1 c. à thé) de sel au céleri
5	ml (1 c. à thé) d'oignon haché
60	ml (¼ tasse) de craquelins émiettés (type biscuits soda)
1	œuf
2	ml (½ c. à thé) de sel
1	ml (¼ c. à thé) de poivre
60	ml (¼ tasse), environ, de bouillon de bœuf ou d'eau
250	ml (1 tasse) de riz cuit

Préchauffer le four à 180 °C (350 °F).

Dans un bol, mélanger la viande, le sel au céleri, l'oignon, les craquelins et l'œuf. Saler et poivrer.

Ajouter juste assez de bouillon pour humecter.

Étendre la moitié du riz dans un plat de 20 cm (8 po) de côté.

Y étaler uniformément la préparation de viande, puis recouvrir du reste du riz.

Couvrir de papier d'aluminium beurré et cuire de 40 à 45 minutes.

Servir le pâté bien chaud, avec une sauce tomate.

Anonyme,
St-Benjamin

Voilà une ingénieuse façon d'apprêter le rôti de la veille. Remplacer le bouillon par sa sauce, s'il en reste, et incorporer à la viande son accompagnement de légumes.

3

Bœuf
Boulettes

Boulettes à l'aigre-douce

Portions :	4
Préparation :	15 minutes
Cuisson :	1 heure 30 minutes
Degré de difficulté :	faible

Énergie : 435 cal	Protéines :		32 g
Lipides : 20 g	Cholestérol :		81 mg
Glucides : 33 g	Fibres :		1,8 g

500 g (1 lb) de bœuf haché

7 craquelins émiettés (type biscuits soda)

75 ml (⅓ tasse), ou plus, de lait évaporé

Sel et poivre

250 ml (1 tasse) de ketchup

125 ml (½ tasse) de sauce chili

15 ml (1 c. à soupe) de moutarde sèche

2 gousses d'ail

125 ml (½ tasse) d'eau

30 ml (2 c. à soupe) de sauce anglaise (Worcestershire)

2 gouttes de sauce au piment fort (type Tabasco)

Préchauffer le four à 170 °C (325 °F).

Dans un bol, mélanger le bœuf haché, les craquelins et le lait évaporé. Saler et poivrer. Façonner la préparation en huit boulettes. Réserver.

Dans un autre bol, mélanger le ketchup, la sauce chili, la moutarde, les gousses d'ail et l'eau. Assaisonner de sauce anglaise et de sauce au piment fort.

Déposer les boulettes dans un plat allant au four, puis les arroser de sauce. Cuire 1 heure 30 minutes.

Servir avec du riz ou sur des nouilles aux œufs.

Mariette Brochu,
Price

Pour varier la présentation, on peut également servir les boulettes en sauce, dans du riz cuit moulé en couronne.

Boulettes de bœuf « pêcher mignon »

Portions :	6
Préparation :	20 minutes
Cuisson :	50 minutes
Degré de difficulté :	faible

Énergie : 457 cal	Protéines :		31 g
Lipides : 23 g	Cholestérol :		112 mg
Glucides : 32 g	Fibres :		2,4 g

1 boîte de 540 ml (19 oz) de pêches en tranches

750 g (1 ½ lb) de bœuf haché

1 oignon, haché finement

125 ml (½ tasse) de chapelure

1 œuf

60 ml (¼ tasse) de flocons d'avoine

1 ml (¼ c. à thé) de thym

1 pincée de cannelle

Persil haché, au goût

Sel et poivre

30 ml (2 c. à soupe) d'huile

125 ml (½ tasse) de ketchup

125 ml (½ tasse) de sauce chili

5 ml (1 c. à thé) de sauce anglaise (Worcestershire)

10 ml (2 c. à thé) de moutarde préparée

1 ml (¼ c. à thé) de jus de citron

Préchauffer le four à 180 °C (350 °F).

Égoutter les pêches en ayant soin de recueillir 125 ml (½ tasse) de leur jus.

Dans un bol, mélanger le bœuf, l'oignon, la chapelure, l'œuf et les flocons d'avoine.

Assaisonner de thym, de cannelle et de persil. Saler et poivrer.

Façonner la préparation en une douzaine de boulettes. Réserver.

Faire chauffer l'huile dans une casserole et y faire revenir les boulettes 5 minutes environ, à feu moyen-vif, jusqu'à ce qu'elles soient dorées de toutes parts. Les déposer dans un plat allant au four. Réserver.

Dans un bol, mélanger le ketchup, la sauce chili, la sauce anglaise, la moutarde, le jus de citron et le jus des pêches réservé, jusqu'à consistance homogène.

Verser la sauce sur les boulettes et cuire 30 minutes, au four.

Ajouter les tranches de pêches et poursuivre la cuisson 15 minutes.

Gisèle Carrier,
La Durantaye

On peut dorer plusieurs boulettes, puis les congeler. Il suffit alors de décongeler le nombre de boulettes approprié et de les apprêter selon la recette choisie.

Boulettes de viande aux légumes

Portions :	4
Préparation :	25 minutes
Cuisson :	50 minutes
Degré de difficulté :	faible

Énergie : 492 cal	Protéines :	33 g
Lipides : 26 g	Cholestérol : 129 mg	
Glucides : 31 g	Fibres :	3,7 g

125 ml (½ tasse) de flocons
     d'avoine

500 g (1 lb) de bœuf haché

1   œuf

60   ml (¼ tasse) de jus de tomate

1   ml (¼ c. à thé) de paprika

5   ml (1 c. à thé) de sel

1   ml (¼ c. à thé) de poivre

30   ml (2 c. à soupe) d'huile
     végétale

125 ml (½ tasse) de céleri haché

125 ml (½ tasse) de carottes
     hachées

125 ml (½ tasse) de poivron
     haché

60   ml (¼ tasse) d'oignons
     hachés

125 ml (½ tasse) de sauce chili

30   ml (2 c. à soupe) de mélasse

250 ml (1 tasse) de tomates
     en conserve, égouttées

Préchauffer le four à 150 °C (275 °F).

Dans un bol, mélanger les flocons
d'avoine, le bœuf haché, l'œuf et le
jus de tomate. Assaisonner de paprika. Saler et poivrer.

Façonner la préparation en huit
boulettes.

Faire chauffer l'huile dans un
poêlon, puis y faire revenir les
boulettes 5 minutes environ, à feu
moyen-vif, jusqu'à ce qu'elles soient
dorées de toutes parts. Déposer côte
à côte dans un plat allant au four.
Réserver.

Dans le même poêlon, faire revenir
le céleri, les carottes, le poivron et les
oignons 5 minutes environ, sans
laisser prendre couleur. Ajouter la
sauce chili, la mélasse et les tomates.
Bien mélanger. Verser sur les boulettes.

Cuire de 30 à 40 minutes.

Lucille Ouellet,
Saint-Alexandre-de-Kamouraska

Boulettes de bœuf aux légumes

Portions :	4
Préparation :	15 minutes
Cuisson :	20 minutes
Degré de difficulté :	faible

Énergie : 455 cal	Protéines :	32 g
Lipides : 25 g	Cholestérol : 76 mg	
Glucides : 27 g	Fibres :	3,2 g

500 g (1 lb) de bœuf haché

30   ml (2 c. à soupe) d'huile

2   branches de céleri, tranchées

1   poivron vert, tranché

4   oignons, tranchés

250 g (½ lb) de champignons,
     tranchés

60   ml (¼ tasse) de sauce soya

75   ml (⅓ tasse) de cassonade

Façonner le bœuf haché en huit
boulettes.

Faire chauffer l'huile dans un grand
poêlon et y faire revenir les boulettes
5 minutes environ, à feu moyen-vif,
jusqu'à ce qu'elles soient dorées de
toutes parts.

Retirer du poêlon et réserver au
chaud.

Dans le même poêlon, faire revenir
le céleri, le poivron, les oignons et
les champignons à feu moyen-vif,
5 minutes environ.

Dans un petit bol, mélanger la sauce
soya et la cassonade.

Arroser les légumes de cette sauce et
ajouter les boulettes de viande.

Poursuivre la cuisson à feu moyen,
5 minutes environ, jusqu'à ce que les
légumes soient tendres et que la
viande soit cuite.

Jacqueline Tourigny,
Asbestos

P lutôt que de faire revenir les boulettes dans un poêlon,
on peut les dorer une dizaine de minutes environ, à four
modéré.

P arce que ses parois hautes et arrondies facilitent la
cuisson des ingrédients que l'on y fait revenir ou sauter,
le wok est l'ustensile rêvé pour préparer cette recette.

Bœuf
Cubes

Bœuf à l'étuvée Normandin

Portions :	8
Préparation :	25 minutes
Cuisson :	3 heures
Degré de difficulté :	faible

Énergie : 301 cal	Protéines :	31 g
Lipides : 12 g	Cholestérol :	78 mg
Glucides : 17 g	Fibres :	3 g

30 ml (2 c. à soupe) de beurre

1 kg (2 lb) de bœuf maigre, en cubes

30 ml (2 c. à soupe) de farine

1 l (4 tasses) d'eau

500 ml (2 tasses) de carottes tranchées

250 ml (1 tasse) de rutabaga en cubes

500 ml (2 tasses) de pommes de terre en cubes

250 ml (1 tasse) de céleri tranché

2 oignons, en quartiers

Sel et poivre

Préchauffer le four à 160 °C (300 °F).

Faire fondre le beurre dans une cocotte.

Y faire revenir le bœuf à feu moyen-vif, 5 minutes environ, jusqu'à ce qu'il soit doré de toutes parts.

Saupoudrer de farine et bien mélanger.

Ajouter l'eau et amener à ébullition.

Réduire la chaleur et laisser mijoter de 10 à 15 minutes.

Ajouter les carottes, le rutabaga, les pommes de terre, le céleri et les oignons.

Saler et poivrer.

Couvrir et cuire au four, de 2 à 3 heures.

Rose-Aimée Gauthier,
Normandin

*P**our saisir la viande à la perfection en y emprisonnant tous les sucs, n'en dorer que quelques cubes à la fois. Elle aura, autrement, tendance à bouillir.*

Bœuf à la bière longuement mijoté

Portions :	6
Préparation :	20 minutes
Cuisson :	2 heures 45 minutes
Degré de difficulté :	faible

Énergie : 332 cal	Protéines :	30 g
Lipides : 15 g	Cholestérol :	77 mg
Glucides : 13 g	Fibres :	1,2 g

45 ml (3 c. à soupe) de saindoux

750 g (1 ½ lb) de bœuf en cubes

4 oignons, en dés

340 ml (12 oz) de bière

15 ml (1 c. à soupe) de sucre

1 ml (¼ c. à thé) de thym

1 ml (¼ c. à thé) de basilic

2 feuilles de laurier

Sel et poivre

30 ml (2 c. à soupe) de farine, délayée dans une égale quantité d'eau

Faire chauffer le saindoux dans un poêlon, puis y faire revenir les cubes de bœuf à feu moyen-vif, jusqu'à ce qu'ils soient dorés de toutes parts.

Réserver la viande dans une cocotte.

Dans le même poêlon, faire revenir les oignons 10 minutes environ, à feu moyen, tout en mélangeant. Ajouter à la viande.

Dégraisser le poêlon, puis ajouter un peu de bière. Déglacer en raclant bien le fond du poêlon à l'aide d'une spatule.

Ajouter graduellement le reste de la bière et amener à ébullition. Verser aussitôt sur la viande.

Ajouter le sucre, puis assaisonner de thym, de basilic et de laurier.

Saler et poivrer.

Incorporer la farine délayée.

Déposer la cocotte sur feu doux et laisser mijoter 2 heures 30 minutes environ, jusqu'à ce que la viande se défasse à la fourchette.

Servir avec des nouilles ou coquillettes au beurre et accompagner de chou-fleur et de brocoli.

Irène Tardif,
Québec

*L**a bière, combinée à une longue cuisson à feu doux en cocotte, n'a pas son pareil pour attendrir la viande.*

Bœuf au four à l'aigre-douce

Portions :	8
Préparation :	20 minutes
Cuisson :	3 heures
Degré de difficulté :	faible

Énergie : 307 cal	Protéines :	32 g
Lipides : 10 g	Cholestérol :	71 mg
Glucides : 24 g	Fibres :	3,9 g

30　ml (2 c. à soupe) d'huile

1　kg (2 lb) de bœuf à ragoût, en cubes

2　oignons, en tranches

1　boîte de 284 ml (10 oz) de soupe aux tomates concentrée

1　boîte de 796 ml (28 oz) de tomates

4　branches de céleri, tranchées

3　carottes, en rondelles

1　poivron vert, en lamelles

1　boîte de 284 ml (10 oz) de champignons, égouttés

5　ml (1 c. à thé) de sel

1　ml (¼ c. à thé) de poivre

75　ml (⅓ tasse) de cassonade

60　ml (¼ tasse) de vinaigre

2　gousses d'ail, hachées

5　ml (1 c. à thé) de gingembre

15　ml (1 c. à soupe) de sauce anglaise (Worcestershire)

Préchauffer le four à 180 °C (350 °F).

Faire chauffer l'huile dans un poêlon.

Y faire revenir les cubes de bœuf jusqu'à ce qu'ils soient dorés de toutes parts. Réserver dans une cocotte au fur et à mesure.

Ajouter le reste des ingrédients. Couvrir et cuire 3 heures, au four.

Thérèse Raymond-Latour,
Montréal-Nord

 a cuisson à feu doux permet au marmiton quelques heures d'évasion.

Bœuf au vin rouge de Donnacona

Portions :	6
Préparation :	25 minutes
Cuisson :	3 heures
Degré de difficulté :	faible

Énergie : 472 cal	Protéines :	44 g
Lipides : 24 g	Cholestérol :	132 mg
Glucides : 8 g	Fibres :	1,1 g

45　ml (3 c. à soupe) de farine

250　ml (1 tasse) de bouillon, au choix

15　ml (1 c. à soupe) de pâte de tomate

45　ml (3 c. à soupe) de graisse de bacon

1　kg (2 lb) de bœuf maigre, prélevé dans la ronde ou dans la palette, en cubes de 2,5 cm (1 po)

30　ml (2 c. à soupe) de xérès

375　ml (1 ½ tasse) d'oignons hachés

250　ml (1 tasse) de bourgogne rouge

1　feuille de laurier

1　ml (¼ c. à thé) de thym

5　ml (1 c. à thé) de persil frais haché

60　ml (¼ tasse) de beurre

250　ml (1 tasse) de champignons, tranchés

Dans un bol, délayer la farine avec un peu du bouillon.

Ajouter le reste du bouillon et la pâte de tomate.

Mélanger jusqu'à consistance homogène. Réserver.

Faire chauffer la graisse de bacon dans une casserole à fond épais.

Y faire revenir la viande 5 minutes environ, à feu moyen-vif. La retirer de la casserole au fur et à mesure. Réserver.

Verser le xérès dans la casserole et déglacer en raclant bien le fond de celle-ci à l'aide d'une spatule.

Ajouter les oignons et poursuivre la cuisson 5 minutes environ, à feu moyen, jusqu'à ce qu'ils soient transparents.

Ajouter le bouillon réservé et le bourgogne.

Amener à ébullition en remuant constamment.

Assaisonner de laurier, de thym et de persil.

Ajouter le bœuf.

Couvrir et laisser mijoter environ 2 heures 30 minutes.

Faire fondre le beurre dans un poêlon.

Y faire revenir les champignons à feu moyen-vif, 5 minutes environ.

Ajouter à la viande et poursuivre la cuisson 15 minutes.

Jeannette Plamondon,
Donnacona

es sauces au vin rouge ont parfois tendance à tourner au gris. Le cas échéant, leur redonner bon teint par le simple ajout de concentré de bouillon de bœuf.

Bœuf aux pommes à la bromontoise

Portions :	8
Préparation :	15 minutes
Cuisson :	2 heures 30 minutes
Degré de difficulté :	faible

Énergie : 310 cal	Protéines :		31 g
Lipides : 9 g	Cholestérol :		71 mg
Glucides : 26 g	Fibres :		3,5 g

1   kg (2 lb) de bœuf à ragoût, en cubes

    Sel et poivre

4   pommes de terre, en tranches minces

4   carottes, en fines rondelles

4   pommes, pelées, évidées et tranchées finement

2   oignons, en tranches minces

1   bouquet garni (persil, thym, laurier)

Préchauffer le four à 160 °C (300 °C).

Déposer la moitié des cubes de bœuf dans un plat allant au four.

Saler et poivrer.

Y superposer, en couches successives, les pommes de terre, les carottes et les pommes.

Couvrir du reste de la viande, puis des rondelles d'oignons.

Ajouter le bouquet garni.

Couvrir et cuire environ 2 heures 30 minutes.

Pierrette Savard-Roy,
Bromont

Bouilli aux légumes St-Aubert

Portions :	6
Préparation :	15 minutes
Cuisson :	1 heure 45 minutes
Degré de difficulté :	faible

Énergie : 404 cal	Protéines :		30 g
Lipides : 11 g	Cholestérol :		64 mg
Glucides : 48 g	Fibres :		8,6 g

15   ml (1 c. à soupe) de beurre

500 g (1 lb) de bœuf, en cubes

125 g (¼ lb) de porc, en cubes

1,5 l (6 tasses) d'eau bouillante

1   oignon, en quartiers

1   navet, ou plus, en cubes

8   carottes, en tronçons

500 g (1 lb) d'un assortiment de fèves jaunes et vertes, liées en portions individuelles

8   pommes de terre, en cubes

     Sel et poivre

Faire chauffer le beurre dans une casserole.

Y faire revenir les cubes de viande 5 minutes environ, quelques-uns à la fois, jusqu'à ce qu'ils soient dorés de toutes parts.

Les réserver au chaud au fur et à mesure.

Remettre la viande dans la casserole.

Ajouter l'eau bouillante et l'oignon.

Laisser mijoter 1 heure 15 minutes.

Ajouter le navet, les carottes, les fèves et les pommes de terre.

Saler et poivrer.

Poursuivre la cuisson de 15 à 20 minutes, jusqu'à ce que les légumes soient tendres.

Jeannette Fortin,
St-Aubert

*U*ne longue cuisson à feu doux permettra au jus de viande de bien imprégner les pommes, qu'on les ait déterrées ou cueillies au verger.

*M*ême si le « bouilli » doit son nom à son mode de cuisson, on peut tricher en faisant d'abord revenir la viande pour lui conférer un peu plus de couleur.

Carbonade de bœuf

Portions :	6
Préparation :	15 minutes
Cuisson :	1 heure 40 minutes
Degré de difficulté :	faible

Énergie : 338 cal	Protéines :	32 g
Lipides : 13 g	Cholestérol :	76 mg
Glucides : 13 g	Fibres :	0,5 g

15 ml (1 c. à soupe) de beurre

15 ml (1 c. à soupe) d'huile

750 g (1 ½ lb) de bœuf en cubes

250 ml (1 tasse) d'oignons tranchés finement

30 ml (2 c. à soupe) de farine

30 ml (2 c. à soupe) de cassonade

750 ml (3 tasses) de bière

1 boîte de 284 ml (10 oz) de consommé de bœuf concentré

Sel et poivre

Faire chauffer le beurre et l'huile dans une casserole.

Y faire revenir les cubes de bœuf 5 minutes environ, à feu moyen-vif, jusqu'à ce qu'ils soient dorés de toutes parts. Les retirer de la casserole. Réserver.

Dans la même casserole, faire revenir les oignons 5 minutes environ, sans laisser prendre couleur.

Ajouter les cubes de viande. Saupoudrer de farine et de cassonade.

Ajouter la bière et le consommé.

Saler et poivrer.

Amener à ébullition et réduire la chaleur.

Laisser mijoter 1 heure 30 minutes, jusqu'à ce que la viande soit tendre.

Gabrielle Langlois,
Port-Daniel

Les soupières ne sont pas uniquement destinées à servir les potages. On peut fort bien y présenter de bons plats mijotés, notamment les ragoûts.

Ragoût de bœuf St-Basile

Portions :	8
Préparation :	20 minutes
Cuisson :	2 heures 15 minutes
Degré de difficulté :	faible

Énergie : 317 cal	Protéines :	31 g
Lipides : 14 g	Cholestérol :	82 mg
Glucides : 17 g	Fibres :	2 g

45 ml (3 c. à soupe) de beurre

1 kg (2 lb) de bœuf en cubes

2 oignons, hachés

1 poivron vert, en dés

1 boîte de 284 ml (10 oz) de soupe aux tomates concentrée

1 boîte de 540 ml (19 oz) de tomates étuvées

75 ml (⅓ tasse) de cassonade

60 ml (¼ tasse) de vinaigre

2 ml (½ c. à thé) de sauce anglaise (Worcestershire)

5 ml (1 c. à thé) de gingembre

Sel à l'ail

1 boîte de 284 ml (10 oz) de champignons, égouttés

Préchauffer le four à 180 °C (350 °F).

Faire fondre 30 ml (2 c. à soupe) de beurre dans un poêlon.

Y faire revenir les cubes de bœuf, quelques-uns à la fois, jusqu'à ce qu'ils soient dorés de toutes parts.

Réserver dans une cocotte au fur et à mesure.

Faire fondre le reste du beurre dans le même poêlon. Y faire revenir les oignons et le poivron 5 minutes environ, sans laisser prendre couleur.

Déposer dans la cocotte. Réserver.

Dans un bol, mélanger la soupe aux tomates, les tomates étuvées, la cassonade et le vinaigre.

Assaisonner de sauce anglaise, de gingembre et de sel à l'ail. Verser dans la cocotte.

Couvrir et cuire 1 heure 30 minutes. Ajouter les champignons et poursuivre la cuisson 30 minutes, jusqu'à ce que la viande soit tendre.

Servir sur un nid de riz ou avec des pâtes.

Louise Hardy,
Pont-Rouge

L'expression « succès bœuf », utilisée à toutes les sauces, est sans doute un peu désuète. Mais comment décrire autrement les hourras que vous vaudra ce plat ?

3

Ragoût de bœuf aux légumes

Portions :		12
Préparation :		20 minutes
Cuisson :		2 heures 45 minutes
Degré de difficulté :		faible

Énergie : 302 cal	Protéines :	30 g
Lipides : 15 g	Cholestérol :	71 mg
Glucides : 11 g	Fibres :	2,3 g

Farine, au besoin

1,5 kg (3 lb) de bœuf en cubes

75 ml (⅓ tasse) d'huile

625 ml (2 ½ tasses) d'eau

625 ml (2 ½ tasses) de jus de tomate

7 ml (1 ½ c. à thé) de sauce anglaise (Worcestershire)

2 ml (½ c. à thé) de moutarde sèche

1 ml (¼ c. à thé) de thym

2 ml (½ c. à thé) de sarriette

2 feuilles de laurier

15 ml (1 c. à soupe) de sel

1 ml (¼ c. à thé) de poivre

375 ml (1 ½ tasse) de navet en dés

500 ml (2 tasses) de carottes en rondelles

250 ml (1 tasse) de céleri en dés

2 oignons, en dés

250 ml (1 tasse) de champignons

15 ml (1 c. à soupe) de persil

Fariner les cubes de bœuf.

Faire chauffer 15 ml (1 c. à soupe) d'huile dans un poêlon. Y faire revenir les cubes de bœuf 5 minutes environ, à feu moyen-vif, jusqu'à ce qu'ils soient dorés de toutes parts.

Verser l'eau et le jus de tomate dans la casserole. Assaisonner de sauce anglaise, de moutarde, de thym, de sarriette et de laurier. Saler et poivrer.

Amener à ébullition, puis réduire aussitôt la chaleur. Couvrir et laisser mijoter 1 heure 30 minutes.

Ajouter le navet, les carottes, le céleri, les oignons et les champignons. Poursuivre la cuisson 1 heure, jusqu'à tendreté. Saupoudrer de persil.

Geneviève Audet,
Frampton

Cubes de bœuf savoureux

Portions :		6
Préparation :		20 minutes
Cuisson :		1 heure 10 minutes
Degré de difficulté :		faible

Énergie : 290 cal	Protéines :	31 g
Lipides : 13 g	Cholestérol :	81 mg
Glucides : 12 g	Fibres :	1,5 g

30 ml (2 c. à soupe) de beurre

1 oignon, haché finement

60 ml (¼ tasse) de céleri haché finement

1 boîte de 284 ml (10 oz) de champignons tranchés, égouttés

750 g (1 ½ lb) de bœuf en cubes

1 boîte de 284 ml (10 oz) de bouillon de bœuf concentré

5 ml (1 c. à thé) de concentré de bouillon de bœuf

1 l (4 tasses) d'eau chaude

Sel et poivre

125 ml (½ tasse) de ketchup

30 ml (2 c. à soupe) de cassonade

15 ml (1 c. à soupe) de moutarde préparée

Faire chauffer 15 ml (1 c. à soupe) de beurre dans un poêlon.

Y faire revenir l'oignon, le céleri et les champignons 5 minutes environ, sans laisser prendre couleur.

Retirer du poêlon et réserver dans une casserole.

Faire fondre le reste du beurre dans le même poêlon.

Y faire revenir les cubes de bœuf 5 minutes environ, quelques-uns à la fois, jusqu'à ce qu'ils soient dorés de toutes parts. Ajouter aux légumes réservés.

Verser dans la casserole le bouillon, le concentré et l'eau chaude. Saler et poivrer. Incorporer le ketchup, la cassonade et la moutarde.

Amener à ébullition. Réduire aussitôt la chaleur et laisser mijoter 1 heure environ, jusqu'à ce que la viande soit tendre.

Linda Bouffard,
Beauce

Cuire tout un repas dans un seul plat relève non seulement d'une science, mais d'un art qui s'apparente... à celui du mieux-vivre.

Trop occupés pour surveiller la cuisson? La cuisson prolongée et incognito que permet la mijoteuse électrique convient particulièrement à la viande en sauce.

Ragoût de bœuf

Portions :	12
Préparation :	30 minutes
Cuisson :	4 heures
Degré de difficulté :	faible

Énergie : 493 cal	Protéines :	30 g
Lipides : 21 g	Cholestérol :	77 mg
Glucides : 46 g	Fibres :	5 g

250 ml (1 tasse) d'oignons hachés

1 morceau de 1,5 kg (3 lb) de palette de bœuf, coupée en cubes

6 tranches de bacon, en morceaux

8 pommes de terre rouges (non pelées), coupées en deux

3 carottes, en tronçons

3 oignons, en morceaux

250 g (½ lb) de champignons

1 gousse d'ail, hachée finement

125 ml (½ tasse) de persil frais haché

250 ml (1 tasse) de jus de pomme

1 boîte de 284 ml (10 oz) de bouillon de bœuf

1 boîte de 156 ml (5 ½ oz) de pâte de tomate

2 ml (½ c. à thé) de sel

2 ml (½ c. à thé) de poivre

2 ml (½ c. à thé) de thym

2 feuilles de laurier

Préchauffer le four à 170 °C (325 °F).

Dans une cocotte, faire revenir les oignons, le bœuf et le bacon 10 minutes, à feu moyen-vif. Ajouter le reste des ingrédients. Bien mélanger.

Couvrir et cuire 1 heure 30 minutes. Découvrir et poursuivre la cuisson 2 heures 30 minutes, en arrosant de temps en temps, jusqu'à ce que la viande soit tendre.

Édith Tremblay,
L'Islet-sur-Mer

Une cuisson prolongée vient à bout des coupes les plus coriaces.

Ragoût de bœuf, façon grand-mère

Portions :	8
Préparation :	45 minutes
Cuisson :	3 heures
Degré de difficulté :	moyen

Énergie : 602 cal	Protéines :	36 g
Lipides : 29 g	Cholestérol :	73 mg
Glucides : 50 g	Fibres :	4,7 g

2 ml (½ c. à thé) de sel

1 pincée de poivre

60 ml (¼ tasse) de farine

1 kg (2 lb) de bœuf en cubes

90 ml (⅓ tasse + 1 c. à soupe) d'huile

250 ml (1 tasse) de céleri en dés

250 ml (1 tasse) de navet en dés

250 ml (1 tasse) de carottes en dés

250 g (½ lb) de champignons, tranchés

1 gousse d'ail, écrasée

500 ml (2 tasses) de pommes de terre en dés

750 ml (3 tasses) de jus de tomate

1 oignon, en dés

1 ml (¼ c. à thé) d'origan

10 ml (2 c. à thé) de sucre

30 ml (2 c. à soupe) de farine

500 ml (2 tasses) de farine

20 ml (4 c. à thé) de poudre à pâte

2 ml (½ c. à thé) de sel

75 ml (⅓ tasse) de graisse végétale

150 ml (⅔ tasse), ou plus, de lait

30 ml (2 c. à soupe) de persil haché

250 ml (1 tasse) de carottes râpées

Préchauffer le four à 170 °C (325 °F).

Saler et poivrer la farine. En enrober les cubes de bœuf.

En procédant en plusieurs fois, faire chauffer l'huile dans un poêlon, puis y faire revenir les cubes de viande 5 minutes environ, à feu moyen-vif, jusqu'à ce qu'ils soient dorés de toutes parts. Les réserver dans une rôtissoire de 3 l (12 tasses) au fur et à mesure.

Dans le même poêlon, faire revenir le céleri, le navet, les carottes, les champignons et l'ail 5 minutes environ, sans laisser prendre couleur. Ajouter à la viande, ainsi que les pommes de terre.

Verser le jus de tomate dans une casserole. Ajouter l'oignon et assaisonner d'origan. Saupoudrer de sucre et de farine.

Amener à ébullition en brassant constamment, jusqu'à épaississement. Verser sur la viande. Couvrir et cuire environ 2 heures 15 minutes.

Dans un bol, mélanger la farine, la poudre à pâte et le sel.

À l'aide d'un coupe-pâte ou de deux couteaux, couper la graisse dans la farine jusqu'à consistance grumeleuse.

Tout en mélangeant, verser, en un mince filet, juste assez de lait pour que la pâte forme une boule.

Sur une surface farinée, abaisser la pâte en un rectangle de 0,6 cm (¼ po) d'épaisseur. Saupoudrer de persil et de carottes râpées.

Rouler en un cylindre, puis couper en tranches de 1,25 cm (½ po) d'épaisseur.

En couvrir le ragoût et remettre le couvercle.

Hausser la chaleur du four à 200 °C (400 °F).

Poursuivre la cuisson 10 minutes. Retirer le couvercle et dorer la pâte 15 minutes.

Laurette O. Charest,
St-Joseph-de-Kamouraska

Pour que les convives puissent admirer les spirales de pâte croquante semées de vert et d'orangé, poser la rôtissoire sur la table, bien en vue, et attendre un peu avant de servir.

Ragoût de bœuf St-Bruno

Portions :	4
Préparation :	20 minutes
Cuisson :	2 heures 30 minutes
Marinage :	3 heures
Degré de difficulté :	faible

Énergie : 760 cal	Protéines :	41 g
Lipides : 52 g	Cholestérol :	71 mg
Glucides : 39 g	Fibres :	9 g

250 ml (1 tasse) d'huile

75 ml (⅓ tasse) de vinaigre de vin

15 ml (1 c. à soupe) de sucre

5 ml (1 c. à thé) de moutarde sèche

2 gousses d'ail, hachées

5 ml (1 c. à thé) de paprika

7 ml (1 ½ c. à thé) de sel

1 ml (¼ c. à thé) de poivre

1 brocoli, en morceaux

Farine, au besoin

500 g (1 lb) de bœuf en cubes

30 ml (2 c. à soupe) d'huile

4 oignons, tranchés finement

1 gousse d'ail, hachée

1 sachet de soupe à l'oignon déshydratée

1 boîte de 284 ml (10 oz) de consommé de bœuf

430 ml (1 ¾ tasse) d'eau

250 g (½ lb) de champignons, tranchés

4 carottes, en rondelles

Dans un bol, mélanger l'huile, le vinaigre, le sucre, la moutarde, l'ail et le paprika. Saler et poivrer. Verser sur le brocoli et laisser mariner 3 heures, au réfrigérateur. Fariner les cubes de bœuf.

Faire chauffer l'huile dans un poêlon. Y faire revenir les cubes de viande 5 minutes environ, à feu moyen-vif. Retirer du poêlon.

Dans le même poêlon, faire revenir les oignons 5 minutes environ.

Ajouter à la viande, ainsi que l'ail et le sachet de soupe déshydratée. Arroser de consommé et d'eau.

Amener à ébullition. Réduire la chaleur et laisser mijoter environ 2 heures. Ajouter les champignons et les carottes. Poursuivre la cuisson 30 minutes. Servir le brocoli mariné en accompagnement.

Mireille Brodeur,
St-Bruno-de-Montarville

Synonyme de « appétissant », le mot « ragoûtant » en dit long sur la faveur qu'on accorde au plat qui l'a inspiré.

Ragoût des colosses

Portions :	6
Préparation :	20 minutes
Cuisson :	2 heures 15 minutes
Degré de difficulté :	faible

Énergie : 461 cal	Protéines :	43 g
Lipides : 17 g	Cholestérol :	94 mg
Glucides : 34 g	Fibres :	5 g

10 ml (2 c. à thé) de sel

1 ml (¼ c. à thé) de poivre

60 ml (¼ tasse) de farine

1 kg (2 lb) de bœuf dans l'épaule (désossé), en cubes

30 ml (2 c. à soupe) d'huile

1 boîte de 156 g (5 ½ oz) de pâte de tomate

500 ml (2 tasses) d'eau

4 oignons, en quartiers

4 carottes, en gros cubes

4 pommes de terre, coupées en deux

30 ml (2 c. à soupe) de persil haché

Fécule de maïs, au besoin, délayée dans un peu d'eau

Dans un sac, saler et poivrer la farine. Y secouer les cubes de bœuf pour bien les en enrober.

Faire chauffer l'huile dans une casserole à fond épais. Y faire revenir les cubes de viande 5 minutes environ, quelques-uns à la fois, jusqu'à ce qu'ils soient dorés de toutes parts. Remettre dans la casserole.

Dans un bol, mélanger la pâte de tomate et l'eau. Verser sur la viande.

Couvrir et laisser mijoter 1 heure. Ajouter les oignons, les carottes, les pommes de terre et le persil.

Poursuivre la cuisson 1 heure, jusqu'à tendreté.

Au besoin, épaissir la sauce avec un peu de fécule de maïs.

Thérèse Baril,
Normandin

Fariner la viande en la secouant dans un sac supprime le gaspillage, puisqu'une petite quantité de farine suffit.

Bœuf
Languettes, lamelles ou tranches

Bœuf à l'autocuiseur de Chibougamau

Portions :	4
Préparation :	15 minutes
Cuisson :	35 minutes
Degré de difficulté :	faible

Énergie : 498 cal	Protéines :	30 g
Lipides : 36 g	Cholestérol :	96 mg
Glucides : 13 g	Fibres :	0,3 g

60 ml (¼ tasse) de farine

30 ml (2 c. à soupe) de sucre

10 ml (2 c. à thé) de sel

10 ml (2 c. à thé)
de moutarde sèche

2 ml (½ c. à thé) de poivre

500 g (1 lb) de tranches de bœuf
de 1,25 cm (½ po)
d'épaisseur, prélevées
dans la croupe

90 ml (⅓ tasse + 1 c. à soupe)
d'huile

1 oignon, tranché

500 ml (2 tasses) d'eau

Mélanger la farine, le sucre, le sel, la moutarde et le poivre. Fariner les tranches de bœuf de cette préparation.

Faire chauffer l'huile dans un poêlon. Y faire revenir les tranches de viande 5 minutes environ, jusqu'à ce qu'elles soient dorées des deux côtés.

Déposer la viande dans l'autocuiseur. Ajouter l'oignon et l'eau. Cuire 30 minutes.

Claudette Martin,
Chibougamau

> **À** *défaut d'un autocuiseur, faire cuire la viande dans une cocotte, sur la cuisinière, en allouant 1 heure 15 minutes de cuisson.*

Bœuf au four St-Aimé

Portions :	8
Préparation :	15 minutes
Cuisson :	1 heure 30 minutes
Degré de difficulté :	moyen

Énergie : 264 cal	Protéines :	32 g
Lipides : 12 g	Cholestérol :	90 mg
Glucides : 5 g	Fibres :	0,7 g

1 morceau de bœuf de 1 kg
(2 lb), prélevé dans la ronde

45 ml (3 c. à soupe) de farine

1 ml (¼ c. à thé)
de laurier moulu

1 pincée de glutamate
monosodique (type Accent)

2 ml (½ c. à thé)
d'assaisonnement
pour bifteck

5 ml (1 c. à thé)
de moutarde sèche

5 ml (1 c. à thé) de persil séché

5 ml (1 c. à thé) de thym

Sel et poivre

45 ml (3 c. à soupe) de beurre

1 oignon, tranché finement

5 ml (1 c. à thé) de vinaigre

125 ml (½ tasse) d'eau

250 ml (1 tasse) de tomates en
conserve, égouttées

5 ml (1 c. à thé) de sucre

Préchauffer le four à 180 °C (350 °F).

Couper la viande en tranches fines, puis la marteler au maillet pour l'attendrir. Réserver.

Mélanger la farine, le laurier, le glutamate monosodique, l'assaisonnement pour bifteck, la moutarde, le persil et le thym. Saler et poivrer.

Fariner la viande de cette préparation. Réserver le reste de farine assaisonnée.

Faire chauffer le beurre dans un poêlon. Y faire revenir la viande 5 minutes environ, jusqu'à ce qu'elle soit dorée des deux côtés. Déposer dans un plat allant au four, et couvrir de tranches d'oignon.

Dans un bol, mélanger le vinaigre et l'eau. Verser dans le poêlon et déglacer en raclant le fond de ce dernier à l'aide d'une spatule. Ajouter les tomates, le sucre et le reste de la farine assaisonnée. Verser sur la viande.

Couvrir et cuire environ 1 heure 30 minutes.

Jeannine Blanchard,
St-Aimé

> **O** *n doit souvent la réussite d'un plat à la magie des contrastes. Ainsi, il suffit parfois d'un soupçon de sucre pour contrer l'acidité d'une sauce tomate.*

Bœuf aux poivrons, façon Port-Daniel

Portions :	4
Préparation :	15 minutes
Cuisson :	12 minutes
Degré de difficulté :	faible

Énergie : 356 cal	Protéines :	33 g
Lipides : 19 g	Cholestérol :	51 mg
Glucides : 11 g	Fibres :	1,5 g

45 ml (3 c. à soupe) d'huile d'arachide

500 g (1 lb) de bœuf en languettes

1 gousse d'ail, hachée finement

5 ml (1 c. à thé) de gingembre

2 ml (½ c. à thé) de sel

1 ml (¼ c. à thé) de poivre

3 poivrons verts, en languettes

1 oignon, en morceaux

250 g (½ lb) de champignons, tranchés (facultatif)

60 ml (¼ tasse) de sauce soya

250 ml (1 tasse) de bouillon de bœuf

30 ml (2 c. à soupe) de fécule de maïs

2 ml (½ c. à thé) de glutamate monosodique (type M.S.G.)

60 ml (¼ tasse) d'eau froide

Faire chauffer l'huile dans un poêlon ou dans un wok.

Y faire revenir la viande à feu vif, avec l'ail et le gingembre, de 4 à 5 minutes environ, jusqu'à ce qu'elle soit dorée de toutes parts.

Saler et poivrer.

Ajouter les poivrons, l'oignon et les champignons, puis faire revenir 2 minutes.

Ajouter la sauce soya et le bouillon de bœuf.

Couvrir et poursuivre la cuisson à feu moyen, de 3 à 4 minutes.

Dans un petit bol, délayer la fécule de maïs et le glutamate monosodique dans l'eau froide.

Verser dans le poêlon.

Tout en mélangeant, poursuivre la cuisson 2 ou 3 minutes, jusqu'à épaississement.

Jacqueline McInnes,
Port-Daniel

*P*our que vos talents soient connus de tous, optez pour un modèle de wok électrique qui vous permettra de cuisiner à table, devant les convives.

Bœuf fin gourmet, à la mode de grand-mère

Portions :	4
Préparation :	15 minutes
Cuisson :	6 heures
Degré de difficulté :	faible

Énergie : 379 cal	Protéines :	31 g
Lipides : 14 g	Cholestérol :	94 mg
Glucides : 30 g	Fibres :	1,6 g

12 fines tranches de pain baguette

30 ml (2 c. à soupe) de beurre

2 oignons, tranchés finement

500 g (1 lb) de bœuf en lamelles (prélevé dans la croupe ou dans la pointe de surlonge)

Sel et poivre

Préchauffer le four à 180 °C (350 °F).

Écroûter le pain.

Réserver séparément les tranches et les croûtes.

Trancher le beurre en très fines lamelles et en couvrir le fond d'un plat de 28 cm x 15 cm (11 po x 6 po), allant au four.

Couvrir de la moitié des tranches d'oignons, de la moitié du bœuf, puis de la moitié des tranches de pain écroûtées. Saler et poivrer.

Répéter l'opération avec le reste des ingrédients.

Couvrir uniformément des croûtes réservées.

Cuire de 5 à 6 heures, jusqu'à ce que la viande soit tendre.

Servir avec des pommes de terre et des légumes frais.

Lise Lamothe-Brassard,
Cap-Rouge

*O*n peut également, tel qu'illustré, utiliser 24 tranches de pain baguette non écroûtées. Dans les deux cas, le pain s'imprégnera des sucs de la viande et des oignons.

Bœuf stroganoff de Pointe-à-la-Croix

Portions:	6
Préparation:	20 minutes
Cuisson:	12 minutes
Degré de difficulté:	faible

Énergie:	468 cal	Protéines:	29 g
Lipides:	29 g	Cholestérol:	112 mg
Glucides:	13 g	Fibres:	92 g

90 ml (⅓ tasse + 1 c. à soupe) d'huile

795 g (28 oz) de bœuf, en languettes

Sel et poivre

60 ml (¼ tasse) d'oignons hachés

125 ml (½ tasse) de champignons tranchés

15 ml (1 c. à soupe) de paprika

125 ml (½ tasse) de liqueur de café (type Tia Maria)

15 ml (1 c. à soupe) de persil haché

125 ml (½ tasse) de crème 35 %

Faire chauffer 60 ml (¼ tasse) d'huile dans un poêlon.

Y faire revenir le bœuf 3 minutes environ, à feu vif.

Saler et poivrer. Retirer du poêlon. Réserver.

Faire chauffer le reste de l'huile dans le même poêlon.

Y faire revenir les oignons et les champignons 4 minutes.

Ajouter le bœuf, puis saupoudrer de paprika.

Ajouter la liqueur de café et le persil.

Poursuivre la cuisson 2 ou 3 minutes.

Incorporer la crème et réchauffer 2 minutes, sans laisser bouillir.

Anonyme,
Pointe-à-la-Croix

*C*ôté calories, les plats dont on raffole ont souvent mauvaise presse. Pourtant, on peut redorer leur blason en optant pour des ingrédients moins gras, la crème 15%, par exemple.

Bœuf mironton aux légumes

Portions:	8
Préparation:	20 minutes
Cuisson:	25 minutes
Degré de difficulté:	faible

Énergie: 376 cal	Protéines:	30 g
Lipides:	18 g	Cholestérol:	81 mg
Glucides:	27 g	Fibres:	4,9 g

30 ml (2 c. à soupe) de beurre

45 ml (3 c. à soupe) d'huile

1 kg (2 lb) de bœuf tranché très finement (comme pour une fondue chinoise)

1 bouteille de 454 ml (16 oz) de sauce chili

225 ml (¾ tasse + 3 c. à soupe) d'eau

2 oignons, en lamelles

1 poivron vert, en languettes

250 g (½ lb) de champignons frais, coupés en deux

1 chou-fleur, détaillé en fleurons

1 brocoli, détaillé en fleurons

Sel et poivre

Faire chauffer le beurre et l'huile dans un poêlon.

Y faire revenir le bœuf de 2 à 3 minutes environ, jusqu'à ce qu'il ait perdu sa teinte rosée.

Ajouter la sauce chili et l'eau. Bien mélanger.

Ajouter les oignons, le poivron, les champignons, le chou-fleur et le brocoli.

Saler et poivrer.

Amener à ébullition.

Réduire la chaleur et laisser mijoter 20 minutes, en mélangeant souvent, jusqu'à ce que les légumes soient tendres.

Servir sur un nid de riz.

Hélène Lavoie,
St-Philippe-de-Néri

*L*es amateurs de légumes croquants pourront ajouter à la préparation de fines tranches de carotte et de céleri préalablement revenues au beurre.

Bœuf

Bœuf
Pains de viande

Pain de viande à l'ancienne

Portions :	8
Préparation :	15 minutes
Cuisson :	1 heure 30 minutes
Degré de difficulté :	faible

Énergie : 321 cal	Protéines :		30 g
Lipides :	19 g	Cholestérol : 104 mg
Glucides :	7 g	Fibres :	0,9 g

1	kg (2 lb) de bœuf haché
180	ml (¾ tasse) de flocons d'avoine
125	ml (½ tasse) d'oignons hachés finement
1	pincée de sarriette
10	ml (2 c. à thé) de sel
1	ml (¼ c. à thé) de poivre
1	œuf battu
60	ml (¼ tasse) de lait
10	ml (2 c. à thé) de sauce anglaise (Worcestershire)

Préchauffer le four à 180 °C (350 °F).

Dans un bol, mélanger le bœuf, les flocons d'avoine et les oignons.

Assaisonner de sarriette.

Saler et poivrer.

Dans un autre bol, mélanger l'œuf, le lait et la sauce anglaise.

Ajouter à la viande et mélanger jusqu'à consistance homogène.

Verser dans un moule à pain de 23 cm x 13 cm (9 po x 5 po) ou dans un moule en couronne d'égale contenance.

Cuire 1 heure 30 minutes.

Servir avec une sauce, au choix.

Gisèle Durand,
Loretteville

La facilité d'exécution de ce pain de viande, jointe à la simplicité de ses ingrédients, en fait un plat parfaitement adapté à notre mode de vie trépidant.

Pain de viande «agace-papilles»

Portions :	8
Préparation :	15 minutes
Cuisson :	1 heure 45 minutes
Degré de difficulté :	faible

Énergie : 305 cal	Protéines :		31 g
Lipides :	18 g	Cholestérol : 136 mg
Glucides :	4 g	Fibres :	0,7 g

30	ml (2 c. à soupe) d'huile
2	oignons, hachés
45	ml (3 c. à soupe) de pâte de tomate
250	ml (1 tasse) d'eau
3	gouttes de sauce anglaise (Worcestershire)
2	ml (½ c. à thé) de moutarde sèche
30	ml (2 c. à soupe) de vinaigre
2	ml (½ c. à thé) de chili
2	ml (½ c. à thé) de paprika
2	ml (½ c. à thé) de sauge
1	pincée de sel
1	pincée de poivre
2	œufs, battus
1	kg (2 lb) de bœuf haché maigre

Préchauffer le four à 180 °C (350 °F).

Faire chauffer l'huile dans un poêlon.

Y faire revenir les oignons 5 minutes environ, sans laisser prendre couleur.

Ajouter la pâte de tomate, l'eau, la sauce anglaise, la moutarde et le vinaigre.

Assaisonner de chili, de paprika et de sauge.

Amener à ébullition et laisser bouillir 10 minutes, en ajoutant un peu d'eau si la sauce semble attacher.

Saler et poivrer.

Dans un bol, mélanger les œufs battus et la viande.

Ajouter la sauce et mélanger jusqu'à consistance homogène.

Verser dans un moule à pain de 23 cm x 13 cm (9 po x 5 po) et cuire 1 heure 30 minutes.

Colette Normandeau,
Maria

En incorporant les assaisonnements à la sauce avant d'ajouter celle-ci à la viande, on peut plus facilement en assurer la répartition uniforme.

Pain de viande du jardinier

Portions :	4
Préparation :	20 minutes
Cuisson :	1 heure
Degré de difficulté :	faible

Énergie : 344 cal	Protéines :		30 g
Lipides :	18 g	Cholestérol :	76 mg
Glucides :	16 g	Fibres :	4,2 g

500 g (1 lb) de bœuf haché

½ poivron vert, haché

2 branches de céleri, hachées

1 oignon, haché

4 carottes, râpées

1 boîte de 284 ml (10 oz)
de champignons, égouttés
et hachés

180 ml (¾ tasse) de jus de tomate

Thym, au goût

Persil, au goût

Basilic, au goût

Sel et poivre

Préchauffer le four à 180 °C (350 °F).

Dans un bol, mélanger le bœuf haché, le poivron vert, le céleri, l'oignon, les carottes et les champignons.

Verser le jus de tomate dans un autre bol.

Assaisonner de thym, de persil et de basilic.

Saler et poivrer.

Ajouter à la préparation précédente et mélanger jusqu'à consistance homogène.

Verser dans un moule à pain de 23 cm x 13 cm (9 po x 5 po) et cuire 1 heure.

Tante Mélie,
La Durantaye

C *e pain renferme, mine de rien, des légumes vitaminés.*

Pain de viande habillé

Portions :	6
Préparation :	25 minutes
Cuisson :	1 heure 20 minutes
Degré de difficulté :	moyen

Énergie : 754 cal	Protéines :		39 g
Lipides :	46 g	Cholestérol :	133 mg
Glucides :	44 g	Fibres :	1,6 g

430 ml (1 ¾ tasse) de farine

15 ml (1 c. à soupe)
de poudre à pâte

5 ml (1 c. à thé) de sel

125 ml (½ tasse)
de graisse végétale

125 ml (½ tasse) de lait évaporé

60 ml (¼ tasse) d'eau

750 g (1 ½ lb) de bœuf haché

150 ml (⅔ tasse) de lait évaporé

125 ml (½ tasse) de craquelins émiettés finement
(type biscuits soda)

1 œuf

125 ml (½ tasse)
d'oignons hachés

15 ml (1 c. à soupe)
de moutarde préparée

7 ml (1 ½ c. à thé) de sel

1 pincée de poivre

125 ml (½ tasse) de lait évaporé

1 boîte de 284 ml (10 oz)
de crème de champignons
ou de céleri concentrée

Préchauffer le four à 230 °C (450 °F).

Mélanger la farine, la poudre à pâte et le sel.

À l'aide d'un coupe-pâte ou de deux couteaux, couper la graisse dans la farine jusqu'à consistance grumeleuse.

Tout en mélangeant à la fourchette, verser, en un mince filet, le lait évaporé et suffisamment d'eau pour que la pâte forme une boule.

Renverser la pâte sur une surface farinée, la pétrir légèrement, puis l'abaisser en un carré de 30 cm (12 po). Réserver.

Dans un bol, mélanger le bœuf, le lait évaporé, les craquelins, l'œuf, les oignons et la moutarde jusqu'à consistance homogène. Saler et poivrer. Façonner en un cylindre de 23 cm (9 po) de longueur.

Placer le pain de viande au centre de l'abaisse et refermer celle-ci sur le dessus, en ayant soin de bien sceller aux extrémités. Déposer sur une plaque à pâtisserie beurrée et pratiquer quelques entailles sur le dessus.

Cuire 10 minutes. Réduire la chaleur du four à 170 °C (325 °F) et poursuivre la cuisson 1 heure 10 minutes environ, jusqu'à ce que la pâte soit bien dorée.

Dans une petite casserole, faire chauffer le lait évaporé et la crème de champignons tout en mélangeant.

Trancher le pain de viande et le napper de sauce.

Jacqueline Chabot,
St-Philémon

S *e présenter devant les convives sans sa robe dorée ? Impossible pour un pain de viande de classe, traité aux petits oignons.*

Pain de viande roulé

Portions :	8
Préparation :	15 minutes
Cuisson :	1 heure 30 minutes
Degré de difficulté :	faible

Énergie : 345 cal	Protéines :	35 g
Lipides : 17 g	Cholestérol : 144 mg	
Glucides : 11 g	Fibres :	1,2 g

1 kg (2 lb) de bœuf haché maigre

60 ml (¼ tasse) de chapelure

60 ml (¼ tasse) de flocons d'avoine à cuisson rapide

60 ml (¼ tasse) de germe de blé

60 ml (¼ tasse) de craquelins émiettés finement (type biscuits soda)

2 œufs, battus

1 oignon, haché

5 ml (1 c. à thé) de persil haché

2 ml (½ c. à thé) de moutarde forte

5 gouttes de sauce anglaise (Worcestershire)

5 gouttes de sauce soya

5 gouttes de sauce Teriyaki

125 ml (½ tasse) de sauce chili

2 gouttes de sauce au piment fort (type Tabasco)

1 ml (¼ c. à thé) d'ail en purée

60 ml (¼ tasse) d'eau

5 ml (1 c. à thé) de sel

1 pincée de poivre

180 ml (¾ tasse) de mozzarella râpée

Préchauffer le four à 170 °C (325 °F).

Dans un bol, mélanger tous les ingrédients, sauf la mozzarella.

Étendre la préparation sur du papier ciré pour former un rectangle d'environ 1 cm (½ po) d'épaisseur.

Saupoudrer uniformément de mozzarella, puis rouler en un cylindre. Envelopper dans du papier d'aluminium et déposer dans une lèchefrite. Cuire 1 heure 30 minutes.

Servir avec une sauce, au choix.

Gérardine Chevalier,
St-Gérard-Majella

Pain de viande moelleux

Portions :	6
Préparation :	15 minutes
Cuisson :	55 minutes
Degré de difficulté :	faible

Énergie : 516 cal	Protéines :	40 g
Lipides : 33 g	Cholestérol : 157 mg	
Glucides : 15 g	Fibres :	2,8 g

1 kg (2 lb) de bœuf haché

1 oignon, haché finement

125 ml (½ tasse) de chapelure

60 ml (¼ tasse) de son de blé

500 ml (2 tasses) de carottes râpées

125 ml (½ tasse) de crème sure

1 œuf, battu

15 ml (1 c. à soupe) de sel

1 pincée de poivre

3 minces tranches de lard ou de bacon

22 ml (1 ½ c. à soupe) de farine

250 ml (1 tasse) de crème sure

15 ml (1 c. à soupe) de vinaigre de cidre

7 ml (½ c. à soupe) de sucre

1 cube pour bouillon de bœuf

Quelques grains de poivre

30 ml (2 c. à soupe) de persil haché

Préchauffer le four à 230 °C (425 °F).

Dans un bol, mélanger le bœuf, l'oignon, la chapelure, le son, les carottes, la crème sure et l'œuf battu jusqu'à consistance homogène. Saler et poivrer.

Tasser la préparation dans un moule à pain de 23 cm x 13 cm (9 po x 5 po), beurré, puis déposer dessus les tranches de lard. Couvrir et cuire 45 minutes. Découvrir le pain de viande et poursuivre la cuisson 10 minutes.

Tout en mélangeant, faire chauffer la farine et la crème sure dans la partie supérieure d'un bain-marie. Ajouter le vinaigre, le sucre, le cube pour bouillon, quelques grains de poivre et le persil. Poursuivre la cuisson jusqu'à consistance désirée.

Trancher le pain de viande. Servir avec la sauce.

Anonyme,
Chandler

Version micro-ondes : couvrir le cylindre de papier ciré et cuire 8 minutes à puissance maximale, puis 7 minutes environ, à puissance moyenne. Laisser reposer 5 minutes.

Tel qu'illustré, on peut entièrement recouvrir la viande de tranches de bacon. Elles sauront lui conférer un goût exquis... mais impliquent un «pensez-y-bien», côté calories.

Pain de viande St-Philémon

Portions :		6
Préparation :		25 minutes
Cuisson :		1 heure 40 minutes
Degré de difficulté :		faible

Énergie : 626 cal	Protéines :	25 g
Lipides : 43 g	Cholestérol : 188 mg	
Glucides : 36 g	Fibres :	3,9 g

500 g (1 lb) de bœuf haché

250 g (½ lb) de lard haché

1 œuf battu

125 ml (½ tasse) de farine de maïs (ou tout usage)

125 ml (½ tasse) d'oignons hachés finement

1 boîte de 340 ml (12 oz) de maïs, égoutté

1 boîte de 284 ml (10 oz) de soupe aux légumes

2 ml (½ c. à thé) de thym

10 ml (2 c. à thé) de sel

Poivre, au goût

45 ml (3 c. à soupe) de ketchup

500 ml (2 tasses) de purée de pommes de terre chaude

15 ml (1 c. à soupe) de beurre

1 œuf

1 jaune d'œuf

1 pincée de muscade

2 ml (½ c. à thé) de sel

2 ml (½ c. à thé) de poivre

Préchauffer le four à 180 °C (350 °F).

Dans un bol, mélanger le bœuf, le lard, l'œuf battu, la farine, les oignons, le maïs et la soupe aux légumes, jusqu'à consistance homogène. Assaisonner de thym. Saler et poivrer.

Déposer la préparation dans un moule à pain de 23 cm x 13 cm (9 po x 5 po). Couvrir de ketchup et cuire 1 heure 30 minutes.

Dans un bol, mélanger la purée de pommes de terre, le beurre, l'œuf et le jaune d'œuf jusqu'à consistance lisse. Assaisonner de muscade. Saler et poivrer.

Démouler le pain de viande sur un plat de service résistant à la chaleur, puis le couvrir entièrement de pommes de terre. Hausser la chaleur du four à 220 °C (425 °F) et poursuivre la cuisson 10 minutes environ, jusqu'à ce que les pommes de terre soient dorées.

Fernande Guillemette,
St-Philémon

Pain de viande au gingembre et à l'orange

Portions :		8
Préparation :		20 minutes
Cuisson :		1 heure
Degré de difficulté :		faible

Énergie : 333 cal	Protéines :	31 g
Lipides : 20 g	Cholestérol : 133 mg	
Glucides : 7 g	Fibres :	1 g

1 kg (2 lb) de viande hachée, au choix

125 ml (½ tasse) d'oignons hachés

125 ml (½ tasse) de céleri haché finement

2 gousses d'ail, hachées

250 ml (1 tasse) de carottes râpées

5 ml (1 c. à thé) de gingembre frais, haché finement

Le zeste de 2 oranges

125 ml (½ tasse) de persil haché

Sel et poivre

180 ml (¾ tasse) de chapelure de pain de blé entier

2 œufs

180 ml (¾ tasse) de lait

Préchauffer le four à 180 °C (350 °F).

Dans un bol, mélanger la viande, les oignons, le céleri, l'ail, les carottes, le gingembre, le zeste d'orange et le persil. Saler et poivrer. Ajouter la chapelure, les œufs et le lait, puis mélanger jusqu'à consistance homogène.

Déposer la préparation dans un moule à pain de 23 cm x 13 cm (9 po x 5 po) et cuire 1 heure.

Servir avec une sauce, au choix.

Lorraine Chartrand,
Masson-Angers

Pour une planification frisant la perfection, préparer la purée de pommes de terre pendant la dernière demi-heure de cuisson du pain de viande, et l'en enrober dès sa sortie du four.

Un ménage à trois, bœuf, veau et saucisse, serait une réussite.

Bœuf

Pain de viande surprise en habit de gala

Portions :	6
Préparation :	20 minutes
Cuisson :	40 minutes
Degré de difficulté :	faible

Énergie : 665 cal	Protéines :	25 g
Lipides : 45 g	Cholestérol :	55 mg
Glucides : 40 g	Fibres :	2,1 g

30 ml (2 c. à soupe) d'huile

1 oignon, haché finement

500 g (1 lb) de bœuf haché

500 ml (2 tasses) de farine

20 ml (4 c. à thé) de poudre à pâte

5 ml (1 c. à thé) de sel

180 ml (¾ tasse) d'huile

180 ml (¾ tasse) de lait

1 boîte de 540 ml (19 oz) de jus de tomate

2 ml (½ c. à thé) de sucre

Sel à l'ail, au goût

Sel et poivre

Fécule de maïs, au besoin, délayée dans une égale quantité d'eau froide

Préchauffer le four à 185 °C (365 °F).

Faire chauffer l'huile dans un poêlon. Y faire revenir l'oignon et le bœuf 10 minutes environ, en mélangeant à la fourchette, jusqu'à ce que la viande ait perdu sa teinte rosée. Laisser refroidir.

Dans un bol, mélanger la farine, la poudre à pâte et le sel.

Verser l'huile et le lait en un mince filet, tout en mélangeant à la fourchette, jusqu'à ce que la pâte forme une boule lisse.

Sur une surface farinée, abaisser la pâte en un rectangle de 0,6 cm (¼ po) d'épaisseur. Réserver.

Étendre la farce refroidie sur l'abaisse, jusqu'à 1 cm (½ po) des bords, puis rouler en un cylindre. Déposer sur une plaque à pâtisserie beurrée et cuire 30 minutes.

Dans une casserole, mélanger le jus de tomate, le sucre et le sel à l'ail. Saler et poivrer. Amener à ébullition.

Réduire la chaleur et ajouter la fécule de maïs. Poursuivre la cuisson tout en mélangeant, jusqu'à épaississement.

Trancher le pain de viande et napper chaque portion de sauce.

Jacqueline Gosselin,
Bromont

*P*our enrichir ce plat de précieuses vitamines et de sels minéraux, ajouter à la sauce tomate une profusion de champignons, de céleri, de poivrons et d'oignons.

Turban de bœuf en sauce, façon montérégienne

Portions :	6
Préparation :	30 minutes
Cuisson :	1 heure 15 minutes
Degré de difficulté :	faible

Énergie : 493 cal	Protéines :	42 g
Lipides : 30 g	Cholestérol : 191 mg	
Glucides : 8 g	Fibres :	1,3 g

1 kg (2 lb) de bœuf haché maigre

1 oignon, haché finement

125 ml (½ tasse) de mie de pain émiettée

2 œufs, légèrement battus

30 ml (2 c. à soupe) de beurre fondu

5 ml (1 c. à thé) de marjolaine

45 ml (3 c. à soupe) de persil haché

Sel et poivre

45 ml (3 c. à soupe) d'huile

1 oignon, haché finement

1 carotte, hachée finement

1 branche de céleri, hachée finement

15 ml (1 c. à soupe) de farine

625 ml (2 ½ tasses) de bouillon de bœuf

10 ml (2 c. à thé) de pâte de tomate

1 bouquet garni (thym, persil, laurier)

90 ml (⅓ tasse + 1 c. à soupe) de madère ou autre vin

Préchauffer le four à 180 °C (350 °F). Dans un bol, mélanger le bœuf, l'oignon, la mie de pain, les œufs et le beurre fondu jusqu'à homogénéité. Assaisonner de marjolaine et de persil. Saler et poivrer. Déposer la préparation dans un moule en couronne et cuire 1 heure 15 minutes.

Pendant ce temps faire chauffer l'huile dans un poêlon. Y faire cuire l'oignon, la carotte et le céleri à feu doux, 8 minutes environ. Saupoudrer de farine et poursuivre la cuisson 30 secondes. Incorporer le bouillon et la pâte de tomate. Ajouter le bouquet garni et poursuivre la cuisson 30 minutes, à feu doux.

Écraser les légumes dans la sauce. Passer au tamis en y pressant les légumes. Transvaser dans une casserole, puis amener à ébullition. Ajouter le madère. Réserver. Démouler le turban de bœuf dans une assiette de service. Servir avec la sauce.

Laurette Lévesque,
Marieville

*P*our couronner dignement ce plat de roi, en farcir le centre de champignons, échalotes et poivrons rouges sautés au beurre.

Bœuf
Pièces de bœuf

Bœuf à la mode de l'Échouerie

Portions :	10
Préparation :	20 minutes
Cuisson :	2 heures
Marinage :	4 heures
Degré de difficulté :	moyen

Énergie : 359 cal	Protéines :	46 g
Lipides : 14 g	Cholestérol :	98 mg
Glucides : 5 g	Fibres :	0,7 g

4 oignons, tranchés

1 gousse d'ail, tranchée

500 ml (2 tasses) de consommé de bœuf

90 ml (⅓ tasse + 1 c. à soupe) d'huile

250 ml (1 tasse) de vin (ou d'eau)

1,5 kg (3 lb) de bœuf roulé (dans la noix de ronde)

500 g (1 lb) de jarrets de veau, coupés en morceaux

5 ml (1 c. à thé) de sucre

1 bouquet de persil, haché

2 ml (½ c. à thé) de clous de girofle moulus

2 ml (½ c. à thé) de cannelle

1 ml (¼ c. à thé) de thym

Dans un grand plat de pyrex, mélanger les oignons, l'ail, le consommé, 60 ml (¼ tasse) d'huile et le vin. Y déposer le bœuf et laisser mariner 4 heures, au réfrigérateur, en retournant la viande de temps en temps.

Retirer le bœuf de la marinade et réserver celle-ci. Bien assécher la viande à l'aide de papier absorbant.

Faire chauffer le reste de l'huile dans une cocotte et y dorer la viande de toutes parts, à feu moyen-vif. Ajouter les morceaux de jarret de veau, le sucre et la marinade réservée. Assaisonner de persil, de clous de girofle, de cannelle et de thym.

Amener à ébullition. Réduire la chaleur et laisser mijoter 2 heures, jusqu'à ce que la viande soit tendre.

Passer la sauce dans une passoire tapissée d'étamine ou de coton à fromage et servir en saucière. Accompagner de légumes bouillis.

Rita Dupuis,
St-Maurice-de-l'Échouerie

L'avantage, avec le bœuf mode, c'est qu'on peut le servir froid, le lendemain, couronné de son bouillon gélifié qu'il aura suffi de concasser.

Bœuf « cœur atout »

Portions :	10
Préparation :	15 minutes
Cuisson :	3 heures
Degré de difficulté :	faible

Énergie : 421 cal	Protéines :	37 g
Lipides : 29 g	Cholestérol :	131 mg
Glucides : 2 g	Fibres :	0 g

Thym, au goût

Moutarde sèche, au goût

Marjolaine, au goût

Paprika, au goût

Assaisonnement pour bifteck, au goût

Sel et poivre

1 pièce de bœuf de 2 kg (4 lb), prélevée dans la pointe de surlonge

Farine, au besoin

60 ml (¼ tasse) de beurre

Thé, au besoin

30 ml (2 c. à soupe) de poudre pour sauce (type Bisto)

75 ml (⅓ tasse) d'eau

Préchauffer le four à 180 °C (350 °F).

Mélanger le thym, la moutarde, la marjolaine, le paprika et l'assaisonnement pour bifteck. Saler et poivrer.

Saupoudrer le bœuf de cette préparation, puis le fariner.

Faire fondre le beurre dans une rôtissoire, puis y dorer le bœuf de toutes parts, à feu moyen-vif.

Poursuivre la cuisson au four, de 2 heures 30 minutes à 3 heures, en ayant soin d'ajouter un peu de thé, au besoin, si la viande attache.

Retirer le bœuf de la rôtissoire et le réserver au chaud.

Dans un bol, délayer la poudre pour sauce dans l'eau.

Ajouter au jus de cuisson et bien mélanger.

Servir le bœuf avec la sauce.

Accompagner d'une purée de pommes de terre et d'une salade.

Yvonne Delisle,
Deschambault

La cuisson d'une viande de choix exige beaucoup de doigté. Mais pas question de lésiner sur la mise ! Avec un tel atout dans la rôtissoire, la partie est déjà gagnée.

Filet mignon à la crème fouettée et au cognac

Portions :	6
Préparation :	10 minutes
Cuisson :	30 minutes
Degré de difficulté :	faible

Énergie : 585 cal	Protéines :		56 g
Lipides :	37 g	Cholestérol : 217 mg	
Glucides :	3 g	Fibres :	0 g

1 filet mignon
d'environ 1,5 kg (3 lb)

6 tranches de bacon d'environ
1 cm (½ po) de largeur

Poivre, au goût

Paprika, au goût

Chili, au goût

250 ml (1 tasse) de crème 35 %

30 ml (2 c. à soupe) de ketchup

30 ml (2 c. à soupe) de cognac

Préchauffer le four à 220 °C (425 °F).

Couper le filet mignon en six tranches, puis barder celles-ci de bacon.

Saupoudrer de poivre, de paprika et de chili.

Déposer dans un plat de pyrex.

Couvrir et cuire 30 minutes.

Dans un bol, fouetter la crème jusqu'à formation de pics fermes.

Incorporer le ketchup et le cognac.

En napper chaque portion de filet mignon.

Aline Alain,
Bellechasse

*L a crème des viandes nappée de crème au cognac?
La tentation est trop forte pour ne pas succomber...*

Faux-filet de bœuf aux olives

Portions :	6
Préparation :	15 minutes
Cuisson :	1 heure
Degré de difficulté :	faible

Énergie : 374 cal	Protéines :		33 g
Lipides :	26 g	Cholestérol :	83 mg
Glucides :	1 g	Fibres :	0,6 g

360 g (12 oz) d'olives vertes
dénoyautées en saumure
(en vrac)

15 ml (1 c. à soupe) de beurre

15 ml (1 c. à soupe) d'huile
d'olive

1 morceau de faux-filet
de bœuf de 1,5 kg (3 lb)

2 ml (½ c. à thé) de sel

1 pincée de poivre

Préchauffer le four à 180 °C (350 °F).

Si les olives sont salées, les faire tremper 5 minutes dans un bol d'eau bouillante, puis les égoutter. Réserver.

Faire chauffer le beurre et l'huile dans une casserole allant au four. Y faire revenir la viande 15 minutes environ, à feu moyen, jusqu'à ce qu'elle soit dorée de toutes parts.

S'assurer que le côté gras de la viande soit placé en dessous. Saler et poivrer. Couvrir et poursuivre la cuisson au four, 45 minutes environ pour une viande saignante (soit 15 minutes par livre), en ayant soin d'ajouter les olives 15 minutes avant la fin de la cuisson. (Pour une viande à point ou bien cuite, prolonger la cuisson en conséquence.)

Couper la viande en morceaux épais et servir avec des pommes de terre en purée et une salade de chicorée.

Gisèle Roy,
Bellechasse

L e thermomètre assume, dans le secret du four, une garde assidue. Dès qu'il indique 70°C (150°F), vous savez que le bœuf est à point.

Filet de bœuf
au vin rouge et aux herbes

Portions :	15
Préparation :	15 minutes
Cuisson :	1 heure 45 minutes
Degré de difficulté :	faible

Énergie : 372 cal	Protéines :	38 g
Lipides : 22 g	Cholestérol :	127 mg
Glucides : 1 g	Fibres :	0,1 g

75 ml (⅓ tasse) de beurre

45 ml (3 c. à soupe)
d'huile d'olive

1 filet de bœuf
d'environ 2,5 kg (5 lb)

310 ml (1 ¼ tasse) de vin rouge

Fines herbes, au goût

Poivre, au goût

Persil haché, au goût

250 ml (1 tasse)
de bouillon de bœuf

1 oignon, coupé en deux

1 pincée de chilis broyés

Fécule de maïs délayée
dans un peu d'eau, au besoin

30 ml (2 c. à soupe)
de beurre fondu

Préchauffer le four à 170 °C (325 °F).

Faire chauffer le beurre et l'huile dans une rôtissoire. Y faire revenir le filet de bœuf 5 minutes environ.

Arroser de 180 ml (¾ tasse) de vin rouge. Assaisonner de fines herbes, de poivre et de persil haché.

Cuire au four 1 heure 40 minutes environ, pour une cuisson à point, en arrosant de temps à autre. Retirer la viande de la rôtissoire. Réserver.

Verser dans la rôtissoire le reste du vin rouge et déglacer en raclant bien le fond de celle-ci à l'aide d'une spatule.

Ajouter le bouillon de bœuf, l'oignon et les chilis broyés. Amener à ébullition.

Réduire la chaleur et laisser mijoter de 4 à 5 minutes.

Retirer l'oignon de la sauce, puis ajouter à celle-ci un peu de fécule de maïs. Poursuivre la cuisson tout en mélangeant, jusqu'à épaississement.

Trancher la viande et l'arroser de beurre fondu. Servir la sauce en saucière.

Claudette Drouin-Quirion,
Beauce Sud

*P*our cuire un filet de bœuf à la perfection, on doit compter 20 minutes par livre pour une cuisson à point et de 25 à 30 minutes pour une viande bien cuite.

Rosbif au jus Montauban-les-Mines

Portions :	10
Préparation :	20 minutes
Cuisson :	1 heure 10 minutes
Repos :	15 minutes
Degré de difficulté :	faible

Énergie : 280 cal	Protéines :	36 g
Lipides : 9 g	Cholestérol :	67 mg
Glucides : 9 g	Fibres :	1,8 g

CUISSON MICRO-ONDES

45 ml (3 c. à soupe)
d'huile de tournesol

4 branches de céleri, tranchées

1 oignon, tranché finement

4 carottes, en cubes

1 navet, en cubes

1 rôti de roi de 1,5 kg (3 lb)

Sel et poivre

180 ml (¾ tasse) de vin rouge

1 gousse d'ail, écrasée

60 ml (¼ tasse) de concentré
de bouillon de bœuf

30 ml (2 c. à soupe)
de sauce soya

2 ml (½ c. à thé) de sauce
anglaise (Worcestershire)

60 ml (¼ tasse)
de sauce pour grillades

Persil, au goût

10 ml (2 c. à thé) de fécule
de maïs, délayée
dans un peu d'eau

Verser l'huile dans une casserole de 2,5 l (10 tasses), conçue pour micro-ondes. Ajouter le céleri, l'oignon, les carottes et le navet. Couvrir et cuire 10 minutes à puissance maximale, en mélangeant à mi-cuisson.

Déposer la viande sur les légumes. Saler et poivrer. Ajouter le vin, l'ail, le concentré de bouillon, ainsi que les sauces soya, anglaise et pour grillades.

Parsemer de persil. Couvrir et cuire 30 minutes à puissance moyenne.

Retourner la viande et l'arroser de son bouillon. Couvrir et poursuivre la cuisson 30 minutes. Retourner de nouveau la viande, couvrir et laisser reposer 15 minutes.

Retirer la viande de la casserole. Réserver au chaud dans du papier d'aluminium. Égoutter les légumes. Réserver. Verser la fécule de maïs dans le bouillon de cuisson.

Couvrir et cuire 2 minutes à puissance maximale, en mélangeant une ou deux fois, jusqu'à épaississement.

Trancher le rôti et l'arroser d'un peu de sauce. Servir avec les légumes.

Jeannine Caouette,
Montauban-les-Mines

*E*n cuisson micro-ondes, la réussite s'explique par la minutie. Celle d'une belle pièce de viande, par exemple, suppose le respect scrupuleux des temps de cuisson.

3

Céréales et légumineuses
Riz et semoules

Gratin de riz au poulet et aux champignons

Portions :	6
Préparation :	10 minutes
Cuisson :	20 minutes
Degré de difficulté :	faible

Énergie : 318 cal	Protéines :	20 g
Lipides : 16 g	Cholestérol :	64 mg
Glucides : 22 g	Fibres :	0,4 g

1	boîte de 284 ml (10 oz) de crème de champignons concentrée
250	ml (1 tasse) de lait
375	ml (1 ½ tasse) de riz cuit
500	ml (2 tasses) de dés de poulet cuit
60	ml (¼ tasse) de chapelure
60	ml (¼ tasse) de fromage râpé
30	ml (2 c. à soupe) de beurre

Préchauffer le four à 190 °C (375 °F).

Dans une casserole, faire chauffer la crème de champignons et le lait tout en mélangeant. Réserver au chaud.

Déposer le riz cuit et le poulet dans un plat en pyrex de 20 cm (8 po) de côté, beurré.

Arroser de la préparation précédente. Saupoudrer de chapelure et de fromage râpé. Parsemer de noisettes de beurre.

Cuire 20 minutes environ, jusqu'à ce que le tout soit chaud et bien doré.

Servir avec une macédoine de légumes frais.

Jocelyne Drouin, Châteauguay

*I**l n'y a pas de meilleur dépanneur qu'un garde-manger bien approvisionné. On y déniche alors non seulement les denrées, mais l'inspiration requise pour apprêter les restes.*

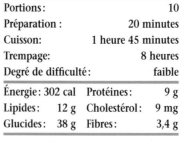

Riz et haricots rouges au bacon

Portions :	10
Préparation :	20 minutes
Cuisson :	1 heure 45 minutes
Trempage :	8 heures
Degré de difficulté :	faible

Énergie : 302 cal	Protéines :	9 g
Lipides : 12 g	Cholestérol :	9 mg
Glucides : 38 g	Fibres :	3,4 g

180	ml (¾ tasse) de haricots rouges
1,5	l (6 tasses) d'eau
15	ml (1 c. à soupe) d'huile
60	ml (¼ tasse) de graisse de bacon ou d'huile
200	g (7 oz) de bacon, de jambon ou de lard salé, en dés
2	gousses d'ail, écrasées
1	pincée de chilis broyés
500	ml (2 tasses) de riz
5	ml (1 c. à thé) de sel
5	ml (1 c. à thé) de poivre

Laver les haricots et les déposer dans une casserole. Couvrir d'eau et ajouter l'huile. Laisser tremper au moins 8 heures.

Amener à ébullition. Réduire la chaleur et laisser mijoter 1 heure, jusqu'à ce que les haricots soient fendillés, mais fermes. Retirer du feu.

Égoutter les haricots en ayant soin de récupérer 1 l (4 tasses) de leur eau de cuisson. (Au besoin, l'allonger de liquide, au choix.)

Faire chauffer la graisse de bacon dans une casserole à fond épais. Y faire revenir le bacon, jusqu'à ce qu'il soit croustillant. Égoutter sur du papier absorbant.

Dans la même casserole, faire rissoler les haricots avec l'ail et les chilis broyés 5 minutes environ.

Réduire la chaleur et ajouter l'eau de cuisson réservée. Amener à ébullition. Ajouter le riz et les morceaux de bacon. Saler et poivrer. Réduire la chaleur.

Couvrir et laisser mijoter 30 minutes, à feu doux, jusqu'à ce que le liquide ait été absorbé.

Annette Patry-Lescot, Buckingham

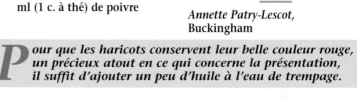

*P**our que les haricots conservent leur belle couleur rouge, un précieux atout en ce qui concerne la présentation, il suffit d'ajouter un peu d'huile à l'eau de trempage.*

Riz à la viande et aux légumes

Portions :	4
Préparation :	10 minutes
Cuisson :	1 heure
Degré de difficulté :	faible

Énergie : 433 cal	Protéines :	25 g
Lipides : 14 g	Cholestérol : 59 mg
Glucides : 52 g	Fibres :	4,9 g

2   tranches de bacon, cuites
    et coupées en morceaux

250 g (½ lb)
    de viande hachée maigre

    Sel et poivre

250 ml (1 tasse) de riz

1   oignon, haché

1   boîte de 284 ml (10 oz)
    de champignons
    en morceaux, égouttés

1   boîte de 796 ml (28 oz)
    de tomates

1   poivron vert, haché

125 ml (½ tasse)
    de fromage râpé, au choix

Préchauffer le four à 160 °C (300 °F).

Déposer le bacon dans un plat de cuisson de 20 cm (8 po) de côté.

Couvrir de la viande hachée.

Saler et poivrer.

Y déposer, en rangs successifs, le riz, l'oignon haché, les champignons, les tomates, puis le poivron vert.

Saupoudrer de fromage râpé et cuire 1 heure.

Bérangère Landry,
Nouvelle

Riz aux légumes du Golfe

Portions :	4
Préparation :	15 minutes
Cuisson :	1 heure
Degré de difficulté :	faible

Énergie : 486 cal	Protéines :	20 g
Lipides : 11 g	Cholestérol : 32 mg
Glucides : 78 g	Fibres :	4,8 g

500 ml (2 tasses) de riz brun

30 ml (2 c. à soupe) de soupe
    à l'oignon déshydratée

15 ml (1 c. à soupe) de poudre
    pour bouillon de poulet

15 ml (1 c. à soupe) d'huile

5   ml (1 c. à thé)
    de glutamate monosodique
    (type Accent)

250 ml (1 tasse) de céleri haché

250 ml (1 tasse) d'oignons hachés

250 ml (1 tasse)
    de champignons tranchés

125 ml (½ tasse)
    de poivron haché

250 ml (1 tasse) de cubes
    de viande ou de volaille cuite

625 ml (2 ½ tasses) d'eau froide

Préchauffer le four à 170 °C (325 °F).

Dans une casserole allant au four, mélanger le riz, la soupe à l'oignon déshydratée, la poudre pour bouillon, l'huile et le glutamate mono-sodique.

Ajouter le céleri, les oignons, les champignons, le poivron et la viande.

Arroser d'eau froide. Bien mélanger.

Cuire 1 heure, jusqu'à ce que le riz et les légumes soient tendres.

Colette Normandeau,
Maria

Pour raviver les appétits endormis, il faut savoir marier les couleurs autant que les saveurs, et veiller à ne pas les décourager par des portions trop généreuses.

Le riz brun, dit «complet», a pour nom véritable «cargo». À peine décortiqué, il conserve une bonne partie de sa valeur nutritive, comme les vitamines B et le phosphore.

Céréales et légumineuses

Céréales et légumineuses
Tofu et légumineuses

Hambourgeois au tofu

Portions :	4
Préparation :	15 minutes
Cuisson :	16 minutes
Degré de difficulté :	faible

Énergie : 260 cal	Protéines :		15 g
Lipides : 15 g	Cholestérol :		54 mg
Glucides : 22 g	Fibres :		6,4 g

125 ml (½ tasse) de flocons
d'avoine

454 g (1 lb) de tofu, émietté

125 ml (½ tasse) de son de blé

15 ml (1 c. à soupe) de ketchup

15 ml (1 c. à soupe) de tamari
ou de sauce soya

1 oignon, haché finement

15 ml (1 c. à soupe)
de moutarde forte

1 œuf

5 ml (1 c. à thé) de sel

1 ml (¼ c. à thé) de poivre

125 ml (½ tasse) de chapelure

30 ml (2 c. à soupe) d'huile

4 pains mollets

Moudre les flocons d'avoine au moulin à café ou au robot.

Ajouter le tofu, ainsi que le son, le ketchup, le tamari, l'oignon, la moutarde et l'œuf. Saler et poivrer.

Mélanger jusqu'à consistance homogène.

Façonner la préparation en quatre galettes, puis les enrober de chapelure.

Faire chauffer l'huile dans un poêlon à fond épais.

Y dorer les galettes à feu doux, 8 minutes environ de chaque côté.

Servir sur des pains mollets et garnir, au goût.

Lucie Vachon,
Châteauguay

S i le tofu est souvent appelé « fromage de soja », c'est qu'il provient effectivement de cette fève, et qu'il ressemble, de plus, beaucoup au fromage frais.

3

Couscous des Appalaches

Portions :	6
Préparation :	15 minutes
Cuisson :	55 minutes
Degré de difficulté :	faible

Énergie : 499 cal	Protéines :		25 g
Lipides : 21 g	Cholestérol :		72 mg
Glucides : 56 g	Fibres :		7,7 g

45 ml (3 c. à soupe) d'huile
d'olive

2 poitrines de poulet

6 saucisses merguez

2 oignons, tranchés finement

1 boîte de 540 ml (19 oz)
de tomates, en dés

60 ml (¼ tasse) de persil frais
haché

15 ml (1 c. à soupe)
de coriandre

1 l (4 tasses) d'eau

10 ml (2 c. à thé) de sel

1 ml (¼ c. à thé) de poivre

4 carottes, en tronçons

1 rutabaga, en morceaux

3 courgettes, en rondelles

1 boîte de 540 ml (19 oz)
de pois chiches, égouttés

500 ml (2 tasses) de couscous

500 ml (2 tasses) d'eau bouillante

60 ml (¼ tasse) de raisins secs

Faire chauffer l'huile dans un très grand poêlon. Y faire revenir les poitrines de poulet et les saucisses de 5 à 8 minutes, à feu vif, jusqu'à ce qu'elles soient dorées de toutes parts.

Ajouter les oignons, les tomates, le persil et la coriandre. Poursuivre la cuisson 3 minutes. Arroser d'eau.

Saler et poivrer. Amener à ébullition et réduire aussitôt la chaleur.

Couvrir et laisser mijoter 20 minutes. Ajouter les carottes et le rutabaga. Poursuivre la cuisson 20 minutes. Ajouter les courgettes et les pois chiches. Cuire 5 minutes de plus.

Déposer le couscous dans un bol, puis l'arroser d'eau bouillante. Incorporer les raisins et laisser gonfler de 3 à 5 minutes.

Servir la viande et les légumes en sauce sur le couscous.

Johanne Belley,
St-Rédempteur

P our relever le couscous, délayer un peu de harissa dans le bouillon. Mais attention! Il s'agit d'un condiment nord-africain très piquant.

Feuilles de laitue farcies au tofu

Portions :	4
Préparation :	20 minutes
Cuisson :	45 minutes
Degré de difficulté :	moyen

Énergie : 199 cal	Protéines :	12 g
Lipides : 6 g	Cholestérol :	12 mg
Glucides : 28 g	Fibres :	4,8 g

4 grandes feuilles de laitue romaine

150 g (5 oz) de tofu, en dés

2 gousses d'ail, tranchées finement

1 branche de céleri, en dés

½ poivron rouge, en dés

8 champignons, tranchés

8 pois mange-tout

8 fleurons de brocoli

8 fleurons de chou-fleur

4 pommes de terre, tranchées

1 boîte de 284 ml (10 oz) de bouillon de bœuf

125 ml (½ tasse) de mozzarella râpée

Préchauffer le four à 180 °C (350 °F).

Blanchir les feuilles de laitue 10 secondes, dans une casserole d'eau bouillante salée. Plonger aussitôt dans l'eau froide. Égoutter sur un linge propre.

Dans un bol, mélanger le tofu, l'ail, le céleri, le poivron et les champignons.

Répartir sur les feuilles de laitue, ainsi que les pois mange-tout, les fleurons de brocoli et les fleurons de chou-fleur.

Rabattre la partie la plus étroite de chaque feuille de laitue sur la garniture.

Replier ensuite les extrémités sur la farce, puis continuer de rouler.

Au besoin, maintenir en place à l'aide de cure-dents.

Placer les rouleaux dans un plat de cuisson, puis disposer tout autour les tranches de pommes de terre.

Arroser de bouillon et saupoudrer de mozzarella.

Cuire 45 minutes.

Lucie Dionne,
Port-Cartier

Les convives ne tariront pas moins d'éloges si l'on remplace le tofu par des morceaux de poisson cru, et si l'on arrose le tout d'un filet de beurre citronné.

Fèves au lard du temps des sucres

Portions :	8
Préparation :	15 minutes
Cuisson :	8 heures
Trempage :	8 heures
Degré de difficulté :	faible

Énergie : 444 cal	Protéines :	16 g
Lipides : 18 g	Cholestérol :	19 mg
Glucides : 56 g	Fibres :	9 g

500 g (1 lb) de haricots blancs

150 ml (⅔ tasse) de sirop d'érable

5 ml (1 c. à thé) de moutarde sèche

5 ml (1 c. à thé) de sel

Poivre

250 g (½ lb) de lard salé, en petits morceaux

1 oignon, haché finement

Déposer les haricots dans un bol et les couvrir généreusement d'eau froide.

Laisser tremper au moins 8 heures.

Préchauffer le four à 110 °C (200 °F).

Rincer et égoutter les haricots, puis les déposer dans un pot de grès.

Dans un petit bol, mélanger le sirop d'érable et la moutarde.

Saler et poivrer.

Verser sur les haricots.

Ajouter les morceaux de lard et l'oignon haché.

Bien mélanger et couvrir d'eau froide à hauteur.

Couvrir et cuire de 7 à 8 heures, jusqu'à tendreté, en ayant soin de découvrir pendant la dernière heure de cuisson et de compenser, au besoin, l'évaporation de liquide.

Si désiré, ajouter aux fèves au lard des saucisses grillées.

Gisèle Grenier,
St-Ludger

L'appellation « fèves au lard » est à ce point ancrée dans notre patrimoine qu'on l'accepte pour désigner ce plat sans fèves aucune, essentiellement constitué de haricots.

Céréales et légumineuses

Crêpes, flans et omelettes

Crêpes à la farine de maïs

Portions :	4
Préparation :	10 minutes
Cuisson :	20 minutes
Degré de difficulté :	faible

Énergie : 330 cal	Protéines :		11 g
Lipides : 13 g	Cholestérol : 137 mg
Glucides : 44 g	Fibres :		2,9 g

250 ml (1 tasse) de farine
tout usage

125 ml (½ tasse) de farine
de maïs

2 ml (½ c. à thé)
de poudre à pâte

2 ml (½ c. à thé) de sel

15 ml (1 c. à soupe) de sucre

2 œufs

375 ml (1 ½ tasse) de lait

Mélanger les farines, la poudre à pâte, le sel et le sucre. Réserver.

Battre les œufs et le lait dans un bol, puis ajouter la préparation précédente, en fouettant jusqu'à consistance lisse et homogène.

Dans un poêlon beurré d'environ 23 cm (9 po) de diamètre, verser juste assez de pâte pour obtenir une crêpe la plus mince possible. Cuire 1 minute environ, à feu moyen-vif, jusqu'à ce que des bulles se forment à la surface. Retourner et poursuivre la cuisson 1 minute. Répéter l'opération jusqu'à épuisement de la pâte, pour obtenir environ huit crêpes.

Servir deux crêpes par portion.

Si désiré, accompagner de saucisses rôties ou de jambon, et arroser de sirop d'érable.

Muguette Dubé,
St-Luc

*L*a pâte à crêpes y gagne toujours à être réfrigérée avant cuisson. Pour servir au petit déjeuner, l'idéal est de la préparer la veille.

Crêpes aux fruits de mer

Portions :	6
Préparation :	30 minutes
Cuisson :	40 minutes
Refroidissement :	1 heure
Degré de difficulté :	moyen

Énergie : 504 cal	Protéines :		34 g
Lipides : 26 g	Cholestérol : 248 mg
Glucides : 33 g	Fibres :		1 g

2 œufs

310 ml (1 ¼ tasse) de lait

60 ml (¼ tasse) d'eau

375 ml (1 ½ tasse) de farine

1 ml (¼ c. à thé) de sel

60 ml (¼ tasse) de beurre

15 ml (1 c. à soupe) de farine

375 ml (1 ½ tasse) de lait

15 ml (1 c. à soupe)
d'échalote hachée

15 ml (1 c. à soupe)
de céleri haché

1 pincée de sarriette

Paprika, au goût

Sel et poivre

180 g (6 oz) de pétoncles

180 g (6 oz) de crevettes
nordiques cuites

180 g (6 oz) de chair de crabe

180 g (6 oz) de chair
de homard cuite

250 ml (1 tasse)
de mozzarella râpée

Mélanger les œufs, le lait, l'eau, la farine et le sel au mélangeur, jusqu'à consistance lisse et homogène. Réfrigérer 1 heure.

Badigeonner de beurre un poêlon de 12 cm (5 po) de diamètre. Y verser juste assez de pâte pour en couvrir le fond.

Cuire jusqu'à ce que des bulles se forment à la surface de la crêpe. Retourner et poursuivre la cuisson 30 secondes environ. Cuire ainsi 12 crêpes. Réserver.

Faire fondre le beurre dans une casserole. Incorporer la farine et mélanger 30 secondes. Ajouter le lait, l'échalote et le céleri. Assaisonner de sarriette et de paprika.

Saler et poivrer. Amener à ébullition tout en mélangeant. Réduire la chaleur et poursuivre la cuisson en remuant constamment, jusqu'à épaississement. Réserver.

Préchauffer le four à 230 °C (450 °F).

Plonger les pétoncles dans une casserole d'eau bouillante salée. Réduire la chaleur et cuire 5 minutes, dans l'eau frémissante. Égoutter et déposer dans un bol. Ajouter les crevettes, le crabe et le homard. Bien mélanger.

Déposer sur chaque crêpe environ 30 ml (2 c. à soupe) de farce et 15 ml (1 c. à soupe) de sauce. Refermer et maintenir en place à l'aide de cure-dents.

Déposer les crêpes côte à côte dans un plat allant au four. Arroser du reste de la sauce et saupoudrer de mozzarella râpée. Cuire de 5 à 8 minutes.

Paulette Larocque-Joseph,
St-Godefroi

*P*our une présentation de renom, former des baluchons en ramenant les pourtours des crêpes au sommet, puis en exerçant une légère torsion au-dessus de la farce.

Flan aux poireaux et aux épinards

Portions :	8
Préparation :	20 minutes
Cuisson :	45 minutes
Degré de difficulté :	faible

Énergie : 351 cal	Protéines :		13 g
Lipides : 26 g	Cholestérol : 221 mg		
Glucides : 18 g	Fibres :		3 g

45 ml (3 c. à soupe) d'huile d'olive

3 gros poireaux, nettoyés et coupés en rondelles

Sel et poivre du moulin

500 g (1 lb) d'épinards, rincés et essorés

6 œufs

125 ml (½ tasse) de farine

250 ml (1 tasse) de lait

250 ml (1 tasse) de crème 35 %

250 ml (1 tasse) de cheddar ou de gruyère râpé

Sel et poivre

Paprika, au goût

Préchauffer le four à 200 °C (400 °F).

Faire chauffer l'huile dans un poêlon. Y faire revenir les poireaux 5 minutes, à feu moyen, en mélangeant souvent. Saler et poivrer. Réserver.

Dans une casserole contenant très peu d'eau, faire cuire les épinards 2 minutes, à feu vif. Les égoutter, puis les hacher grossièrement.

Dans un bol, battre les œufs avec la farine, le lait et la crème, jusqu'à consistance homogène.

Incorporer le fromage. Saler et poivrer. Réserver.

Tapisser de rondelles de poireaux un plat à quiche beurré. Couvrir uniformément d'épinards.

Verser la préparation aux œufs sur les légumes et saupoudrer de paprika.

Cuire 15 minutes. Réduire la chaleur du four à 180 °C (350 °F) et poursuivre la cuisson de 20 à 25 minutes, jusqu'à ce que le flan soit doré.

Lucile Clin Kombul,
Ste-Thérèse-de-Blainville

Omelette aux légumes haute en couleur

Portions :	2
Préparation :	15 minutes
Cuisson :	20 minutes
Degré de difficulté :	faible

Énergie : 269 cal	Protéines :		12 g
Lipides : 18 g	Cholestérol : 333 mg		
Glucides : 16 g	Fibres :		3,1 g

15 ml (1 c. à soupe) d'huile

½ poivron vert, haché finement

1 oignon, haché

60 ml (¼ tasse) de céleri en dés

2 tomates, en dés

5 ml (1 c. à thé) de sucre

Sel, au goût

3 œufs

30 ml (2 c. à soupe) de lait

Sel et poivre

Persil frais haché, au goût

7 ml (1 ½ c. à thé) de beurre

Faire chauffer l'huile dans une casserole. Ajouter le poivron, l'oignon et le céleri. Couvrir et laisser suer 5 minutes environ, à feu doux, jusqu'à tendreté.

Ajouter les tomates, le sucre et le sel. Poursuivre la cuisson 15 minutes.

Dans un bol, battre les œufs avec le lait. Saler et poivrer. Assaisonner de persil.

Faire chauffer le beurre dans un poêlon. Y verser les œufs et cuire à feu moyen jusqu'à ce que l'omelette commence à prendre sur les bords.

Tout en inclinant le poêlon, soulever l'omelette à la spatule pour que la partie encore liquide se répande dans le fond.

Poursuivre la cuisson jusqu'à ce que l'omelette soit ferme, bien qu'encore baveuse.

Étaler la sauce sur une moitié de l'omelette, puis replier délicatement l'autre moitié sur la sauce. Faire glisser dans une assiette de service.

Anonyme,
Ste-Germaine

Une cueillette d'œufs frais, une traite matinale, une visite à la sauvette dans le potager... et voilà le repas du soir presque prêt.

Pour une omelette de trois œufs d'épaisseur idéale, le mieux est d'utiliser un poêlon d'environ 20 cm (8 po) de diamètre, et à revêtement antiadhésif, de préférence.

Crêpes, flans et omelettes

Omelette québécoise cuite au four

Portions :	6
Préparation :	20 minutes
Cuisson :	35 minutes
Degré de difficulté :	faible

Énergie : 249 cal	Protéines :	14 g
Lipides : 16 g	Cholestérol : 209 mg
Glucides : 13 g	Fibres : 1,5 g

15 ml (1 c. à soupe) de margarine

500 ml (2 tasses) de cubes de pommes de terre cuites

2 ml (½ c. à thé) de sel au céleri

180 ml (¾ tasse) de champignons tranchés

1 oignon, haché

125 ml (½ tasse) de poivron vert haché

75 ml (⅓ tasse) de cubes de jambon (cuit)

5 œufs

125 ml (½ tasse) de lait

1 pincée de poivre

250 ml (1 tasse) de cheddar râpé

3 tranches de bacon croustillant, émiettées

Préchauffer le four à 170 °C (325 °F).

Faire chauffer la margarine dans un poêlon. Y faire revenir les cubes de pommes de terre 3 minutes environ, à feu vif, puis assaisonner de sel au céleri.

Étendre les pommes de terre dans un plat à tarte de 23 cm (9 po) de diamètre, puis y déposer, en rangs successifs, les champignons, l'oignon, le poivron vert et le jambon.

Dans un bol, battre les œufs avec le lait. Assaisonner de poivre. Verser sur la préparation précédente.

Cuire de 30 à 35 minutes.

Retirer du four et saupoudrer de fromage et de bacon émietté.

Doris Allen,
Lévis

Omelette enguirlandée de tomates cerises

Portions :	4
Préparation :	15 minutes
Cuisson :	20 minutes
Degré de difficulté :	faible

Énergie : 264 cal	Protéines :	11 g
Lipides : 21 g	Cholestérol : 341 mg
Glucides : 8 g	Fibres : 1,6 g

30 ml (2 c. à soupe) d'huile

30 ml (2 c. à soupe) de beurre

125 ml (½ tasse) de poivron vert haché

125 ml (½ tasse) de champignons tranchés

1 oignon, haché

6 œufs

60 ml (¼ tasse) de lait

2 ml (½ c. à thé) de sel

Poivre, au goût

15 tomates cerises, coupées en deux

Faire chauffer l'huile et le beurre dans un poêlon de fonte.

Y faire revenir le poivron, les champignons et l'oignon de 5 à 8 minutes, à feu moyen, jusqu'à tendreté.

Dans un bol, battre les œufs avec le lait.

Saler et poivrer.

Verser sur les légumes et poursuivre la cuisson de 8 à 10 minutes, à feu doux.

Ajouter les tomates cerises et poursuivre la cuisson 5 minutes, jusqu'à ce que l'omelette soit ferme, mais encore baveuse.

Servir aussitôt.

Noëlla Bisson,
St-Claude

L*a «corvée des patates» semblera bien plus douce si l'on s'y attelle moins souvent. En faire cuire une bonne quantité à l'avance, pour en avoir toujours à portée de la dent.*

L*a «chambre à air» de l'œuf, sous la partie arrondie de la coquille, grossit au fur et à mesure qu'il vieillit. C'est pourquoi plus l'œuf est frais, et moins il flotte.*

Omelettes moulées en crêpes dentelle

Portions :	4
Préparation :	20 minutes
Cuisson :	45 minutes
Degré de difficulté :	moyen

Énergie : 404 cal	Protéines :	24 g
Lipides : 20 g	Cholestérol : 301 mg	
Glucides : 33 g	Fibres :	4,6 g

1   œuf

250 ml (1 tasse) de lait écrémé

15   ml (1 c. à soupe) d'huile

250 ml (1 tasse)
     de farine de blé entier

1   ml (¼ c. à thé)
     de sel de mer (ou ordinaire)

125 ml (½ tasse)
     de fromage râpé (doux)

125 ml (½ tasse) de gruyère râpé

15   ml (1 c. à soupe)
     de moutarde préparée

30   ml (2 c. à soupe)
     de farine de blé entier

2   échalotes, hachées

250 ml (1 tasse) de lait écrémé

4   œufs

5   ml (1 c. à thé) de basilic

1   ml (¼ c. à thé) de muscade

     Sel et poivre

Préchauffer le four à 180 °C (350 °F).

Dans un bol, mélanger l'œuf, le lait et l'huile. Ajouter la farine et le sel. Mélanger jusqu'à consistance lisse et homogène.

Verser un peu de pâte dans un poêlon de 15 cm (6 po) de diamètre, huilé. Faire cuire jusqu'à ce que des bulles se forment à la surface. Retourner et poursuivre la cuisson environ 30 secondes, jusqu'à ce que la crêpe soit dorée. Répéter l'opération jusqu'à épuisement de la pâte, de façon à obtenir huit crêpes.

Tapisser d'une crêpe chacune des huit cavités d'un moule à muffins, en la laissant largement dépasser. Réserver.

Dans un bol, mélanger les fromages, la moutarde, la farine et les échalotes. En farcir les crêpes. Dans le même bol, battre le lait et les œufs. Assaisonner de basilic et de muscade. Saler et poivrer. Verser sur la préparation précédente.

Cuire de 25 à 30 minutes, jusqu'à ce que la garniture soit ferme.

Francine Thibodeau,
Ste-Anne-des-Plaines

I *l n'y a pas d'heure pour offrir des fleurs. Matin, midi et soir, celles-ci, aux pétales de pâte fine, se laisseront cueillir... à la fourchette.*

Crêpes aux pommes de terre de la fromagerie

Portions :	4
Préparation :	20 minutes
Cuisson :	20 minutes
Degré de difficulté :	faible

Énergie : 512 cal	Protéines :	15 g
Lipides : 17 g	Cholestérol : 221 mg	
Glucides : 76 g	Fibres :	5,9 g

15   ml (1 c. à soupe) de farine

8   pommes de terre,
     cuites et hachées finement

2   oignons, hachés finement

4   œufs, battus

1   échalote, hachée

     Sel et poivre

45   ml (3 c. à soupe) d'huile

60   ml (¼ tasse)
     de fromage râpé, au goût

Dans un bol, fariner les pommes de terre et les oignons.

Incorporer les œufs battus et l'échalote.

Saler et poivrer.

Façonner la préparation en huit crêpes.

Faire chauffer l'huile dans un poêlon antiadhésif.

Y cuire les crêpes à feu moyen-vif, quelques-unes à la fois, jusqu'à ce qu'elles soient dorées des deux côtés.

Saupoudrer chaque crêpe de fromage râpé.

Passer sous le gril du four, jusqu'à ce que le fromage soit doré.

Anonyme,
Lac-Brome

P *our égayer les galettes, leur ajouter un reste de jambon haché, un bouquet de persil ciselé, ainsi qu'une carotte râpée. Surtout, ne pas hésiter à les coiffer de crème sure.*

Fromages

Fondue au crabe et au fromage

Portions :	6
Préparation :	15 minutes
Cuisson :	10 minutes
Degré de difficulté :	faible

Énergie : 770 cal	Protéines :	39 g
Lipides : 51 g	Cholestérol : 187 mg	
Glucides : 39 g	Fibres :	0,9 g

2	boîtes de 113 g (4 oz) de crabe
125	ml (½ tasse) de beurre
125	ml (½ tasse) de farine
1	l (4 tasses) de lait chaud
250	g (½ lb) de cheddar fort
250	g (½ lb) de cheddar doux
	Sel à l'oignon, au goût
	Poivre, au goût
1	pain baguette, en cubes

Égoutter le crabe en ayant soin d'en recueillir le jus dans une petite casserole.

Faire chauffer ce dernier et réserver au chaud.

Faire fondre le beurre dans une casserole.

Ajouter la farine et bien mélanger. Incorporer le lait et le jus de crabe chaud.

Ajouter le cheddar et poursuivre la cuisson tout en mélangeant, jusqu'à ce qu'il ait fondu.

Ajouter le crabe et bien mélanger.

Assaisonner de sel à l'oignon et de poivre.

Retirer du feu et verser dans un caquelon à fondue.

Servir avec les cubes de pain baguette.

Claudette Lemieux,
Port-Cartier

Quiconque laisse échapper son pain dans la fondue est tenu d'embrasser un convive du sexe opposé. Charmante coutume... dont certains auraient parfois tendance à abuser.

Fondue rosée Ste-Marthe-sur-le-Lac

Portions :	8
Préparation :	30 minutes
Cuisson :	3 heures 40 minutes
Degré de difficulté :	faible

Énergie : 868 cal	Protéines :	45 g
Lipides : 66 g	Cholestérol : 164 mg	
Glucides : 23 g	Fibres :	4,5 g

125	ml (½ tasse) d'huile d'olive
6	gousses d'ail, hachées finement
2	boîtes de 796 ml (28 oz) de tomates
2	boîtes de 398 ml (14 oz) de pâte de tomate
5	ml (1 c. à thé) de sucre
30	ml (2 c. à soupe) d'assaisonnement à l'italienne
3	petits piments forts séchés
3	feuilles de laurier
796	ml (28 oz) d'eau chaude
8	saucisses italiennes, en rondelles
1	poivron vert, en cubes
2	branches de céleri, tranchées
250	g (½ lb) de champignons, coupés en deux
454	g (1 lb) de fromage Brick, râpé
454	g (1 lb) de mozzarella, râpée
90	g (3 oz) de cheddar mi-fort, râpé
250	ml (1 tasse) de vin rouge

Verser 90 ml (⅓ tasse + 1 c. à soupe) d'huile d'olive dans une grande casserole. Y faire revenir les gousses d'ail 2 minutes environ. Ajouter les tomates, la pâte de tomate, le sucre, l'assaisonnement à l'italienne, les piments forts et les feuilles de laurier.

Ajouter l'eau chaude et amener à ébullition. Réduire la chaleur et laisser mijoter de 2 à 3 heures, jusqu'à ce que les tomates se défassent.

Faire chauffer le reste de l'huile d'olive dans un poêlon. Y faire revenir les saucisses de 5 à 8 minutes, jusqu'à ce qu'elles aient perdu leur teinte rosée. Ajouter à la sauce tomate.

Dans le même poêlon, faire revenir le poivron, le céleri et les champignons de 5 à 8 minutes environ, jusqu'à tendreté. Incorporer à la sauce et poursuivre la cuisson 30 minutes, à feu doux.

Ajouter à la sauce le fromage Brick, la mozzarella, le cheddar et le vin rouge. Poursuivre la cuisson en mélangeant, jusqu'à ce que le fromage ait fondu. Verser dans des caquelons. Servir avec des cubes de pain baguette. Accompagner d'une salade.

Anonyme,
Ste-Marthe-sur-le-Lac

On peut préparer la sauce à l'avance et incorporer le fromage juste avant de servir, ou encore, omettre le fromage et servir tout simplement la sauce sur des pâtes fraîches.

Fondue au fromage de la Côte-Nord

Portions :	4
Préparation :	15 minutes
Cuisson :	15 minutes
Degré de difficulté :	faible

Énergie : 572 cal	Protéines :	29 g
Lipides : 47 g	Cholestérol :	187 mg
Glucides : 6 g	Fibres :	0,2 g

CUISSON MICRO-ONDES

30   ml (2 c. à soupe) de beurre

500   g (1 lb) de fromage
fondu velouté,
coupé en cubes
(type Velveeta)

30   ml (2 c. à soupe) de sauce
anglaise (Worcestershire)

30   ml (2 c. à soupe)
de moutarde sèche

250   ml (1 tasse) de bière

Poivre, au goût

1   jaune d'œuf

Mettre le beurre dans un plat de 20 cm (8 po) de diamètre, conçu pour micro-ondes.

———

Faire fondre 1 minute, à puissance moyenne-élevée.

———

Ajouter les cubes de fromage et faire fondre 4 minutes environ, à puissance moyenne.

———

Ajouter la sauce anglaise, la moutarde, la bière, le poivre et le jaune d'œuf.

———

Mélanger jusqu'à consistance homogène et cuire 10 minutes environ, à puissance moyenne, en mélangeant à mi-cuisson.

———

Verser dans un caquelon à fondue.

———

Servir avec des légumes et des fruits en morceaux, ainsi qu'avec des cubes de pain.

Lucie Dionne,
Port-Cartier

*S*ans micro-ondes, la fondue se prépare idéalement au bain-marie ou dans une casserole à fond épais. L'important, c'est de faire fondre le fromage sans le laisser attacher.

Fondue au fromage et à la tomate

Portions :	10
Préparation :	15 minutes
Cuisson :	30 minutes
Degré de difficulté :	faible

Énergie : 296 cal	Protéines :	20 g
Lipides : 22 g	Cholestérol :	79 mg
Glucides : 5 g	Fibres :	0,9 g

1   boîte de 540 ml (19 oz)
de tomates

250   ml (1 tasse) de poivrons verts
hachés finement

2   gousses d'ail, hachées
finement

5   ml (1 c. à thé) de sauce
anglaise (Worcestershire)

2   ml (½ c. à thé) de sauce au
piment fort (type Tabasco)

10   ml (2 c. à thé)
de basilic séché

1   kg (2 lb) de mozzarella, râpée

Dans une casserole, mélanger les tomates, les poivrons verts et l'ail.

———

Amener à ébullition.

———

Réduire la chaleur et laisser mijoter 15 minutes, en écrasant bien les tomates.

———

Ajouter les sauces anglaise et au piment fort, ainsi que le basilic.

———

Couvrir et poursuivre la cuisson de 10 à 15 minutes.

———

Verser dans un caquelon à fondue placé au-dessus d'un réchaud.

———

Ajouter peu à peu la mozzarella, en mélangeant après chaque addition jusqu'à ce qu'elle ait parfaitement fondu.

———

Servir avec des crudités et des cubes de pain.

Anonyme,
Maskinongé

*E*n version rosée, cette fondue au fromage a un petit côté romantique, un cachet unique et inimitable qu'on ne peut vraiment définir... qu'à la lueur des bougies.

Fromages

Gratin de légumes

Portions :	6
Préparation :	15 minutes
Cuisson :	50 minutes
Degré de difficulté :	faible

Énergie : 229 cal	Protéines :	8 g
Lipides : 6 g	Cholestérol :	18 mg
Glucides : 39 g	Fibres :	5,3 g

4   pommes de terre, pelées

500 ml (2 tasses) de carottes
     en fins bâtonnets

500 ml (2 tasses)
     de navet en cubes

500 ml (2 tasses) de chou haché

15   ml (1 c. à soupe)
     de crème 15 %

15   ml (1 c. à soupe) de beurre

     Sel et poivre

1   boîte de 398 ml (14 oz)
     de maïs en crème

125   ml (½ tasse) de chapelure

125   ml (½ tasse)
     d'emmenthal, de gruyère
     ou de cheddar râpé

Préchauffer le four à 190 ºC (375 ºF).

Cuire les pommes de terre 20 minutes environ, dans une casserole d'eau bouillante salée, jusqu'à ce qu'elles soient tendres.

Pendant ce temps, cuire les carottes, le navet et le chou 10 minutes environ, dans une casserole d'eau bouillante salée, jusqu'à ce qu'ils commencent à s'attendrir, tout en demeurant légèrement croquants. Égoutter.

Égoutter les pommes de terre et les réduire en purée dans un bol. Incorporer la crème et le beurre.

Saler et poivrer. Ajouter les légumes cuits et bien mélanger.

Étendre uniformément la préparation dans un plat à gratin légèrement beurré, puis couvrir de maïs en crème.

Saupoudrer de chapelure et de fromage râpé.

Cuire de 20 à 30 minutes, jusqu'à ce que le fromage soit doré.

Claudette Choinière,
Waterloo

Les confettis de légumes donnent un air de fête aux pommes de terre, en plus de les enrichir de vitamines, de minéraux et de fibres.

Gibier
Gibier à plumes

Canard au porto

Portions :	4
Préparation :	15 minutes
Cuisson :	45 minutes
Degré de difficulté :	faible

Énergie : 297 cal	Protéines :	19 g
Lipides : 16 g	Cholestérol :	101 mg
Glucides : 11 g	Fibres :	0,6 g

     Sel et poivre

45   ml (3 c. à soupe) de farine

2   poitrines de canard désossées

30   ml (2 c. à soupe) de beurre

2   échalotes françaises, hachées

6   champignons, tranchés

125   ml (½ tasse) de porto

30   ml (2 c. à soupe) de Triple-sec
     (ou autre liqueur)

180   ml (¾ tasse)
     de bouillon de poulet

2   ml (½ c. à thé) de muscade

1   pincée de cannelle

125   ml (½ tasse) de crème 15 %

Saler et poivrer la farine. En saupoudrer les poitrines de canard. Réserver l'excédent de farine.

Faire chauffer 15 ml (1 c. à soupe) de beurre dans une cocotte. Y faire revenir les poitrines 4 minutes de chaque côté, à feu moyen-vif. Retirer de la cocotte et réserver.

Faire chauffer le reste du beurre dans la cocotte. Y faire revenir les échalotes et les champignons 5 minutes environ, jusqu'à tendreté. Saupoudrer de la farine réservée et bien mélanger.

Ajouter le porto et le Triple-sec, puis laisser réduire légèrement. Ajouter le bouillon de poulet et les poitrines de canard. Assaisonner de muscade et de cannelle. Amener à ébullition, puis réduire aussitôt la chaleur. Couvrir et laisser mijoter 30 minutes.

Retirer les poitrines de la cocotte, puis y verser la crème. Poursuivre la cuisson en mélangeant, jusqu'à épaississement. Rectifier l'assaisonnement.

Tailler les poitrines de canard en aiguillettes et les napper de sauce.

Colette Guyon,
St-Denis

Sauvage ou non, le canard ne doit pas trop cuire. Sa chair, très fine et délicate, doit être savourée légèrement rosée.

Perdrix de l'arrière-saison

Portions :	4
Préparation :	15 minutes
Cuisson :	1 heure 20 minutes
Degré de difficulté :	faible

Énergie : 319 cal	Protéines :	31 g
Lipides : 14 g	Cholestérol :	98 mg
Glucides : 10 g	Fibres :	2 g

2   perdrix d'environ 375 g (¾ lb)

45   ml (3 c. à soupe) de moutarde forte

4   tranches de bacon

     Sel et poivre

2   carottes, hachées

4   branches de céleri, hachées

125   ml (½ tasse) d'eau

180   ml (¾ tasse) de vin rouge

     Persil haché, au goût

60   ml (¼ tasse) de gelée de pomme

Préchauffer le four à 250 °C (500 °F).

Badigeonner les perdrix de moutarde forte, puis déposer une tranche de bacon à l'intérieur de chacune.

Barder les perdrix d'une autre tranche de bacon. Saler et poivrer.

Tapisser le fond d'une rôtissoire de carottes et de céleri. Y déposer les perdrix, puis arroser d'eau et de vin rouge.

Saupoudrer de persil haché, au goût.

Couvrir et cuire 20 minutes.

Réduire la chaleur du four à 180 °C (350 °F) et poursuivre la cuisson 1 heure.

Retirer les perdrix de la rôtissoire.

Passer le jus de cuisson au tamis, lui ajouter la gelée de pomme, puis en napper les perdrix.

Gisèle Savard,
Sacré-Coeur

> *S i votre héros revient de chasse, couvert de boue... mais non de gloire, optez pour la perdrix d'élevage, offerte dans les boucheries spécialisées.*

Faisan rôti «belle chasse»

Portions :	8
Préparation :	15 minutes
Cuisson :	2 heures
Marinage :	24 heures
Degré de difficulté :	faible

Énergie : 341 cal	Protéines :	32 g
Lipides : 21 g	Cholestérol :	100 mg
Glucides : 4 g	Fibres :	0,6 g

1   carotte, râpée

1   oignon, haché finement

60   ml (¼ tasse) de céleri haché finement

     Feuilles de céleri, au goût, hachées finement

2   gousses d'ail, hachées finement

2   feuilles de laurier

     Origan, au goût

     Sarriette, au goût

     Thym, au goût

     Persil, au goût

30   ml (2 c. à soupe) de jus de citron

30   ml (2 c. à soupe) d'huile

2   faisans d'environ 1 kg (2 lb)

½   citron, en quartiers

125   g (¼ lb) de lard, en tranches

250   ml (1 tasse) de bouillon de poulet

15   ml (1 c. à soupe) de fécule de maïs, délayée dans une égale quantité d'eau froide

Mélanger la carotte, l'oignon, le céleri et ses feuilles. Assaisonner d'ail, de laurier, d'origan, de sarriette, de thym et de persil. Ajouter le jus de citron et l'huile. Bien mélanger. Réserver la marinade obtenue.

Retirer la peau des faisans et bien les laver. En frotter l'intérieur et l'extérieur de citron. Déposer les faisans dans un plat peu profond et les enduire de marinade. Laisser reposer 24 heures, au réfrigérateur.

Préchauffer le four à 170 °C (325 °F).

Barder les faisans de tranches de lard, puis les déposer dans une rôtissoire. Arroser de la moitié du bouillon de poulet.

Cuire 2 heures, en ajoutant peu à peu le reste de bouillon et en arrosant, de temps en temps.

Retirer les faisans de la cocotte. Dégraisser le bouillon de cuisson. Ajouter de la fécule de maïs, au besoin, et faire chauffer jusqu'à épaississement.

Servir les faisans avec la sauce. Accompagner de légumes et d'une salade.

Lucie Boivin,
St-Charles-de-Bellechasse

> *L es bardes de lard empêcheront la chair délicate des faisans de se dessécher pendant la cuisson. On peut toutefois les remplacer par des tranches de bacon.*

Terrine de canard au poivre vert

Portions :	12
Préparation :	30 minutes
Cuisson :	4 heures
Refroidissement :	8 heures
Degré de difficulté :	moyen

Énergie : 270 cal	Protéines :	20 g
Lipides : 15 g	Cholestérol :	87 mg
Glucides : 5 g	Fibres :	0,9 g

1   canard de Barbarie
    d'environ 2,5 kg (5 lb)

125 g (¼ lb) de lard entrelardé,
    en tranches fines

750 ml (3 tasses) de vin blanc sec
    (chablis, par exemple)

1   morceau d'environ 3 cm
    (1 ½ po) de gingembre,
    tranché finement

2   gousses d'ail, hachées

85 g (3 oz) de poivre vert
    en conserve

Préchauffer le four à 170 °C (325 °F).

Déposer le canard dans une cocotte de fonte émaillée, puis le barder de tranches de lard.

Arroser de vin blanc.

Ajouter le gingembre et l'ail.

Couvrir et cuire 4 heures.

Retirer le canard de la rôtissoire, puis passer le jus de cuisson au tamis. Réserver.

Débarrasser le canard de sa peau, puis le désosser. En retirer les filaments et les nerfs. Hacher finement la chair.

Réduire le poivre vert en purée, au robot.

Mélanger la chair du canard et le poivre vert. Déposer dans un moule d'environ 23 cm x 13 cm (9 po x 5 po) ou dans tout autre moule d'égale contenance.

Arroser du jus de cuisson réservé.

Réfrigérer au moins 8 heures.

Frédérique,
St-Antoine-Abbé

L e poivre vert dont il est question se vend en conserve, dans une saumure. Sa saveur, moins prononcée que celle du poivre noir, est cependant plus fruitée.

Gibier
Gibier à poils

Brochettes de lapin St-Léon-le-Grand

Portions :	4
Préparation :	15 minutes
Cuisson :	12 minutes
Marinage :	5 heures
Degré de difficulté :	moyen

Énergie : 617 cal	Protéines :	45 g
Lipides : 32 g	Cholestérol :	119 mg
Glucides : 35 g	Fibres :	0,1 g

60   ml (¼ tasse) de sucre

125 ml (½ tasse) de sauce soya

2   ml (½ c. à thé)
     de moutarde sèche

150 ml (⅔ tasse) d'huile

2   ml (½ c. à thé) de jus
     de citron

1   ml (¼ c. à thé) d'ail écrasé

1   lapin de 1,5 kg (3 lb), en cubes

75   ml (⅓ tasse) de sucre

30   ml (2 c. à soupe) de vinaigre

150 ml (⅔ tasse) de jus d'ananas

15   ml (1 c. à soupe) d'huile

15   ml (1 c. à soupe) de sauce soya

45   ml (3 c. à soupe) de fécule
     de maïs, délayée dans un peu
     d'eau froide

Mélanger le sucre, la sauce soya, la moutarde, l'huile, le jus de citron et l'ail. Déposer les cubes de lapin dans cette marinade. Laisser mariner 5 heures, au réfrigérateur, en retournant la viande de temps en temps.

Enfiler les morceaux de lapin sur des brochettes. Les griller de 10 à 12 minutes sous le gril du four, en les retournant et en les badigeonnant de marinade, de temps à autre.

Pendant ce temps, mélanger le sucre, le vinaigre, le jus d'ananas, l'huile et la sauce soya dans une casserole. Amener à ébullition et poursuivre la cuisson 10 minutes. Réduire la chaleur et ajouter la fécule de maïs. Mélanger jusqu'à épaississement. Servir les brochettes nappées de sauce.

Rachel Jacques,
St-Léon-le-Grand

S i la plupart des lapins d'élevage connaissent la gloire sur la table, d'autres, non moins renommés, raflent tous les honneurs de concours de beauté.

Brochettes d'orignal
à la Montbrunoise

Portions :	6
Préparation :	15 minutes
Cuisson :	12 minutes
Marinage :	3 heures
Degré de difficulté :	faible

Énergie : 385 cal	Protéines :		33 g
Lipides : 21 g	Cholestérol :		73 mg
Glucides : 18 g	Fibres :		2,3 g

250 ml (1 tasse) d'huile

30 ml (2 c. à soupe) de vinaigre

30 ml (2 c. à soupe)
de sauce soya

150 ml (⅔ tasse) de sauce chili

60 ml (¼ tasse) de ketchup

1 oignon, haché finement

1 feuille de laurier

2 ml (½ c. à thé) de thym

2 ml (½ c. à thé) de sel

750 g (1 ½ lb) de cubes d'orignal

12 tomates cerises

1 poivron vert, en morceaux

12 champignons frais (chapeaux
seulement)

1 oignon, en cubes

Persil, pour décorer

Dans un plat peu profond, mélanger l'huile, le vinaigre, la sauce soya, la sauce chili, le ketchup et l'oignon.

Assaisonner de laurier, de thym et de sel. Y déposer les cubes d'orignal et laisser mariner 3 heures, au réfrigérateur, en retournant la viande à quelques reprises.

Égoutter les cubes de viande, puis les enfiler sur des brochettes avec les tomates, le poivron, les champignons et l'oignon, en alternance.

Placer les brochettes sur le barbecue ou sous le gril du four, à 10 cm (4 po) de la source de chaleur.

Faire griller de 5 à 6 minutes de chaque côté, en badigeonnant de marinade.

Servir sur un nid de riz et garnir de persil.

Monique Dutil,
Montbrun

*D*ans les pays scandinaves et en Sibérie, on nomme tout simplement « élan » le majestueux orignal de nos forêts québécoises.

Civet des Bergeronnes

Portions :	4
Préparation :	15 minutes
Cuisson :	1 heure 15 minutes
Degré de difficulté :	faible

Énergie : 598 cal	Protéines :		38 g
Lipides : 39 g	Cholestérol :	160 mg
Glucides : 23 g	Fibres :		5,1 g

Farine, au besoin

1 lièvre d'environ 1 kg (2 lb),
en morceaux

250 g (½ lb) de lard salé,
tranché finement

1 oignon, tranché finement

2 navets, en morceaux

6 carottes, en morceaux

Eau, au besoin

Sel et poivre

Fariner les morceaux de lièvre. Réserver.

Dans une casserole, faire revenir les tranches de lard salé de 5 à 8 minutes environ, jusqu'à ce qu'elles aient rendu une bonne partie de leur graisse.

Faire revenir les morceaux de lièvre dans la graisse fondue, de 5 à 8 minutes environ, jusqu'à ce qu'ils soient dorés de toutes parts.

Ajouter l'oignon tranché et poursuivre la cuisson 3 ou 4 minutes.

Ajouter les morceaux de navets et de carottes, puis couvrir d'eau. Saler et poivrer.

Amener à ébullition et réduire aussitôt la chaleur.

Couvrir et laisser mijoter 1 heure environ, jusqu'à ce que la viande et les légumes soient tendres.

Servir avec des pâtes, ou encore, avec une purée de pommes de terre saupoudrée de persil.

Françoise Ouimet,
Bergeronnes

*R*ien ne saurait égaler la saveur du lièvre qu'il vient de débusquer dans la forêt... pas même le baiser dont vous l'aurez gratifié, avant qu'il ne range la cartouchière.

3

*Q**uand les vents de la mer chavirent sur les Îles-de-la-Madeleine, le Rocher aux oiseaux, mystique sanctuaire pour archanges piailleurs, semble voguer vers l'infini.*

Fricassée de lapin au vin blanc

Portions :	6
Préparation :	20 minutes
Cuisson :	3 heures 15 minutes
Trempage :	1 heure
Marinage :	12 heures
Degré de difficulté :	moyen

Énergie : 571 cal	Protéines :	55 g
Lipides : 27 g	Cholestérol : 279 mg	
Glucides : 6 g	Fibres : 0,7 g	

2   lapins d'environ 1,5 kg (3 lb), en morceaux

750   ml (3 tasses) de vin blanc espagnol

30   ml (2 c. à soupe) de beurre

15   oignons à mariner

30   ml (2 c. à soupe) de farine

30   ml (2 c. à soupe) d'huile d'arachide

375   ml (1 ½ tasse) de bouillon de poulet

2   ml (½ c. à thé) de thym

1   feuille de laurier

1   ml (¼ c. à thé) de marjolaine

   Sel et poivre

   Foie du lapin, écrasé

1   jaune d'œuf

125   ml (½ tasse) de crème 35 %

   Jus de 1 citron

30   ml (2 c. à soupe) de beurre fondu

Déposer les morceaux de lapin dans un plat d'eau salée et laisser reposer 1 heure. Égoutter, rincer et bien essuyer.

Déposer les morceaux de lapin côte à côte dans un plat peu profond, puis les arroser de la moitié du vin blanc.

Laisser mariner 12 heures, au réfrigérateur, en retournant la viande à quelques reprises. Retirer de la marinade et bien égoutter.

Faire chauffer le beurre dans une cocotte. Y faire revenir les morceaux de lapin de 5 à 8 minutes environ, jusqu'à ce qu'ils soient dorés de toutes parts. Ajouter les oignons. Couvrir et poursuivre la cuisson 10 minutes environ, à feu doux.

Saupoudrer de farine et laisser brunir 1 ou 2 minutes. Arroser d'huile d'arachide, du reste du vin et du bouillon de poulet. Assaisonner de thym, de laurier et de marjolaine. Saler et poivrer. Amener à ébullition. Réduire la chaleur et laisser mijoter 1 heure 30 minutes.

Poursuivre la cuisson 1 heure 30 minutes, au four préchauffé à 180 °C (350 °F).

Retirer les morceaux de lapin du bouillon. Réserver.

Dans un bol, mélanger le foie écrasé, le jaune d'œuf, la crème, le jus de citron et le beurre fondu. Ajouter au bouillon tout en mélangeant et poursuivre la cuisson jusqu'à épaississement.

Servir le lapin nappé de sauce.

Yvonne David
St-Luc

Lapin à la mélasse de Cléricy

Portions :	4
Préparation :	15 minutes
Cuisson :	1 heure 30 minutes
Degré de difficulté :	faible

Énergie : 471 cal	Protéines :	38 g
Lipides : 10 g	Cholestérol : 98 mg	
Glucides : 58 g	Fibres : 2 g	

1   lapin d'environ 1,5 kg (3 lb), en morceaux

½   poivron, en morceaux

1   oignon, en morceaux

   Sel et poivre

375   ml (1 ½ tasse) de sauce chili

125   ml (½ tasse) de mélasse

125   ml (½ tasse) d'eau

5   ml (1 c. à thé) de sauce anglaise (Worcestershire)

Préchauffer le four à 180 °C (350 °F).

Mettre les morceaux de lapin côte à côte dans un plat allant au four.

Couvrir de morceaux de poivron et d'oignon.

Saler et poivrer.

Dans un bol, mélanger la sauce chili, la mélasse, l'eau et la sauce anglaise, jusqu'à consistance homogène.

Verser sur le lapin.

Cuire environ 1 heure 30 minutes, jusqu'à tendreté.

Yolande Veilleux,
Cléricy

3

Rôti de caribou «coureur des bois»

Portions :	12
Préparation :	15 minutes
Cuisson :	1 heure
Marinage :	48 heures
Degré de difficulté :	faible

Énergie : 369 cal	Protéines :	40 g
Lipides :	12 g	Cholestérol : 111 mg
Glucides :	16 g	Fibres :	2 g

2   oignons, hachés

1   carotte, hachée

2   échalotes, hachées

1   gousse d'ail, hachée

4   branches de céleri, hachées

1   pincée de thym

1   pincée de persil

1   feuille de laurier

1   pincée de romarin

1   pincée de basilic

1   pincée de marjolaine

    Sel et poivre en grains

3   clous de girofle

2   baies de genièvre

1   long zeste d'orange

1   long zeste de citron

45   ml (3 c. à soupe) d'huile d'olive

500   ml (2 tasses) de vin rouge

60   ml (¼ tasse) de Cointreau (ou autre liqueur)

1   pièce de caribou d'environ 2 kg (4 lb)

125   g (¼ lb) de lard, en fines tranches

6   pommes (non pelées), évidées et coupées, en quartiers

Dans un plat de pyrex peu profond, mélanger tous les ingrédients, à l'exception du caribou, du lard et des pommes.

Déposer la pièce de caribou dans cette marinade et laisser reposer 48 heures, au réfrigérateur, en retournant la pièce de viande à quelques reprises.

Préchauffer le four à 180 ºC (350 ºF).

Retirer le caribou de la marinade et l'assécher à l'aide de papier absorbant. Le barder de tranches de lard, puis le déposer dans une rôtissoire.

Cuire la viande 45 minutes, en l'arrosant de marinade en cours de cuisson. Déposer les quartiers de pommes tout autour, et poursuivre la cuisson 15 minutes. (Prolonger la cuisson de 20 minutes pour une viande bien cuite.)

Thérèse Bouley,
Moffet

Une seule tranche de caribou, marinée au vin rouge, Cointreau et baies de genièvre, justifie la longue errance de nos légendaires coureurs des bois.

Potée de lapin braisé

Portions :	4
Préparation :	20 minutes
Cuisson :	2 heures
Degré de difficulté :	faible

Énergie : 403 cal	Protéines :	51 g
Lipides :	12 g	Cholestérol : 177 mg
Glucides :	23 g	Fibres :	6,4 g

30   ml (2 c. à soupe) de graisse végétale

1   lapin de 1,5 kg (3 lb), en morceaux

2   oignons, hachés

3   carottes, tranchées

1   navet, en cubes

1   l (4 tasses) d'eau bouillante

1   boîte de 540 ml (19 oz) de tomates

1   bouquet de persil

    Sel et poivre

Faire chauffer la graisse dans une casserole et y faire revenir les morceaux de lapin de 5 à 8 minutes, jusqu'à ce qu'ils soient dorés de toutes parts.

Ajouter les oignons hachés et poursuivre la cuisson de 4 à 5 minutes.

Ajouter les carottes, le navet, l'eau, les tomates et le bouquet de persil.

Saler et poivrer.

Amener à ébullition et réduire aussitôt la chaleur.

Couvrir et laisser mijoter de 1 heure 30 minutes à 2 heures, jusqu'à ce que la viande et les légumes soient tendres.

Servir avec des pommes de terre et des quartiers de chou.

Madeleine J. Frenette,
Cap-Santé

On peut apprendre beaucoup en visitant les clapiers d'élevage privé. Saviez-vous qu'avant de mettre bas, la prolifique lapine arrache son poil et en garnit son nid?

Saucisses de bison Fugèreville

Portions :	6
Préparation :	15 minutes
Cuisson :	12 minutes
Degré de difficulté :	faible

Énergie : 654 cal	Protéines :	35 g
Lipides :	54 g	Cholestérol : 173 mg
Glucides :	6 g	Fibres :	0,5 g

1 kg (2 lb) de bison, haché

250 g (½ lb) de lard, haché

310 ml (1 ¼ tasse)
de craquelins émiettés
(type biscuits soda)

1 œuf, battu

1 oignon, haché finement

1 ml (¼ c. à thé) de cannelle

Sel et poivre

15 ml (1 c. à soupe)
de concentré
de bouillon de poulet

30 ml (2 c. à soupe) de beurre

Dans un bol, mélanger le bison, le lard, les craquelins, l'œuf et l'oignon.

Assaisonner de cannelle.

Saler et poivrer.

Incorporer le concentré de bouillon de poulet.

Façonner la préparation en une douzaine de rouleaux.

Faire chauffer le beurre dans un poêlon.

Y faire revenir les saucisses de 10 à 12 minutes, à feu moyen-vif, jusqu'à ce qu'elles soient dorées de toutes parts.

Gaétane Falardeau,
Fugèreville

*L*e bison à chair tendre et savoureuse que l'on élève dans certaines fermes du Québec n'a aucune raison d'être envieux du bœuf.

Pâtes alimentaires

Coquilles au bœuf et à l'oignon

Portions :	6
Préparation :	15 minutes
Cuisson :	45 minutes
Degré de difficulté :	faible

Énergie : 420 cal	Protéines :	28 g
Lipides :	20 g	Cholestérol :	71 mg
Glucides :	33 g	Fibres :	2,7 g

30 ml (2 c. à soupe) de beurre

500 g (1 lb) de bœuf haché

1 sachet de soupe à l'oignon déshydratée

10 ml (2 c. à thé) d'origan

1 boîte de 796 ml (28 oz) de tomates

500 ml (2 tasses) d'eau

500 ml (2 tasses) de coquilles

60 ml (¼ tasse)
de parmesan râpé

125 ml (½ tasse) de mozzarella ou de cheddar râpé

Faire chauffer le beurre dans un poêlon. Y faire revenir le bœuf haché de 8 à 10 minutes environ, tout en le défaisant à la fourchette, jusqu'à ce qu'il ait perdu sa teinte rosée.

Ajouter la soupe à l'oignon déshydratée, l'origan, les tomates et l'eau. Amener à ébullition.

Ajouter les coquilles et réduire la chaleur. Couvrir et laisser mijoter de 20 à 30 minutes, en remuant de temps en temps.

Préchauffer le four à 180 ºC (350 ºF).

Incorporer aux coquilles le parmesan, puis transvaser dans un plat allant au four.

Saupoudrer de mozzarella ou de cheddar râpé. Dorer environ 10 minutes.

Céline Boucher,
St-Alexandre-de-Kamouraska

*U*n reste de légumes croquants incorporé à la sauce, et voilà achevé le plat nutritif et complet qui volera la vedette plus souvent qu'à son tour.

Coquillettes au saumon, sauce Béchamel

Portions :	6
Préparation :	10 minutes
Cuisson :	20 minutes
Degré de difficulté :	faible

Énergie : 432 cal	Protéines :	25 g
Lipides : 22 g	Cholestérol :	83 mg
Glucides : 32 g	Fibres :	1,7 g

500 ml (2 tasses) de coquillettes

1 boîte de 426 g (15 oz) de saumon

75 ml (⅓ tasse) de beurre

60 ml (¼ tasse) de farine

500 ml (2 tasses) de lait

1 petit oignon, haché

250 ml (1 tasse) de mozzarella ou de cheddar râpé

5 ml (1 c. à thé) de persil

Sel et poivre

Faire cuire les coquillettes dans une casserole d'eau bouillante salée, selon les indications du fabricant. Rincer et égoutter. Réserver dans un plat.

Égoutter le saumon en ayant soin d'en recueillir le liquide. Émietter la chair tout en écrasant les arêtes. Réserver.

Faire fondre 60 ml (¼ tasse) de beurre dans une casserole et ajouter la farine. Mélanger 1 minute. Ajouter le lait et amener à ébullition, tout en mélangeant. Réduire la chaleur et poursuivre la cuisson en remuant constamment, jusqu'à épaississement. Réserver au chaud.

Faire fondre le reste du beurre dans un poêlon. Y faire revenir l'oignon 5 minutes environ, jusqu'à tendreté. Incorporer à la préparation précédente, ainsi que le saumon et son liquide. Ajouter la mozzarella et le persil. Saler et poivrer. Faire chauffer tout en mélangeant, jusqu'à ce que le fromage ait fondu.

Verser sur les coquillettes.

France Racicot,
D'Alembert

Coudes au bœuf et aux croustilles

Portions :	6
Préparation :	15 minutes
Cuisson :	50 minutes
Degré de difficulté :	faible

Énergie : 336 cal	Protéines :	23 g
Lipides : 16 g	Cholestérol :	56 mg
Glucides : 25 g	Fibres :	3,2 g

15 ml (1 c. à soupe) de beurre

125 ml (½ tasse) d'oignons hachés

125 ml (½ tasse) de céleri en dés

500 g (1 lb) de bœuf haché

30 ml (2 c. à soupe) de farine

1 boîte de 796 ml (28 oz) de tomates

10 ml (2 c. à thé) de sauce anglaise (Worcestershire)

2 ml (½ c. à thé) d'origan

5 ml (1 c. à thé) de sel

1 pincée de poivre

500 ml (2 tasses) de coudes cuits, égouttés

60 ml (¼ tasse) de croustilles émiettées

Préchauffer le four à 180 °C (350 °F).

Faire chauffer le beurre dans un poêlon.

Y faire revenir les oignons et le céleri 5 minutes environ, jusqu'à ce que les oignons soient transparents.

Ajouter le bœuf haché et cuire 10 minutes environ, en le défaisant à la fourchette, jusqu'à ce qu'il ait perdu sa teinte rosée.

Saupoudrer de farine. Ajouter les tomates, la sauce anglaise et l'origan. Saler et poivrer.

Amener à ébullition et ajouter les coudes.

Verser dans un plat beurré allant au four. Garnir de croustilles émiettées.

Cuire de 35 à 40 minutes.

Anonyme,
Rivière-du-Loup

Opter, parmi les pâtes, pour de petits coquillages : un choix qui s'impose tout naturellement, pour le saumon.

Parce que les coudes s'accommodent à toutes les sauces, l'idéal est de les acheter en vrac et d'en faire provision.

Coudes au fromage des artisans

Portions :	4
Préparation :	10 minutes
Cuisson :	15 minutes
Repos :	10 minutes
Degré de difficulté :	faible

Énergie : 597 cal	Protéines :	19 g
Lipides : 21 g	Cholestérol :	18 mg
Glucides : 83 g	Fibres :	3 g

750 ml (3 tasses) de coudes

60 ml (¼ tasse) de margarine

125 ml (½ tasse), environ,
de fromage fondu à tartiner

1 boîte de 284 ml (10 oz)
de soupe aux tomates
concentrée

Sel et poivre

Persil haché, au goût

Faire cuire les pâtes dans une casse-role d'eau bouillante salée, selon les indications du fabricant.

Rincer et égoutter.

Faire fondre la margarine dans une autre casserole.

Ajouter le fromage et la soupe aux tomates. Saler et poivrer.

Saupoudrer de persil.

Tout en mélangeant, cuire à feu moyen jusqu'à ce que la préparation soit lisse et homogène.

Ajouter les pâtes et poursuivre la cuisson 2 ou 3 minutes.

Retirer du feu et laisser reposer de 5 à 10 minutes, en mélangeant de temps en temps.

Monique Brassard,
Ste-Catherine-de-la-Jacques-Cartier

*V*oilà le plat tout indiqué pour accommoder les restes, qu'il s'agisse de poulet cuit, de poisson, de dinde ou de jambon.

Pâtes au poulet, sauce soya

Portions :	6
Préparation :	20 minutes
Cuisson :	15 minutes
Degré de difficulté :	faible

Énergie : 295 cal	Protéines :	21 g
Lipides : 10 g	Cholestérol :	42 mg
Glucides : 30 g	Fibres :	2,2 g

500 ml (2 tasses) de pâtes, au choix

30 ml (2 c. à soupe)
de margarine

250 ml (1 tasse) de céleri en cubes

1 carotte, en rondelles

500 ml (2 tasses) de poulet cuit
en cubes

500 ml (2 tasses) de champignons
en morceaux

1 poivron, en morceaux

1 oignon, en morceaux

5 ml (1 c. à thé) de sel

5 ml (1 c. à thé) de poivre

60 ml (¼ tasse) de sauce soya

Faire cuire les pâtes dans une casse-role d'eau bouillante salée, selon les indications du fabricant.

Pendant ce temps, faire chauffer la margarine dans une casserole.

Y faire revenir le céleri, la carotte et le poulet 5 minutes.

Ajouter les champignons et pour-suivre la cuisson 5 minutes.

Ajouter le poivron et l'oignon.

Cuire 5 minutes de plus.

Réserver au chaud.

Rincer les pâtes, les égoutter, puis les ajouter aux légumes.

Saler et poivrer.

Incorporer la sauce soya et bien mélanger.

Réchauffer à feu doux.

Maryse Hamel,
Deux-Montagnes

*C*e plat est idéal pour teinter d'exotisme non seulement les cubes de poulet cuit, mais également un reste de boeuf, de veau, de porc ou de dinde.

Boucles au thon de Montmagny

Portions :	6
Préparation :	15 minutes
Cuisson :	1 heure
Degré de difficulté :	faible

Énergie : 257 cal	Protéines :		11 g
Lipides : 11 g	Cholestérol :		30 mg
Glucides : 29 g	Fibres :		1,5 g

60 ml (¼ tasse) de beurre

45 ml (3 c. à soupe) de farine

210 ml (¾ tasse + 2 c. à soupe) de lait

125 ml (½ tasse) d'oignons hachés

750 ml (3 tasses) de boucles cuites

1 boîte de 113 g (4 oz) de thon, égoutté et émietté

Sel et poivre

125 ml (½ tasse) de chapelure

Préchauffer le four à 180 °C (350 °F).

Faire fondre 45 ml (3 c. à soupe) de beurre dans une casserole. Ajouter la farine et bien mélanger.

Ajouter le lait et cuire à feu moyen en brassant continuellement, jusqu'à épaississement. Retirer du feu.

Faire chauffer le reste du beurre dans un poêlon. Y faire revenir les oignons 5 minutes environ, jusqu'à ce qu'ils soient transparents.

Ajouter à la préparation précédente, ainsi que les boucles cuites et le thon.

Saler et poivrer.

Verser la préparation dans un moule à pain beurré de 23 cm x 13 cm (9 po x 5 po).

Saupoudrer de chapelure. Déposer dans un plat contenant de l'eau et couvrir de papier d'aluminium.

Cuire 45 minutes, au four.

Marie-Paule Desjardins,
Montmagny

Torsades au trio de fromages

Portions :	4
Préparation :	15 minutes
Cuisson :	40 minutes
Degré de difficulté :	faible

Énergie : 315 cal	Protéines :		7 g
Lipides : 11 g	Cholestérol :		22 mg
Glucides : 49 g	Fibres :		2,9 g

250 g (½ lb) de torsades tricolores

60 ml (¼ tasse) de beurre

60 ml (¼ tasse) de farine

500 ml (2 tasses) de lait 2 %

250 ml (1 tasse) de cheddar fort râpé

125 ml (½ tasse) de gruyère râpé

60 ml (¼ tasse) de parmesan râpé

2 ml (½ c. à thé) de sel

1 ml (¼ c. à thé) de piment de Cayenne

250 ml (1 tasse) de brocoli cuit haché

60 ml (¼ tasse) de chapelure de pain de blé entier

Préchauffer le four à 190 °C (375 °F).

Cuire les torsades « al dente » dans une casserole d'eau bouillante salée, selon les indications du fabricant. Rincer et égoutter.

Faire fondre le beurre dans une casserole. Ajouter la farine et mélanger 1 minute. Tout en brassant, incorporer graduellement le lait et poursuivre la cuisson 3 minutes environ, en remuant constamment, jusqu'à épaississement.

Retirer du feu et ajouter 180 ml (¾ tasse) de cheddar, le gruyère et le parmesan. Saler et assaisonner de piment de Cayenne. Poursuivre la cuisson à feu doux, tout en mélangeant, jusqu'à ce que les fromages aient fondu.

Ajouter les torsades et le brocoli cuits. Verser dans un plat de verre de 20 cm (8 po) de côté, beurré.

Cuire 15 minutes. Saupoudrer du reste du cheddar et de la chapelure. Poursuivre la cuisson de 10 à 15 minutes, jusqu'à ce que la préparation bouillonne.

Lise De Grâce,
Québec

*L*e rinçage des pâtes fait l'objet de multiples controverses. Une opinion répandue préconise leur rinçage à l'eau chaude, ce qui les débarrasse de l'amidon qui les englue.

*Q*uand il ne reste dans le frigo que de petits bouts de fromage, les râper et les congeler au fur et à mesure. De leur variété dépendra la réussite du plat.

Plumes aux légumes et au bœuf

Portions :	8
Préparation :	20 minutes
Cuisson :	20 minutes
Degré de difficulté :	faible

Énergie : 312 cal	Protéines :	20 g
Lipides : 11 g	Cholestérol :	42 mg
Glucides : 33 g	Fibres :	2,7 g

15　ml (1 c. à soupe) de beurre

500　g (1 lb) de bœuf haché

1　oignon, haché

2　branches de céleri, hachées

1　poivron, haché

1　boîte de 284 ml (10 oz)
　　de champignons tranchés,
　　égouttés

　　Sauce soya, au goût

1,5　l (6 tasses) de plumes
　　(penne) cuites

Faire chauffer le beurre dans un poêlon.

Y faire revenir le bœuf haché 10 minutes environ, tout en le défaisant à la fourchette, jusqu'à ce qu'il ait perdu sa teinte rosée.

Ajouter l'oignon, le céleri, le poivron et les champignons.

Poursuivre la cuisson de 5 à 8 minutes environ, jusqu'à ce que les légumes soient tendres.

Ajouter la sauce soya et les plumes cuites. Réchauffer de 4 à 5 minutes, à feu doux.

Christiane Montreuil,
Ste-Barbe

*F*abriquer ses pâtes maison, c'est facile et amusant! Tout le plaisir consiste à leur donner des formes non conformes.

Tortillons aux saucisses St-Alphonse

Portions :	4
Préparation :	15 minutes
Cuisson :	40 minutes
Degré de difficulté :	faible

Énergie : 315 cal	Protéines :	7 g
Lipides : 11 g	Cholestérol :	22 mg
Glucides : 49 g	Fibres :	2,9 g

15　ml (1 c. à soupe) de beurre

6　saucisses, tranchées

1　oignon, haché

75　ml (⅓ tasse) de mélasse

75　ml (⅓ tasse) de ketchup

125　ml (½ tasse) d'eau

　　Sauce anglaise
　　(Worcestershire), au goût

　　Sel

　　Persil haché, au goût

500　ml (2 tasses)
　　de tortillons cuits

2　carottes, tranchées et cuites

Préchauffer le four à 180 °C (350 °F).

Faire chauffer le beurre dans un poêlon.

Y faire revenir les saucisses et l'oignon de 8 à 10 minutes environ, jusqu'à ce que la viande ait perdu sa teinte rosée. Réserver.

Dans un bol, mélanger la mélasse, le ketchup, l'eau et la sauce anglaise. Saler et saupoudrer de persil.

Mettre les tortillons cuits dans un plat allant au four.

Ajouter les saucisses, la sauce et les carottes. Bien mélanger.

Cuire 30 minutes.

Béatrice L'Heureux,
St-Alphonse

*A*pprêtées à l'aigre-douce, les saucisses et les pâtes, cuisinées subito presto, n'en gagneront pas moins la faveur de chacun.

Pâtes alimentaires

Gratin de coquillettes au bœuf

Portions :	8
Préparation :	15 minutes
Cuisson :	1 heure
Degré de difficulté :	faible

Énergie : 605 cal	Protéines :	36 g
Lipides : 25 g	Cholestérol : 90 mg	
Glucides : 60 g	Fibres :	3,3 g

30 ml (2 c. à soupe) de beurre

500 g (1 lb) de bœuf haché
très maigre

1 oignon, tranché finement

1 boîte de 540 ml (19 oz)
de tomates étuvées épicées

1 l (4 tasses) de coquillettes
(conchigliette) ou autres
pâtes alimentaires

1 boîte de 540 ml (19 oz)
de maïs, égoutté

250 g (½ lb) de cheddar doux,
en tranches

250 ml (1 tasse) de parmesan
râpé

Préchauffer le four à 180 °C (350 °F).

Faire chauffer le beurre dans un poêlon. Y faire revenir le bœuf haché de 8 à 10 minutes environ, tout en le défaisant à la fourchette, jusqu'à ce qu'il ait perdu sa teinte rosée.

Ajouter l'oignon et poursuivre la cuisson environ 5 minutes. Ajouter les tomates et bien mélanger.

Transvaser la préparation dans un plat allant au four. Cuire 30 minutes.

Pendant ce temps, cuire les pâtes dans une casserole d'eau bouillante salée, selon les indications du fabricant. Rincer et bien égoutter.

Retirer le plat du four et en hausser la chaleur à 200 °C (400 °F).

Ajouter à la viande les pâtes cuites, ainsi que le maïs. Bien mélanger. Couvrir des tranches de cheddar et saupoudrer de parmesan.

Gratiner environ 15 minutes.

Annette Patry-Lescot,
Buckingham

Gratin de pâtes au poulet

Portions :	4
Préparation :	15 minutes
Cuisson :	40 minutes
Degré de difficulté :	faible

Énergie : 525 cal	Protéines :	23 g
Lipides : 21 g	Cholestérol : 80 mg	
Glucides : 50 g	Fibres :	4,8 g

30 ml (2 c. à soupe) d'huile

1 gousse d'ail, hachée

1 oignon, haché

180 ml (¾ tasse) de céleri haché

½ poivron vert, haché

1 boîte de 796 ml (28 oz)
de tomates

2 ml (½ c. à thé) de basilic

Sel et poivre

430 ml (1 ¾ tasse) de pâtes
alimentaires, au choix

500 ml (2 tasses) de poulet
cuit haché

180 ml (¾ tasse) de mozzarella
râpée

Préchauffer le four à 180 °C (350 °F).

Faire chauffer l'huile dans une casserole. Y faire revenir l'ail, l'oignon, le céleri et le poivron 8 minutes environ. Ajouter les tomates et assaisonner de basilic. Saler et poivrer.

Amener à ébullition. Réduire la chaleur et laisser mijoter 15 minutes, en remuant de temps en temps.

Pendant ce temps, cuire les pâtes dans une casserole d'eau bouillante salée, selon les indications du fabricant. Rincer et bien égoutter. Ajouter à la sauce tomate, ainsi que le poulet. Bien mélanger.

Transvaser dans un plat allant au four et saupoudrer de mozzarella râpée. Cuire 20 minutes, jusqu'à ce que le fromage soit doré.

Denise Langlois-Boisvert,
Lucerne

*S*ur le thème des pâtes, il est possible de s'offrir toute une gamme d'excellents plats. Ce qui importe, c'est d'en assurer la variété.

*F*leurant bon l'ail et le basilic, ce plat de poulet et de pâtes, rehaussé d'une sauce tomate aux petits légumes, constitue, une fois gratiné, un repas complet.

Pâtes alimentaires

Lasagnes à la dinde bromontoise

Portions:	6
Préparation:	30 minutes
Cuisson:	1 heure
Degré de difficulté:	faible

Énergie: 396 cal	Protéines:	36 g
Lipides:	13 g	Cholestérol:	92 mg
Glucides:	36 g	Fibres:	3,7 g

30 ml (2 c. à soupe) de beurre

750 ml (3 tasses) de dinde en cubes

150 ml (²⁄₃ tasse) d'oignons hachés

7 ml (1 ½ c. à thé) de poudre d'ail

2 ml (½ c. à thé) de sel

1 pincée de poivre

1 boîte de 454 ml (16 oz) de sauce tomate

500 ml (2 tasses) de jus de tomate

60 ml (¼ tasse) de poivron vert haché

60 ml (¼ tasse) de parmesan râpé

2 ml (½ c. à thé) d'origan

250 g (½ lb) de lasagnes, cuites

180 ml (¾ tasse) de cottage

180 ml (¾ tasse) de cheddar râpé

Préchauffer le four à 190 °C (375 °F).

Faire chauffer le beurre dans une casserole. Ajouter la dinde, les oignons et 2 ml (½ c. à thé) de poudre d'ail. Saler et poivrer. Faire revenir 8 minutes environ, à feu moyen, jusqu'à ce que les oignons commencent à blondir.

Ajouter la sauce tomate, le jus de tomate, le poivron et le parmesan. Assaisonner d'origan et du reste de la poudre d'ail. Amener à ébullition et réduire aussitôt la chaleur. Couvrir et laisser mijoter 20 minutes.

Étendre le tiers des lasagnes dans un plat à gratin beurré de 33 cm x 25 cm (13 po x 10 po). Y déposer, en rangs successifs, la moitié de la sauce, le tiers des lasagnes, le fromage cottage, le reste des lasagnes, puis le reste de la sauce. Saupoudrer de cheddar râpé.

Cuire de 30 à 40 minutes.

Évelyne Gagnon,
Bromont

3

Gratin de spaghettis de la Matapédia

Portions:	8
Préparation:	15 minutes
Cuisson:	2 heures 40 minutes
Degré de difficulté:	faible

Énergie: 481 cal	Protéines:	28 g
Lipides:	17 g	Cholestérol:	62 mg
Glucides:	53 g	Fibres:	2,9 g

1 kg (2 lb) de spaghettis

500 g (1 lb) de bœuf haché

250 ml (1 tasse) d'oignons hachés

250 ml (1 tasse) de carottes tranchées en biseau

250 ml (1 tasse) de céleri tranché en biseau

5 ml (1 c. à thé) d'origan

5 ml (1 c. à thé) de basilic

Sel et poivre

2 boîtes de 284 ml (10 oz) de soupe aux tomates concentrée

575 ml (2 ⅓ tasses) d'eau froide

250 g (½ lb) de cheddar râpé

Préchauffer le four à 200 °C (400 °F).

Faire cuire les pâtes dans une casserole d'eau bouillante salée, selon les indications du fabricant. Rincer et bien égoutter.

Dans un plat allant au four, déposer, en rangs successifs, la moitié du bœuf haché, des oignons, des carottes, du céleri et des spaghettis. Assaisonner de la moitié de l'origan et du basilic. Saler et poivrer. Répéter l'opération.

Dans un bol, mélanger la soupe aux tomates et l'eau froide. Verser sur la préparation précédente.

Cuire 1 heure. Réduire la chaleur du four à 160 °C (300 °F) et poursuivre la cuisson 1 heure 20 minutes.

Saupoudrer de cheddar râpé et cuire 10 minutes de plus, jusqu'à ce que le fromage soit doré.

Françoise Lagacé,
Matapédia

*O*n a toujours un reste de dinde qui n'attend plus qu'une idée d'apprêt ingénieuse. La voici! La volaille remplace ici les charcuteries habituelles.

*Q*ue cache le gratin? Cette question, soulevée par la seule vue du plat sur la table, suscitera les interprétations diverses... et l'assaut des fourchettes fouineuses!

Pâtes alimentaires

Lasagnes à la morue

Portions :	6
Préparation :	30 minutes
Cuisson :	45 minutes
Degré de difficulté :	faible

Énergie : 404 cal	Protéines :	33 g
Lipides :	15 g	Cholestérol :	87 mg
Glucides :	33 g	Fibres :	1,8 g

250 g (½ lb) de lasagnes

60 ml (¼ tasse) de beurre

150 ml (⅔ tasse) d'oignons hachés

150 ml (⅔ tasse) de champignons hachés

30 ml (2 c. à soupe) de farine

500 ml (2 tasses) de lait 2 %

15 ml (1 c. à soupe) de poudre pour fumet de poisson

750 g (1 ½ lb) de filets de morue

Sel et poivre

60 ml (¼ tasse) de chapelure

250 ml (1 tasse) de mozzarella râpée

Préchauffer le four à 180 °C (350 °F).

Cuire les lasagnes dans une casserole d'eau bouillante salée, selon les indications du fabricant. Rincer et bien égoutter. Réserver.

Faire chauffer la moitié du beurre dans un poêlon. Y faire revenir les oignons et les champignons 5 minutes environ, jusqu'à tendreté. Réserver.

Faire fondre le reste du beurre dans une casserole. Incorporer la farine et mélanger 1 minute. Tout en brassant, ajouter le lait et la poudre pour fumet de poisson. Poursuivre la cuisson en remuant constamment, jusqu'à épaississement. Réserver cette béchamel.

Étendre le tiers des lasagnes dans un plat à gratin beurré de 33 cm x 25 cm (13 po x 10 po). Y déposer les filets de morue. Saler et poivrer, puis saupoudrer de chapelure. Couvrir du tiers des lasagnes. Y étaler les oignons et les champignons réservés, puis arroser de la béchamel. Couvrir du reste des lasagnes et saupoudrer de mozzarella.

Cuire 30 minutes au four préchauffé, puis gratiner 5 minutes sous le gril.

Anita Bernatchez,
Cap-Chat

Lasagnes au bœuf

Portions :	6
Préparation :	20 minutes
Cuisson :	50 minutes
Degré de difficulté :	faible

Énergie : 426 cal	Protéines :	28 g
Lipides :	21 g	Cholestérol :	65 mg
Glucides :	32 g	Fibres :	3,1 g

250 g (½ lb) de lasagnes

30 ml (2 c. à soupe) d'huile

500 g (1 lb) de bœuf haché

1 oignon, haché

2 gousses d'ail, tranchées finement

1 boîte de 454 ml (16 oz) de sauce tomate

375 ml (1 ½ tasse) d'eau

15 ml (1 c. à soupe) de persil haché

2 ml (½ c. à thé) de basilic

Sel et poivre

250 ml (1 tasse) de mozzarella râpée

Préchauffer le four à 190 °C (375 °F).

Cuire les lasagnes dans une casserole d'eau bouillante salée, selon les indications du fabricant.

Rincer et bien égoutter. Réserver.

Faire chauffer l'huile dans une casserole.

Y faire revenir le bœuf, l'oignon et l'ail de 8 à 10 minutes environ, tout en défaisant la viande à la fourchette jusqu'à ce qu'elle ait perdu sa teinte rosée.

Ajouter la sauce tomate et l'eau.

Assaisonner de persil et de basilic.

Saler et poivrer.

Amener à ébullition. Réduire la chaleur et laisser mijoter de 10 à 15 minutes.

Étaler un peu de sauce tomate dans un plat à gratin de 33 cm x 25 cm (13 po x 10 po).

Y déposer, en alternance, trois rangs de lasagnes et trois rangs de sauce.

Saupoudrer de mozzarella et cuire 25 minutes.

Anonyme,
St- Nazaire

La morue, fleuron de la Gaspésie, a toujours eu sa place sur nos tables. Sans se départir de sa sauce favorite, la béchamel, elle s'apprête ici avec lasagnes et champignons.

Les épiciers nous proposent des lasagnes précuites qui ne requièrent aucun blanchiment. Il suffit de les étaler dans le plat choisi, de les garnir de sauce, puis de les enfourner.

Lasagnes aux fruits de mer de l'Islet

Portions :	6
Préparation :	15 minutes
Cuisson :	1 heure 10 minutes
Degré de difficulté :	faible

Énergie : 625 cal	Protéines :	40 g
Lipides : 35 g	Cholestérol : 311 mg
Glucides : 31 g	Fibres : 1,4 g

250 g (½ lb) de lasagnes

1 boîte de 369 g (13 oz) de homard en conserve

500 g (1 lb) de crevettes nordiques cuites et décortiquées

45 ml (3 c. à soupe) de beurre fondu

5 ml (1 c. à thé) de jus de citron

60 ml (¼ tasse) de cognac

2 ml (½ c. à thé) de cumin

1 ml (¼ c. à thé) de piment de Cayenne

30 ml (2 c. à soupe) de persil haché

1 pincée de sel

1 pincée de poivre

500 ml (2 tasses) de crème 15 %

60 ml (¼ tasse) de beurre

75 ml (⅓ tasse) de farine

250 ml (1 tasse) de mozzarella râpée

Préchauffer le four à 180 °C (350 °F).

Faire cuire les lasagnes dans une casserole d'eau bouillante salée, selon les indications du fabricant. Rincer et bien égoutter. Réserver.

Égoutter le homard en ayant soin d'en récupérer le jus.

Dans un bol, mélanger la chair du homard et les crevettes. Arroser de beurre fondu, de jus de citron et de cognac. Assaisonner de cumin, de piment de Cayenne et de persil haché. Saler et poivrer. Réserver.

Réchauffer la crème dans une casserole. Réserver au chaud.

Faire fondre le beurre dans une autre casserole. Incorporer la farine et cuire 2 minutes à feu doux, en mélangeant. Tout en brassant, ajouter le jus du homard et la crème chaude. Poursuivre la cuisson 5 minutes, en remuant constamment, jusqu'à épaississement. Incorporer le homard et les crevettes.

Tapisser du tiers des lasagnes un plat à gratin beurré de 33 cm x 25 cm (13 po x 10 po). Couvrir du tiers de la garniture de fruits de mer. Répéter deux fois l'opération, jusqu'à épuisement des ingrédients.

Saupoudrer de mozzarella râpée et cuire 50 minutes.

Marie-France Gagnon,
L'Islet

*L*e fait d'être apprêtés avec des lasagnes y est sans doute pour quelque chose. Mais il n'y a que le homard et les crevettes pour passer rapidement... du gris au rose!

Lasagnes de Gaspé

Portions :	6
Préparation :	20 minutes
Cuisson :	1 heure
Degré de difficulté :	faible

Énergie : 557 cal	Protéines :	35 g
Lipides : 28 g	Cholestérol : 80 mg
Glucides : 42 g	Fibres : 3,5 g

250 g (½ lb) de lasagnes

60 ml (¼ tasse) d'huile

1 oignon, haché

1 branche de céleri, hachée

½ poivron vert, haché

1 échalote, hachée

225 g (½ lb) de champignons, tranchés

500 g (1 lb) de bœuf haché

1 boîte de 284 ml (10 oz) de soupe aux tomates concentrée

180 ml (¾ tasse) de jus de tomate

180 ml (¾ tasse) de ketchup

1 pincée de sarriette

5 ml (1 c. à thé) de persil haché

Sel et poivre

180 g (6 oz) de tranches de jambon ou de salami

250 ml (1 tasse) de mozzarella râpée

Préchauffer le four à 190 °C (375 °F).

Cuire les lasagnes dans une casserole d'eau bouillante salée, selon les indications du fabricant. Pendant ce temps, faire chauffer la moitié de l'huile dans un poêlon. Y faire revenir l'oignon, le céleri, le poivron, l'échalote et les champignons 10 minutes environ, sans laisser prendre couleur.

Faire chauffer le reste de l'huile dans un autre poêlon. Y faire revenir le bœuf 10 minutes environ, tout en le défaisant à la fourchette, jusqu'à ce qu'il ait perdu sa teinte rosée. Incorporer à la préparation précédente.

Ajouter la soupe aux tomates, le jus de tomate et le ketchup. Assaisonner de sarriette et de persil. Saler et poivrer.

Amener à ébullition. Réduire la chaleur et laisser mijoter la sauce 10 minutes. Rincer les lasagnes et bien les égoutter.

Étaler une mince couche de sauce dans un plat à gratin de 33 cm x 25 cm (13 po x 10 po). Couvrir du tiers des lasagnes, de la moitié de la sauce et de la moitié du jambon. Répéter l'opération, et terminer par un rang de lasagnes. Saupoudrer de mozzarella.

Cuire 30 minutes environ, jusqu'à ce que le fromage soit fondu, puis gratiner 5 minutes sous le gril.

Marielle Paradis,
Gaspé

*D*eux ingrédients font parfois toute la différence. Ici, la soupe aux tomates concentrée confère au plat son velouté, alors que le ketchup en accentue la saveur.

Pâtes alimentaires

Boucles aux œufs et au bacon

Portions :	4
Préparation :	15 minutes
Cuisson :	20 minutes
Degré de difficulté :	faible

Énergie : 709 cal	Protéines :	30 g
Lipides : 29 g	Cholestérol : 198 mg	
Glucides : 76 g	Fibres :	3,5 g

750 ml (3 tasses) de boucles (farfalle) ou autres pâtes alimentaires

375 g (¾ lb) de bacon fumé à l'érable, coupé en morceaux

1 oignon, tranché finement

250 g (½ lb) de champignons, tranchés

125 ml (½ tasse) de vin blanc sec

3 œufs

60 ml (¼ tasse) de parmesan râpé

Cuire les pâtes dans une casserole d'eau bouillante salée, selon les indications du fabricant.

Pendant ce temps, faire revenir le bacon dans un poêlon, de 5 à 8 minutes environ, jusqu'à ce qu'il soit croustillant. Retirer du poêlon et réserver.

Laisser dans le poêlon 30 ml (2 c. à soupe) de graisse de bacon (jeter le surplus). Y faire revenir l'oignon et les champignons, 10 minutes environ, jusqu'à ce que les champignons soient légèrement dorés.

Ajouter le vin blanc et déglacer en raclant bien le fond du poêlon à l'aide d'une spatule. Laisser réduire de moitié.

Rincer les pâtes, les égoutter, puis les déposer dans un grand poêlon placé sur feu très doux. Ajouter les œufs, un à la fois, en remuant constamment à l'aide de deux fourchettes.

Ajouter la préparation de légumes, le bacon et le parmesan. Bien mélanger. Servir aussitôt.

Hélène Ouellet,
St-Alexandre-de-Kamouraska

Languettes au thon de Varennes

Portions :	4
Préparation :	15 minutes
Cuisson :	15 minutes
Degré de difficulté :	faible

Énergie : 533 cal	Protéines :	31 g
Lipides : 16 g	Cholestérol : 37 mg	
Glucides : 67 g	Fibres :	4,9 g

250 g (½ lb) de languettes (linguine) aux épinards

5 ml (1 c. à thé) de beurre

5 échalotes, hachées finement

5 champignons, tranchés finement

1 boîte de 398 ml (14 oz) de macédoine de légumes, égouttée

1 boîte de 284 ml (10 oz) de crème de poulet concentrée

500 ml (2 tasses) de lait 2 %

1 boîte de 185 g (6 ½ oz) de thon, égoutté

125 ml (½ tasse) d'édam râpé

5 ml (1 c. à thé) de persil

5 ml (1 c. à thé) d'ail écrasé

1 ml (¼ c. à thé) de poivre

Faire cuire les pâtes dans une casserole d'eau bouillante salée, selon les indications du fabricant.

Pendant ce temps, faire chauffer le beurre dans un poêlon à revêtement antiadhésif.

Y faire revenir les échalotes et les champignons 5 minutes environ, à feu moyen, jusqu'à légère coloration.

Ajouter la macédoine de légumes, la crème de poulet, le lait, le thon et l'édam.

Assaisonner de persil, d'ail et de poivre. Tout en mélangeant, amener à ébullition.

Réduire la chaleur et laisser mijoter 2 minutes.

Rincer les pâtes, les égoutter, puis les napper de sauce.

Pierrette Poirier,
Varennes

Des languettes noires à l'encre de seiche, ça existe... dans les boutiques de pâtes spécialisées. Et il n'y a rien de tel pour signer, ton sur ton, une sauce au thon blanche et crémeuse.

Pour les boucles, papillons volages, les choses pourraient bien changer. Apprêtées avec œufs, bacon, champignons et vin blanc, elles n'auront d'autre issue que d'être apprivoisées.

Spaghettis au bœuf braisé des Courcelles

Portions :	6
Préparation :	20 minutes
Cuisson :	2 heures 15 minutes
Degré de difficulté :	faible

Énergie : 641 cal	Protéines :		50 g
Lipides :	20 g	Cholestérol :	111 mg
Glucides :	62 g	Fibres :	3,3 g

30 ml (2 c. à soupe) de beurre

1   morceau de 1,5 kg (3 lb) de bœuf, dans la palette

1   oignon, haché

1   gousse d'ail, hachée

750 ml (3 tasses) de bouillon de bœuf

1   boîte de 540 ml (19 oz) de tomates

2   ml (½ c. à thé) de thym

1   ml (¼ c. à thé) de sarriette

1   ml (¼ c. à thé) de paprika

500 g (1 lb) de spaghettis

Préchauffer le four à 180 °C (350 °F).

Faire chauffer le beurre dans un grand poêlon. Y faire revenir le bœuf de 8 à 10 minutes à feu moyen-vif, jusqu'à ce qu'il soit doré de toutes parts. Déposer le bœuf dans une rôtissoire. Ajouter l'oignon, l'ail, le bouillon et les tomates. Assaisonner de thym, de sarriette et de paprika. Cuire 2 heures.

Faire cuire les pâtes dans une casserole d'eau bouillante salée, selon les indications du fabricant. Rincer et bien égoutter. Réserver.

Retirer la viande cuite de son bouillon. La désosser, puis la couper en cubes. Réchauffer les pâtes dans le bouillon de viande et garnir des cubes de bœuf. Servir avec une salade verte et des croûtons au beurre à l'ail.

Jacqueline Lessard,
Courcelles

 Réchauffez les spaghettis dans un riche bouillon parfumé de thym.

Spaghettis aux boulettes de dinde

Portions :	6
Préparation :	30 minutes
Cuisson :	5 heures
Degré de difficulté :	moyen

Énergie : 750 cal	Protéines :		40 g
Lipides :	26 g	Cholestérol :	138 mg
Glucides :	93 g	Fibres :	9 g

1   œuf

1   kg (2 lb) de dinde crue hachée

125 ml (½ tasse) de chapelure

10 ml (2 c. à thé) de persil haché

2   ml (½ c. à thé) de sel

1   ml (¼ c. à thé) de poivre

60 ml (¼ tasse) d'huile de tournesol

30 ml (2 c. à soupe) de beurre

3   oignons, tranchés finement

3   poivrons verts, en dés

500 ml (2 tasses) de céleri en dés

3   boîtes de 796 ml (28 oz) de tomates, grossièrement hachées dans leur jus

1   boîte de 340 ml (12 oz) de pâte de tomate

500 ml (2 tasses) de fèves germées coupées en deux

3   feuilles de laurier

5   ml (1 c. à thé) de thym

5   ml (1 c. à thé) de marjolaine

15 ml (1 c. à soupe) d'origan

15 ml (1 c. à soupe) de persil haché

5   ml (1 c. à thé) de chilis broyés

2   ml (½ c. à thé) de chili

2   ml (½ c. à thé) de piment de Cayenne

2   ml (½ c. à thé) de poudre d'ail

5   ml (1 c. à thé) de sel (de mer, de préférence)

2   ml (½ c. à thé) de poivre

45 ml (3 c. à soupe) de sucre glace

500 ml (2 tasses) de champignons tranchés

500 g (1 lb) de spaghettis

Parmesan râpé (facultatif)

Dans un bol, battre l'œuf à la fourchette. Ajouter la dinde, la chapelure et le persil. Saler et poivrer. Bien mélanger. Façonner la préparation en 18 boulettes. Réserver au réfrigérateur.

Faire chauffer l'huile et le beurre dans une grande casserole. Y faire revenir les oignons, les poivrons et le céleri de 5 à 8 minutes environ, jusqu'à tendreté.

Ajouter les tomates, la pâte de tomate et les fèves germées. Assaisonner de laurier, de thym, de marjolaine, d'origan, de persil, de chilis broyés, de chili, de piment de Cayenne et de poudre d'ail. Saler et poivrer. Ajouter le sucre glace et bien mélanger.

Déposer délicatement les boulettes dans la sauce et amener à ébullition. Réduire la chaleur et laisser mijoter 4 heures, à feu très doux, en remuant de temps en temps.

Ajouter les champignons et poursuivre la cuisson 1 heure.

Faire cuire les pâtes dans une casserole d'eau bouillante salée, selon les indications du fabricant. Rincer et bien égoutter.

Napper les pâtes de sauce et garnir de boulettes. Si désiré, saupoudrer de parmesan râpé.

Gisèle Bolduc,
St-Georges-Ouest

Une sauce aux légumes savamment concoctée augmente les vertus apéritives d'un plat. C'est particulièrement le cas si elle contient des boulettes.

Pâtes aux boulettes Papineauville

Portions:	6
Préparation:	30 minutes
Cuisson:	3 heures 15 minutes
Degré de difficulté:	moyen

Énergie: 791 cal	Protéines:	52 g
Lipides: 29 g	Cholestérol: 217 mg
Glucides: 79 g	Fibres:	6,7 g

500 g (1 lb) de bœuf haché

500 g (1 lb) de porc ou
de veau haché

3 œufs

2 gousses d'ail, hachées

2 oignons, hachés finement

60 ml (¼ tasse)
de parmesan râpé

60 ml (¼ tasse) de chapelure

2 ml (½ c. à thé) d'origan

2 ml (½ c. à thé) de persil

2 ml (½ c. à thé) de menthe

2 ml (½ c. à thé) de basilic

Sel, au goût

1 boîte de 340 ml (12 oz)
de pâte de tomate

2 gousses d'ail, hachées

2 boîtes de 796 ml (28 oz)
de tomates

1 boîte de 796 ml (28 oz) de jus
de tomate

1 feuille de laurier

Sel

Paprika, au goût

1 pincée de sucre

375 ml (1 ½ tasse) de petits
chapeaux (capelletti)
ou autres pâtes alimentaires

Dans un bol, mélanger le bœuf, le porc, les œufs, l'ail, les oignons, le parmesan et la chapelure. Assaisonner de la moitié de l'origan, du persil, de la menthe et du basilic. Saler.

Avec les mains huilées, façonner la préparation en 18 boulettes.

Faire revenir les boulettes de viande dans une grande casserole, jusqu'à ce qu'elles soient dorées de toutes parts.

Verser la pâte de tomate dans la même casserole. Ajouter l'ail. Faire chauffer 5 minutes, à feu très doux. Ajouter les tomates et le jus. Assaisonner du reste d'origan, de persil, de menthe et de basilic.

Ajouter la feuille de laurier, le sel et le paprika. Incorporer le sucre et ajouter les boulettes de viande.

Amener à ébullition. Réduire la chaleur et laisser mijoter 3 heures environ, à feu très doux.

Faire cuire les pâtes dans une casserole d'eau bouillante salée, selon les indications du fabricant. Rincer et bien égoutter. Napper de sauce et servir.

Josée Lamarre,
Papineauville

Il n'est pas nécessaire d'utiliser un corps gras pour dorer les boulettes puisqu'en cuisant, elles en produiront une quantité suffisante.

Macaronis fins aux fruits de mer

Portions:	4
Préparation:	10 minutes
Cuisson:	15 minutes
Degré de difficulté:	faible

Énergie: 862 cal	Protéines:	52 g
Lipides: 30 g	Cholestérol: 216 mg
Glucides: 92 g	Fibres:	3,4 g

375 g (¾ lb) de macaronis fins

105 ml (⅓ tasse + 2 c. à soupe)
de beurre

90 ml (⅓ tasse + 1 c. à soupe)
de farine

500 ml (2 tasses) de fumet
de poisson

250 ml (1 tasse) de lait

Poudre d'ail, au goût

Sel au céleri, au goût

250 g (½ lb) de goberge à saveur
de crabe, effilochée

250 g (½ lb) de crevettes, cuites
et décortiquées

250 g (½ lb) de pétoncles, cuits

250 g (½ lb) de champignons,
tranchés

2 échalotes, hachées

Faire cuire les pâtes dans une casserole d'eau bouillante salée, selon les indications du fabricant.

Pendant ce temps, faire fondre 90 ml (⅓ tasse + 1 c. à soupe) de beurre dans une casserole.

Ajouter la farine et cuire 1 minute environ, tout en mélangeant.

Ajouter le fumet de poisson et le lait, et poursuivre la cuisson 5 minutes environ, en remuant constamment, jusqu'à épaississement.

Assaisonner de poudre d'ail et de sel au céleri.

Réserver au chaud.

Faire chauffer le reste du beurre dans un poêlon.

Y faire revenir la goberge, les crevettes, les pétoncles, les champignons et les échalotes, de 5 à 8 minutes environ.

Incorporer à la préparation précédente.

Rincer les pâtes, bien les égoutter, puis les napper de sauce.

Lucette Fournier,
Beaumont

Cette sauce polyvalente peut garnir les pizzas, remplir les vol-au-vent, napper les filets de poisson, tout en veloutant les pâtes à loisir.

Pâtes campagnardes

Portions :	8
Préparation :	30 minutes
Cuisson :	1 heure 40 minutes
Degré de difficulté :	faible

Énergie : 753 cal	Protéines :	44 g
Lipides : 21 g	Cholestérol :	76 mg
Glucides : 98 g	Fibres :	9 g

15   ml (1 c. à soupe) d'huile

1   kg (2 lb) de bœuf haché

2   oignons, grossièrement hachés

4   gousses d'ail, hachées

1,25 l (5 tasses) de carottes râpées

250 ml (1 tasse) de champignons tranchés

3   branches de céleri, grossièrement hachées

2   poivrons, en dés

2   boîtes de 796 ml (28 oz) de tomates

1   boîte de 157 g (5 ½ oz) de pâte de tomate

2   boîtes de 1,4 l (48 oz) de jus de tomate

1   boîte de 284 ml (10 oz) de jus de tomate aux palourdes

60   ml (¼ tasse) de ketchup

15   ml (1 c. à soupe) de persil

10   ml (2 c. à thé) de basilic

2   feuilles de laurier

5   ml (1 c. à thé) de chilis broyés

10   ml (2 c. à thé) d'origan

10   ml (2 c. à thé) de romarin

10   ml (2 c. à thé) d'assaisonnement à l'italienne

Sel et poivre

1   sachet de sauce à spaghettis, déshydratée

1,5 l (6 tasses) de plumes (penne) ou autres pâtes alimentaires

Faire chauffer l'huile dans une grande casserole. Y faire revenir le bœuf, les oignons et l'ail de 8 à 10 minutes environ, tout en défaisant la viande à la fourchette.

Ajouter les carottes, les champignons, le céleri et les poivrons. Bien mélanger. Ajouter les tomates, la pâte de tomate, les jus de tomate et de tomate aux palourdes, ainsi que le ketchup. Assaisonner de persil, basilic, laurier, chilis, origan et romarin. Saupoudrer d'assaisonnement à l'italienne. Saler et poivrer.

Amener à ébullition. Réduire la chaleur et laisser mijoter 30 minutes. Incorporer le sachet de sauce et poursuivre la cuisson 1 heure.

Faire cuire les pâtes dans une casserole d'eau bouillante salée, selon les indications du fabricant. Napper de sauce.

Louise Bédard,
St-Michel

Pâtes de grand-mère

Portions :	4
Préparation :	15 minutes
Cuisson :	50 minutes
Degré de difficulté :	faible

Énergie : 643 cal	Protéines :	29 g
Lipides : 21 g	Cholestérol :	38 mg
Glucides : 86 g	Fibres :	6,3 g

30   ml (2 c. à soupe) d'huile

15   ml (1 c. à soupe) de margarine

250 g (½ lb) de bœuf haché

1,25 l (5 tasses), ou plus, de tomates blanchies et pelées

30   ml (2 c. à soupe) de ketchup

5   ml (1 c. à thé) de sucre

Basilic, au goût

Origan, au goût

Sel et poivre

500 g (1 lb) de mafaldas (lasagnes étroites), ou autres pâtes alimentaires

Faire chauffer l'huile et la margarine dans une casserole.

Y faire revenir le bœuf haché de 8 à 10 minutes environ, jusqu'à ce qu'il ait perdu sa teinte rosée.

Ajouter les tomates, le ketchup et le sucre.

Assaisonner de basilic et d'origan. Saler et poivrer.

Amener à ébullition.

Réduire la chaleur et laisser mijoter de 30 à 40 minutes.

Cuire les pâtes dans une casserole d'eau bouillante salée, selon les indications du fabricant.

Rincer et bien égoutter.

Napper les pâtes de sauce.

Thérèse Garon,
St-Denis-de-Kamouraska

S'il reste de la sauce, on peut la congeler en petites portions et servir la quantité voulue sur des pâtes ou sur des hot-dogs.

Si les pâtes s'apprêtent à toutes les sauces, la réciproque est vraie. Il suffit d'en varier les formes pour pimenter d'originalité tout un plat.

Pâtes alimentaires

Spaghettis à la courgette

Portions :	6
Préparation :	20 minutes
Cuisson :	2 heures 15 minutes
Degré de difficulté :	faible

Énergie : 791 cal	Protéines :	48 g
Lipides : 30 g	Cholestérol : 107 mg	
Glucides : 82 g	Fibres : 7,8 g	

3 gousses d'ail, hachées

2 oignons, hachés

30 ml (2 c. à soupe) d'huile

500 g (1 lb) de bœuf haché

500 g (1 lb) de porc haché

1 boîte de 796 ml (28 oz) de tomates

1 boîte de 156 g (5 ½ oz) de pâte de tomate

1 boîte de 1,4 l (48 oz) de jus de tomate

2 branches de céleri, hachées

500 ml (2 tasses) de courgettes râpées

1 poivron vert, haché

5 ml (1 c. à thé) d'origan

5 ml (1 c. à thé) de marjolaine

2 ml (½ c. à thé) de piment de Cayenne

2 ml (½ c. à thé) de piment de la Jamaïque

2 ml (½ c. à thé) de thym

5 ml (1 c. à thé) de sucre

Sel et poivre

500 g (1 lb) de spaghettis, cuits

Faire revenir l'ail et les oignons dans l'huile, 5 minutes environ, à feu moyen.

Ajouter le bœuf et le porc hachés. Poursuivre la cuisson tout en défaisant la viande à la fourchette, jusqu'à ce qu'elle ait perdu sa teinte rosée.

Ajouter le reste des ingrédients, sauf les pâtes.

Amener à ébullition et réduire aussitôt la chaleur. Couvrir et laisser mijoter 1 heure 30 minutes.

Découvrir et poursuivre la cuisson 30 minutes.

Servir sur les spaghettis.

Fernande Rivard,
Monbeillard

La courgette, souvent appelée «zucchini», est en réalité une courge cueillie avant maturité. Il n'est pas essentiel de la peler, surtout si on compte la râper.

Torsades à la tomate et aux saucisses

Portions :	4
Préparation :	15 minutes
Cuisson :	45 minutes
Degré de difficulté :	faible

Énergie : 865 cal	Protéines :	37 g
Lipides : 36 g	Cholestérol : 82 mg	
Glucides : 99 g	Fibres : 7,5 g	

30 ml (2 c. à soupe) d'huile

1 oignon, haché

4 gousses d'ail, hachées

500 g (1 lb) de saucisses italiennes fortes, pelées et hachées

1 boîte de 796 ml (28 oz) de tomates, écrasées

15 ml (1 c. à soupe) de sucre

60 ml (¼ tasse) de ketchup

1 boîte de 157 g (5 ½ oz) de pâte de tomate

125 ml (½ tasse) de basilic frais haché ou 15 ml (1 c. à soupe), si séché

10 ml (2 c. à thé) d'origan

Sel et poivre

750 ml (3 tasses) de torsades (gemelli) ou autres pâtes

Faire chauffer l'huile dans une casserole. Y faire revenir l'oignon et l'ail 5 minutes environ, à feu moyen.

Ajouter les saucisses et poursuivre la cuisson jusqu'à ce que la viande ait perdu sa teinte rosée.

Ajouter les tomates, le sucre, le ketchup et la pâte de tomate. Assaisonner de basilic et d'origan. Saler et poivrer.

Amener à ébullition. Réduire la chaleur et laisser mijoter 30 minutes, jusqu'à ce que la sauce épaississe.

Faire cuire les pâtes selon les indications du fabricant. Rincer et bien égoutter.

Servir les pâtes nappées de sauce.

Lisette Fournier,
Frampton

Tout comme les arômes, les couleurs ont un rôle à jouer dans l'assiette. En servant des pâtes de teintes contrastantes, on en décuple les atouts.

Pâtes végétariennes de Macamic

Portions :	4
Préparation :	20 minutes
Cuisson :	1 heure
Degré de difficulté :	faible

Énergie : 559 cal	Protéines :		17 g
Lipides : 14 g	Cholestérol :		0 mg
Glucides : 94 g	Fibres :		5,9 g

60 ml (¼ tasse) de céleri en dés

30 ml (2 c. à soupe) d'huile de tournesol

1 oignon, en dés

125 ml (½ tasse) de carottes en dés

500 ml (2 tasses) de jus de tomate

½ boîte de 284 ml (10 oz) de soupe aux tomates

1 gousse d'ail, hachée

20 ml (4 c. à thé) de persil haché

15 ml (1 c. à soupe) de sucre

Sel et poivre

20 ml (4 c. à thé) de graines de lin

20 ml (4 c. à thé) de graines de tournesol

20 ml (4 c. à thé) de graines de sésame

20 ml (4 c. à thé) de millet

15 ml (1 c. à soupe) de son

750 ml (3 tasses) de spirales (rotini) de blé entier ou autres pâtes alimentaires, cuites

Parmesan râpé, au goût

Faire revenir le céleri 2 minutes dans l'huile. Ajouter l'oignon et faire fondre 5 minutes, à feu doux.

Ajouter les carottes, le jus, la soupe aux tomates, l'ail, le persil et le sucre. Saler et poivrer. Amener à ébullition. Réduire la chaleur et laisser mijoter 35 minutes.

Préchauffer le four à 200 °C (400 °F).

Ajouter à la sauce les graines de lin, de tournesol et de sésame, le millet et le son. Saler et poivrer. Poursuivre la cuisson de 10 à 15 minutes.

Mélanger les pâtes et la sauce. Verser dans un plat à gratin beurré. Saupoudrer de parmesan. Dorer environ 10 minutes.

Simone Veillette,
Châzel

Pâtes en sauce tomate et tofu

Portions :	6
Préparation :	15 minutes
Cuisson :	1 heure 20 minutes
Degré de difficulté :	faible

Énergie : 466 cal	Protéines :		19 g
Lipides : 11 g	Cholestérol :		0 mg
Glucides : 76 g	Fibres :		6,3 g

30 ml (2 c. à soupe) d'huile

2 oignons, hachés

2 gousses d'ail, hachées

2 boîtes de 284 ml (10 oz) de soupe aux tomates concentrée

1 boîte de 796 ml (28 oz) de tomates

1 boîte de 540 ml (19 oz) de jus de tomate

15 ml (1 c. à soupe) de sucre

5 ml (1 c. à thé) de thym

5 ml (1 c. à thé) d'origan

5 ml (1 c. à thé) de basilic

15 ml (1 c. à soupe) de persil

Sel et poivre

500 g (1 lb) de tofu

1 l (4 tasses) de roues (ruote) ou autres pâtes alimentaires

Faire chauffer l'huile dans une casserole. Y faire revenir les oignons et l'ail 5 minutes environ, sans laisser prendre couleur.

Ajouter la soupe aux tomates, les tomates, le jus de tomate et le sucre. Assaisonner de thym, d'origan, de basilic et de persil. Saler et poivrer.

Amener à ébullition. Réduire la chaleur et laisser mijoter 1 heure.

Passer le tofu au robot, avec un peu de sauce, jusqu'à consistance homogène.

Transvaser dans la casserole et poursuivre la cuisson de 10 à 15 minutes.

Cuire les pâtes dans une casserole d'eau bouillante salée, selon les indications du fabricant. Rincer et bien égoutter.

Napper les pâtes de sauce. Si désiré, saupoudrer de parmesan râpé.

Claudette Goulet-Charette,
Châteauguay

*L**es plats à base de graines ne sont pas réservés aux appétits d'oiseaux. S'ils contiennent des pâtes de blé entier, ils sont d'autant plus nutritifs.*

*L**e tofu, un substitut de la viande, est un ingrédient caméléon. Plutôt fade, il s'imprègne de la pleine saveur des assaisonnements, d'où l'importance de bien les choisir.*

Nouilles végétariennes de St-Agapit

Portions :	4
Préparation :	20 minutes
Cuisson :	1 heure 5 minutes
Degré de difficulté :	faible

Énergie : 534 cal	Protéines :	18 g
Lipides : 10 g	Cholestérol :	0 mg
Glucides : 97 g	Fibres :	9,7 g

30 ml (2 c. à soupe) d'huile de maïs

1 oignon, haché finement

1 gousse d'ail, hachée finement

½ poivron vert, haché finement

12 champignons, en morceaux

1 branche de céleri, hachée finement

1 carotte, râpée

2 courgettes, tranchées finement et coupées en morceaux

1 boîte de 796 ml (28 oz) de tomates

1 boîte de 156 g (5 ½ oz) de pâte de tomate

5 ml (1 c. à thé) de sucre

1 feuille de laurier

2 ml (½ c. à thé) d'origan

2 ml (½ c. à thé) de basilic

1 ml (¼ c. à thé) de marjolaine

1 ml (¼ c. à thé) de thym

1 ml (¼ c. à thé) de chilis broyés

5 ml (1 c. à thé) de sel

1 pincée de poivre

375 g (¾ lb) de nouilles (tagliatelle)

Faire chauffer l'huile dans une casserole. Y faire revenir l'oignon et l'ail 5 minutes environ, à feu moyen, sans laisser prendre couleur.

Ajouter le poivron, les champignons, le céleri, la carotte, les courgettes, les tomates, la pâte de tomate et le sucre.

Assaisonner de laurier, d'origan, de basilic, de marjolaine, de thym et de chilis broyés. Saler et poivrer.

Amener à ébullition. Réduire la chaleur et laisser mijoter 1 heure.

Cuire les nouilles dans une casserole d'eau bouillante salée, selon les indications du fabricant. Rincer et bien égoutter.

Napper les nouilles de sauce.

Anonyme,
St-Agapit

*P**our vous permettre de vous régaler d'un repas sans viande, les légumes en sauce s'enrubannent d'une farandole de nouilles blanches et vertes.*

Pâtes au bœuf

Portions :	6
Préparation :	15 minutes
Cuisson :	40 minutes
Degré de difficulté :	faible

Énergie : 613 cal	Protéines :	33 g
Lipides : 21 g	Cholestérol :	58 mg
Glucides : 74 g	Fibres :	5,9 g

1 l (4 tasses) de petites pipes (gnocchetti lunghi) ou autres pâtes alimentaires

30 ml (2 c. à soupe) d'huile

500 g (1 lb) de bœuf haché

1 poivron vert, haché

2 oignons, hachés

1 boîte de 796 ml (28 oz) de tomates oblongues

1 boîte de 284 ml (10 oz) de soupe aux tomates concentrée

1 boîte de 156 g (5 ½ oz) de pâte de tomate

125 ml (½ tasse) de mozzarella ou de cheddar râpé

Préchauffer le four à 180 °C (350 °F).

Faire cuire les pâtes dans une casserole d'eau bouillante salée, selon les indications du fabricant.

Pendant ce temps, faire chauffer l'huile dans un poêlon. Y faire revenir le bœuf de 8 à 10 minutes environ, tout en le défaisant à la fourchette, jusqu'à ce qu'il ait perdu sa teinte rosée. À l'aide d'une cuillère trouée, transvaser le bœuf dans un plat allant au four.

Dans la graisse de cuisson du bœuf, faire revenir le poivron de 3 à 5 minutes, puis l'incorporer à la viande. Y faire ensuite revenir les oignons de 5 à 8 minutes environ, sans laisser prendre couleur.

Ajouter les tomates, la soupe aux tomates et la pâte de tomate. Amener à ébullition et verser sur la viande.

Rincer les pâtes, les égoutter, puis les mélanger à la préparation.

Saupoudrer de fromage râpé. Cuire au four de 15 à 20 minutes.

Pierrette Pelletier,
Laurier-Station

*O**n reconnaît la touche de l'artiste au gratin. Saupoudrer les pâtes d'une juste mesure de fromage râpé fait parfois toute la différence entre l'habituel et l'inédit.*

Pizzas

Pizza nouveau genre St-Alexandre

Portions :	6
Préparation :	10 minutes
Cuisson :	30 minutes
Degré de difficulté :	faible

Énergie : 232 cal	Protéines :		7 g
Lipides :	15 g	Cholestérol :	15 mg
Glucides :	19 g	Fibres :	1,8 g

Pâte brisée pour 1 abaisse mince (p. 445)

15 ml (1 c. à soupe) de moutarde forte

2 tomates, en tranches minces

1 oignon, en tranches minces

1 courgette, en tranches minces

Basilic frais haché, au goût

250 ml (1 tasse) de mozzarella râpée

Préchauffer le four à 180 °C (350 °F).

Abaisser la pâte en un mince cercle, sur une surface farinée, puis en foncer un plat à tarte.

Badigeonner l'abaisse de moutarde forte.

Couvrir de tranches de tomates, puis de tranches d'oignon et de courgette.

Assaisonner de basilic, puis saupoudrer de mozzarella râpée.

Cuire 30 minutes.

Laisser refroidir quelques minutes avant de servir.

Monique B. Dumais,
St-Alexandre

*I*ci, une pâte brisée tient lieu de pâte à pizza. L'originalité ne consiste-t-elle pas à destiner les éléments à un tout autre usage qu'à celui pour lequel ils ont été conçus?

Pizza maison St-Célestin

Portions :	8
Préparation :	20 minutes
Cuisson :	40 minutes
Refroidissement :	4 heures
Degré de difficulté :	faible

Énergie : 564 cal	Protéines :		12 g
Lipides :	25 g	Cholestérol :	8 mg
Glucides :	73 g	Fibres :	3,3 g

1 ½ boîte de 284 ml (10 oz) de soupe aux tomates concentrée

125 ml (½ tasse) d'eau

60 ml (¼ tasse) d'huile

2 ml (½ c. à thé) de marjolaine

2 ml (½ c. à thé) d'origan

2 ml (½ c. à thé) de sauce au piment fort (type Tabasco)

2 ml (½ c. à thé) de sel

1 ml (¼ c. à thé) de poivre

500 ml (2 tasses) de lait tiède

10 ml (2 c. à thé) de sucre

2 sachets de levure sèche

125 ml (½ tasse) d'huile

10 ml (2 c. à thé) de sel

1,2 l (4 ¾ tasses) de farine

Dans un bol, mélanger la soupe aux tomates, l'eau et l'huile. Assaisonner de marjolaine, d'origan et de sauce au piment fort. Saler et poivrer. Laisser reposer au moins 4 heures, au réfrigérateur.

Pendant ce temps, préparer la pâte.

Préchauffer le four à 180 °C (350 °F). Dans un grand bol, mélanger le lait tiède et le sucre. Saupoudrer de levure et laisser reposer 10 minutes.

Ajouter l'huile et le sel. Bien mélanger. Incorporer graduellement la farine en mélangeant, jusqu'à ce que la pâte forme une boule lisse. Pétrir de 5 à 10 minutes. Diviser la pâte en deux portions. Abaisser chaque portion de pâte en une abaisse d'environ 30 cm (12 po) de diamètre.

Foncer deux plaques à pizza beurrées d'une abaisse de pâte et y étaler uniformément la sauce. Cuire environ 40 minutes.

Joane Lamothe,
St-Célestin

*L*a pâte à pizza maison embaume autant la cuisine qu'une fournée de pains chauds. Pas étonnant, puisqu'elle se prépare sensiblement de la même façon.

Pizza-omelette aux épinards

Portions :	4
Préparation :	20 minutes
Cuisson :	25 minutes
Degré de difficulté :	faible

Énergie : 362 cal	Protéines :	25 g
Lipides :	19 g	Cholestérol : 214 mg
Glucides :	29 g	Fibres :	1,8 g

2　œufs

90　ml (⅓ tasse + 1 c. à soupe) de lait

125　ml (½ tasse) d'épinards hachés finement

　　Sel et poivre

1　oignon, tranché finement

125　ml (½ tasse) de champignons tranchés

1　œuf dur, tranché

1　poivron vert, tranché

125　ml (½ tasse) de chou-fleur blanchi et tranché

125　ml (½ tasse) de brocoli blanchi et tranché

6　cœurs d'artichaut, en morceaux

500　ml (2 tasses) de fromage râpé, au choix

Préchauffer le four à 170 ºC (325 ºF).

Battre les œufs dans un bol. Ajouter le lait et les épinards. Bien mélanger. Saler et poivrer.

Verser la préparation sur une plaque à pizza beurrée d'environ 35 cm (14 po) de diamètre.

Cuire 15 minutes environ, jusqu'à ce que l'omelette soit mi-cuite, c'est-à-dire ferme mais encore baveuse.

Retirer du four et garnir uniformément d'oignon, de champignons, d'œuf dur, de poivron vert, de chou-fleur, de brocoli et de cœurs d'artichaut.

Saupoudrer de fromage et poursuivre la cuisson 10 minutes environ, jusqu'à ce que ce dernier ait fondu.

Antoinette Légaré,
Beauport

*M*i-pizza mi-omelette, ce plat aux œufs regorgeant de légumes saura plaire aux inconditionnels d'une cuisine inventive... ainsi qu'aux indécis.

Pizza Portneuf

Portions :	6
Préparation :	15 minutes
Cuisson :	40 minutes
Degré de difficulté :	faible

Énergie : 436 cal	Protéines :	32 g
Lipides :	24 g	Cholestérol : 166 mg
Glucides :	24 g	Fibres :	3,4 g

250　ml (1 tasse) de farine de blé entier

5　ml (1 c. à thé) de poudre à pâte

1　ml (¼ c. à thé) de sel

100　ml (⅓ tasse + 5 c. à thé) de lait

2　œufs

150　ml (⅔ tasse) de sauce à la viande

500　g (1 lb) de tranches de jambon, de salami ou de saucisson

1　oignon, haché

250　ml (1 tasse) de champignons tranchés

300　g (10 oz) de fromage râpé, au choix

　　Basilic haché, au goût

Préchauffer le four à 230 ºC (450 ºF).

Dans un bol, mélanger la farine, la poudre à pâte et le sel.

Dans un autre bol, battre le lait avec les œufs.

Ajouter à la préparation précédente et mélanger jusqu'à consistance lisse.

Verser la pâte sur une plaque à pizza beurrée d'environ 25 cm (10 po) de diamètre.

Cuire 25 minutes.

Étaler sur la pâte la sauce à la viande.

Garnir de tranches de jambon, d'oignon haché et de champignons.

Saupoudrer de fromage râpé et assaisonner de basilic.

Poursuivre la cuisson de 10 à 15 minutes.

Annette Tessier,
Portneuf

*P*âte de blé entier, fromage, viande et légumes : le quatuor compose un plat complet, en accord parfait avec les recommandations du Guide alimentaire canadien.

Pizza des Pays-d'en-Haut

Portions :	6
Préparation :	10 minutes
Cuisson :	15 minutes
Degré de difficulté :	faible

Énergie : 461 cal	Protéines :	30 g
Lipides : 29 g	Cholestérol :	86 mg
Glucides : 20 g	Fibres :	2,1 g

1 croûte à pizza d'environ
35 cm (14 po) de diamètre,
précuite

125 ml (½ tasse) de mayonnaise

125 ml (½ tasse) de cottage
(2 % m.g.)

2 tomates, tranchées

2 oignons, hachés

500 ml (2 tasses) de poulet cuit
en dés

1 poivron, en lamelles

10 champignons, tranchés

250 ml (1 tasse) de mozzarella
râpée

Estragon, au goût

Préchauffer le four à 190 °C (375 °F).

Déposer la croûte sur une plaque à pizza.

Dans un bol, mélanger la mayonnaise et le cottage.

Étendre uniformément sur la croûte.

Éponger les tomates à l'aide de papier absorbant pour les débarrasser de leur excédent d'eau, puis les répartir uniformément sur la pizza.

Garnir celle-ci d'oignons hachés, de poulet, de poivron et de champignons.

Saupoudrer de mozzarella râpée et assaisonner d'estragon.

Cuire de 10 à 15 minutes, jusqu'à ce que le fromage ait fondu.

Fernande Tessier,
St-Jérôme

*L*a pizza n'a pas son pareil pour stimuler l'imagination. Sur fond de fromage blanc, les légumes aux teintes variées composent ici un alléchant tableau.

Plats en croûte
Pâtés

Pâté à la viande

Portions :	6
Préparation :	20 minutes
Cuisson :	20 minutes
Degré de difficulté :	faible

Énergie : 321 cal	Protéines :	11 g
Lipides : 17 g	Cholestérol :	22 mg
Glucides : 31 g	Fibres :	1,2 g

Sel et poivre

250 ml (1 tasse) de bœuf cuit
(ou de jambon) haché

30 ml (2 c. à soupe)
d'oignon râpé

Quelques gouttes de sauce
anglaise (Worcestershire)

60 ml (¼ tasse) de sauce au
bœuf ou de jus de cuisson
de viande, au choix

75 ml (⅓ tasse) de lait

75 ml (⅓ tasse) de sauce chili

500 ml (2 tasses) de farine
à pâtisserie tamisée

20 ml (4 c. à thé)
de poudre à pâte

2 ml (½ c. à thé) de sel

2 ml (½ c. à thé)
de moutarde sèche

75 ml (⅓ tasse) de graisse
végétale (bien froide)

Préchauffer le four à 220 °C (425 °F).

Saler et poivrer la viande. Ajouter l'oignon et la sauce anglaise, puis humecter le tout avec la sauce au bœuf. Dans un bol, mélanger le lait et la sauce chili. Réserver.

Dans un autre bol, tamiser la farine, la poudre à pâte, le sel et la moutarde. Couper la graisse dans la farine jusqu'à consistance grumeleuse. Incorporer graduellement la préparation précédente, jusqu'à formation d'une boule molle.

Pétrir la pâte 10 secondes, puis la diviser en deux parties égales. Presser la moitié de la pâte contre le fond d'un moule à gâteau graissé. Y étaler la viande jusqu'à 1 cm (½ po) des pourtours. Humecter ces derniers.

Abaisser le reste de la pâte en un cercle d'environ 23 cm (9 po), puis en couvrir la viande. Sceller les pourtours. Cuire 20 minutes.

Mona Blier,
Tourville

*L*a sauce chili confère toute son originalité à cette pâte brisée qu'on pourra, à défaut de farine à pâtisserie, réaliser avec 430 ml (1 ¾ tasse) de farine tout usage.

Pâté au jambon

Portions :	8
Préparation :	15 minutes
Cuisson :	30 minutes
Degré de difficulté :	faible

Énergie : 366 cal	Protéines :	18 g
Lipides : 20 g	Cholestérol :	83 mg
Glucides : 28 g	Fibres :	1,3 g

Pâte brisée pour 2 abaisses
(p. 445)

750 ml (3 tasses) de jambon
(cuit) haché

125 ml (½ tasse) de céleri haché

60 ml (¼ tasse) de poivron
en cubes

2 œufs, battus

125 ml (½ tasse) de ketchup

125 ml (½ tasse) de craquelins
émiettés (type biscuits soda)

1 ml (¼ c. à thé) de persil
haché

5 ml (1 c. à thé) de moutarde
sèche

Préchauffer le four à 180 °C (350 °F).

Abaisser la pâte sur une surface
farinée.

Foncer un plat à tarte ou un moule à
pain de 23 cm x 13 cm
(9 po x 5 po) de l'une des abaisses.
Réserver l'autre.

Dans un bol, mélanger le jambon, le
céleri, le poivron, les œufs, le
ketchup et les craquelins.

Assaisonner de persil et de
moutarde.

Verser dans le plat et couvrir de la
seconde abaisse. Bien sceller les
pourtours.

Cuire 30 minutes environ, jusqu'à ce
que la pâte soit dorée.

Monique Chalifoux,
Ste-Madeleine

Pâté au poulet

Portions :	18
Préparation :	20 minutes
Cuisson :	40 minutes
Degré de difficulté :	faible

Énergie : 451 cal	Protéines :	12 g
Lipides : 29 g	Cholestérol :	29 mg
Glucides : 36 g	Fibres :	2 g

Pâte brisée pour 6 abaisses
(p. 445)

15 ml (1 c. à soupe) d'huile

60 ml (¼ tasse) d'oignons
hachés

60 ml (¼ tasse) de beurre

60 ml (¼ tasse) de farine

1 l (4 tasses) de lait

1 boîte de 284 ml (10 oz)
de crème de champignons

250 ml (1 tasse)
de champignons tranchés

500 ml (2 tasses) de macédoine
de légumes, égouttée

500 ml (2 tasses) de poulet cuit
en dés

Préchauffer le four à 180 °C (350 °F).

Abaisser la pâte sur une surface farinée. Foncer trois plats à tarte d'une
abaisse. Réserver les trois autres.

Faire chauffer l'huile dans une casserole. Y faire revenir les oignons
3 minutes environ, sans laisser prendre couleur. Ajouter le beurre et retirer du feu dès qu'il est fondu.
Saupoudrer de farine et mélanger
pour former une pâte.

Remettre sur le feu et ajouter le lait.
Poursuivre la cuisson en mélangeant, jusqu'à ce que le lait soit
chaud.

Ajouter la crème de champignons et
poursuivre la cuisson en remuant
constamment, jusqu'à épaississement.

Ajouter les champignons, la macédoine de légumes et le poulet.
Poursuivre la cuisson 2 ou 3 minutes, juste pour réchauffer.

Répartir la préparation dans les trois
plats à tarte. Couvrir des abaisses
réservées. Bien sceller.

Cuire 30 minutes environ, jusqu'à ce
que la croûte soit dorée.

Pierrette Hervieux,
St-Paul-du-Nord

*S'il ne veut pas céder le pas à ce pâté au jambon en croûte,
le traditionnel sandwich au jambon n'a qu'à bien
se tenir.*

*Tant qu'à mettre la main à la pâte, pourquoi ne
pas préparer plusieurs pâtés qu'il suffira ensuite
de congeler ?*

Pâté maritime au saumon

Portions:	6
Préparation:	20 minutes
Cuisson:	15 minutes
Degré de difficulté:	faible

Énergie: 462 cal	Protéines:	21 g
Lipides: 29 g	Cholestérol: 102 mg
Glucides: 28 g	Fibres:	0,7 g

250 ml (1 tasse) de riz cuit

30 ml (2 c. à soupe)
de beurre fondu

155 ml (½ tasse + 2 c. à soupe)
de fromage râpé, au choix

1 abaisse de pâte brisée (p.445),
précuite dans un moule
de 35 cm x 23 cm
(13 po x 9 po) ou autre

375 ml (1 ½ tasse) de saumon
cuit émietté

30 ml (2 c. à soupe) de beurre

30 ml (2 c. à soupe) de farine

250 ml (1 tasse) de lait

Sel et poivre

1 œuf, légèrement battu

Préchauffer le four à 190 °C (375 °F).

Mélanger le riz, le beurre fondu et 30 ml (2 c. à soupe) de fromage râpé.

Presser cette préparation contre le fond de l'abaisse.

Y répartir uniformément le saumon émietté. Réserver.

Faire fondre le beurre dans une casserole.

Ajouter la farine et mélanger 30 secondes environ.

Tout en brassant, ajouter le lait et poursuivre la cuisson en remuant constamment, jusqu'à épaississement.

Saler et poivrer.

Tout en fouettant, incorporer graduellement l'œuf battu.

Verser dans l'abaisse.

Saupoudrer du reste du fromage râpé et cuire 15 minutes environ, jusqu'à ce que le fromage soit doré.

Lise Lemieux,
Leclercville

> *L a cuisson du saumon entier sera facilitée par une saumonière, soit une casserole oblongue à double fond amovible qui permet d'en retirer le poisson sans l'abîmer.*

Pâté aux épinards St-Césaire

Portions:	8
Préparation:	20 minutes
Cuisson:	45 minutes
Degré de difficulté:	faible

Énergie: 568 cal	Protéines:	35 g
Lipides: 35 g	Cholestérol: 270 mg
Glucides: 28 g	Fibres:	2,9 g

Pâte brisée pour 2 abaisses
(p. 445)

2 paquets de 300 g (10 oz)
d'épinards, parés

250 g (½ lb) de jambon (cuit)
haché

250 g (½ lb) de parmesan râpé

1 poivron vert, haché

15 ml (1 c. à soupe) de beurre

8 œufs

250 ml (1 tasse) de lait

Sel et poivre

Persil, au goût

Lait, pour badigeonner

Préchauffer le four à 180 °C (350 °F).

Abaisser la pâte sur une surface farinée. Foncer de l'une des abaisses un plat à quiche. Réserver l'autre.

Rincer les épinards et les cuire 2 minutes dans une casserole avec, pour tout liquide, leur seule eau de rinçage. Bien égoutter.

Superposer dans l'abaisse, en rangs successifs, le cinquième des épinards, du jambon, du parmesan et du poivron.

Répéter quatre fois l'opération, jusqu'à épuisement de ces ingrédients. Parsemer de noisettes de beurre.

Dans un bol, battre les œufs avec le lait, jusqu'à consistance lisse. Saler et poivrer.

Assaisonner de persil, puis verser dans le plat à quiche. Couvrir de la seconde abaisse et bien sceller les pourtours. Badigeonner de lait.

Cuire 45 minutes, jusqu'à ce que la pâte soit dorée. Servir le pâté chaud ou froid.

Lucille Chagnon,
St-Césaire

> *S i l'appétit vient en mangeant, elle peut parfois précéder le geste... surtout quand la pâte dorée s'entrouvre sur des ingrédients colorés, superposés en rangs successifs.*

3

Pâté au bœuf de Bedford

Portions :	8
Préparation :	20 minutes
Cuisson :	40 minutes
Degré de difficulté :	faible

Énergie : 421 cal	Protéines :	18 g
Lipides : 26 g	Cholestérol :	38 mg
Glucides : 29 g	Fibres :	1,2 g

Pâte brisée pour 2 abaisses
(p. 445)

750 ml (3 tasses) d'eau

1 sachet de préparation
pour potage au bœuf
et au vermicelle

10 ml (2 c. à thé) d'huile

1 oignon, haché

Sel et poivre

45 ml (3 c. à soupe) de farine

500 g (1 lb) de bœuf haché

60 ml (¼ tasse) de ketchup

1 boîte de 284 ml (10 oz)
de macédoine de légumes,
égouttée

Préchauffer le four à 180 °C (350 °F).

Abaisser la pâte sur une surface farinée. Foncer un plat à tarte ou un plat de 33 cm x 23 cm (13 po x 9 po) de l'une des abaisses. Réserver l'autre.

Dans une casserole, mélanger l'eau et la préparation pour potage. Amener à ébullition et retirer du feu. Réserver au chaud.

Faire chauffer l'huile dans un poêlon. Y faire revenir l'oignon 5 minutes environ, jusqu'à tendreté. Saler et poivrer, puis saupoudrer de farine. Bien mélanger. Ajouter la viande et cuire 10 minutes environ, en la défaisant à la fourchette, jusqu'à ce qu'elle ait perdu sa teinte rosée.

Ajouter le ketchup, le potage réservé et la macédoine de légumes. Bien mélanger. Poursuivre la cuisson en remuant constamment, jusqu'à épaississement.

Verser dans le plat et couvrir de la seconde abaisse. Bien sceller les pourtours.

Cuire 25 minutes environ, jusqu'à ce que la pâte soit dorée.

Marie-Anne Poutré,
Bedford

Cette pâte brisée à motifs losangiques a pu être réalisée grâce à un outil que l'on déniche habituellement dans les boutiques de cuisine spécialisées.

Pâté de bœuf aux graines de pavot

Portions :	8
Préparation :	20 minutes
Cuisson :	40 minutes
Degré de difficulté :	faible

Énergie : 653 cal	Protéines :	36 g
Lipides : 43 g	Cholestérol :	99 mg
Glucides : 30 g	Fibres :	1,6 g

Pâte brisée pour 2 abaisses
(p. 445)

30 ml (2 c. à soupe) de beurre

1 oignon, haché

1 kg (2 lb) de bœuf haché

Sel et poivre

1 boîte de 398 ml (14 oz)
de sauce barbecue

4 tranches de cheddar blanc

Lait, pour badigeonner

15 ml (1 c. à soupe) de graines
de pavot

15 ml (1 c. à soupe) de graines
de sésame

Préchauffer le four à 180 °C (350 °F).

Abaisser la pâte sur une surface farinée.

Foncer un plat à tarte de l'une des abaisses. Réserver l'autre.

Faire chauffer le beurre dans un poêlon.

Y faire revenir l'oignon haché et le bœuf 10 minutes environ, tout en défaisant la viande à la fourchette, jusqu'à ce qu'elle ait perdu sa teinte rosée.

Saler et poivrer. Bien égoutter.

Ajouter la sauce barbecue à la viande. Bien mélanger.

Verser la préparation dans l'abaisse et couvrir des tranches de cheddar.

Déposer sur le tout l'autre abaisse et bien sceller les pourtours.

Badigeonner de lait et saupoudrer de graines de pavot et de sésame.

Cuire 30 minutes, jusqu'à ce que la pâte soit dorée.

Céline Fafard,
St-Norbert

Ce pâté est surprenant. Effritant la croûte granulée, un premier coup de fourchette libère, sur la viande en sauce, un flot insoupçonné de cheddar blanc coulant.

Pâté de lapin

Portions :	8
Préparation :	20 minutes
Cuisson :	45 minutes
Degré de difficulté :	faible

Énergie : 728 cal		Protéines :	28 g
Lipides	26 g	Cholestérol :	124 mg
Glucides :	34 g	Fibres :	3 g

Pâte brisée pour 2 abaisses (p. 445)

60 ml (¼ tasse) de beurre

60 ml (¼ tasse) de farine

280 ml (1 tasse + 2 c. à soupe) de lait

375 (1 ½ tasse) de bouillon de poulet

Sel et poivre

625 ml (2 ½ tasses) de cubes de lapin cuit

500 ml (2 tasses) de carottes cuites tranchées

1 boîte de 284 ml (10 oz) de petits pois, égouttés

1 œuf

Préchauffer le four à 230 °C (450 °F).

Abaisser la pâte sur une surface farinée. Foncer un plat à tarte de l'une des abaisses. Réserver l'autre.

Faire fondre le beurre dans une casserole. Ajouter la farine et mélanger environ 30 secondes. Tout en brassant, ajouter 250 ml (1 tasse) de lait, ainsi que le bouillon de poulet.

Poursuivre la cuisson en remuant constamment, jusqu'à épaississement. Saler et poivrer.

Incorporer à la sauce les cubes de lapin, les carottes et les petits pois.

Verser cette préparation dans le plat à tarte et couvrir de la seconde abaisse. Bien sceller les pourtours.

Dans un bol, mélanger l'œuf et le reste du lait. Badigeonner le pâté de cette préparation.

Cuire de 30 à 40 minutes, jusqu'à ce que la croûte soit bien dorée.

Si désiré, servir avec une béchamel.

Suzanne Bergeron,
St-Célestin

T̲rès prisé pour sa saveur délicate et ses propriétés nutritives, le lapin se taille une place de choix dans nos supermarchés. Il n'en tient qu'à vous de l'apprivoiser.

Pâté de Pâques St-Casimir

Portions :	10
Préparation :	20 minutes
Cuisson :	55 minutes
Degré de difficulté :	faible

Énergie : 728 cal		Protéines :	17 g
Lipides :	61 g	Cholestérol :	264 mg
Glucides :	27 g	Fibres :	1,2 g

500 g (1 lb) de porc haché

250 g (½ lb) de bœuf haché

3 oignons, hachés

60 ml (¼ tasse) d'eau

2 ml (½ c. à thé) de sel

1 ml (¼ c. à thé) de poivre

2 ml (½ c. à thé) d'épices mélangées

2 ml (½ c. à thé) de cannelle

1 ml (¼ c. à thé) de clou de girofle moulu

5 œufs durs

500 g (1 lb) de pâte feuilletée

Préchauffer le four à 200 °C (400 °F).

Dans une casserole, mélanger le porc, le bœuf, les oignons et l'eau. Saler et poivrer. Assaisonner d'épices mélangées, de cannelle et de clou de girofle. Amener à ébullition.

Réduire la chaleur et laisser mijoter 30 minutes, en mélangeant de temps en temps.

Écaler les œufs durs et les couper en deux. Réserver.

Diviser la pâte feuilletée en deux portions. L'abaisser sur une surface farinée, puis foncer un plat en pyrex de 23 cm (9 po) de côté de l'une des abaisses. Réserver l'autre.

Verser dans l'abaisse la préparation de viande, puis y enfoncer les demi-œufs durs tel qu'illustré. (Il restera un demi-œuf.)

Couvrir de la seconde abaisse et bien sceller la pâte. Pratiquer sur le pâté quelques incisions.

Cuire 25 minutes environ, jusqu'à ce que la croûte soit dorée.

Jeannine Carpentier,
St-Casimir

O̲ù sont cachés les œufs de Pâques? À en juger par le relief arrondi de la croûte, ils auraient tous été enfouis dans le même pâté.

3

Plats en croûte
Tartes salées

Quiche moderne aux courgettes

Portions :	6
Préparation :	15 minutes
Cuisson :	30 minutes
Repos :	10 minutes
Degré de difficulté :	faible

Énergie : 326 cal	Protéines :	12 g
Lipides : 22 g	Cholestérol : 104 mg	
Glucides : 22 g	Fibres :	2,3 g

75 ml (⅓ tasse) de margarine

1 l (4 tasses) de courgettes (non pelées) en tranches minces

1 gousse d'ail, hachée

250 ml (1 tasse) d'oignons hachés

125 ml (½ tasse) de persil haché

1 ml (¼ c. à thé) de basilic

1 ml (¼ c. à thé) d'origan

Sel et poivre

2 œufs

250 ml (1 tasse) de mozzarella râpée (17 % m.g.)

1 boîte de 235 g (8 oz) de pâte pour croissants prête à cuire

10 ml (2 c. à thé) de moutarde préparée

Préchauffer le four à 190 °C (375 °F).

Faire chauffer la margarine dans un poêlon.

Y faire revenir les courgettes, l'ail et les oignons 10 minutes environ, jusqu'à tendreté.

Assaisonner de persil, de basilic et d'origan. Saler et poivrer.

Dans un grand bol, battre les œufs et la mozzarella. Ajouter la préparation précédente et bien mélanger.

Foncer un plat à tarte de la pâte pour croissants, puis badigeonner de moutarde.

Y verser la préparation de courgettes.

Cuire de 18 à 20 minutes. Retirer du four et laisser reposer 10 minutes.

Anonyme,
Ste-Germaine-Station

La pâte de boulangerie est malléable et polyvalente. Une pâte pour croissants, par exemple, remplace la pâte brisée dans cette version de quiche modernisée.

Tarte au thon de Chicoutimi

Portions :	6
Préparation :	20 minutes
Cuisson :	35 minutes
Degré de difficulté :	faible

Énergie : 418 cal	Protéines :	18 g
Lipides : 21 g	Cholestérol : 28 mg	
Glucides : 38 g	Fibres :	1,3 g

2 boîtes de 133 g (4,7 oz) de thon

Lait, au besoin

180 ml (¾ tasse) de riz à grains longs

1 carotte, en dés

1 branche de céleri, en dés

45 ml (3 c. à soupe) de beurre ou de margarine

45 ml (3 c. à soupe) de farine

1 ml (¼ c. à thé) de thym

Sel et poivre

60 ml (¼ tasse) de fromage râpé, au choix

1 abaisse de pâte brisée précuite (p. 445)

Préchauffer le four à 190 °C (375 °F).

Égoutter le thon en ayant soin d'en récupérer le jus. Ajouter à ce dernier suffisamment de lait pour obtenir 375 ml (1 ½ tasse) de liquide. Réserver.

Cuire le riz, la carotte et le céleri de 15 à 20 minutes, dans une casserole d'eau bouillante salée.

Pendant ce temps, faire fondre le beurre dans une casserole. Ajouter la farine et mélanger environ 30 secondes.

Tout en brassant, ajouter le liquide réservé et poursuivre la cuisson en remuant constamment, jusqu'à épaississement. Assaisonner de thym. Saler et poivrer. Réserver cette béchamel.

Égoutter le riz et les légumes, puis déposer dans un bol. Ajouter la moitié de la béchamel et du fromage râpé. Bien mélanger. Verser dans l'abaisse.

Émietter le thon, l'étaler uniformément dans l'abaisse, puis couvrir du reste de la béchamel et du fromage râpé.

Cuire environ 15 minutes, jusqu'à ce que le fromage soit doré.

Ghislaine Tremblay,
Chicoutimi

Entre croûte et gratin, un riz aux légumes et à la béchamel s'agrémente de thon et de fromage. L'art d'apprêter le poisson est comme l'océan... tout simplement sans limites!

Tarte aux asperges et aux crevettes

Portions :	6
Préparation :	15 minutes
Cuisson :	35 minutes
Degré de difficulté :	faible

Énergie : 367 cal	Protéines :	19 g
Lipides : 25 g	Cholestérol :	302 mg
Glucides : 18 g	Fibres :	1 g

Pâte brisée pour 1 abaisse (p. 445)

6 œufs

250 ml (1 tasse) de crème 15 %

1 boîte de 284 ml (10 oz) d'asperges en morceaux, égouttées

375 ml (1 ½ tasse) de crevettes nordiques cuites et décortiquées

30 ml (2 c. à soupe) de mozzarella râpée

2 ml (½ c. à thé) de sel

2 ml (½ c. à thé) de poivre

Préchauffer le four à 180 °C (350 °F).

———

Abaisser la pâte sur une surface farinée, puis en foncer un plat à tarte.

———

Cuire 5 minutes. Réserver.

———

Battre les œufs dans un bol. Réserver.

———

Dans un autre bol, mélanger la crème, les asperges, les crevettes et la mozzarella.

———

Saler et poivrer.

———

Incorporer aux œufs, puis verser dans l'abaisse.

———

Cuire de 25 à 30 minutes.

Irène Jacques,
St-Eugène-de-Guigues

Une tarte aux asperges et aux crevettes? Décidément, on ne se prive de rien! L'insurclassable finesse de l'une et la délicatesse de l'autre font de ce plat un mets de choix.

Tarte aux courgettes de St-Pamphile

Portions :	6
Préparation :	15 minutes
Cuisson :	40 minutes
Degré de difficulté :	faible

Énergie : 250 cal	Protéines :	10 g
Lipides : 15 g	Cholestérol :	120 g
Glucides : 19 g	Fibres :	1,6 g

Graisse, au besoin

500 ml (2 tasses) de courgettes hachées

250 ml (1 tasse) de tomates hachées

125 ml (½ tasse) d'oignons hachés

75 ml (⅓ tasse) de parmesan râpé

375 ml (1 ½ tasse) de lait

180 ml (¾ tasse) de préparation pour pâte tout usage (type Bisquick ou Betty Crocker)

3 œufs

2 ml (½ c. à thé) de sel

1 ml (¼ c. à thé) de poivre

Préchauffer le four à 200 °C (400 °F).

———

Graisser un plat à tarte de 25 cm (10 po) de diamètre et de 3,75 cm (1 ½ po) de profondeur.

———

Y mélanger les courgettes, les tomates, les oignons et le parmesan râpé. Réserver.

———

Dans un autre bol, fouetter le lait, la préparation pour pâte tout usage et les œufs 1 minute environ, jusqu'à consistance lisse.

———

Saler et poivrer.

———

Verser dans le plat à tarte.

———

Cuire de 30 à 40 minutes ou jusqu'à ce qu'un couteau, glissé dans la garniture, en ressorte sec.

Jeanne Lepage,
St-Pamphile

Incroyable, mais vrai! La préparation pour pâte tout usage, en cuisant, se déposera tout naturellement au fond et sur les parois du plat à tarte, formant ainsi la croûte.

Plats en croûte

Tarte aux épinards en feuilletage léger

Portions :	6
Préparation :	20 minutes
Cuisson :	40 minutes
Degré de difficulté :	faible

Énergie : 316 cal	Protéines :	18 g
Lipides : 20 g	Cholestérol :	247 mg
Glucides : 17 g	Fibres :	1,3 g

30 ml (2 c. à soupe) d'huile

1 oignon, haché

1 gousse d'ail, hachée

6 œufs

400 ml (1 ⅔ tasse) de mozzarella râpée

1 paquet de 300 g (10 oz) d'épinards, cuits, égouttés et hachés

125 ml (½ tasse) de lait

75 ml (⅓ tasse) de parmesan râpé

1 ml (¼ c. à thé) d'origan

2 ml (½ c. à thé) de sel

1 ml (¼ c. à thé) de poivre

16 feuilles de pâte filo

60 ml (¼ tasse) de beurre fondu

Préchauffer le four à 190 °C (375 °F).

Faire chauffer l'huile dans un poêlon.

Y faire revenir l'oignon et l'ail 5 minutes environ, jusqu'à tendreté.

Battre les œufs dans un bol. Incorporer la préparation précédente.

Ajouter la mozzarella, les épinards, le lait et le parmesan.

Bien mélanger. Assaisonner d'origan. Saler et poivrer.

Superposer huit feuilles de pâte filo, en ayant soin de les badigeonner chacune de beurre fondu.

En foncer un plat à tarte, puis y verser la préparation précédente.

Superposer huit autres feuilles de pâte filo, en ayant soin de les badigeonner de beurre, comme précédemment.

Déposer dans le plat à tarte, sur la garniture. Badigeonner de beurre fondu. Bien sceller les pourtours.

Cuire de 30 à 40 minutes, jusqu'à ce que la pâte soit bien dorée.

Angèle Leclerc,
Beauport

En robe de pâte légère, cette tarte convient davantage au repas du soir. Mais ce n'est pas une raison pour s'en priver le midi, et encore moins à l'heure du brunch.

Tarte aux épinards, feta et pignons

Portions :	8
Préparation :	15 minutes
Cuisson :	45 minutes
Degré de difficulté :	moyen

Énergie : 240 cal	Protéines :	12 g
Lipides : 16 g	Cholestérol :	89 mg
Glucides : 15 g	Fibres :	3,7 g

250 ml (1 tasse) de yogourt nature

2 œufs, battus

5 ml (1 c. à thé) d'huile

1 oignon, haché

3 échalotes vertes, hachées

60 ml (¼ tasse) de pignons

3 sacs de 300 g (10 oz) d'épinards, cuits, égouttés et hachés

60 ml (¼ tasse) de feta émiettée

180 ml (¾ tasse) de mozzarella râpée

60 ml (¼ tasse) de persil haché

Jus de 1 citron

Zeste de 1 citron

1 pincée de muscade

Sel et poivre

12 feuilles de pâte filo

60 ml (¼ tasse) de beurre fondu

Préchauffer le four à 180 °C (350 °F).

Dans un bol, battre le yogourt avec les œufs, jusqu'à consistance homogène. Réserver.

Faire chauffer l'huile dans un poêlon. Y faire revenir l'oignon, les échalotes vertes et les pignons 5 minutes environ, jusqu'à ce que ces derniers soient dorés. Retirer du feu. Ajouter les épinards, la feta, la mozzarella, le persil, le jus, le zeste de citron et la muscade. Saler et poivrer. Incorporer la préparation précédente. Bien mélanger.

Superposer six feuilles de pâte filo, en ayant soin de les badigeonner chacune de beurre fondu. En foncer un plat en pyrex de 23 cm (9 po) de côté, puis y verser la garniture précédente.

Superposer six autres feuilles de pâte filo, en ayant soin de les badigeonner de beurre, comme précédemment. Déposer dans le plat, sur la garniture. Badigeonner de beurre fondu. Bien sceller les pourtours.

Cuire 40 minutes, jusqu'à ce que la pâte soit dorée.

Thérèse Veilleux,
Maskinongé

Inspiré de la cuisine grecque, mais adapté aux préférences culinaires d'ici, ce plat témoigne de l'enrichissement constant de notre patrimoine au gré de ses découvertes exotiques.

Tarte aux lentilles

Portions :	6
Préparation :	15 minutes
Cuisson :	30 minutes
Degré de difficulté :	faible

Énergie : 273 cal	Protéines :	7 g
Lipides : 18 g	Cholestérol :	44 mg
Glucides : 21 g	Fibres :	2,1 g

Pâte brisée pour 1 abaisse
(p. 445)

30   ml (2 c. à soupe) d'huile

1   gousse d'ail, hachée

125   ml (½ tasse)
d'oignons hachés finement

125   ml (½ tasse)
de céleri haché finement

60   ml (¼ tasse)
de poivron haché

60   ml (¼ tasse)
de champignons hachés

125   ml (½ tasse) de lentilles
en conserve, égouttées

125   ml (½ tasse)
de tomates en cubes

1   œuf

5   ml (1 c. à thé)
d'assaisonnement
à l'italienne

125   ml (½ tasse)
de mozzarella râpée

Préchauffer le four à 200 °C (400 °F).

Abaisser la pâte sur une surface farinée, puis en foncer un plat à tarte. Cuire 5 minutes. Réserver.

Faire chauffer l'huile dans une casserole. Y faire revenir l'ail, les oignons, le céleri, le poivron et les champignons 5 minutes environ, jusqu'à tendreté. Incorporer les lentilles, les tomates, l'œuf et l'assaisonnement à l'italienne. Ajouter la mozzarella râpée. Bien mélanger.

Verser dans l'abaisse réservée.

Cuire environ 20 minutes.

Berthe C. Côté,
Montmagny

*V*endre son droit d'aînesse contre un plat de lentilles, ça s'est déjà vu. Sans doute étaient-elles, comme ici, apprêtées en croûte, avec œufs, fromage, et légumes.

Tarte du midi au bœuf haché

Portions :	8
Préparation :	15 minutes
Cuisson :	50 minutes
Degré de difficulté :	faible

Énergie : 578 cal	Protéines :	32 g
Lipides : 37 g	Cholestérol :	76 mg
Glucides : 29 g	Fibres :	1,9 g

Pâte brisée pour 2 abaisses
(p. 445)

30   ml (2 c. à soupe) d'huile

1   kg (2 lb) de bœuf haché

125   ml (½ tasse)
d'oignons hachés

1   boîte de 284 ml (10 oz)
de soupe aux tomates
concentrée

1   boîte de 284 ml (10 oz)
de champignons, égouttés

15   ml (1 c. à soupe)
de persil haché

10   ml (2 c. à thé) de sauce
anglaise (Worcestershire)

1   ml (¼ c. à thé) de sel à l'ail

5   ml (1 c. à thé) de sel

1   pincée de poivre

Préchauffer le four à 230 °C (450 °F).

Abaisser la pâte sur une surface farinée. Foncer un plat à tarte ou un moule à pain de 23 cm x 13 cm (9 po x 5 po) de l'une des abaisses. Réserver l'autre.

Faire chauffer 15 ml (1 c. à soupe) d'huile dans un poêlon. Y faire revenir le bœuf de 8 à 10 minutes environ, tout en le défaisant à la fourchette, jusqu'à ce qu'il ait perdu sa teinte rosée. Jeter l'excédent de gras. Réserver.

Faire chauffer le reste de l'huile dans un autre poêlon. Y faire revenir les oignons jusqu'à tendreté. Incorporer à la préparation précédente.

Ajouter la soupe aux tomates, les champignons, le persil et la sauce anglaise. Assaisonner de sel à l'ail. Saler et poivrer.

Verser la préparation dans le plat, puis couvrir de la seconde abaisse. Bien sceller les pourtours. Cuire 10 minutes. Réduire la chaleur du four à 180 °C (350 °F) et poursuivre la cuisson de 20 à 25 minutes, jusqu'à ce que la pâte soit dorée.

Cécile Lessard,
St-Camille

*Q*ue l'on choisisse un moule rectangulaire ou non, il faut «casser la croûte» pour découvrir la farce de bœuf à la tomate, agrémentée de champignons et d'oignons.

Plats en croûte

Tourte aux légumes et au tofu

Portions :	8
Préparation :	20 minutes
Cuisson :	1 heure
Marinage :	1 heure
Degré de difficulté :	faible

Énergie : 603 cal	Protéines :	25 g
Lipides : 40 g	Cholestérol :	200 mg
Glucides : 38 g	Fibres :	4,5 g

250 g (½ lb) de tofu, tranché

60 ml (¼ tasse) de sauce soya

Pâte brisée pour 2 abaisses (p. 445)

60 ml (¼ tasse) de beurre

1 oignon, haché

1 gousse d'ail, écrasée

1 paquet de 300 g (10 oz) d'épinards, parés et hachés

2 poivrons verts, hachés

1 poivron rouge, haché

250 ml (1 tasse) de maïs, égoutté

500 g (1 lb) de mozzarella, râpée

Sel et poivre

4 œufs, battus

1 œuf, battu avec 10 ml (2 c. à thé) d'eau

1 boîte de 796 ml (28 oz) de tomates étuvées

30 ml (2 c. à soupe) de pâte de tomate

5 ml (1 c. à thé) d'estragon haché

Déposer le tofu dans un bol et l'arroser de sauce soya. Laisser mariner 1 heure, au réfrigérateur.

Préchauffer le four à 200 °C (400 °F).

Abaisser la pâte et foncer un moule à quiche ou un plat en pyrex de 30 cm x 20 cm (12 po x 8 po) de l'une des abaisses. Réserver l'autre.

Faire chauffer 30 ml (2 c. à soupe) de beurre dans un poêlon. Y faire revenir l'oignon et l'ail 5 minutes environ. Ajouter les épinards et poursuivre la cuisson 2 minutes. Retirer du feu et bien égoutter.

Faire chauffer le reste du beurre dans un autre poêlon. Y faire revenir les poivrons 5 minutes environ. Égoutter le tofu.

Déposer dans l'abaisse, en rangs successifs, la moitié du maïs, du tofu, de la mozzarella, des épinards et des poivrons. Saler et poivrer. Ajouter les œufs battus, puis répéter l'opération précédente jusqu'à épuisement des ingrédients. Couvrir de la seconde abaisse. Bien sceller les pourtours. Piquer la pâte à la fourchette, puis la badigeonner d'œuf battu. Cuire de 45 à 50 minutes.

Passer les tomates au robot avec la pâte de tomate, jusqu'à consistance lisse. Assaisonner d'estragon. Amener à ébullition et réduire la chaleur. Laisser mijoter 5 minutes. Servir avec la tourte.

Suzanne Longchamps,
Pintendre

> **V**ivement colorée sous sa croûte dorée, cette tourte séduit à la fois l'œil et le palais. La sauce à l'estragon suggérée en est le parfait complément.

Tourte au bœuf et aux légumes

Portions :	8
Préparation :	15 minutes
Cuisson :	50 minutes
Degré de difficulté :	faible

Énergie : 416 cal	Protéines :	18 g
Lipides : 25 g	Cholestérol :	49 mg
Glucides : 29 g	Fibres :	1,7 g

750 ml (3 tasses) d'eau

500 ml (2 tasses) d'un assortiment de navets, carottes et céleri en cubes

Pâte brisée pour 2 abaisses (p. 445)

30 ml (2 c. à soupe) de beurre

500 g (1 lb) de bœuf haché maigre

60 ml (¼ tasse) d'oignons hachés

45 ml (3 c. à soupe) de farine

60 ml (¼ tasse) de ketchup

1 sachet de 60 g (2 oz) de préparation pour potage au bœuf et au vermicelle

5 ml (1 c. à thé) de sel

2 ml (½ c. à thé) de poivre

Préchauffer le four à 230 °C (450 °F).

Amener l'eau à ébullition dans une casserole. Ajouter l'assortiment de légumes et réduire la chaleur. Laisser mijoter 20 minutes environ, jusqu'à tendreté.

Pendant ce temps, abaisser la pâte sur une surface farinée, puis foncer un plat à tarte de l'une des abaisses. Réserver l'autre.

Faire chauffer le beurre dans un poêlon. Y faire revenir le bœuf et les oignons 10 minutes environ, tout en défaisant la viande à la fourchette, jusqu'à ce qu'elle ait perdu sa teinte rosée.

Égoutter les légumes en ayant soin de recueillir 375 ml (1½ tasse) de leur eau de cuisson. Ajouter les légumes et cette eau à la viande, ainsi que la farine, le ketchup et la préparation pour potage. Saler et poivrer.

Faire chauffer tout en mélangeant, jusqu'à épaississement. Verser dans le plat à tarte et couvrir de la seconde abaisse. Bien sceller les pourtours.

Cuire 30 minutes environ, jusqu'à ce que la pâte soit dorée.

Laurence Baril,
Ville-de-la-Baie

> **T**out comme un carrousel de fête foraine, il y a fort à parier que cette tourte ronde, égayée d'une macédoine de légumes frais, transportera tout son monde.

Tourte campagnarde de Mingan

Portions:	6
Préparation:	20 minutes
Cuisson:	40 minutes
Degré de difficulté:	faible

Énergie: 601 cal	Protéines:	37 g
Lipides: 36 g	Cholestérol: 170 mg	
Glucides: 35 g	Fibres:	2,2 g

750 ml (3 tasses) de pommes
de terre en cubes rissolées,
décongelées

30 ml (2 c. à soupe) d'huile

2 œufs, légèrement battus

60 ml (¼ tasse) de parmesan
râpé

30 ml (2 c. à soupe) d'huile

500 g (1 lb) de bœuf haché
maigre

1 oignon, haché

750 ml (3 tasses) de sauce
à la viande (du commerce)

1 boîte de 340 ml (12 oz)
de maïs, égoutté

6 tranches de fromage,
au choix

1 poivron vert, en rondelles

Préchauffer le four à 180 °C (350 °F).

Dans un bol, mélanger délicatement
les pommes de terre, l'huile, les œufs
et le parmesan.

Pour former la croûte, presser cette
préparation contre le fond et les
parois d'un plat à tarte de 25 cm
(10 po) de diamètre, beurré.
Réserver.

Faire chauffer l'huile dans un
poêlon.

Y faire revenir le bœuf et l'oignon de
8 à 10 minutes environ, tout en
défaisant la viande à la fourchette,
jusqu'à ce qu'elle ait perdu sa teinte
rosée.

Égoutter le bœuf haché, puis ajouter
la sauce à la viande et le maïs.

Bien mélanger.

Verser dans la croûte et couvrir de
tranches de fromage et de rondelles
de poivron.

Cuire de 25 à 30 minutes.

Rita Langlois-Bilodeau,
Baie-Comeau

*O**n peut se procurer les pommes de terre rissolées dans
la plupart des épiceries, au comptoir des produits
surgelés. Mais rien n'empêche de les réaliser soi-même.*

Tourte tricolore étagée

Portions:	8
Préparation:	20 minutes
Cuisson:	35 minutes
Degré de difficulté:	faible

Énergie: 438 cal	Protéines:	20 g
Lipides: 28 g	Cholestérol: 152 mg	
Glucides: 26 g	Fibres:	2 g

Pâte brisée pour 2 abaisses
(p. 445)

15 ml (1 c. à soupe) de beurre

1 oignon, tranché finement

1 gousse d'ail, tranchée
finement

1 sac de 300 g (10 oz)
d'épinards, parés

4 œufs

250 g (½ lb) de jambon,
en tranches

250 g (½ lb) de mozzarella,
en tranches

1 poivron rouge, en lanières

Préchauffer le four à 200 °C (400 °F).

Abaisser la pâte sur une surface
farinée. Foncer un plat à quiche de
l'une des abaisses. Réserver l'autre.

Faire fondre le beurre dans un
poêlon. Y faire revenir l'oignon et
l'ail 5 minutes environ, jusqu'à tendreté. Réserver.

Rincer les épinards et les cuire
dans une casserole avec, pour tout
liquide, leur seule eau de rinçage.
Égoutter.

Battre les œufs dans un bol. Ajouter
les oignons réservés. Bien mélanger.

Déposer dans l'abaisse, en rangs
successifs, la jambon, la mozzarella,
les épinards, le poivron et les œufs
battus.

Couvrir de la seconde abaisse. Bien
sceller les pourtours.

Cuire de 25 à 30 minutes.

Anne-Marie Boulianne,
Normandin

*O**n peut, tel qu'illustré, confectionner des tartelettes
individuelles et les congeler séparément, en prévision
de paisibles repas pris en solo.*

Plats en croûte

Plats en croûte
Tourtières

Tourtière de Cap-Chat

Portions :		8
Préparation :		15 minutes
Cuisson :		1 heure 10 minutes
Degré de difficulté :		faible

Énergie : 440 cal	Protéines :		18 g
Lipides : 26 g	Cholestérol :		46 mg
Glucides : 33 g	Fibres :		1,8 g

250 g (½ lb) de porc haché

250 g (½ lb) de bœuf haché

125 ml (½ tasse) de relish

125 ml (½ tasse) de ketchup

1 poivron vert, haché

1 oignon, haché finement

Sel et poivre

Pâte brisée pour
2 abaisses (p. 445)

125 ml (½ tasse)
de mozzarella râpée

Préchauffer le four à 190 °C (375 °F).

Dans une casserole, mélanger le porc, le bœuf, la relish, le ketchup, le poivron et l'oignon. Saler et poivrer.

Faire cuire 45 minutes, à feu doux.

Abaisser la pâte sur une surface farinée. Foncer un plat à tarte de l'une des abaisses. Réserver l'autre.

Verser la viande dans le plat à tarte et saupoudrer de mozzarella.

Couvrir de la seconde abaisse. Bien sceller la pâte et en festonner les pourtours.

Cuire de 20 à 25 minutes, jusqu'à ce que la pâte soit dorée.

Anonyme,
Cap-Chat

*P**our sortir des sentiers battus sans tricher sur les ingrédients, il suffit d'abaisser la pâte plus largement que prévu, et d'en accentuer le feston des pourtours.*

Tourtière de L'Ange-Gardien

Portions :		8
Préparation :		20 minutes
Cuisson :		10 heures
Degré de difficulté :		faible

Énergie : 536 cal	Protéines :		27 g
Lipides : 34 g	Cholestérol :		73 mg
Glucides : 30 g	Fibres :		1,9 g

250 g (½ lb) de lard, en dés

250 g (½ lb) de poitrine
de poulet, en cubes

250 g (½ lb) de veau, en cubes

250 g (½ lb) de bœuf, en cubes

5 pommes de terre, en cubes

2 oignons, en dés

1 pincée de piment
de la Jamaïque

Sel et poivre

1 boîte de 284 ml (10 oz)
de consommé de bœuf
concentré

250 g (½ lb) de pâte feuilletée

Préchauffer le four à 120 °C (225 °F).

Dans une cocotte épaisse, mélanger le lard, le poulet, le veau, le bœuf, les pommes de terre et les oignons.

Assaisonner de piment de la Jamaïque.

Saler et poivrer.

Ajouter le consommé de bœuf et couvrir d'eau à hauteur.

Abaisser la pâte sur une surface farinée, puis en couvrir la cocotte en veillant à ne pas mouiller l'abaisse.

Couvrir de papier d'aluminium et cuire de 7 à 9 heures.

Retirer le papier d'aluminium et poursuivre la cuisson 1 heure, jusqu'à ce que la pâte soit bien dorée.

Annette Tremblay,
L'Ange-Gardien

*L**a pâte légère s'effrite; la cuillère vient d'y plonger. Une volute de fumée s'élève comme un cantique... on croirait entendre un ange passer.*

Tourtière aux légumes et au millet

Portions: 8
Préparation: 30 minutes
Cuisson: 55 minutes
Degré de difficulté: faible

Énergie: 445 cal	Protéines:	11 g
Lipides: 23 g	Cholestérol:	16 mg
Glucides: 48 g	Fibres:	1,9 g

Pâte brisée pour 1 abaisse (p. 445)

750 ml (3 tasses) d'eau

250 ml (1 tasse) de millet

15 ml (1 c. à soupe) d'huile d'olive

1 oignon, haché finement

10 champignons, tranchés

1 branche de céleri, hachée

1 carotte, râpée

45 ml (3 c. à soupe) de poudre pour bouillon de bœuf

250 ml (1 tasse) de bouillon de poulet chaud

60 ml (¼ tasse) de tamari ou de sauce soya

5 ml (1 c. à thé) de thym

2 ml (½ c. à thé) de sarriette

30 ml (2 c. à soupe) de farine de blé entier

15 ml (1 c. à soupe) de poudre pour bouillon de poulet

Fines herbes, au goût

Sel et poivre

500 ml (2 tasses) de lait

Paprika, au goût

2 tranches de fromage, au goût

Préchauffer le four à 180 °C (350 °F). Abaisser la pâte, puis en foncer un plat à tarte. Réserver.

Amener l'eau à ébullition dans une casserole. Ajouter le millet. Couvrir et réduire la chaleur. Laisser mijoter 15 minutes, jusqu'à ce que le millet ait absorbé tout le liquide.

Faire chauffer l'huile dans un poêlon. Y faire revenir l'oignon, les champignons et le céleri 5 minutes. Ajouter la carotte râpée, puis incorporer au millet cuit.

Dissoudre la poudre pour bouillon de bœuf dans le bouillon de poulet. Incorporer à la préparation, ainsi que le tamari. Assaisonner de thym et de sarriette. Verser dans l'abaisse. Cuire 40 minutes.

Dans une casserole, mélanger et chauffer le reste des ingrédients jusqu'à consistance homogène. Servir la tourtière avec la sauce.

Catherine Thériault,
Windsor

Cette tourtière ne contient pas de viande, mais c'est à s'y méprendre. Par le truchement du millet et de bouillons variés, elle réussira à confondre plus d'un convive.

Poissons et fruits de mer
Poissons

Aiglefin fumé et pommes de terre

Portions: 4
Préparation: 10 minutes
Cuisson: 35 minutes
Degré de difficulté: faible

Énergie: 394 cal	Protéines:	40 g
Lipides: 13 g	Cholestérol:	134 mg
Glucides: 30 g	Fibres:	2,2 g

500 g (1 lb) d'aiglefin fumé

4 pommes de terre, en tranches

Sel et poivre

625 ml (2 ½ tasses) de lait tiède

1 oignon, haché

30 ml (2 c. à soupe) de beurre

Préchauffer le four à 180 °C (350 °F).

Diviser l'aiglefin en quatre portions, puis déposer celles-ci dans un plat allant au four.

Disposer les tranches de pommes de terre tout autour. Saler et poivrer.

Arroser de lait tiède et parsemer d'oignon haché et de noisettes de beurre.

Cuire de 30 à 35 minutes, jusqu'à ce que les pommes de terre soient tendres.

Olivette Lacasse,
Ste-Claire

Le plateau argent a beau scintiller dans le clair-obscur, il ne pourra éclipser l'éclat du joyau central auréolé de pommes de terre: l'aiglefin fumé.

Chaussons au poisson de Lotbinière

Portions :	4
Préparation :	20 minutes
Cuisson :	30 minutes
Degré de difficulté :	faible

Par chausson :

Énergie : 270 cal	Protéines :	11 g
Lipides : 15 g	Cholestérol :	20 mg
Glucides : 22 g	Fibres :	1 g

15	ml (1 c. à soupe) de beurre	
1	oignon, haché	
400	g (14 oz) de filets de morue, en cubes de 1 cm (½ po)	
60	ml (¼ tasse) de ketchup	
5	ml (1 c. à thé) de jus de citron	
2	ml (½ c. à thé) de sauce anglaise (Worcestershire)	
3	ml (¾ c. à thé) de sel	
1	pincée de poivre	
	Pâte brisée pour 2 abaisses (p. 445)	

Préchauffer le four à 190 °C (375 °F).

Faire fondre le beurre dans un poêlon. Y faire revenir l'oignon 5 minutes environ, sans laisser prendre couleur.

Transvaser dans un bol. Ajouter la morue, le ketchup, le jus de citron et la sauce anglaise. Saler et poivrer.

Sur une surface farinée, abaisser la pâte en un carré de 45 cm (18 po) de côté. Y tailler neuf carrés de 15 cm (6 po) de côté.

Répartir la préparation de poisson au centre des carrés de pâte et en humecter les rebords avec un peu d'eau.

Superposer deux pointes opposées de chacun des carrés, de façon à former un triangle. Bien sceller. Pratiquer une entaille sur chaque chausson.

Déposer sur une plaque à pâtisserie beurrée et cuire 25 minutes.

Servir deux chaussons par portion. Si désiré, accompagner d'une béchamel agrémentée de petits pois.

Cécile Boucher,
St-Agapit

Si nos calculs sont exacts, il restera forcément un chausson. Qui s'octroiera la part du lion ? Quand règne la loi des gourmets, la concurrence est féroce !

Cipaille à la morue et grands-pères

Portions :	6
Préparation :	20 minutes
Cuisson :	1 heure
Degré de difficulté :	faible

Énergie : 501 cal	Protéines :	36 g
Lipides : 15 g	Cholestérol :	76 mg
Glucides : 54 g	Fibres :	3,2 g

500	ml (2 tasses) de farine	
10	ml (2 c. à thé) de poudre à pâte	
2	ml (½ c. à thé) de bicarbonate de soude	
5	ml (1 c. à thé) de sel	
75	ml (⅓ tasse) de graisse	
250	ml (1 tasse) d'eau froide	
15	ml (1 c. à soupe) de beurre	
1	oignon, haché	
	Eau, au besoin	
6	pommes de terre, en cubes	
1	kg (2 lb) de filets de morue	
	Sel et poivre	

Préchauffer le four à 180 °C (350 °F).

Mélanger la farine, la poudre à pâte, le bicarbonate de soude et le sel.

À l'aide d'un coupe-pâte ou de deux couteaux, couper la graisse dans la farine jusqu'à consistance grumeleuse.

Tout en mélangeant, verser l'eau froide en un mince filet, jusqu'à ce que la pâte soit lisse et plutôt molle. Réserver.

Faire fondre le beurre dans une casserole allant au four. Y faire revenir l'oignon 5 minutes environ, jusqu'à ce qu'il soit transparent. Ajouter un peu d'eau.

Y superposer en alternance deux rangs de pommes de terre et deux rangs de morue. Saler et poivrer.

Couvrir d'eau. Déposer la pâte sur le tout, à la cuillère.

Couvrir et cuire 1 heure.

Rolande Lapointe,
Mont-Louis

Surtout, ne vous méprenez pas sur le genre : « cipaille » est masculin. Il ne serait pas, sinon, recouvert de grands-pères.

Filets de plie aux épinards

Portions :	4
Préparation :	10 minutes
Cuisson :	12 minutes
Degré de difficulté :	faible

Énergie : 276 cal	Protéines :	28 g
Lipides : 16 g	Cholestérol : 108 mg	
Glucides : 5 g	Fibres :	1,7 g

CUISSON MICRO-ONDES

1   paquet de 300 g (10 oz) d'épinards, parés

125   g (¼ lb) de fromage à la crème aux fines herbes

500   g (1 lb) de filets de plie

     Sel et poivre

15   ml (1 c. à soupe) de beurre

15   ml (1 c. à soupe) de farine

150   ml (⅔ tasse) de bouillon de poulet

Rincer les épinards et les déposer, sans les égoutter, dans un plat conçu pour micro-ondes.

Couvrir et cuire 4 minutes, à puissance maximale. Égoutter.

Étendre la moitié du fromage sur les filets de plie. Saler et poivrer. Rouler les filets et les maintenir à l'aide de cure-dents. Déposer sur les épinards.

Couvrir et cuire 6 minutes, à puissance maximale. Laisser reposer.

Pendant ce temps, déposer le beurre dans une petite casserole conçue pour micro-ondes, puis le faire fondre quelques secondes.

Incorporer la farine et ajouter le bouillon, en remuant constamment.

Cuire 1 minute, à puissance maximale. Bien mélanger. Ajouter le reste du fromage et poursuivre la cuisson 1 minute. Mélanger jusqu'à consistance lisse.

Servir les filets de plie sur la sauce.

Doris Allen,
Lévis

Filets de sole farcis au saumon

Portions :	4
Préparation :	20 minutes
Cuisson :	25 minutes
Degré de difficulté :	faible

Énergie : 428 cal	Protéines :	55 g
Lipides : 17 g	Cholestérol : 171 mg	
Glucides : 8 g	Fibres :	0,8 g

10   ml (2 c. à thé) de beurre

5   ml (1 c. à thé) d'huile

½   oignon, haché

½   branche de céleri, hachée finement

1   boîte de 113 g (4 oz) de saumon, égoutté

4   craquelins, émiettés finement (type biscuits soda)

     Le jus de ½ citron

7   ml (½ c. à soupe) de persil frais haché

6   filets de sole

     Sel et poivre

75   ml (⅓ tasse), environ, de vin blanc sec

60   ml (¼ tasse) de gruyère râpé

30   ml (2 c. à soupe) de beurre

½   oignon, haché finement

¼   poivron rouge, en lanières

30   ml (2 c. à soupe) de farine

125   ml (½ tasse) de fumet de poisson

75   ml (⅓ tasse) de vin blanc sec

     Sel et poivre

Préchauffer le four à 230 °C (450 °F).

Faire chauffer le beurre et l'huile dans un poêlon.

Y faire revenir l'oignon et le céleri 5 minutes environ, sans laisser prendre couleur.

Retirer du feu et laisser tiédir un peu.

Ajouter le saumon, les craquelins, le jus de citron et le persil. Bien mélanger.

Étendre sur les filets de sole la préparation précédente.

Rouler et maintenir à l'aide de cure-dents.

Déposer les roulades de sole dans un plat de service beurré, allant au four, en ménageant un espace au centre.

Saler et poivrer. Arroser de vin blanc sec. Saupoudrer les filets de gruyère râpé.

Couvrir et cuire de 12 à 15 minutes. Pendant ce temps, préparer la sauce.

Faire chauffer le beurre dans une casserole.

Y faire revenir l'oignon et le poivron 5 minutes environ, jusqu'à tendreté. Saupoudrer de farine et mélanger 30 secondes.

Tout en mélangeant, ajouter graduellement le fumet de poisson, puis le vin blanc. Saler et poivrer.

Poursuivre la cuisson en remuant constamment, jusqu'à épaississement.

Une fois le poisson cuit, verser la sauce au centre du plat de cuisson. Servir aussitôt.

Reine Gauvin,
Lévis

Flan au thon et au riz

Portions :	6
Préparation :	10 minutes
Cuisson :	12 minutes
Repos :	5 minutes
Degré de difficulté :	faible

Énergie : 280 cal	Protéines :		20 g
Lipides :	13 g	Cholestérol :	127 mg
Glucides :	20 g	Fibres :	1,7 g

CUISSON MICRO-ONDES

1   boîte de 284 ml (10 oz) de crème de champignons concentrée

3   œufs

1   paquet de 300 g (10 oz) de brocoli haché, décongelé

250 ml (1 tasse) de riz à cuisson rapide

1   boîte de 198 g (7 oz) de thon conservé dans l'eau (non égoutté)

125 ml (½ tasse) de cheddar râpé

45   ml (3 c. à soupe) de parmesan râpé

1   ml (¼ c. à thé) de poivre

Dans un bol, mélanger la crème de champignons et les œufs jusqu'à consistance lisse. Ajouter le brocoli, le riz, le thon et son jus, le cheddar, 15 ml (1 c. à soupe) de parmesan et le poivre. Bien mélanger.

Verser dans un plat à quiche de 25 cm (10 po) de diamètre, conçu pour micro-ondes.

Couvrir de papier ciré et cuire 5 minutes à puissance moyenne-élevée. Bien mélanger. Saupoudrer du reste du parmesan.

Couvrir et poursuivre la cuisson de 6 à 8 minutes, jusqu'à ce qu'un cure-dent glissé dans le flan en ressorte sec.

Laisser reposer 5 minutes.

Anonyme,
St-Benoît-Labre

*P*our cuire à la perfection ce flan au thon, tourner le plat d'un quart de tour à mi-cuisson, à défaut d'une plaque tournante.

Fricadelles de brochet

Portions :	4
Préparation :	15 minutes
Cuisson :	30 minutes
Degré de difficulté :	faible

Énergie : 468 cal	Protéines :		39 g
Lipides :	19 g	Cholestérol :	200 mg
Glucides :	36 g	Fibres :	3,2 g

6   pommes de terre, pelées

2   filets de brochet, soit 750 g (1 ½ lb) de chair

75   ml (⅓ tasse) de margarine

60   ml (¼ tasse) de lait

½   oignon, haché fin

1   branche de céleri, hachée

     Persil, au goût

     Sel et poivre

1   œuf, battu avec un peu de lait

125 ml (½ tasse) de chapelure

Faire cuire les pommes de terre 20 minutes environ, dans une casserole d'eau bouillante salée, jusqu'à tendreté.

Déposer les filets de brochet dans une casserole et couvrir d'eau. Amener à ébullition.

Réduire la chaleur et cuire 10 minutes environ, dans l'eau frémissante.

Bien égoutter. Laisser tiédir un peu et émietter le brochet après en avoir retiré soigneusement les arêtes.

Égoutter les pommes de terre et les réduire en purée avec 30 ml (2 c. à soupe) de margarine et le lait. Ajouter le brochet et bien mélanger.

Faire chauffer 15 ml (1 c. à soupe) de margarine dans un poêlon. Y faire revenir l'oignon et le céleri 5 minutes environ, sans laisser prendre couleur. Incorporer à la préparation précédente, ainsi que le persil. Saler et poivrer.

Avec les mains, façonner la préparation en huit galettes. Tremper dans l'œuf battu, puis enrober de chapelure.

Faire chauffer le reste de la margarine dans un poêlon, puis y faire revenir les fricadelles 3 minutes environ, de chaque côté.

Servir deux fricadelles par portion.

Monique Brassard,
Ste-Catherine-de-la-Jacques-Cartier

*S*i le brochet qu'il vous a décrit correspond invraisemblablement à la réalité, ne surtout pas paniquer! Les fricadelles se congèlent.

Gibelotte des Îles-de-Sorel

Portions :	12
Préparation :	30 minutes
Cuisson :	1 heure 45 minutes
Degré de difficulté :	moyen

Énergie : 631 cal	Protéines :	50 g
Lipides : 35 g	Cholestérol :	150 mg
Glucides : 29 g	Fibres :	4,3 g

1   kg (2 lb) de lard entrelardé
    (prélevé dans le bas-de-côtes)

2   oignons, en dés

3   branches de céleri, en dés

500 g (1 lb) de carottes, tranchées

1   boîte de 540 ml (19 oz)
    de jus de tomate

1   boîte de 284 ml (10 oz) de
    soupe aux tomates concentrée

    Eau, au besoin

6   pommes de terre,
    taillées en bâtonnets

48 barbottes, en filets

1   boîte de 340 ml (12 oz)
    de maïs, égoutté

1   boîte de 340 ml (12 oz)
    de petits pois, égouttés

1   boîte de 340 ml (12 oz)
    de fèves jaunes, égouttées

Préchauffer le four à 220 °C (425 °F).

Enfiler le lard sur des brochettes,
puis déposer sur la grille d'une
lèchefrite.

Faire griller 20 minutes environ, en
retournant les brochettes de temps à
autre, jusqu'à ce que le lard soit doré
de toutes parts. Réserver au chaud.

Verser le gras de cuisson des grillades
dans une grande casserole.

Y faire revenir les oignons, le céleri
et les carottes 10 minutes environ,
jusqu'à ce que les oignons soient
légèrement dorés.

Ajouter le jus de tomate, la soupe et
un peu d'eau. Amener à ébullition.

Réduire la chaleur et laisser mijoter
1 heure. (Ajouter un peu d'eau, au
besoin, si la sauce semble trop
épaisse.)

Ajouter les pommes de terre et poursuivre la cuisson 10 minutes.

Déposer les filets de barbotte sur un
grand morceau d'étamine.

Refermer comme une poche et
nouer à l'aide d'un bout de ficelle.

Ajouter à la gibelotte le maïs, les
petits pois et les fèves. Y plonger la
poche d'étamine et poursuivre la
cuisson 5 minutes.

Retirer la poche du bouillon. Couper
les filets de poisson en bouchées,
puis les déposer dans la casserole.

Couper les grillades de lard en cubes
de 2,5 cm (1 po).

Servir la gibelotte et les grillades de
lard séparément.

Cécile Boisclair,
Drummondville

*I ssue du vieux français «gibelet» signifiant plat
d'oiseaux, «gibelotte» désigne une fricassée de lapin que
les Sorelois apprêtent avec de la barbotte.*

Galettes de saumon à la semoule de maïs

Portions :	6
Préparation :	15 minutes
Cuisson :	20 minutes
Refroidissement :	2 heures
Degré de difficulté :	faible

Énergie : 416 cal	Protéines :	18 g
Lipides : 29 g	Cholestérol :	65 mg
Glucides : 21 g	Fibres :	1,4 g

375 ml (1 ½ tasse) d'eau

15 ml (1 c. à soupe) de sel

125 ml (½ tasse) de semoule
    de maïs

2   boîtes de 198 g (7 oz)
    de saumon

30 ml (2 c. à soupe)
    d'oignon râpé

1   œuf

5   ml (1 c. à thé) de poivre

30 ml (2 c. à soupe) de piment
    rouge frais broyé ou
    quelques gouttes de sauce au
    piment fort (type Tabasco)

125 ml (½ tasse) de farine
    de maïs, pour enrober

    Huile, au besoin

Amener l'eau à ébullition dans une
casserole, avec le sel.

Ajouter la semoule de maïs et réduire
la chaleur.

Cuire en remuant constamment,
jusqu'à épaississement.

Couvrir et laisser mijoter 10 minutes, à feu très doux. Retirer du feu
et laisser refroidir.

Égoutter le saumon, en retirer la
peau et les arêtes, puis l'émietter.
Incorporer à la préparation précédente.

Ajouter l'oignon râpé, l'œuf, le
poivre et le piment rouge.

Bien mélanger. Réfrigérer 2 heures.

Façonner la préparation en une
douzaine de galettes, puis les
enrober de farine de maïs.

Verser environ 1 cm (½ po) d'huile
dans un poêlon, puis y frire les
galettes de 3 à 4 minutes environ, de
chaque côté.

Pour servir, couper les galettes en
triangles, si désiré.

Suzanne Béliveau,
St-Célestin

*À l'issue d'un périple au long cours, remonter rivières et
torrents à contre-courant, ça en valait la peine... pour
dorer le saumon en friture, enrobé de semoule.*

3

Gratin gaspésien

Portions :	6
Préparation :	20 minutes
Cuisson :	55 minutes
Degré de difficulté :	faible

Énergie : 344 cal	Protéines :		25 g
Lipides : 19 g	Cholestérol :		80 mg
Glucides : 19 g	Fibres :		1,7 g

500 ml (2 tasses) d'eau

2 ml (½ c. à thé) de sel

1 pincée de poivre

3 pommes de terre, en tranches de 0,6 cm (¼ po) d'épaisseur

3 filets de morue, en morceaux

1 oignon, tranché finement

30 ml (2 c. à soupe) de beurre

10 champignons, hachés

30 ml (2 c. à soupe) de farine

375 ml (1 ½ tasse) de lait

5 ml (1 c. à thé) de sel

1 pincée de poivre

Persil haché, au goût

250 g (½ lb) de fromage Brick (doux), râpé

Préchauffer le four à 190 °C (375 °F).

Amener l'eau à ébullition dans une casserole. Saler et poivrer. Y cuire les pommes de terre 6 minutes environ, puis les égoutter en ayant soin de récupérer leur eau de cuisson. Réserver.

Amener l'eau de cuisson à ébullition. Y plonger les morceaux de morue et réduire la chaleur. Cuire de 3 à 4 minutes dans l'eau frémissante. Égoutter.

Étendre les tranches de pommes de terre dans un plat beurré d'environ 28 cm x 18 cm (11 po x 7 po), allant au four. Couvrir uniformément de morceaux de morue, puis de tranches d'oignon. Réserver.

Faire fondre le beurre dans une casserole. Y faire revenir les champignons 5 minutes environ, jusqu'à tendreté. Saupoudrer de farine et mélanger 30 secondes. Tout en brassant, ajouter le lait et poursuivre la cuisson en remuant constamment, jusqu'à épaississement. Saler et poivrer. Assaisonner de persil.

Verser la sauce sur le poisson et saupoudrer de fromage.

Cuire de 30 à 40 minutes, jusqu'à ce que le fromage soit doré.

Raymonde Gagné,
Gaspé

*Q*uand la mer est tout proche, il y a fort à parier que des vagues d'argent au gratin doré, il ne se soit pas écoulé plus d'une heure.

Matelote seigneuriale

Portions :	4
Préparation :	25 minutes
Cuisson :	50 minutes
Degré de difficulté :	faible

Énergie : 322 cal	Protéines :		28 g
Lipides : 19 g	Cholestérol :		174 mg
Glucides : 9 g	Fibres :		0,1 g

1 anguille de 500 g (1 lb), parée et coupée en tronçons de 10 cm (4 po)

750 ml (3 tasses) d'eau

30 ml (2 c. à soupe) de vinaigre

500 ml (2 tasses) de lait

Fines herbes, au goût

125 ml (½ tasse) de chapelure

Tranches de citron, au besoin

Tranches d'oignon, au besoin

Sel et poivre

Persil, au goût

Préchauffer le four à 180 °C (350 °F).

Déposer les tronçons d'anguille dans une casserole.

Y verser l'eau et le vinaigre, puis amener à ébullition.

Réduire la chaleur et cuire 5 minutes dans l'eau frémissante.

Retirer les tronçons d'anguille de la casserole et jeter l'eau. Remettre les tronçons dans la casserole.

Ajouter le lait et amener à ébullition. Réduire la chaleur et laisser mijoter 5 minutes. Égoutter.

Mélanger les fines herbes et la chapelure, puis y rouler les tronçons d'anguille.

Déposer sur la grille d'une lèchefrite et garnir chaque portion d'une tranche de citron et d'une tranche d'oignon.

Saler et poivrer. Saupoudrer de persil.

Cuire de 30 à 40 minutes, jusqu'à ce que la chapelure soit dorée.

Marielle Pelletier,
St-Roch-des-Aulnaies

L'anguille, poisson issu de la mer des « sarcasmes », ironisent certains, offre une chair savoureuse, nourrissante et très riche en azote... pas du tout venimeuse!

Pain de saumon abitibien

Portions : 6
Préparation : 20 minutes
Cuisson : 1 heure
Degré de difficulté : faible

Énergie : 379 cal Protéines : 27 g
Lipides : 24 g Cholestérol : 179 mg
Glucides : 14 g Fibres : 0,8 g

PAIN DE SAUMON

2 jaunes d'œufs, battus

250 ml (1 tasse), environ,
de craquelins émiettés
(type biscuits soda)

30 ml (2 c. à soupe)
d'oignon râpé

125 ml (½ tasse) de lait

125 ml (½ tasse) de crème 15 %

15 ml (1 c. à soupe) de jus
de citron

30 ml (2 c. à soupe)
de beurre fondu

500 g (1 lb) de saumon cru,
paré et émietté

30 ml (2 c. à soupe)
de persil haché

Sel et poivre

2 blancs d'œufs,
montés en neige

SAUCE TOMATE

30 ml (2 c. à soupe) de beurre

1 oignon, haché

30 ml (2 c. à soupe) de farine

250 ml (1 tasse) de jus de tomate

Sel et poivre

Persil haché, au goût

Préchauffer le four à 180 °C (350 °F).

PAIN DE SAUMON

Dans un bol, mélanger tous les ingrédients du pain de saumon. Verser la préparation dans un moule à pain de 23 cm x 13 cm (9 po x 5 po), beurré. Cuire 1 heure.

SAUCE TOMATE

Faire fondre le beurre dans un poêlon. Y faire revenir l'oignon 5 minutes environ. Saupoudrer de farine et mélanger 30 secondes. Tout en brassant, ajouter le jus de tomate. Saler et poivrer. Poursuivre la cuisson en remuant constamment, jusqu'à épaississement. Saupoudrer de persil haché.

Servir la pain de viande nappé de sauce.

Jeannine Barrette,
Amos

Morue en sauce Béchamel

Portions : 6
Préparation : 20 minutes
Cuisson : 30 minutes
Degré de difficulté : faible

Énergie : 415 cal Protéines : 37 g
Lipides : 14 g Cholestérol : 163 mg
Glucides : 36 g Fibres : 3 g

1 kg (2 lb) de filets de morue

Eau, au besoin

30 ml (2 c. à soupe) de vinaigre

8 pommes de terre (non pelées),
cuites

60 ml (¼ tasse) de beurre

2 oignons, hachés finement

30 ml (2 c. à soupe) de farine

500 ml (2 tasses) de lait

Sel et poivre

2 jaunes d'œufs

Déposer les filets de morue dans une casserole. Couvrir d'eau froide et arroser de vinaigre. Amener à ébullition.

Réduire la chaleur au minimum et faire pocher 15 minutes dans le liquide frémissant.

Égoutter la morue. Peler les pommes de terre et les couper en tranches.

Couper les filets de morue en morceaux, puis les déposer au centre d'un plat de service.

Disposer les pommes de terre tout autour. Réserver au chaud.

Faire fondre le beurre dans une casserole.

Y faire revenir les oignons 5 minutes environ, sans laisser prendre couleur.

Saupoudrer de farine et mélanger 30 secondes.

Tout en brassant, incorporer le lait graduellement.

Poursuivre la cuisson en remuant constamment, jusqu'à épaississement. Saler et poivrer. Retirer du feu.

Tout en fouettant, verser un peu de sauce Béchamel sur les jaunes d'œufs.

Transvaser dans la casserole et mélanger jusqu'à consistance lisse et homogène.

Verser la sauce sur la morue.

Noëlla Gauthier,
Barraute

3

*Q**uand le saumon rosé, la crème veloutée et le citron frais s'amalgament, on ne rechigne pas à mériter son pain.*

*Q**uand on sert la morue en béchamel, faut-il s'étonner que son succès coule à flots?*

Poissons et fruits de mer

Pain de saumon au fromage

Portions :	4
Préparation :	15 minutes
Cuisson :	35 minutes
Repos :	5 minutes
Degré de difficulté :	faible

Énergie : 668 cal	Protéines :	35 g
Lipides : 16 g	Cholestérol : 171 mg	
Glucides : 19 g	Fibres :	2,8 g

2	œufs
250	ml (1 tasse) de flocons d'avoine
2	boîtes de 213 g (7,5 oz) de saumon, égoutté et paré
250	ml (1 tasse) de mozzarella râpée (17 % m.g.)
60	ml (¼ tasse) d'oignons hachés
1	branche de céleri, râpée
1	carotte, râpée
30	ml (2 c. à soupe) de jus de citron

Préchauffer le four à 180 °C (350 °F).

Battre les œufs dans un grand bol.

Ajouter les flocons d'avoine, le saumon, la mozzarella, les oignons, le céleri, la carotte et le jus de citron.

Mélanger jusqu'à consistance homogène.

Verser la préparation dans un moule à pain à revêtement antiadhésif ou légèrement beurré.

Cuire environ 35 minutes.

Retirer du four et laisser reposer 5 minutes.

Trancher et servir.

Huguette Verret,
St-Émile

*V*endre son âme pour une bouchée de pain? Peut-être que oui... s'il combine, comme celui-ci, la chair délicate du saumon rose et tout le velouté du fromage fondant.

Perchaude et riz aux petits légumes

Portions :	4
Préparation :	20 minutes
Cuisson :	30 minutes
Degré de difficulté :	faible

Énergie : 668 cal	Protéines :	30 g
Lipides : 37 g	Cholestérol : 146 mg	
Glucides : 53 g	Fibres :	1,8 g

500	ml (2 tasses) d'eau
45	ml (3 c. à soupe) de beurre
	Sel et poivre
250	ml (1 tasse) de riz
1	branche de céleri, hachée
½	poivron vert, haché
1	oignon, haché
125	ml (½ tasse) de champignons tranchés
500	g (1 lb) de filets de perchaude
125	ml (½ tasse) de farine
	Sel et poivre
125	g (¼ lb) de beurre

Amener l'eau à ébullition dans une casserole.

Ajouter 15 ml (1 c. à soupe) de beurre. Saler et poivrer. Ajouter le riz et réduire la chaleur. Couvrir et laisser mijoter 20 minutes environ, jusqu'à ce que le riz ait absorbé tout le liquide.

Pendant ce temps, faire chauffer le reste du beurre dans un poêlon.

Y faire revenir le céleri, le poivron, l'oignon et les champignons de 8 à 10 minutes environ, sans laisser prendre couleur.

Ajouter au riz et bien mélanger. Réserver au chaud.

Laver les filets de perchaude et les passer dans la farine pour bien les enrober. Saler et poivrer.

Faire chauffer le beurre dans un poêlon et y faire frire les filets de perchaude à feu moyen-vif, de 3 à 4 minutes de chaque côté, jusqu'à ce qu'ils soient bien dorés.

Servir les filets de perchaude avec le riz aux légumes.

Réjeanne Leblanc,
Valleyfield

C'est encore au naturel, sans artifices ni leurres, que la perchaude capturée à l'aube s'offre sous son meilleur jour.

Qu'il fasse ou non un temps de cochon, il ne saurait être question, pour les gens de Chicoutimi, de modérer quelque peu leurs ardeurs folkloriques et carnavalesques.

Poisson de Tourville

Portions: 4
Préparation: 10 minutes
Cuisson: variable
Degré de difficulté: faible

Énergie: 256 cal	Protéines:	23 g
Lipides: 15 g	Cholestérol:	46 mg
Glucides: 7 g	Fibres:	1 g

250 ml (1 tasse)
  de tomates en conserve
  égouttées et hachées

500 g (1 lb) de filets
  de poisson frais

30 ml (2 c. à soupe) de farine

60 ml (¼ tasse) d'huile

5 ml (1 c. à thé) de sucre

4 échalotes, hachées

5 ml (1 c. à thé) de persil

2 ml (½ c. à thé) de basilic
  ou de thym

2 ml (½ c. à thé) de paprika

Sel et poivre

Préchauffer le four à 250 °C (500 °F).

Étendre les tomates dans un plat beurré, allant au four.

Y déposer le poisson, puis saupoudrer de farine.

Dans un bol, mélanger l'huile, le sucre et les échalotes.

Assaisonner de persil, de basilic et de paprika.

Saler et poivrer.

Verser le mélange sur le poisson.

Cuire le poisson 10 minutes par 2,5 cm (1 po) d'épaisseur.

Germaine C. Mercier,
Tourville

O *ptez pour du poisson congelé, quitte à prolonger la cuisson de 20 minutes, si le poissonnier est parti à la pêche.*

Poisson en robe de feuilletage

Portions: 4
Préparation: 10 minutes
Cuisson: 30 minutes
Degré de difficulté: faible

Énergie: 372 cal	Protéines:	28 g
Lipides: 18 g	Cholestérol:	112 mg
Glucides: 23 g	Fibres:	0,1 g

235 g (8 oz) de pâte
  pour croissants prête à cuire

400 g (14 oz) de filets de turbot
  frais

Sel et poivre

125 g (¼ lb) de simili-crabe

15 ml (1 c. à soupe)
  de beurre à l'ail

1 blanc d'œuf

Préchauffer le four à 190 °C (375 °F).

Diviser la pâte en deux portions égales.

Sur une surface farinée, abaisser chaque portion en un rectangle de 28 cm x 20 cm (11 po x 8 po).

Déposer la moitié du poisson sur l'une des abaisses.

Saler et poivrer.

Couvrir de simili-crabe. Parsemer de noisettes de beurre à l'ail.

Déposer sur le tout le reste du poisson, puis couvrir de la seconde abaisse. Bien sceller la pâte. À l'aide d'un pinceau, la badigeonner de blanc d'œuf.

Cuire de 25 à 30 minutes, jusqu'à ce que la pâte soit bien dorée.

Si désiré, servir avec une sauce hollandaise.

Doris Allen,
St-David

C *'est résolument dans un croissant, doux rappel de la mer sous un quartier de lune, que le turbot s'exhibe sous son meilleur jour.*

Poisson aux légumes

Portions :	4
Préparation :	20 minutes
Cuisson :	35 minutes
Degré de difficulté :	faible

Énergie : 273 cal	Protéines :	26 g
Lipides :	9 g	Cholestérol : 36 mg
Glucides :	25 g	Fibres :	8 g

400 g (14 oz)
      de filets de poisson surgelés

1   brocoli

30   ml (2 c. à soupe) d'huile

5   branches de céleri,
     en tranches

1   chou-fleur, défait en fleurons

1   carotte, en rondelles

1   poivron vert, en morceaux

1   oignon, pelé

875 ml (3 ½ tasses)
     de bouillon de poulet

     Persil, au goût

     Sel et poivre

30   ml (2 c. à soupe) de fécule de
     maïs, délayée dans une égale
     quantité d'eau

Décongeler le poisson à demi.

Pendant ce temps, détacher la tige du brocoli, puis la trancher. Défaire la tête en fleurons. Réserver.

Faire chauffer l'huile dans un grand poêlon ou dans un wok. Y faire sauter les tranches de brocoli, le céleri, le chou-fleur, la carotte et le poivron vert 2 minutes environ, à feu vif.

Piquer l'oignon à la fourchette pour qu'il conserve sa forme à la cuisson. Verser le bouillon de poulet sur les légumes. Ajouter l'oignon et assaisonner de persil. Saler et poivrer. Amener à ébullition. Réduire la chaleur et laisser mijoter 20 minutes. Ajouter les fleurons de brocoli et poursuivre la cuisson 8 minutes.

Ajouter la fécule de maïs et bien mélanger. Couper le poisson en cubes de 2,5 cm (1 po), puis les déposer dans le bouillon. Poursuivre la cuisson de 5 à 8 minutes, en mélangeant de temps en temps, jusqu'à ce que le poisson s'effeuille facilement à la fourchette, sans plus.

Servir le poisson avec les légumes et le bouillon.

Suzon G. Pedneault,
Jonquière

Y a-t-il de plus grand idéal, pour un poisson, que d'effectuer son dernier plongeon dans le riche bouillon d'une jardinière aromatique et subtilement parfumée?

Saumon de Natashquan

Portions :	16
Préparation :	15 minutes
Marinage :	48 heures
Cuisson :	30 minutes
Degré de difficulté :	moyen

Énergie : 388 cal	Protéines :	41 g
Lipides :	17 g	Cholestérol : 125 mg
Glucides :	14 g	Fibres :	0 g

1   saumon de 4 à 5 kg
     (8 à 10 lb) pesé
     une fois décapité,
     déviscéré et bien nettoyé

     Sel et poivre

375 ml (1 ½ tasse), environ, de
     cassonade

     Le jus de 3 citrons

75   ml (⅓ tasse) de beurre fondu

125 ml (½ tasse) de cognac ou de
     vin blanc, au goût

Laver le saumon, bien l'assécher, puis l'ouvrir à plat.

Saler et poivrer.

Le saupoudrer de cassonade et l'arroser de jus de citron.

Laisser mariner de 24 à 48 heures, au réfrigérateur.

Placer le saumon ouvert entre deux grilles suffisamment grandes pour pouvoir le contenir, puis attacher solidement ces dernières pour l'y emprisonner fermement.

Déposer le saumon sur la grille du barbecue, côté peau dessous.

Cuire 30 minutes environ, en le retournant souvent et en badigeonnant sa chair de beurre fondu.

De temps à autre, l'arroser d'un peu de cognac ou de vin blanc.

Noëlla Dionne,
Baie-Comeau

Quoi de mieux, le long des grèves de Natashquan, que de griller le saumon au-dessus des braises ardentes, en l'arrosant de beurre fondu et de cognac?

Roulades de sole au poivre rose

Portions :	4
Préparation :	15 minutes
Cuisson :	20 minutes
Degré de difficulté :	faible

Énergie :	464 cal	Protéines :	41 g
Lipides :	31 g	Cholestérol :	218 mg
Glucides :	5 g	Fibres :	0,1 g

4   filets de sole

2   ml (½ c. à thé) de sel à l'ail

2   ml (½ c. à thé) de cari

     Poivre du moulin

12   crevettes grises, décortiquées

125   ml (½ tasse) de jus de citron
      ou de vin blanc sec

250   ml (1 tasse) de crème 35 %

     Grains de poivre rose,
     au goût

250   ml (1 tasse)
      de fromage râpé, au choix

Préchauffer le four à 200 °C (400 °F).

Saupoudrer les filets de sel à l'ail, de cari et de poivre.

Y disposer les crevettes transversalement, de façon à les laisser dépasser.

Rouler les filets, puis les déposer dans un plat beurré allant au four.

Arroser les filets de jus de citron ou de vin blanc, puis de crème.

Parsemer de grains de poivre rose, au goût, et saupoudrer de fromage râpé.

Cuire environ 20 minutes, jusqu'à ce que le poisson s'effeuille facilement à la fourchette.

Hermance Chapdelaine,
Pierrefonds

Roulé de saumon aux petits cornichons

Portions :	6
Préparation :	20 minutes
Cuisson :	30 minutes
Refroidissement :	1 heure
Degré de difficulté :	faible

Énergie :	418 cal	Protéines :	20 g
Lipides :	21 g	Cholestérol :	45 mg
Glucides :	36 g	Fibres :	1,2 g

500   ml (2 tasses) de farine

15   ml (1 c. à soupe)
      de poudre à pâte

3   ml (¾ c. à thé) de sel

60   ml (¼ tasse) de mayonnaise

180   ml (¾ tasse) de lait

1   boîte de 400 g (14 oz) de
      saumon, égoutté et paré

125   ml (½ tasse)
      de cornichons hachés

30   ml (2 c. à soupe)
      d'oignons hachés

60   ml (¼ tasse) de mayonnaise

Dans un bol, mélanger la farine, la poudre à pâte et le sel.

Dans un autre bol, mélanger la mayonnaise et le lait jusqu'à consistance lisse. Incorporer graduellement à la préparation précédente, tout en mélangeant à la fourchette jusqu'à formation d'une boule non collante. Envelopper dans une pellicule de plastique et réfrigérer 1 heure.

Dans un bol, défaire le saumon à la fourchette. Ajouter les cornichons, les oignons et la mayonnaise. Bien mélanger.

Préchauffer le four à 230 °C (450 °F).

Sur une surface farinée, abaisser la pâte en un rectangle de 30 cm x 15 cm (12 po x 6 po). Y étendre uniformément la farce, jusqu'à 1 cm (½ po) des bords. Rouler en un cylindre. Bien sceller. Piquer la pâte à la fourchette, çà et là, pour éviter qu'elle ne se fendille pendant la cuisson.

Déposer sur une plaque à pâtisserie et cuire 10 minutes. Réduire la chaleur du four à 200 °C (400 °F) et poursuivre la cuisson 20 minutes.

Louisa Lessard,
Lac-Etchemin

N ées d'une heureuse complicité entre la sole et la crevette, ces roulades au poivre rose, servies sur crème citronnée, ne sauraient être décrites en prose.

P endant que la pâte gonfle, on peut tirer de son grimoire la recette d'une sauce au fromage abracadabrante qui saura parfaire la métamorphose.

Filets de porc gourmandière

Portions :	6
Préparation :	30 minutes
Cuisson :	1 heure 45 minutes
Marinage :	24 heures
Degré de difficulté :	moyen

Énergie : 352 cal	Protéines :	37 g
Lipides : 12 g	Cholestérol : 101 mg	
Glucides : 10 g	Fibres :	2 g

45	ml (3 c. à soupe) de beurre
1	oignon, haché finement
1	gousse d'ail, écrasée
1	pincée de thym
1	pincée de laurier
6	tomates, blanchies, pelées et tranchées
125	ml (½ tasse) d'eau
30	ml (2 c. à soupe) de farine
1	kg (2 lb) de filets de porc, soit environ 3 filets de 350 g (¾ lb), non dégraissés
1	ml (¼ c. à thé) de thym
1	ml (¼ c. à thé) de laurier moulu
5	ml (1 c. à thé) de poivre concassé
125	ml (½ tasse) de cognac
60	ml (¼ tasse) de vin blanc sec
30	ml (2 c. à soupe) d'eau

Faire fondre 15 ml (1 c. à soupe) de beurre dans une casserole. Y faire revenir l'oignon, l'ail, le thym et le laurier 3 ou 4 minutes, sans laisser prendre couleur. Ajouter les tomates et l'eau. Amener à ébullition. Réduire la chaleur et laisser mijoter 30 minutes. Passer au tamis.

Faire fondre le reste du beurre dans une casserole. Ajouter la farine et mélanger 30 secondes. Tout en brassant, ajouter graduellement la sauce tomate tamisée. Poursuivre la cuisson 10 minutes environ, en remuant constamment, jusqu'à épaississement. Réserver au réfrigérateur.

Déposer les filets de porc dans un plat de verre.

Mélanger le thym, le laurier et le poivre, puis en saupoudrer les filets. Arroser de cognac. Laisser mariner 24 heures, au réfrigérateur (sans retourner les filets).

Préchauffer le four à 160 °C (300 °F).

Égoutter les filets de porc, puis les déposer dans une cocotte. Cuire environ 1 heure, jusqu'à tendreté.

Retirer les filets de porc de la cocotte et les réserver au chaud. Dégraisser le jus de cuisson, puis le verser dans une petite casserole. Réserver.

Verser le vin dans la cocotte, puis déglacer en raclant le fond de celle-ci à l'aide d'une spatule.

Ajouter l'eau. Incorporer au jus de cuisson réservé, ainsi que la sauce tomate. Bien mélanger. Cuire 2 ou 3 minutes.

Trancher les filets de porc et les disposer dans un plat de service chaud. Arroser de la sauce.

Yolande B. Nadeau,
L'Islet-sur-Mer

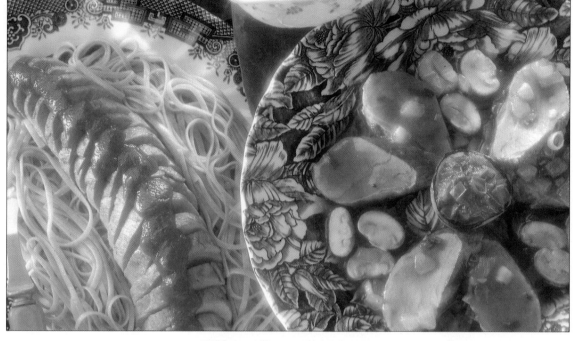

Filet de porc, sauce au vin

Portions :	4
Préparation :	15 minutes
Cuisson :	1 heure 10 minutes
Degré de difficulté :	faible

Énergie : 271 cal	Protéines :	33 g
Lipides : 9 g	Cholestérol : 72 mg	
Glucides : 9 g	Fibres :	1,4 g

15	ml (1 c. à soupe) d'huile
1 ½	filet de porc, soit environ 500 g (1 lb)
1	oignon, coupé en dés
1	gousse d'ail, hachée
250	g (½ lb) de champignons, coupés en deux
2	échalotes, hachées
	Sel et poivre
125	ml (½ tasse) de vin rouge
1	boîte de 284 ml (10 oz) de consommé de bœuf concentré
125	ml (½ tasse) d'eau
15	ml (1 c. à soupe) de persil haché
15	ml (1 c. à soupe) de fécule de maïs délayée dans 30 ml (2 c. à soupe) d'eau froide

Préchauffer le four à 170 °C (325 °F).

Faire chauffer l'huile dans une casserole allant au four.

Y faire revenir le filet de porc 3 ou 4 minutes environ, jusqu'à ce qu'il soit doré de toutes parts.

Ajouter l'oignon, l'ail, les champignons et les échalotes.

Saler et poivrer.

Bien mélanger. Arroser de vin, de consommé et d'eau.

Assaisonner de persil, puis amener à ébullition.

Ajouter la fécule de maïs et mélanger jusqu'à consistance lisse.

Couvrir et cuire 1 heure, au four.

Lisa Hould,
St-Edmond

Pour une planification sans tracas, faire mariner le porc deux jours à l'avance, et préparer la sauce tomate soit la veille, soit pendant la cuisson des filets.

Il faut résister à l'envie de soulever le couvercle, question de contenir son appétit. Dans les effluves parfumés de bœuf et de vins mêlés, c'est l'inverse qui peut se produire.

Porc
Boulettes, pattes et cubes

Boulettes de porc à l'aigre-douce

Portions :	6
Préparation :	15 minutes
Cuisson :	1 heure
Degré de difficulté :	faible

Énergie : 451 cal	Protéines :	36 g
Lipides : 15 g	Cholestérol : 127 mg	
Glucides : 43 g	Fibres :	0,2 g

500 g (1 lb) de jambon haché

250 g (½ lb) de porc haché

250 ml (1 tasse) de chapelure

125 ml (½ tasse) de lait

1   œuf, battu

     Sel, au goût

375 ml (1 ½ tasse) de cassonade

125 ml (½ tasse) de vinaigre

180 ml (¾ tasse) d'eau

5   ml (1 c. à thé)
     de moutarde sèche

Préchauffer le four à 180 °C (350 °F).

Dans un bol, mélanger le jambon, le porc, la chapelure, le lait et l'œuf battu.

Saler, au goût.

Façonner la préparation en boulettes d'environ 3,75 cm (1 ½ po) de diamètre.

Déposer celles-ci côte à côte dans un plat allant au four.

Dans un bol, mélanger la cassonade, le vinaigre, l'eau et la moutarde jusqu'à consistance homogène.

Verser sur les boulettes et cuire 1 heure, en ayant soin de retourner les boulettes à mi-cuisson.

Anonyme,
St-Paul-du-Nord

> *Quoi de plus naturel que de mêler le porc avec sa propre fesse? Le goût du jambon et celui du porc diffèrent à ce point, qu'on oublie les devoir au même cochon.*

Cubes de porc au fenouil

Portions :	8
Préparation :	20 minutes
Cuisson :	2 heures 15 minutes
Degré de difficulté :	faible

Énergie : 419 cal	Protéines :	42 g
Lipides : 21 g	Cholestérol : 124 mg	
Glucides : 15 g	Fibres :	4 g

     Sel et poivre

     Un peu de farine

1,5 kg (3 lb) de porc en cubes

30   ml (2 c. à soupe) d'huile

1   bulbe de fenouil, tranché finement

     Les feuilles du fenouil

1   poireau, tranché finement

8   carottes, tranchées finement

½   brocoli, en bouquets

4   échalotes, tranchées finement

2   ml (½ c. à thé) de marjolaine

     Origan, au goût

     Glutamate monosodique (type Accent), au goût

5   ml (1 c. à thé) de poivre

15   ml (1 c. à soupe)
     de sauce soya

Préchauffer le four à 180 °C (350 °F).

Saler et poivrer la farine, puis y passer les cubes de porc pour bien les en enrober.

Faire chauffer l'huile dans un poêlon. Y faire revenir les cubes de porc 5 minutes environ, quelques-uns à la fois, jusqu'à ce qu'ils soient dorés de toutes parts.

Déposer les cubes de porc dans une cocotte. Ajouter le fenouil et ses feuilles, le poireau, les carottes, le brocoli et les échalotes. Assaisonner de marjolaine, d'origan, de glutamate monosodique, de poivre et de sauce soya. Bien mélanger.

Verser de l'eau dans la cocotte, jusqu'à mi-hauteur des ingrédients. Couvrir et cuire 2 heures, en mélangeant à deux ou trois reprises, et en ayant soin de rajouter de l'eau, au besoin, pour compenser l'évaporation.

Lise Couture,
Bromont

> *On a longtemps prêté au fenouil des vertus anorexigènes, supposées limiter l'appétit. Ce plat, qui en utilise à la fois le bulbe et les feuilles, contredit fortement l'énoncé.*

Boulettes de porc et de veau au chou

Portions :	8
Préparation :	20 minutes
Cuisson :	45 minutes
Degré de difficulté :	faible

Énergie : 385 cal	Protéines :	30 g
Lipides : 20 g	Cholestérol : 125 mg	
Glucides : 24 g	Fibres :	7,8 g

500 g (1 lb) de porc haché

500 g (1 lb) de veau haché

1 œuf

2 oignons, hachés finement

5 ml (1 c. à thé) de sucre

30 ml (2 c. à soupe) de sauce soya

30 ml (2 c. à soupe) de fécule de maïs

Sel et poivre

30 ml (2 c. à soupe) d'huile

15 ml (1 c. à soupe) de beurre

1 chou, en fines lanières

625 ml (2 ½ tasses) de bouillon de poulet

1 kg (2 lb) de fèves vertes, cuites et coupées en morceaux de 5 cm (2 po)

2 concombres, pelés, épépinés et coupés en bâtonnets

Dans un bol, mélanger le porc, le veau, l'œuf, 30 ml (2 c. à soupe) d'oignon, le sucre, la sauce soya et la fécule de maïs. Saler et poivrer.

Façonner la préparation en une trentaine de boulettes.

Faire chauffer 15 ml (1 c. à soupe) d'huile dans une casserole. Y faire revenir les boulettes 3 minutes. Retirer de la casserole. Réserver.

Faire chauffer le reste de l'huile et le beurre dans la même casserole. Y faire revenir le reste des oignons et le chou, de 7 à 10 minutes environ.

Ajouter le bouillon et amener à ébullition. Réduire la chaleur et laisser mijoter de 15 à 20 minutes.

Étaler les fèves vertes et les bâtonnets de concombres sur le chou, puis y déposer les boulettes. Poursuivre la cuisson 2 ou 3 minutes, juste pour réchauffer.

Anonyme,
Montréal-Nord

*R*ien n'importe autant que la grosseur des boulettes. Petites, on se réjouira à coup sûr de leur profusion. Plus grosses, on pourrait déplorer la restriction des portions.

Ragoût de pattes et de boulettes

Portions :	8
Préparation :	1 heure
Cuisson :	4 heures
Degré de difficulté :	moyen

Énergie : 703 cal	Protéines :	47 g
Lipides : 40 g	Cholestérol : 132 mg	
Glucides : 36 g	Fibres :	1,6 g

3 l (12 tasses) d'eau

2 pattes de porc, en rondelles

1 oignon

Sel et poivre

500 g (1 lb) de porc haché

250 g (½ lb) de veau haché

250 g (½ lb) de bœuf haché

1 oignon, haché finement

2 ml (½ c. à thé) de clou de girofle

2 ml (½ c. à thé) de cannelle

Sel et poivre

15 ml (1 c. à soupe) d'huile

250 ml (1 tasse) de farine grillée, délayée dans une égale quantité d'eau

Pâte brisée pour 2 abaisses (p. 445)

125 g (¼ lb) de porc haché

125 g (¼ lb) de bœuf haché

Assaisonnement pour porc, au goût

Un peu de farine

Amener l'eau à ébullition. Ajouter les pattes de porc et l'oignon. Saler et poivrer. Réduire la chaleur et laisser mijoter 3 heures. Retirer les pattes du bouillon. Les désosser et les dégraisser. Réserver, ainsi que le bouillon.

Mélanger le porc, le veau, le bœuf et l'oignon haché. Assaisonner de clou de girofle et de cannelle. Saler et poivrer. Façonner en 20 boulettes. Les dorer 4 minutes dans 15 ml (1 c. à soupe) d'huile. Réserver.

Amener le bouillon à ébullition. Ajouter la farine grillée. Réduire la chaleur. Ajouter les boulettes et les pattes de porc. Mijoter 40 minutes.

Abaisser la pâte en un rectangle de 30 cm (12 po) de côté. Couper en carrés de 5 cm (2 po). Mélanger le porc, le bœuf et l'assaisonnement pour porc. En déposer 5 ml (1 c. à thé) au centre de chaque carré. En humecter les rebords et bien sceller la pâte. Rouler dans la farine.

Plonger les boulettes dans le ragoût. Couvrir et poursuivre la cuisson 20 minutes.

Laurette Neveu,
Laverlochère

*Y*a-t-il plus beau fleuron, dans notre patrimoine, que le ragoût de boulettes et de pattes? Et pour le raffiner, on a agrémenté celui-ci de boulettes de pâte.

Porc

Saucisses
Saucisses cuisinées

Gratin de saucisses à la Dagobert

Portions :	6
Préparation :	20 minutes
Cuisson :	45 minutes
Degré de difficulté :	faible

Énergie : 599 cal	Protéines :	26 g
Lipides : 34 g	Cholestérol :	98 mg
Glucides : 46 g	Fibres :	1,4 g

30   ml (2 c. à soupe) de beurre

750   g (1 ½ lb) de saucisses porc et bœuf

20   craquelins, émiettés finement

125   ml (½ tasse) de poivron vert en dés

60   ml (¼ tasse) d'oignons hachés

1   boîte de 284 ml (10 oz) de soupe aux tomates concentrée

750   ml (3 tasses) de riz cuit

250   ml (1 tasse) de cheddar râpé

Sel et poivre

Préchauffer le four à 180 °C (350 °F).

Faire fondre le beurre dans un poêlon. Y faire revenir les saucisses de 3 à 4 minutes, jusqu'à ce qu'elles soient dorées de toutes parts.

Essuyer les saucisses à l'aide de papier absorbant pour les débarrasser de l'excédent de gras, puis les couper en rondelles de 1 cm (½ po) d'épaisseur.

Dans un bol, mélanger les saucisses, les craquelins émiettés, le poivron, les oignons et 250 ml (1 tasse) de soupe aux tomates.

Déposer dans un plat allant au four ou dans un moule à quiche. Réserver.

Dans un autre bol, mélanger le reste de la soupe aux tomates, le riz et le cheddar. Étendre sur la première préparation. Saler et poivrer.

Cuire de 35 à 40 minutes.

Yanne Bélanger,
Ste-Thérèse

Q *uand on aime la calorique saucisse au point de ne pouvoir s'en passer, on peut toujours la servir en entrée, plutôt que de décrier l'injustice par les lamentations.*

Gratin de saucisses fumées Port-Cartier

Portions :	4
Préparation :	15 minutes
Cuisson :	30 minutes
Degré de difficulté :	faible

Énergie : 625 cal	Protéines :	22 g
Lipides : 43 g	Cholestérol :	87 mg
Glucides : 38 g	Fibres :	2,7 g

500   g (1 lb) de saucisses fumées

30   ml (2 c. à soupe) d'huile

60   ml (¼ tasse) d'oignons hachés

60   ml (¼ tasse) de poivron haché finement

1   gousse d'ail, hachée

60   ml (¼ tasse) de persil haché

500   ml (2 tasses) de riz cuit

1   boîte de 540 ml (19 oz) de tomates

5   ml (1 c. à thé) de piment de Cayenne

10   ml (2 c. à thé) de sauce anglaise (Worcestershire)

7   ml (½ c. à soupe) de sel

1   pincée de poivre

125   ml (½ tasse) de cheddar râpé

Préchauffer le four à 200 °C (400 °F).

Couper les saucisses en rondelles de 1 cm (½ po).

Faire chauffer l'huile dans un poêlon.

Y faire revenir les oignons et le poivron 8 minutes environ, jusqu'à ce que l'oignon soit légèrement doré.

Ajouter l'ail et les saucisses.

Poursuivre la cuisson 3 ou 4 minutes.

Ajouter le persil, le riz et les tomates.

Assaisonner de piment de Cayenne et de sauce anglaise.

Saler et poivrer.

Bien mélanger à la fourchette.

Transvaser dans un plat allant au four, puis saupoudrer de cheddar.

Cuire de 15 à 20 minutes environ, jusqu'à ce que le fromage soit doré.

Lucie Dionne,
Port-Cartier

Q *uand la proche parente de la saucisse de Francfort connaît un apprêt à ce point raffiné, l'insurclassable hot-dog n'a qu'à se rhabiller.*

Saucisses à l'oignon et aux champignons

Portions :	4
Préparation :	10 minutes
Cuisson :	20 minutes
Degré de difficulté :	faible

Énergie : 337 cal	Protéines :		19 g
Lipides : 25 g	Cholestérol :		75 mg
Glucides : 9 g	Fibres :		1,6 g

15 ml (1 c. à soupe) de poudre pour sauce barbecue

5 ml (1 c. à thé) de fécule de maïs

250 ml (1 tasse) d'eau

30 ml (2 c. à soupe) de beurre

20 champignons, tranchés

1 oignon, tranché

500 g (1 lb) de saucisses, coupées en rondelles de 1 cm (½ po)

Dans une petite casserole, mélanger la poudre pour sauce barbecue et la fécule de maïs. Ajouter l'eau et amener à ébullition tout en mélangeant.

Réduire la chaleur et poursuivre la cuisson 3 ou 4 minutes, en remuant constamment, jusqu'à épaississement. Réserver au chaud.

Faire fondre 15 ml (1 c. à soupe) de beurre dans un poêlon. Y faire revenir les champignons et l'oignon 5 minutes environ, jusqu'à tendreté. Retirer du poêlon et réserver.

Faire fondre le reste du beurre dans un poêlon et y faire revenir les saucisses 8 minutes environ, jusqu'à ce qu'elles soient dorées.

Verser la sauce sur les saucisses. Ajouter l'oignon et les champignons réservés. Poursuivre la cuisson 3 ou 4 minutes, en remuant constamment.

Lucienne Cloutier,
Val-d'Or

Pour s'empêcher de pleurer en épluchant l'oignon, il suffit d'activer son imagination en tentant de se figurer le produit fini.

Saucisses aux légumes St-Gilbert

Portions :	2
Préparation :	5 minutes
Cuisson :	45 minutes
Degré de difficulté :	faible

Énergie : 629 cal	Protéines :		32 g
Lipides : 36 g	Cholestérol :		76 mg
Glucides : 47 g	Fibres :		8 g

3 saucisses fumées (au bœuf ou au poulet)

60 ml (¼ tasse) de riz à grains longs

1 boîte de 213 g (7 ½ oz) de sauce tomate

125 ml (½ tasse) d'eau

1 boîte de 284 ml (10 oz) de macédoine de légumes, égouttée

1 oignon, haché

Préchauffer le four à 190 °C (375 °F).

Couper les saucisses en morceaux de 2,5 cm (1 po).

Déposer dans un plat allant au four.

Rincer le riz à l'eau froide, puis l'ajouter aux saucisses, ainsi que la sauce tomate, l'eau, la macédoine de légumes et l'oignon.

Bien mélanger.

Cuire 45 minutes environ, en remuant de temps en temps, jusqu'à ce que le riz ait absorbé tout le liquide.

Annette J. Gignac,
St-Gilbert

Voilà les ingrédients qu'il faut pour concocter un petit plat en duo. Sans artifices, ni fioritures ! Mais apprêté de telle façon, qu'on l'acclamera sur tous les tons.

Saucisses éclair des jeunes aventuriers

Portions :	8
Préparation :	10 minutes
Cuisson :	20 minutes
Degré de difficulté :	faible

Énergie : 256 cal	Protéines :		9 g
Lipides :	13 g	Cholestérol :	35 mg
Glucides :	25 g	Fibres :	0,6 g

500 ml (2 tasses) d'eau

250 ml (1 tasse) de riz

15 ml (1 c. à soupe) de poudre pour bouillon de poulet

15 ml (1 c. à soupe) de beurre

Sel et poivre

15 ml (1 c. à soupe) de beurre

16 saucisses (de porc ou de bœuf)

1 boîte de 340 ml (12 oz) de sauce barbecue

1 boîte de 284 ml (10 oz) de champignons tranchés, égouttés

Amener l'eau à ébullition dans une casserole.

Ajouter le riz, la poudre pour bouillon et le beurre.

Saler et poivrer.

Réduire la chaleur et couvrir. Laisser mijoter environ 20 minutes, jusqu'à ce que le riz ait absorbé tout le liquide.

Pendant ce temps, faire fondre le beurre dans un poêlon.

Y faire revenir les saucisses de 8 à 10 minutes, à feu moyen-vif, jusqu'à ce qu'elles soient dorées de toutes parts.

Réchauffer la sauce barbecue et les champignons dans une casserole.

Déposer dans chaque assiette deux saucisses et une portion de riz.

Arroser de sauce barbecue aux champignons.

Chantale Beaudry,
St-Évariste

S i d'aventure ils ont déjà vaqué à leurs devoirs et leçons, les laisser voguer vers d'autres horizons, sitôt terminé ce plat de riz et champignons à la saucisse !

Saucisses
Saucisses faites maison

Saucisses à la mode d'antan

Portions :	36 saucisses
Préparation :	15 minutes
Cuisson :	20 minutes
Degré de difficulté :	faible

Par saucisse :

Énergie : 125 cal	Protéines :		11 g
Lipides :	8 g	Cholestérol :	43 mg
Glucides :	1 g	Fibres :	0,1 g

1,5 kg (3 lb) de porc haché

500 g (1 lb) de bœuf haché

3 oignons, hachés finement

2 ml (½ c. à thé) de persil haché

2 ml (½ c. à thé) de clou de girofle

1 pincée de sauge

1 pincée de sarriette

30 ml (2 c. à soupe) de sel

6 ml (1 ¼ c. à thé) de poivre

1 œuf

Préchauffer le four à 160 °C (300°F).

Dans un grand bol, mélanger le porc, le bœuf et les oignons. Assaisonner de persil, de clou de girofle, de sauge et de sarriette. Saler et poivrer. Ajouter l'œuf et mélanger jusqu'à consistance homogène.

Façonner la préparation en 36 saucisses.

Déposer sur la grille d'une lèchefrite et cuire 20 minutes environ, en retournant les saucisses de temps en temps, jusqu'à ce qu'elles soient dorées de toutes parts.

Servir trois saucisses par portion.

Thérèse Lemieux-Chabot,
St-Magloire

Q uoi de plus tentant que les saucisses d'antan? Certains robots sont munis d'un cornet à saucisses, sur lequel il suffit d'enfiler un boyau destiné à contenir la farce.

Saucisses maison à la québécoise

Portions :	60 saucisses
Préparation :	20 minutes
Cuisson :	variable
Degré de difficulté :	faible

Par saucisse :

Énergie : 253 cal	Protéines :	3 g
Lipides : 26 g	Cholestérol :	38 mg
Glucides : 1 g	Fibres :	0,1 g

2,5 kg (5 lb) de lard, haché

1 kg (2 lb) de veau haché

1 oignon, haché finement

45 ml (3 c. à soupe) de chapelure

5 ml (1 c. à thé) de clou de girofle moulu

5 ml (1 c. à thé) de cannelle

Sauge, au goût

5 ml (1 c. à thé) de sel

5 ml (1 c. à thé) de poivre

Dans un grand bol, mélanger le lard, le veau, l'oignon et la chapelure.

Assaisonner de clou de girofle, de cannelle et de sauge.

Saler et poivrer.

Mélanger jusqu'à consistance homogène.

Façonner la préparation en une soixantaine de saucisses.

Conserver dans un plat hermétique, au congélateur.

Pour servir, fariner les saucisses, puis les dorer une dizaine de minutes dans un poêlon, avec un minimum de beurre, ou encore, les griller de 20 à 25 minutes dans le four préchauffé à 200 °C (400 °F).

Servir trois saucisses par portion.

Anonyme,
Ste-Marie-de-Blandford

Saucisses maison de grand-mère

Portions :	24 saucisses
Préparation :	20 minutes
Cuisson :	15 minutes
Trempage :	5 minutes
Degré de difficulté :	faible

Par saucisse :

Énergie : 100 cal	Protéines :	9 g
Lipides : 5 g	Cholestérol :	31 mg
Glucides : 4 g	Fibres :	0,1 g

125 ml (½ tasse) de lait

2 tranches de pain, en cubes

1 kg (2 lb) d'un mélange de viandes hachées (bœuf, veau et porc)

15 ml (1 c. à soupe) d'oignon haché

2 ml (½ c. à thé) de clou de girofle moulu

2 ml (½ c. à thé) de cannelle

1 ml (¼ c. à thé) de piment de Cayenne

15 ml (1 c. à soupe) de sel

2 ml (½ c. à thé) de poivre

Un peu de farine

15 ml (1 c. à soupe) d'huile

60 ml (¼ tasse) de thé ou d'eau

Verser le lait dans un bol. Y faire tremper les cubes de pain 5 minutes.

Ajouter les viandes et l'oignon. Assaisonner de clou de girofle, de cannelle et de piment de Cayenne. Saler et poivrer.

Façonner la préparation en 24 saucisses d'environ 7,5 cm (3 po) de longueur, puis les fariner.

Faire chauffer l'huile dans un poêlon.

Y dorer les saucisses à feu moyen-vif, 10 minutes environ.

Ajouter le thé. Couvrir et réduire la chaleur.

Laisser mijoter 5 minutes environ, jusqu'à évaporation complète du liquide.

Servir trois saucisses par portion.

Anonyme,
St-Célestin

Trois saucisses pour toute ration? Que les plus goumands se ravisent. Pour contrer la tentation, il suffit de calculer le nombre de calories par portion.

Qu'est-ce qui vous semble le moins long? Cuire les saucisses en trois poêlées, ou laver trois poêlons? Voilà toute la question!

Saucisses

Veau

Boulettes de veau rosées

Portions :	12
Préparation :	20 minutes
Cuisson :	1 heure
Degré de difficulté :	faible

Énergie : 368 cal	Protéines :	34 g
Lipides : 21 g	Cholestérol : 144 mg	
Glucides : 10 g	Fibres :	1,7 g

1 kg (2 lb) de veau haché

1 kg (2 lb) de porc haché

125 ml (½ tasse) de chapelure

60 ml (¼ tasse) de soupe à l'oignon déshydratée

1 œuf, battu

60 ml (¼ tasse) de lait

15 ml (1 c. à soupe) de persil

5 ml (1 c. à thé) de basilic

Sel et poivre

Un peu de farine

1 oignon, haché

250 ml (1 tasse) de céleri haché

30 ml (2 c. à soupe) d'huile

1 boîte de 284 ml (10 oz) de champignons, égouttés

250 ml (1 tasse) d'eau

15 ml (1 c. à soupe) de poudre pour bouillon de poulet

15 ml (1 c. à soupe) de sauce soya

15 ml (1 c. à soupe) de sucre

1 boîte de 796 ml (28 oz) de tomates

Préchauffer le four à 180 °C (350 °F).

Dans un bol, mélanger le veau, le porc, la chapelure, la soupe à l'oignon déshydratée, l'œuf et le lait, le persil et le basilic. Saler et poivrer. Façonner en boulettes. Fariner celles-ci et les déposer sur une plaque à pâtisserie. Cuire 30 minutes.

Pendant ce temps, faire revenir l'oignon et le céleri 5 minutes dans l'huile. Ajouter le reste des ingrédients. Laisser mijoter 30 minutes. Ajouter les boulettes à la sauce et poursuivre la cuisson au four, environ 30 minutes.

Clémence Campeau,
Lac-Mégantic

*Q*ue les boulettes de veau soient rosées n'est pas attribuable à une sous-cuisson, mais à une sauce tomate aux légumes, subtilement aromatisée.

3

Saucisses maison de la Baie-du-Ha! Ha!

Portions :	48 saucisses
Préparation :	20 minutes
Cuisson :	variable
Degré de difficulté :	faible

Par saucisse :

Énergie : 195 cal	Protéines :	8 g
Lipides : 17 g	Cholestérol : 49 mg	
Glucides : 1 g	Fibres :	0,1 g

2 kg (4 lb) de porc haché maigre

1 kg (2 lb) de lard haché

250 ml (1 tasse) de lait

250 ml (1 tasse) de mie de pain ou de craquelins émiettés (type biscuits soda)

2 œufs

1 oignon, haché

30 ml (2 c. à soupe) de sauge

1 ml (¼ c. à thé) de piment de Cayenne

2 ml (½ c. à thé) de laurier moulu

15 ml (1 c. à soupe) d'épices diverses, au goût

45 ml (3 c. à soupe) de sel

5 ml (1 c. à thé) de poivre

Dans un bol, mélanger le porc, le lard, le lait, la mie de pain, les œufs et l'oignon jusqu'à consistance homogène.

Assaisonner de sauge, de piment de Cayenne, de laurier et d'épices diverses, au goût.

Saler et poivrer.

Façonner la préparation en 48 saucisses d'environ 7,5 cm (3 po) de longueur.

Conserver dans un plat hermétique, au congélateur.

Pour servir, dorer les saucisses une dizaine de minutes dans un poêlon, avec un minimum de beurre, ou les griller de 20 à 30 minutes dans le four préchauffé à 200 °C (400 °F).

Servir deux saucisses par portion.

Estelle Lévesque,
St-Louis-du-Ha! Ha!

*O*n peut hacher la chair en la passant deux fois au hache-viande, ou en utilisant le robot. Mais tant qu'à peaufiner ainsi le cochon, aussi bien le mettre en boyaux.

Côtelettes de veau fermière

Portions :	4
Préparation :	15 minutes
Cuisson :	20 minutes
Degré de difficulté :	faible

Énergie : 533 cal	Protéines :	43 g
Lipides : 18 g	Cholestérol : 161 mg	
Glucides : 50 g	Fibres :	6,9 g

Un peu de farine

8 côtelettes de veau

15 ml (1 c. à soupe) de beurre

Sel et poivre

4 carottes, en demi-rondelles

4 navets, en dés

4 pommes de terre, en dés

2 oignons, en dés

375 ml (1 ½ tasse) de bouillon de bœuf ou de fond de veau

30 ml (2 c. à soupe) de pâte de tomate

Romarin, au goût

Préchauffer le four à 160 °C (300 °F).

Fariner les côtelettes de veau.

Faire fondre le beurre dans une cocotte.

Y faire revenir les côtelettes de veau 2 minutes environ, de chaque côté, jusqu'à ce qu'elles soient dorées.

Saler et poivrer.

Disposer tout autour des côtelettes les demi-rondelles de carottes, ainsi que les dés de navets, de pommes de terre et d'oignons.

Dans une casserole, mélanger le bouillon de bœuf et la pâte de tomate, puis amener à ébullition.

Arroser la viande et les légumes de cette préparation, puis assaisonner de romarin.

Couvrir et cuire au four 15 minutes environ, jusqu'à ce que la viande et les légumes soient tendres.

Rollande A. Beauregard,
Waterloo

Côtelettes de veau à la crème sure

Portions :	4
Préparation :	10 minutes
Cuisson :	55 minutes
Degré de difficulté :	faible

Énergie : 423 cal	Protéines :	38 g
Lipides : 24 g	Cholestérol : 181 mg	
Glucides : 12 g	Fibres :	0,5 g

5 ml (1 c. à thé) de sel

1 pincée de poivre

65 ml (¼ tasse + 1 c. à thé) de farine

1 ml (¼ c. à thé) de marjolaine

1 ml (¼ c. à thé) de basilic

8 côtelettes de veau

30 ml (2 c. à soupe) de beurre

5 ml (1 c. à thé) de ciboulette

60 ml (¼ tasse) de sauce chili

140 ml (½ tasse + 1 c. à soupe) d'eau

125 ml (½ tasse) de crème sure

Saler et poivrer 60 ml (¼ tasse) de farine, puis l'assaisonner de marjolaine et de basilic. Y passer les côtelettes de veau de façon à les en enrober des deux côtés.

Faire fondre le beurre dans un poêlon. Y faire revenir les côtelettes 2 ou 3 minutes de chaque côté, jusqu'à ce qu'elles soient dorées.

Ajouter la ciboulette, la sauce chili et 125 ml (½ tasse) d'eau. Amener à ébullition et réduire aussitôt la chaleur. Couvrir et laisser mijoter 45 minutes environ, jusqu'à ce que les côtelettes soient tendres.

Retirer les côtelettes de la sauce, puis les réserver dans un plat de service chaud.

Dans un verre, délayer le reste de la farine et de l'eau. Ajouter à la sauce et poursuivre la cuisson en remuant constamment, jusqu'à épaississe-ment. Incorporer la crème sure. Poursuivre la cuisson 2 ou 3 minu-tes, tout en brassant, juste pour réchauffer.

Verser la sauce sur les côtelettes de veau.

Anonyme,
Pointe-à-la-Croix

3

Escalopes de veau

Portions :	6
Préparation :	15 minutes
Cuisson :	30 minutes
Degré de difficulté :	faible

Énergie : 471 cal	Protéines :	48 g
Lipides : 27 g	Cholestérol :	228 mg
Glucides : 6 g	Fibres :	0,5 g

6   escalopes de veau

1   œuf, battu

250   ml (1 tasse) de mie de pain
       émiettée finement

60   ml (¼ tasse) de beurre

30   ml (2 c. à soupe) de pâte
      de tomate

375   ml (1 ½ tasse), environ,
       de bouillon de poulet

      Persil haché, au goût

      Sel et poivre

6   minces tranches de jambon

6   tranches de gruyère fondu,
     au choix

250   ml (1 tasse) de champignons
       tranchés

Préchauffer le four à 180 °C (350 °F).

Passer les escalopes de veau dans l'œuf battu, puis dans la mie de pain. Réserver.

Faire fondre 30 ml (2 c. à soupe) de beurre dans une casserole allant au four.

Y faire revenir les escalopes 3 minutes de chaque côté, jusqu'à ce qu'elles soient dorées. Réserver.

Faire fondre le reste du beurre dans la même casserole.

Ajouter la pâte de tomate, le bouillon de poulet et le persil.

Saler et poivrer, puis amener à ébullition.

Réduire la chaleur et laisser mijoter 15 minutes.

Déposer sur chaque escalope une tranche de jambon, une tranche de gruyère et quelques tranches de champignons.

Déposer les escalopes sur la sauce.

Couvrir et cuire au four 10 minutes, jusqu'à ce que la viande soit tendre.

Olive Bouchard,
Chicoutimi

Nulle denrée, dans cette assiette, qui ne soit délicatement tranchée, qu'il s'agisse du veau, du jambon, du gruyère ou des champignons.

Escalopes de veau aux câpres

Portions :	4
Préparation :	5 minutes
Cuisson :	10 minutes
Degré de difficulté :	faible

Énergie : 315 cal	Protéines :	34 g
Lipides : 16 g	Cholestérol :	153 mg
Glucides : 6 g	Fibres :	0,2 g

4   escalopes de veau

60   ml (¼ tasse) de farine

60   ml (¼ tasse) de beurre

      Sel et poivre

125   ml (½ tasse) d'eau

30   ml (2 c. à soupe) de câpres

Placer les escalopes de veau entre deux feuilles de papier ciré, puis les aplatir à l'aide d'un maillet pour qu'elles soient très minces (on peut demander au boucher de le faire).

Étaler la farine sur une feuille de papier d'aluminium.

Y passer les escalopes des deux côtés, de façon à bien les en enrober.

Faire chauffer le beurre dans un poêlon.

Dès qu'il commence à grésiller, y faire cuire les escalopes à feu vif, 4 minutes environ de chaque côté, jusqu'à ce qu'elles soient dorées.

Saler et poivrer.

Retirer du poêlon et réserver dans un plat très chaud.

Verser l'eau dans le poêlon et ajouter les câpres.

Tout en mélangeant, déglacer environ 20 secondes, à feu vif, en ayant soin de racler le fond du poêlon à l'aide d'une spatule.

Verser sur les escalopes.

Marie-Stella Giguère,
St-Elzéar-de-Beauce

De câpre à caprice, il n'y a qu'une consonne. Mais de se délecter du bouton floral du câprier n'a jamais fait de mal à personne.

Escalopes de veau de grain aux cornichons

Portions :	4
Préparation :	15 minutes
Cuisson :	25 minutes
Degré de difficulté :	faible

Énergie : 456 cal	Protéines :	39 g
Lipides : 25 g	Cholestérol : 182 mg	
Glucides : 18 g	Fibres :	1,7 g

30 ml (2 c. à soupe) de beurre

30 ml (2 c. à soupe) de farine

310 ml (1 ¼ tasse) de lait

Sel et poivre

4 escalopes de veau de grain

Un peu de farine

45 ml (3 c. à soupe) de beurre

Sel et poivre

250 g (½ lb) de champignons, tranchés

2 cornichons à l'aneth, en fins bâtonnets

60 ml (¼ tasse) de crème 15 % épaisse

60 ml (¼ tasse) de persil frais haché

Paprika, au goût

Faire fondre le beurre dans une casserole. Ajouter la farine et mélanger 30 secondes. Tout en brassant, ajouter graduellement le lait. Poursuivre la cuisson en remuant constamment, jusqu'à épaississement. Saler et poivrer. Réserver cette sauce Béchamel.

Placer les escalopes de veau entre deux feuilles de papier ciré, puis les aplatir à l'aide d'un maillet.

Étaler de la farine sur une feuille de papier d'aluminium. Y passer les escalopes des deux côtés.

Faire fondre la moitié du beurre dans un poêlon à revêtement anti-adhésif. Saler et poivrer les escalopes, puis les faire revenir 3 minutes, à feu vif. Les retourner et poursuivre la cuisson 2 minutes. Réserver.

Faire fondre le reste du beurre dans le poêlon. Y faire sauter les champignons 4 minutes. Saler et poivrer. Ajouter les cornichons et la sauce Béchamel réservée.

Tout en mélangeant, ajouter la crème. Assaisonner de persil et de paprika. Poursuivre la cuisson 3 minutes, à feu vif, en remuant constamment.

Retirer le poêlon du feu, puis y déposer les escalopes. Remettre sur feu moyen et laisser mijoter 3 minutes.

Nicole Allard,
Québec

Les cornichons, c'est pour la note! Celle que l'on mérite, celle que l'on décroche, en respectant scrupuleusement les dosages, ainsi que les temps de cuisson.

Gratin de veau à la citrouille

Portions :	4
Préparation :	15 minutes
Cuisson :	50 minutes
Degré de difficulté :	faible

Énergie : 461 cal	Protéines :	30 g
Lipides : 23 g	Cholestérol : 114 mg	
Glucides : 36 g	Fibres :	4 g

625 ml (2 ½ tasses) de citrouille cuite réduite en purée

15 ml (1 c. à soupe) d'huile

15 ml (1 c. à soupe) de beurre

1 oignon, haché

2 branches de céleri, hachées

1 gousse d'ail, hachée

375 g (¾ lb) de veau haché

4 tranches de pain de blé entier, en dés

5 ml (1 c. à thé) d'assaisonnement pour volaille

Sel et poivre

125 ml (½ tasse) d'eau ou de bouillon, au choix

250 ml (1 tasse) de purée de pommes de terre

180 ml (¾ tasse) de cheddar râpé

Paprika, au goût

Préchauffer le four à 180 °C (350 °F).

Étendre la purée de citrouille dans un plat en pyrex de 23 cm (9 po) de diamètre, beurré. Réserver.

Faire chauffer l'huile et le beurre dans un poêlon.

Y faire revenir l'oignon, le céleri et l'ail 5 minutes environ, sans laisser prendre couleur.

Ajouter le veau et poursuivre la cuisson 5 minutes, tout en défaisant la viande à la fourchette, jusqu'à ce qu'elle ait perdu sa teinte rosée.

Ajouter les dés de pain et l'assaisonnement pour volaille. Saler et poivrer. Ajouter l'eau ou le bouillon, ainsi que la purée de pommes de terre. Bien mélanger.

Étendre uniformément cette préparation sur la purée de citrouille.

Saupoudrer de cheddar et de paprika.

Cuire 40 minutes, jusqu'à ce que le fromage soit doré.

Aline Touchette,
Ste-Thérèse

La citrouille, sosie de la pleine lune orangée de la fin d'octobre, n'est pas que l'inoubliable vestige du carrosse de Cendrillon. Voilà une recette qui règle la question!

3

Pain de veau à l'ancienne

Portions :	10
Préparation :	15 minutes
Cuisson :	1 heure
Degré de difficulté :	faible

Énergie : 330 cal	Protéines :	35 g
Lipides : 20 g	Cholestérol : 150 mg
Glucides : 2 g	Fibres :	0,1 g

1,5 kg (3 lb) de veau maigre

250 g (½ lb) de porc

6 craquelins, émiettés
(type biscuits soda)

60 ml (¼ tasse) de crème 15 %

30 ml (2 c. à soupe)
de jus de citron

Quelques gouttes
de jus d'oignon

15 ml (1 c. à soupe) de sel

2 ml (½ c. à thé) de poivre

1 blanc d'œuf, battu

60 ml (¼ tasse)
de graisse fondue

Préchauffer le four à 160 °C (300 °F).

Bien essuyer le veau et le porc, puis en retirer les peaux et les membranes.

Passer au hache-viande ou hacher au robot, avec les craquelins.

Déposer dans un bol.

Ajouter la crème, ainsi que les jus de citron et d'oignon.

Saler et poivrer.

Presser cette préparation dans un moule à pain de 23 cm x 13 cm (9 po x 5 po), puis en piquer la surface ça et là, à la fourchette.

Badigeonner de blanc d'œuf battu et cuire environ 1 heure, en arrosant souvent de graisse fondue.

Laisser tiédir un peu.

Démouler et couper en tranches minces.

Servir chaud ou froid.

Lucienne Boulet,
St-Benjamin

Pain de veau roulé aux épinards

Portions :	6
Préparation :	15 minutes
Cuisson :	1 heure 30 minutes
Degré de difficulté :	faible

Énergie : 235 cal	Protéines :	30 g
Lipides : 9 g	Cholestérol : 140 mg
Glucides : 9 g	Fibres :	2,9 g

750 g (1 ½ lb) de veau haché

1 oignon, haché finement

2 gousses d'ail, hachées

15 ml (1 c. à soupe) de poudre
pour bouillon de poulet

125 ml (½ tasse) de chapelure

1 œuf, battu

5 ml (1 c. à thé) d'origan

15 ml (1 c. à soupe) de persil

Sel et poivre

30 ml (2 c. à soupe)
de parmesan râpé

1 paquet de 300 g (10 oz)
d'épinards, cuits, essorés et
hachés

375 ml (1 ½ tasse) de sauce
tomate

2 ml (½ c. à thé) de basilic

½ poivron vert, haché

Préchauffer le four à 170 °C (325 °F).

Dans un bol, mélanger le veau, l'oignon, l'ail, la poudre pour bouillon, la chapelure et l'œuf.

Assaisonner d'origan et de persil. Saler et poivrer.

Sur une feuille de papier ciré, étendre cette préparation en un rectangle de 30 cm x 20 cm (12 po x 8 po).

Saupoudrer de parmesan et couvrir uniformément d'épinards.

En s'aidant du papier ciré, rouler en un cylindre. Bien sceller ce dernier aux extrémités.

Déposer dans un plat allant au four et arroser de sauce tomate. Assaisonner de basilic et parsemer de poivron haché.

Couvrir de papier d'aluminium et cuire environ 1 heure 30 minutes.

Trancher finement. Servir avec la sauce.

Reina Leclerc,
Ste-Anne-des-Plaines

*P*rélever le jus d'un oignon n'a rien d'une sinécure. Le réduire d'abord en purée, puis le tordre sans ménagement dans un morceau d'étamine.

*S*e faire rouler n'est pas si humiliant pour le veau... qui y trouverait même son compte. Mettez-vous à sa place !

Mini-pains de veau aux petits pois

Portions :		6
Préparation :		15 minutes
Cuisson :		30 minutes
Trempage :		5 minutes
Degré de difficulté :		faible

Énergie : 318 cal	Protéines :	31 g
Lipides :	17 g	Cholestérol : 194 mg
Glucides :	8 g	Fibres :	1,3 g

250 ml (1 tasse) de mie
de pain émiettée

125 ml (½ tasse) de lait

750 g (1 ½ lb) de veau haché

2 œufs, battus

1 ml (¼ c. à thé) de thym

5 ml (1 c. à thé) de sel

1 ml (¼ c. à thé) de poivre

6 tranches de bacon

1 boîte de 284 ml (10 oz)
de petits pois

30 ml (2 c. à soupe) de beurre

Préchauffer le four à 180 °C (350 °F).

Déposer la mie de pain dans un bol et arroser de lait. Laisser tremper 5 minutes.

Ajouter le veau et les œufs, puis assaisonner de thym.

Saler et poivrer. Bien mélanger.

Façonner la préparation en six petits pâtés (ou galettes épaisses).

Barder chaque pâté d'une tranche de bacon, et l'y fixer à l'aide d'un cure-dent.

Égoutter les petits pois en ayant soin de récupérer leur jus. Réserver à part.

Faire fondre le beurre dans un poêlon. Y dorer les pâtés 3 minutes environ, de chaque côté. Transvaser dans une cocotte.

Ajouter le jus des petits pois. Couvrir et cuire au four 25 minutes.

Ajouter les petits pois et servir aussitôt. Si désiré, décorer de persil et de fines lanières de poivron rouge.

Éliane Morin,
St-Isidore

*«*M*ini » et « petit » : deux qualificatifs dans un même titre. Mais gardons-nous d'en minimiser l'éclat. Les mini-pains de veau font les meilleurs petits plats!*

Ragoût de veau fermière à la bière

Portions :		4
Préparation :		15 minutes
Cuisson :		1 heure 15 minutes
Degré de difficulté :		faible

Énergie : 313 cal	Protéines :	39 g
Lipides :	6 g	Cholestérol : 139 mg
Glucides :	21 g	Fibres :	2,9 g

Un peu de farine

625 g (1 ¼ lb) de cubes de veau

5 ml (1 c. à thé) de beurre

1 pincée de thym

5 ml (1 c. à thé) de sel

5 ml (1 c. à thé) de poivre

2 oignons, en dés

2 carottes, tranchées

250 g (½ lb) de champignons,
tranchés

250 ml (1 tasse) de bière

1 boîte de 284 ml (10 oz)
de consommé de bœuf
concentré

Fariner les cubes de veau. Réserver.

Faire fondre le beurre dans une casserole.

Y faire revenir les cubes de veau 5 minutes environ, quelques-uns à la fois, jusqu'à ce qu'ils soient dorés de toutes parts.

Assaisonner de thym.

Saler et poivrer.

Réserver dans une assiette au fur et à mesure.

Dans la même casserole, faire revenir les oignons 3 minutes environ, sans laisser prendre couleur.

Ajouter les cubes de viande, les carottes et les champignons, puis arroser de bière et de consommé.

Amener à ébullition et réduire aussitôt la chaleur.

Couvrir et laisser mijoter 1 heure.

Servir sur un nid de riz.

Jocelyne Michaud,
Lucerne

*R*ien ne vaut, au goût, le veau en ragoût. Déjà naturellement tendre, il lui suffit de mijoter une heure dans son riche bouillon.

Ris de veau, sauce homardière

Portions :	4
Préparation :	20 minutes
Cuisson :	50 minutes
Dégorgement :	2 heures
Refroidissement :	15 minutes
Degré de difficulté :	moyen

Énergie : 685 cal	Protéines :	53 g
Lipides : 35 g	Cholestérol : 521 mg
Glucides : 40 g	Fibres :	3,8 g

1   ris de veau d'environ 500 g (1 lb)

60   ml (¼ tasse) de beurre

30   ml (2 c. à soupe) de farine

375   ml (1 ½ tasse) de bouillon de poulet

15   ml (1 c. à soupe) de persil frais haché

2   ml (½ c. à thé) de sel

1   ml (¼ c. à thé) de poivre

1   jaune d'œuf

     Jus de 1 citron

125   ml (½ tasse) de crème 35 %

500   g (1 lb) de chair de homard cuite, en morceaux (fraîche ou en conserve)

4   carrés de pâte feuilletée

Déposer le ris de veau dans un bol et le couvrir d'eau tiède. Laisser dégorger 2 heures.

Égoutter le ris de veau, puis en retirer les membranes. Blanchir 10 minutes dans une casserole d'eau bouillante salée, égoutter et laisser refroidir 15 minutes. Trancher finement.

Faire fondre le beurre dans un poêlon, jusqu'à ce qu'il soit doré. Y faire revenir les tranches de ris de veau 5 minutes, de chaque côté.

Saupoudrer de farine et poursuivre la cuisson 2 minutes. Ajouter le bouillon de poulet et assaisonner de persil. Saler et poivrer. Amener à ébullition et réduire la chaleur. Laisser mijoter 25 minutes, en mélangeant de temps en temps.

Dans un bol, mélanger le jaune d'œuf, le jus de citron et la crème. Tout en mélangeant, verser cette préparation dans la casserole.

Poursuivre la cuisson en remuant constamment, jusqu'à épaississement. Incorporer la chair de homard et laisser mijoter 2 minutes.

Déposer une portion de pâte feuilletée dans chaque assiette. Garnir de la préparation de ris de veau et de homard, de pois mange-tout, de carottes, de pommes de terre naines et de tomates cerises.

Odette Léger,
St-Romuald

Les ris de veau ! Ce plat d'une subtilité délicate, d'un raffinement haut de gamme, vous fera moduler l'art du contentement dans les tons vertigineux du soprano.

Rognons de veau St-Alban

Portions :	4
Préparation :	20 minutes
Cuisson :	18 minutes
Trempage :	1 heure
Degré de difficulté :	moyen

Énergie : 303 cal	Protéines :	24 g
Lipides : 18 g	Cholestérol : 684 mg
Glucides : 9 g	Fibres :	0,8 g

500   ml (2 tasses) d'eau

60   ml (¼ tasse) de vinaigre

2   rognons de veau

60   ml (¼ tasse) de beurre

1   oignon, tranché finement

4   champignons, tranchés

45   ml (3 c. à soupe) de farine

5   ml (1 c. à thé) de moutarde sèche

1   ml (¼ c. à thé) d'estragon

15   ml (1 c. à soupe) de concentré de bouillon de bœuf

1   boîte de 284 ml (10 oz) de consommé de bœuf concentré

30   ml (2 c. à soupe) de vin blanc sec

45   ml (3 c. à soupe) de crème sure

Mélanger l'eau et le vinaigre dans un bol. Y faire tremper les rognons de veau 1 heure. Égoutter les rognons et en retirer les membranes. Trancher finement.

Faire fondre 45 ml (3 c. à soupe) de beurre dans un poêlon. Y faire revenir les rognons 4 minutes environ, jusqu'à ce qu'ils soient dorés de toutes parts. Réserver au chaud dans une assiette.

Faire fondre le reste du beurre dans le même poêlon. Y faire revenir l'oignon et les champignons 5 minutes environ. Saupoudrer de farine.

Assaisonner de moutarde et d'estragon, puis arroser de concentré de bouillon, de consommé de bœuf et de vin.

Poursuivre la cuisson 5 minutes, en remuant constamment, jusqu'à épaississement. Ajouter la crème sure et les rognons réservés.

Poursuivre la cuisson 3 minutes, juste pour réchauffer. Servir.

Alice O. Falardeau,
St-Alban

Un demi-rognon de veau par personne, ce n'est pas rogner sur les portions. Voilà de quoi se refaire une santé de fer, en se délectant d'une sauce au vin blanc.

Roulades de veau aux raisins et aux noix

Portions :	4
Préparation :	15 minutes
Cuisson :	30 minutes
Trempage :	5 minutes
Repos :	5 minutes
Degré de difficulté :	moyen

Énergie : 664 cal	Protéines :	52 g
Lipides : 38 g	Cholestérol :	272 mg
Glucides : 30 g	Fibres :	2 g

3 tranches de pain, émiettées

60 ml (¼ tasse) de lait

2 œufs durs, hachés

15 ml (1 c. à soupe) d'oignon haché

1 gousse d'ail, hachée

Jus de 1 citron

90 ml (⅓ tasse + 1 c. à soupe) de noix de Grenoble hachées

125 ml (½ tasse) de raisins secs

Persil haché, au goût

5 ml (1 c. à thé) de sel

2 ml (½ c. à thé) de poivre du moulin

4 escalopes de veau de 150 g (5 oz)

90 ml (⅓ tasse + 1 c. à soupe) d'huile

Préchauffer le four à 180 °C (350 °F).

Déposer la mie de pain dans un grand bol.

Arroser de lait et laisser tremper 5 minutes.

Ajouter les œufs, l'oignon, l'ail, le jus de citron, les noix et les raisins secs.

Assaisonner de persil, au goût. Saler et poivrer. Réserver.

Placer les escalopes de veau entre deux feuilles de papier ciré, puis les aplatir à l'aide d'un maillet.

Étendre la farce aux noix sur les escalopes. Rouler celles-ci, puis les ficeler.

Faire chauffer l'huile dans un poêlon allant au four.

Y faire revenir les escalopes 5 minutes environ, à feu moyen-vif, jusqu'à ce qu'elles soient dorées de toutes parts.

Cuire au four 25 minutes, puis laisser reposer 5 minutes.

Déficeler les rouleaux et les couper en belles tranches épaisses.

Servir avec des pâtes bien assaisonnées, ou encore, avec des pommes de terre.

Gisèle Bélanger,
St-Pamphile

L'escalope est la coupe de viande la plus malléable qui soit. D'une minceur enviable, elle roule et s'enroule sur une farce dont le choix justifie souvent les gourmandes prouesses.

Volailles
Dinde et dindon

Escalopes de dinde aux pêches et au millet

Portions :	2
Préparation :	20 minutes
Cuisson :	1 heure
Degré de difficulté :	faible

Énergie : 432 cal	Protéines :	37 g
Lipides : 13 g	Cholestérol :	91 mg
Glucides : 41 g	Fibres :	1,3 g

60 ml (¼ tasse) d'oignons hachés

75 ml (⅓ tasse) de millet

5 ml (1 c. à thé) d'huile d'olive

400 ml (1 ⅔ tasse) de bouillon de poulet

10 ml (2 c. à thé) de fécule de maïs

2 demi-pêches, en quartiers

5 ml (1 c. à thé) de muscade moulue

15 ml (1 c. à soupe) d'huile

250 g (½ lb) d'escalopes de dinde très fines

5 ml (1 c. à thé) de sel au céleri

1 gousse d'ail, hachée finement

10 ml (2 c. à thé) de persil haché

Préchauffer le four à 110 °C (200 °F).

Faire revenir les oignons hachés et le millet 5 minutes, dans l'huile. Amener à ébullition avec 250 ml (1 tasse) de bouillon de poulet. Couvrir et laisser mijoter 40 minutes.

Délayer la fécule de maïs dans 45 ml (3 c. à soupe) de bouillon de poulet.

Faire revenir les pêches et la muscade dans 5 ml (1 c. à thé) d'huile. Réserver.

Saupoudrer les escalopes de sel au céleri. Dorer 2 minutes de chaque côté, dans le reste de l'huile.

Dans le même poêlon, faire revenir l'ail. Amener à ébullition avec le reste du bouillon et le persil. Épaissir avec la fécule de maïs.

Répartir le millet dans deux assiettes. Y déposer les escalopes. Garnir de pêches, puis napper de sauce.

Jeannette Plamondon,
Donnacona

Pour obtenir des escalopes de dinde superfines, pourquoi ne pas déléguer la tâche au boucher ? Pour récolter tous les honneurs, il suffira de vous occuper du reste.

3

Ragoût de dinde aux légumes

Portions :	10
Préparation :	20 minutes
Cuisson :	2 heures 5 minutes
Degré de difficulté :	faible

Énergie : 282 cal	Protéines :	41 g
Lipides : 7 g	Cholestérol : 122 mg	
Glucides : 12 g	Fibres :	2,4 g

60 ml (¼ tasse) de beurre

1,5 kg (3 lb) de dinde, en cubes

60 ml (¼ tasse) de farine

500 ml (2 tasses) de bouillon
de poulet

7 ml (½ c. à soupe)
d'assaisonnement
pour volaille

Sel et poivre

250 ml (1 tasse) d'oignons
en morceaux

250 ml (1 tasse) de céleri en dés

250 ml (1 tasse) de carottes
en dés

250 ml (1 tasse) de pommes
de terre en cubes

½ poivron rouge, en lanières

15 ml (1 c. à soupe) de persil
haché

75 ml (⅓ tasse) d'eau, ou plus

1 paquet de 340 ml (12 oz)
de petits pois surgelés

Préchauffer le four à 170 °C (325 °F).

Faire fondre le beurre dans une cocotte.

Y faire revenir les cubes de dinde 5 minutes environ, jusqu'à ce qu'ils soient dorés de toutes parts.

Saupoudrer de farine et arroser de bouillon de poulet. Bien mélanger.

Saupoudrer de l'assaisonnement pour volaille. Saler et poivrer.

Ajouter les oignons, le céleri, les carottes, les pommes de terre, le poivron et le persil. Bien mélanger.

Couvrir et cuire environ 2 heures, jusqu'à ce que la dinde soit tendre.

Allonger le ragoût avec de l'eau, si nécessaire.

Ajouter les petits pois à la dernière minute, juste pour réchauffer.

Jeannette Migneault,
Vimont

*C*e plat, longuement mijoté, saura estomper le goût de la dinde truffée dont la peau, tendue à craquer, éclipsait autrefois les plats savoureux à croquer.

Ragoût de dindon maison

Portions :	6
Préparation :	20 minutes
Cuisson :	3 heures
Degré de difficulté :	faible

Énergie : 370 cal	Protéines :	49 g
Lipides : 8 g	Cholestérol : 129 mg	
Glucides : 21 g	Fibres :	2,8 g

30 ml (2 c. à soupe) d'huile

1 poitrine de dinde de 3 kg
(6 lb), coupée en cubes
de 2,5 cm (1 po)

1 oignon, haché

3 gousses d'ail, hachées

1 poivron vert, en dés

3 branches de céleri, hachées

6 champignons, hachés

125 ml (½ tasse) de vin blanc sec

4 carottes, en rondelles

1 feuille de laurier

5 ml (1 c. à thé)
d'assaisonnement
pour volaille

Sel et poivre

500 ml (2 tasses) de bouillon
de poulet ou de dinde

Eau, au besoin

75 ml (⅓ tasse) de farine

1 sachet de poudre pour
sauce barbecue

Préchauffer le four à 180 °C (350 °F).

Faire chauffer l'huile dans un poêlon de fonte. Y faire revenir les cubes de dinde jusqu'à ce qu'ils soient dorés de toutes parts. Réserver dans une cocotte.

Dans le même poêlon, faire revenir l'oignon, l'ail, le poivron, le céleri et les champignons 8 minutes environ. Réserver avec les cubes de dinde.

Verser le vin blanc dans le poêlon. Déglacer à feu vif, en raclant à l'aide d'une spatule. Verser dans la cocotte.

Ajouter les carottes, la feuille de laurier et l'assaisonnement pour volaille. Saler et poivrer. Ajouter le bouillon de poulet et couvrir d'eau.

Couvrir et cuire au four 30 minutes. Réduire la chaleur à 160 °C (300 °F) et poursuivre la cuisson 2 heures.

Délayer la farine et la poudre pour sauce dans un peu d'eau. Verser dans la cocotte et bien mélanger.

Poursuivre la cuisson 20 minutes. Servir avec du riz ou des pommes de terre, ainsi qu'avec une salade verte.

Claire Choquette,
St-Paul-d'Abbotsford

*U*ne fois cuit, il ne manquera à ce ragoût que deux abaisses de pâte brisée pour constituer un succulent pâté de dindon en croûte, feuilleté et bien doré.

Poitrine de dinde farcie aux noix et aux fruits

Portions :	10
Préparation :	20 minutes
Cuisson :	1 heure 35 minutes
Trempage :	30 minutes
Repos :	10 minutes
Degré de difficulté :	moyen

Énergie : 359 cal	Protéines :		42 g
Lipides :	17 g	Cholestérol : 120 mg
Glucides :	8 g	Fibres :	0,8 g

60 ml (¼ tasse) d'abricots secs

30 ml (2 c. à soupe) de raisins de Corinthe

30 ml (2 c. à soupe) de noix de Grenoble hachées

75 ml (⅓ tasse) de jus de pomme ou de xérès

1 oignon, haché

1 branche de céleri, hachée

125 ml (½ tasse) d'huile d'olive

2 saucisses italiennes douces, pelées et hachées finement

375 ml (1 ½ tasse) de pain sec en cubes

125 ml (½ tasse) de bouillon de poulet, ou moins

60 ml (¼ tasse) de persil haché

Sauge, au goût

Sel et poivre

½ poitrine de dinde d'environ 1,5 kg (3 lb)

5 ml (1 c. à thé) de paprika

Préchauffer le four à 180 °C (350 °F).

Déposer les abricots hachés, les raisins, les noix et le jus dans un bol. Laisser tremper 30 minutes.

Faire revenir l'oignon et le céleri 5 minutes dans 30 ml (2 c. à soupe) d'huile. Ajouter les saucisses, les fruits réservés, le pain et le bouillon de poulet. Assaisonner de persil et de sauge. Saler et poivrer. Refroidir.

Trancher partiellement la demi-poitrine sur l'épaisseur, puis l'ouvrir à plat. Y étaler la farce. Rouler en un cylindre et ficeler.

Imbiber du reste d'huile d'olive un carré d'étamine ou de tissu propre, puis le saupoudrer de paprika, de poivre et de sel. En envelopper la dinde et fixer à l'aide de cure-dents.

Cuire 1 heure 30 minutes, en arrosant souvent. Laisser reposer 10 minutes et servir.

Olivette S. Masson,
Beaulieu

*L*a découpe de la dinde est un art. Farcir les poitrines en réservant les cuisses pour d'autres apprêts, voilà qui maximise les économies.

Volailles
Poulet

Ailes de poulet en sauce tomate

Portions :	2
Préparation :	10 minutes
Cuisson :	12 minutes
Degré de difficulté :	faible

Énergie : 610 cal	Protéines :		49 g
Lipides :	39 g	Cholestérol : 143 mg
Glucides :	16 g	Fibres :	2,6 g

10 ailes de poulet, épicées au goût

15 ml (1 c. à soupe) de margarine

125 ml (½ tasse) de champignons tranchés finement

125 ml (½ tasse) d'épinards hachés

500 ml (2 tasses) de jus de tomate

15 ml (1 c. à soupe) d'agent épaississant (type Veloutine) ou de fécule de maïs délayée dans une égale quantité d'eau

1 gousse d'ail, hachée finement

Poivre, au goût

Préchauffer le four à 200 °C (400 °F).

Déposer les ailes de poulet sur une plaque à pâtisserie et cuire 12 minutes, en retournant à mi-cuisson.

Pendant ce temps, préparer la sauce tomate.

Faire chauffer la margarine dans un grand poêlon. Y faire revenir les champignons 2 minutes, à feu moyen-vif. Ajouter les épinards et bien mélanger. Arroser de jus de tomate et laisser réduire légèrement. Tout en mélangeant, ajouter l'agent épaississant, l'ail et le poivre.

Poursuivre la cuisson 2 ou 3 minutes, en remuant constamment, jusqu'à épaississement.

Napper les assiettes de sauce tomate, puis y déposer les ailes de poulet.

Servir avec du riz.

Anonyme,
St-Donat

*I*l n'y a pas que l'appétit qui donne des ailes. Il y a aussi cette sauce tomate à l'ail et aux épinards, subtilement assaisonnée.

3

Volailles

Quand le jour s'envole, le mont Saint-Hilaire,
lointain, grandiose et profondément recueilli,
monte une garde distraite sur la Montérégie.

Cubes de poulet St-Anicet

Portions :	4
Préparation :	15 minutes
Cuisson :	6 minutes
Degré de difficulté :	faible

Énergie : 788 cal	Protéines :	46 g
Lipides : 45 g	Cholestérol : 156 mg	
Glucides : 49 g	Fibres :	1,9 g

500 ml (2 tasses) de farine

30 ml (2 c. à soupe) de sel

15 ml (1 c. à soupe) de sel au céleri

15 ml (1 c. à soupe) de poivre

30 ml (2 c. à soupe) de moutarde sèche

60 ml (¼ tasse) de paprika

30 ml (2 c. à soupe) de poudre d'ail

45 ml (3 c. à soupe) de glutamate monosodique (type Accent)

5 ml (1 c. à thé) de gingembre

2 ml (½ c. à thé) de thym

2 ml (½ c. à thé) de basilic

2 ml (½ c. à thé) d'origan

4 suprêmes de poulet (demi-poitrines sans peau et désossées)

1 œuf

15 ml (1 c. à soupe) de lait

Dans une friteuse, préchauffer l'huile à 190 °C (375 °F).

Dans un bol, mélanger la farine, le sel, le sel au céleri, le poivre, la moutarde, le paprika, la poudre d'ail, le glutamate monosodique, le gingembre, le thym, le basilic et l'origan.

Couper les suprêmes de poulet en lanières, puis tailler celles-ci en cubes.

Dans un bol, battre l'œuf avec le lait. Tremper les cubes de poulet dans cette préparation, puis les passer dans la farine assaisonnée, de façon à bien les en enrober.

Frire les cubes de poulet de 5 à 6 minutes, jusqu'à ce qu'ils soient dorés. Égoutter sur du papier absorbant.

Cécile Côté,
St-Anicet

n peut également frire les cubes de poulet dans juste assez d'huile pour couvrir le fond d'un poêlon, en ayant soin de les retourner à mi-cuisson.

Croissants au poulet

Portions :	4
Préparation :	15 minutes
Cuisson :	25 minutes
Degré de difficulté :	faible

Énergie : 589 cal	Protéines :	30 g
Lipides : 40 g	Cholestérol : 166 mg	
Glucides : 27 g	Fibres :	0,3 g

125 g (¼ lb) de fromage à la crème, ramolli

75 ml (⅓ tasse) de beurre fondu

500 ml (2 tasses) de poulet en cubes

30 ml (2 c. à soupe) de lait

15 ml (1 c. à soupe) de ciboulette hachée

45 ml (3 c. à soupe) de poivron rouge haché

Sel et poivre

1 paquet de 235 g (8 oz) de pâte pour croissants prête à cuire

125 ml (½ tasse) de chapelure assaisonnée

Préchauffer le four à 180 °C (350 °F).

Dans un bol, mélanger le fromage à la crème et 30 ml (2 c. à soupe) de beurre fondu, jusqu'à consistance crémeuse.

Ajouter le poulet, le lait, la ciboulette et le poivron rouge.

Saler et poivrer. Bien mélanger.

Diviser la pâte en carrés, puis y répartir la préparation.

Replier en deux, pour former des croissants. Déposer sur une plaque à pâtisserie non beurrée.

Badigeonner du reste du beurre fondu et saupoudrer de chapelure.

Cuire de 20 à 25 minutes, jusqu'à ce que la pâte soit bien dorée.

Servir deux croissants par portion.

Margot Coutu,
Normandin

orés à l'extérieur et colorés en dedans, ces croissants tout chauds ont beaucoup à offrir. Quoi, au juste ? Tout le plaisir consiste à le découvrir.

Cuisses de poulet à la sauce soya

Portions :	6
Préparation :	5 minutes
Cuisson :	2 heures
Marinage :	8 heures
Degré de difficulté :	faible

Énergie :	306 cal	Protéines :	18 g
Lipides :	19 g	Cholestérol :	58 mg
Glucides :	16 g	Fibres :	0,3 g

6   cuisses de poulet

60   ml (¼ tasse) d'huile

125   ml (½ tasse) de cassonade

125   ml (½ tasse) de sauce soya

1   ml (¼ c. à thé)
      de moutarde sèche

      Poivre, au goût

1   oignon, en rondelles

Déposer les cuisses de poulet dans un plat allant au four.

Dans un bol, mélanger l'huile, la cassonade, la sauce soya et la moutarde jusqu'à consistance homogène.

Poivrer et ajouter l'oignon.

Verser sur les cuisses.

Couvrir le plat d'une feuille de papier d'aluminium et laisser mariner 8 heures, au réfrigérateur.

Préchauffer le four à 180 °C (350 °F).

Cuire le poulet 2 heures environ, jusqu'à tendreté.

Servir avec la sauce.

Marie-Paule Bossé,
St-Alexandre

Brochettes de poulet à la mode de Jonquière

Portions :	4
Préparation :	15 minutes
Cuisson :	15 minutes
Marinage :	20 minutes
Degré de difficulté :	faible

Énergie :	599 cal	Protéines :	18 g
Lipides :	30 g	Cholestérol :	31 mg
Glucides :	72 g	Fibres :	5 g

MARINADE

375   ml (1 ½ tasse) de ketchup

2   ml (½ c. à thé) de sel

90   ml (⅓ tasse + 1 c. à soupe)
      de sucre

90   ml (⅓ tasse + 1 c. à soupe)
      d'huile

180   ml (¾ tasse) d'eau froide

90   ml (⅓ tasse + 1 c. à soupe)
      de vinaigre

90   ml (⅓ tasse + 1 c. à soupe)
      de sauce pour grillades

15   ml (1 c. à soupe) de sauce
      anglaise (Worcestershire)

60   ml (¼ tasse) de sauce soya

4   suprêmes de poulet en cubes

2   oignons, blanchis
      légèrement, en quartiers

1   poivron rouge, blanchi
      légèrement, en morceaux

1   poivron vert, blanchi
      légèrement, en morceaux

24   champignons

½   ananas, en cubes

8   tranches de bacon,
      coupées en deux

Dans une casserole, mélanger les ingrédients de la marinade. Amener à ébullition et retirer du feu. Y faire mariner les cubes de poulet 20 minutes. Égoutter le poulet dans une passoire, en ayant soin de récupérer le surplus de marinade.

Enfiler le poulet, les légumes, l'ananas et le bacon sur 8 brochettes.

Cuire de 10 à 12 minutes, au barbecue ou sous le gril du four, en retournant souvent les brochettes et en les badigeonnant de marinade.

Aline C. Dupéré,
Jonquière

Même quand la gelée givre déjà les lacs, il n'y a que le barbecue pour sublimer la saveur incomparable des viandes, qu'elles soient marinées ou non.

Ah! les jolies cuisses subtilement assaisonnées qu'il suffirait, pour les appétits déchaînés, de relever d'une pointe d'ail et d'un soupçon de gingembre.

Cuisses de poulet épicées

Portions :		4
Préparation :		10 minutes
Cuisson :		1 heure 10 minutes
Degré de difficulté :		faible

Énergie : 540 cal	Protéines :	38 g
Lipides : 20 g	Cholestérol : 113 mg	
Glucides : 52 g	Fibres :	3,4 g

4   cuisses de poulet

1   oignon, tranché finement

15   ml (1 c. à soupe) de beurre

   Sel et poivre

1   boîte de 156 g (5 ½ oz)
   de pâte de tomate

250   ml (1 tasse) d'eau

15   ml (1 c. à soupe) de sucre

4   feuilles de laurier

5   ml (1 c. à thé) de marjolaine

500   ml (2 tasses) de boucles
   (farfalle) ou autres pâtes
   alimentaires

Préchauffer le four à 180 °C (350 °F).

Déposer les cuisses de poulet et l'oignon dans un plat allant au four. Badigeonner la volaille de beurre.

Saler et poivrer.

Cuire 10 minutes et retirer du four.

Dans un bol, mélanger la pâte de tomate, l'eau et le sucre jusqu'à consistance homogène.

Verser sur le poulet. Assaisonner chaque cuisse d'une feuille de laurier et de marjolaine. Poursuivre la cuisson 1 heure, jusqu'à tendreté.

Pendant ce temps, faire cuire les boucles dans une casserole d'eau bouillante salée, selon les indications du fabricant. Bien égoutter.

Retirer les cuisses de poulet de la sauce et ajouter à celle-ci les boucles cuites. Bien mélanger.

Déposer les cuisses de poulet sur les pâtes. Servir bien chaud.

Gabrielle Tremblay,
Normandin

C uites dans une sauce tomate avec marjolaine et laurier, ces cuisses bien dodues ont d'excellentes raisons de s'endimancher de nœuds papillons.

Foies de poulet à la crème

Portions :		2
Préparation :		10 minutes
Cuisson :		18 minutes
Degré de difficulté :		faible

Énergie : 554 cal	Protéines :	35 g
Lipides : 24 g	Cholestérol : 530 mg	
Glucides : 51 g	Fibres :	14 g

125   ml (½ tasse) d'eau

180   ml (¾ tasse) de carottes
   en dés

1   paquet de 540 g (19 oz)
   de petits pois surgelés

30   ml (2 c. à soupe) de beurre

250   g (½ lb) de foies de poulet,
   parés

22   ml (1 ½ c. à soupe) de farine

75   ml (⅓ tasse) de crème 15 %

   Sel et poivre

Amener l'eau à ébullition dans une casserole. Y faire cuire les carottes et les petits pois de 8 à 10 minutes, jusqu'à tendreté. Égoutter les légumes en ayant soin de recueillir 75 ml (⅓ tasse) de l'eau de cuisson. Réserver les légumes dans un plat de service chaud.

Faire fondre le beurre dans un poêlon. Y faire revenir les foies de poulet 3 ou 4 minutes, jusqu'à ce qu'ils soient dorés de toutes parts. Retirer du poêlon. Réserver avec les légumes.

Dans le poêlon, ajouter la farine à la graisse de cuisson et mélanger 30 secondes, à feu doux.

Tout en mélangeant, ajouter graduellement l'eau de cuisson des légumes et la crème.

Saler et poivrer.

Poursuivre la cuisson 2 ou 3 minutes en remuant constamment, jusqu'à épaississement.

Napper de sauce les foies et les légumes. Servir bien chaud.

Marie-Rose Laframboise,
Masson-Angers

S autés au beurre, puis nappés d'une sauce à la crème fraîche, ces foies de poulet ne paient rien pour attendre.

Cubes de poulet panés

Portions :	4
Préparation :	15 minutes
Cuisson :	15 minutes
Degré de difficulté :	faible

Énergie : 284 cal	Protéines :	40 g
Lipides : 7 g	Cholestérol : 156 mg
Glucides : 12 g	Fibres : 0,5 g

125 ml (½ tasse)
de flocons de maïs émiettés

125 ml (½ tasse) de chapelure

2 ml (½ c. à thé) de paprika

Sel, au goût

15 ml (1 c. à soupe) de persil

1 pincée de piment
de Cayenne

2 ml (½ c. à thé)
de poudre d'ail

2 ml (½ c. à thé)
de poudre d'oignon

1 œuf

15 ml (1 c. à soupe) d'eau

60 ml (¼ tasse) de farine

4 suprêmes de poulet
(demi-poitrines sans peau
et désossées), en cubes

Préchauffer le four à 200 °C (400 °F).

Dans un bol, mélanger les flocons de maïs, la chapelure, le paprika, le sel, le persil et le piment de Cayenne, ainsi que les poudres d'ail et d'oignon.

Dans un autre bol, battre l'œuf avec l'eau.

Fariner les cubes de poulet, les tremper dans l'œuf battu, puis les passer dans la chapelure de façon à bien les en enrober.

Déposer sur une plaque à pâtisserie beurrée et cuire de 10 à 15 minutes, jusqu'à tendreté.

Thérèse Veilleux,
Repentigny

Fricassée de poulet coquelicot

Portions :	4
Préparation :	20 minutes
Cuisson :	55 minutes
Degré de difficulté :	faible

Énergie : 582 cal	Protéines :	50 g
Lipides : 30 g	Cholestérol : 371 mg
Glucides : 28 g	Fibres : 5,9 g

60 ml (¼ tasse) de beurre

4 branches de céleri,
en tronçons de 5 cm (2 po)

4 carottes, en tronçons
de 5 cm (2 po)

2 poireaux, en rondelles

2 oignons, en quartiers

1 poulet de 1,5 kg (3 lb),
en morceaux

1 l (4 tasses)
de bouillon de poulet

4 jaunes d'œufs

60 ml (¼ tasse)
de crème 15 %

15 ml (1 c. à soupe)
de beurre fondu

1 boîte de 284 ml (10 oz)
de champignons tranchés

Sel et poivre

Faire fondre 45 ml (3 c. à soupe) de beurre dans une casserole. Ajouter le céleri, les carottes, les poireaux et les oignons.

Couvrir et laisser suer les légumes 10 minutes, à feu doux.

Pendant ce temps, faire fondre le reste du beurre dans une autre casserole.

Y faire revenir les morceaux de poulet 5 minutes environ, jusqu'à ce qu'ils soient dorés de toutes parts.

Ajouter à la volaille les légumes cuits et le bouillon de poulet. Amener à ébullition. Réduire la chaleur et laisser mijoter de 30 à 40 minutes, jusqu'à ce que le poulet soit tendre.

Le retirer de la casserole et le réserver au chaud dans un plat de service.

Dans un bol, mélanger les jaunes d'œufs, la crème et le beurre fondu. Tout en mélangeant, incorporer lentement au bouillon de poulet. Poursuivre la cuisson 4 minutes en remuant, jusqu'à épaississement.

Ajouter les champignons et leur jus. Bien mélanger. Saler et poivrer. Verser la sauce aux légumes sur le poulet. Servir aussitôt.

Jacqueline Éthier,
Ste-Thérèse

 e tendres morceaux de poitrine enrobés d'une chapelure croustillante et assaisonnée juste à point, on peut difficilement trouver mieux pour s'émoustiller les papilles.

ette fricassée de poulet aux légumes frais s'accompagne non seulement d'une sauce crémeuse aux champignons, mais d'une panoplie d'éloges.

Gratin de poulet et de brocoli

Portions :	4
Préparation :	15 minutes
Cuisson :	25 minutes
Degré de difficulté :	faible

Énergie : 675 cal	Protéines :		34 g
Lipides :	51 g	Cholestérol :	127 mg
Glucides :	23 g	Fibres :	3,5 g

1   brocoli, cuit, égoutté et défait en fleurons

500   ml (2 tasses) de poitrines de poulet cuites en dés

1   boîte de 284 ml (10 oz) de crème de poulet concentrée

125   ml (½ tasse) de mayonnaise

5   ml (1 c. à thé) de jus de citron

125   ml (½ tasse) de cheddar râpé

3   tranches de pain, en dés

45   ml (3 c. à soupe) de beurre fondu

Paprika, au goût

Persil haché, au goût

Préchauffer le four à 180 °C (350 °F).

Déposer le brocoli dans un plat de 20 cm (8 po) de côté, allant au four.

Couvrir de dés de poulet.

Dans un bol, mélanger la crème de poulet, la mayonnaise et le jus de citron.

Verser sur le poulet, puis saupoudrer de cheddar.

Dans un autre bol, mélanger le pain et le beurre fondu.

En couvrir uniformément la préparation et saupoudrer de paprika et de persil.

Cuire environ 25 minutes, jusqu'à ce que le pain soit doré.

Si désiré, servir avec des nouilles au beurre.

Odette Sirois-Lampron,
St-Lucien

Gratin de poulet jardinière

Portions :	4
Préparation :	15 minutes
Cuisson :	20 minutes
Degré de difficulté :	faible

Énergie : 635 cal	Protéines :		32 g
Lipides :	21 g	Cholestérol :	161 mg
Glucides :	80 g	Fibres :	4 g

CUISSON MICRO-ONDES

250   ml (1 tasse) d'un assortiment de légumes en morceaux

30   ml (2 c. à soupe) d'eau

60   ml (¼ tasse) de champignons tranchés

30   ml (2 c. à soupe) de beurre

45   ml (3 c. à soupe) de farine

375   ml (1 ½ tasse) de lait

Sel et poivre

Cari, au goût

500   g (1 lb) de nouilles (tagliatelles), cuites

250   ml (1 tasse) de dés de poulet cuit

125   ml (½ tasse) de mozzarella râpée

Déposer l'assortiment de légumes dans un plat conçu pour micro-ondes. Ajouter l'eau. Couvrir et cuire 3 minutes, à puissance maximale. Ajouter les champignons et poursuivre la cuisson 2 minutes. Réserver.

Déposer le beurre dans un autre plat conçu pour micro-ondes. Faire chauffer 20 secondes à puissance maximale, jusqu'à ce qu'il ait fondu. Ajouter la farine et bien mélanger. Tout en brassant, ajouter le lait. Cuire 6 minutes à puissance maximale, en remuant aux deux minutes. Saler et poivrer. Assaisonner de cari. Réserver cette sauce.

Bien égoutter les nouilles cuites, puis les déposer dans un plat allant au four. Couvrir des dés de poulet et des légumes réservés. Napper de sauce.

Saupoudrer de mozzarella râpée et gratiner de 6 à 8 minutes environ, sous le gril du four.

Édith B. Roy,
Beauport

Quand ils sont servis en gratin, on aurait bien tort de lever le nez sur les restes. Sauf, bien sûr, s'il s'agit d'en humer le fumet.

Quand tout baigne dans la béchamel, il est difficile de départager l'apport gastronomique des ingrédients, qu'il s'agisse de nouilles, légumes, mozzarella ou poulet.

Pilons de poulet de l'insulaire

Portions :	6
Préparation :	15 minutes
Cuisson :	1 heure 20 minutes
Degré de difficulté :	faible

Énergie : 544 cal	Protéines :	57 g
Lipides : 23 g	Cholestérol :	189 mg
Glucides : 24 g	Fibres :	0,1 g

24 pilons de poulet

1 ml (¼ c. à thé) de sel

1 ml (¼ c. à thé) d'origan

2 ml (½ c. à thé)
de poudre d'ail

2 ml (½ c. à thé)
de poudre d'oignon

250 ml (1 tasse) de cassonade

375 ml (1 ½ tasse) d'eau chaude

30 ml (2 c. à soupe)
de sauce soya

2 gousses d'ail, hachées

Préchauffer le four à 180 °C (350 °F).

Placer les pilons de poulet côte à côte, dans un plat de cuisson suffisamment grand pour les contenir tous.

Dans un petit bol, mélanger le sel et l'origan, ainsi que les poudres d'ail et d'oignon. En saupoudrer les pilons.

Cuire 45 minutes.

Dans une casserole, mélanger la cassonade, l'eau chaude, la sauce soya et les gousses d'ail hachées. Amener à ébullition, puis verser sur les pilons.

Poursuivre la cuisson 20 minutes. Retourner les pilons et cuire 15 minutes de plus.

Si désiré, servir avec des pâtes ou du riz et accompagner de carottes, ainsi que de choux de Bruxelles.

Thérèse Bouchard,
Île-aux-Coudres

Clouer le bec de la marmaille avec ces pilons croustillants et dorés vous donnera droit, la sauce aidant, à de beaux becs sucrés.

Poitrines de poulet à l'ananas

Portions :	8
Préparation :	20 minutes
Cuisson :	2 heures 20 minutes
Degré de difficulté :	faible

Énergie : 333 cal	Protéines :	30 g
Lipides : 15 g	Cholestérol :	92 mg
Glucides : 19 g	Fibres :	0,6 g

60 ml (¼ tasse) de beurre

45 ml (3 c. à soupe) d'huile

8 suprêmes de poulet

Sel et poivre

125 ml (½ tasse)
de poivron vert en dés

125 ml (½ tasse)
de poivron rouge en dés

1 oignon, en dés

125 ml (½ tasse) de champignons

1 boîte de 540 ml (19 oz)
d'ananas (non sucrés)
en morceaux

75 ml (⅓ tasse) de cassonade

125 ml (½ tasse)
de bouillon de poulet

2 ml (½ c. à thé) de moutarde
sèche

1 ml (¼ c. à thé) de thym

1 pincée de sarriette

1 ml (¼ c. à thé) de persil

15 ml (1 c. à soupe) de fécule de maïs, délayée dans une égale quantité d'eau

Préchauffer le four à 170 °C (325 °F).

Faire chauffer le beurre et 30 ml (2 c. à soupe) d'huile dans un poêlon. Y dorer les suprêmes de poulet 3 minutes de chaque côté. Saler et poivrer. Retirer du poêlon. Réserver dans un plat allant au four.

Faire chauffer le reste de l'huile dans le même poêlon. Y faire revenir les poivrons, l'oignon et les champignons de 2 à 3 minutes. Déposer sur le poulet.

Égoutter les ananas en ayant soin de récupérer leur jus, puis ajouter à ce dernier suffisamment d'eau pour obtenir 250 ml (1 tasse) de liquide.

Dans une casserole, verser le jus d'ananas, la cassonade et le bouillon de poulet. Assaisonner de moutarde, de thym, de sarriette et de persil. Amener à ébullition. Réduire la chaleur et laisser mijoter 8 minutes. Arroser le poulet de cette sauce.

Cuire 1 heure 30 minutes. Couvrir et poursuivre la cuisson 30 minutes. Retirer le poulet de la sauce. Réserver.

Verser la sauce dans une casserole et ajouter la fécule de maïs. Cuire en remuant jusqu'à épaississement. Ajouter les cubes d'ananas. Verser sur le poulet et servir.

Noëlline Moisan,
Charlesbourg

Le simple fait d'être un fruit tropical confère à l'ananas une réputation enviable. Mais attention ! Il ne supporte ni le froid, ni l'hiver, ni les séjours forcés au réfrigérateur.

Poitrines de poulet aux olives

Portions :	6
Préparation :	15 minutes
Cuisson :	2 heures 5 minutes
Degré de difficulté :	faible

Énergie : 418 cal	Protéines :		39 g
Lipides : 18 g	Cholestérol : 102 mg
Glucides : 20 g	Fibres :		4,4 g

30 ml (2 c. à soupe) de beurre

6 suprêmes de poulet
(demi-poitrines sans peau
et désossées)

125 ml (½ tasse) de farine

250 ml (1 tasse) de vin blanc sec

375 ml (1 ½ tasse)
de bouillon de poulet

1 poivron, en lanières

500 g (1 lb) de champignons,
coupés en deux

1 pot de 454 g (16 oz)
d'olives vertes, dénoyautées
et égouttées

4 échalotes, hachées

2 tomates, blanchies,
pelées et hachées

Préchauffer le four à 180 °C (350 °F).

Faire fondre le beurre dans un
poêlon.

Y dorer les suprêmes de poulet 2 minutes environ, de chaque côté, à feu
moyen-vif.

Déposer les suprêmes dans une
casserole allant au four, puis les
saupoudrer de farine.

Ajouter le vin blanc, le bouillon de
poulet, le poivron, les champignons,
les olives et les échalotes.

Couvrir et cuire 30 minutes.

Ajouter les tomates et poursuivre la
cuisson 1 heure 30 minutes.

Si désiré, servir avec des languettes
(linguine) saupoudrées d'échalotes,
de bouquets de brocoli, ainsi que de
carottes en rondelles.

Nicole L. Massicotte,
Québec

Poitrines grillées Ste-Perpétue

Portions :	4
Préparation :	15 minutes
Cuisson :	20 minutes
Marinage :	4 heures
Degré de difficulté :	faible

Énergie : 638 cal	Protéines :		34 g
Lipides : 31 g	Cholestérol : 82 mg
Glucides : 57 g	Fibres :		0,7 g

4 demi-poitrines de poulet

150 ml (⅔ tasse) d'huile

60 ml (¼ tasse) de sucre

60 ml (¼ tasse) de sauce soya

30 ml (2 c. à soupe)
de jus de citron

5 ml (1 c. à thé)
de poudre d'ail

375 ml (1 ½ tasse)
de bouillon de poulet

125 ml (½ tasse) de ketchup

1 ml (¼ c. à thé)
de gingembre

2 gousses d'ail, hachées

125 ml (½ tasse) de sirop d'érable

60 ml (¼ tasse) de sauce soya

1 échalote, hachée

23 ml (1 ½ c. à soupe) de fécule
de maïs, délayée dans une
égale quantité d'eau

Déposer les poitrines de poulet dans
un plat. Réserver.

Dans un bol, mélanger l'huile, le
sucre, la sauce soya, le jus de citron
et la poudre d'ail. Verser sur le
poulet.

Couvrir et laisser mariner de 3 à 4
heures, au réfrigérateur.

Préchauffer le four à 180 °C (350 °F).

Retirer le poulet de la marinade et le
déposer sur la grille d'une lèchefrite.

Cuire 20 minutes environ, en badigeonnant de marinade pendant la
cuisson, jusqu'à tendreté. Pendant
ce temps, préparer la sauce.

Dans une casserole, mélanger le
bouillon de poulet, le ketchup, le
gingembre, l'ail, le sirop d'érable, la
sauce soya et l'échalote.

Amener à ébullition et laisser bouillir environ 15 minutes.

Ajouter la fécule de maïs et poursuivre la cuisson 2 ou 3 minutes, en
remuant constamment, jusqu'à
épaississement.

Servir les poitrines nappées de sauce.

Carmen Therrien,
Ste-Perpétue

Marinées ou saumurées, les olives tirent toujours profit
d'un trempage à l'eau tiède, opération d'une facilité
désarmante qui en atténue grandement l'amertume.

L'été, quand la canicule insiste et que le soleil persiste,
profitez résolument du plein air en optant pour la
cuisson barbecue.

Poulet au cari de l'Islet

Portions:	4
Préparation:	20 minutes
Cuisson:	1 heure 10 minutes
Degré de difficulté:	faible

Énergie: 514 cal	Protéines:	35 g
Lipides:	24 g	Cholestérol:	87 mg
Glucides:	40 g	Fibres:	5,2 g

45   ml (3 c. à soupe)
     d'huile d'arachide

1,25 kg (2 ½ lb) de morceaux
     de poulet

500 ml (2 tasses)
     d'oignons hachés

250 ml (1 tasse) de céleri haché

2   gousses d'ail, broyées

500 ml (2 tasses) de pommes
     de terre en dés

1   boîte de 540 ml (19 oz)
     de tomates

250 ml (1 tasse) de bouillon
     de poulet

30   ml (2 c. à soupe) de sucre

7   ml (1 ½ c. à thé) de sel

15   ml (1 c. à soupe) de cari

5   ml (1 c. à thé) de gingembre

1   pincée de piment de Cayenne

45   ml (3 c. à soupe) de farine

30   ml (2 c. à soupe) de noix
     de coco râpée

     Un peu d'eau, au besoin

Faire chauffer l'huile dans une casserole à fond épais. Y faire revenir les morceaux de poulet 5 minutes environ, jusqu'à ce qu'ils soient dorés de toutes parts.

Retirer de la casserole et réserver au chaud.

Dans la même casserole, faire revenir les oignons, le céleri et l'ail à feu moyen, 15 minutes environ, jusqu'à légère coloration.

Ajouter les pommes de terre, les tomates, le bouillon de poulet, le sucre et le sel. Bien mélanger. Assaisonner de cari, de gingembre et de piment de Cayenne.

Amener à ébullition et réduire la chaleur. Ajouter le poulet.

Couvrir et laisser mijoter 45 minutes environ, jusqu'à tendreté.

Retirer le poulet de la casserole et réserver au chaud.

Délayer la farine et la noix de coco râpée dans une égale quantité d'eau, puis incorporer à la sauce. Poursuivre la cuisson de 5 à 7 minutes, en remuant constamment.

Servir le poulet sur un nid de riz, puis le napper de sauce.

Accompagner d'amandes hachées, de noix de coco râpée, de raisins secs et de chutney.

Yolande B. Nadeau,
L'Islet-sur-Mer

Les ressources inépuisables du terroir n'empêchent pas la cuisine québécoise de puiser outre-frontières les éléments essentiels à son enrichissement et à sa diversité.

Poulet à la Kiev, façon St-Bruno

Portions:	6
Préparation:	20 minutes
Cuisson:	20 minutes
Congélation:	6 heures
Refroidissement:	2 heures
Degré de difficulté:	moyen

Énergie: 584 cal	Protéines:	42 g
Lipides:	41 g	Cholestérol: 254 mg
Glucides:	11 g	Fibres:	0,4 g

125 ml (½ tasse) de margarine,
     ramollie

125 ml (½ tasse) de beurre,
     ramolli

30   ml (2 c. à soupe)
     de persil haché

7   ml (1 ½ c. à thé) d'estragon

2   gousses d'ail, hachées

     Sel et poivre

6   suprêmes de poulet
     (demi-poitrines désossées
     et sans peau)

60   ml (¼ tasse) de farine

3   œufs, battus

375 ml (1 ½ tasse) de chapelure

Dans un bol, mélanger la margarine, le beurre, le persil, l'estragon et l'ail. Saler et poivrer.

Déposer sur une feuille de papier ciré, puis rouler en un cylindre, en s'aidant du papier.

Congeler le beurre de 4 à 6 heures.

Placer les suprêmes de poulet entre deux feuilles de papier ciré, puis les aplatir à l'aide d'un maillet.

Couper le beurre en six rondelles, puis en placer une au centre de chaque suprême. Rouler les suprêmes de façon à emprisonner parfaitement le beurre et fixer à l'aide de cure-dents.

Rouler les suprêmes dans la farine, les tremper dans les œufs battus, puis les rouler dans la chapelure de façon à bien les en enrober. Réfrigérer 2 heures.

Dans une friteuse, préchauffer l'huile à 185 °C (360 °F).

Préchauffer le four à 150 °C (275 °F).

Frire les suprêmes 5 minutes. Poursuivre la cuisson de 10 à 15 minutes, au four préchauffé.

Monique St-Aubin,
St-Bruno-de-Montarville

Quand un coup de couteau pourfend l'or de la croûte, libérant un beurre à l'ail, au persil et à l'estragon, il faut que la fourchette attaque, coûte que coûte.

Oignons à l'aigre-douce de Barraute

Portions :	8
Préparation :	15 minutes
Cuisson :	20 minutes
Degré de difficulté :	faible

Énergie :	73 cal	Protéines :	2 g
Lipides :	0,2 g	Cholestérol :	0 mg
Glucides :	17 g	Fibres :	2 g

180 ml (¾ tasse) d'eau
légèrement salée

8 oignons, coupés en 2

60 ml (¼ tasse) de cassonade

30 ml (2 c. à soupe) de fécule
de maïs

1 ml (¼ c. à thé) de chili

1 ml (¼ c. à thé) de moutarde
sèche

1 pincée de gingembre

250 ml (1 tasse) de jus de tomate

125 ml (½ tasse) d'eau

30 ml (2 c. à soupe) de vinaigre

Amener l'eau à ébullition dans une petite casserole. Ajouter les oignons.

Couvrir et réduire la chaleur. Laisser mijoter de 15 à 20 minutes, jusqu'à tendreté.

Dans une casserole, mélanger la cassonade et la fécule de maïs.

Assaisonner de chili, de moutarde et de gingembre.

Ajouter le jus de tomate, l'eau et le vinaigre.

Amener à ébullition tout en mélangeant, jusqu'à épaississement.

Réduire la chaleur et laisser mijoter 5 minutes, en remuant de temps en temps.

Égoutter les oignons, puis les déposer dans un plat de service.

Arroser de la sauce et servir.

Yolande Lacroix,
Barraute

Les oignons à l'aigre-douce accompagneront avec brio les poissons, les viandes grillées et rôties, et particulièrement le gibier.

Pommes de terre au romarin

Portions :	4
Préparation :	10 minutes
Cuisson :	30 minutes
Degré de difficulté :	faible

Énergie :	342 cal	Protéines :	5 g
Lipides :	11 g	Cholestérol :	8 mg
Glucides :	59 g	Fibres :	4,2 g

125 ml (½ tasse) de sauce
à salade ou de mayonnaise

1 gousse d'ail, hachée finement

7 ml (1 ½ c. à thé) de romarin

2 ml (½ c. à thé)
de moutarde sèche

1 pincée de poivre noir

4 pommes de terre (non pelées)

Préchauffer le four à 230 °C (450 °F).

Dans un bol, mélanger la sauce à salade, l'ail, le romarin, la moutarde et le poivre. Réserver.

Couper les pommes de terre en quatre, sur la longueur, puis les déposer sur une plaque à pâtisserie, côté pelure dessous.

Badigeonner les pommes de terre de sauce à salade assaisonnée.

Cuire environ 30 minutes, jusqu'à ce que les pommes de terre soient tendres et dorées.

Huguette Brunet,
Châteauguay

Sous leur mince croûte parcheminée, ces pommes de terre recèlent tous les parfums secrets du romarin, de l'ail, de la moutarde et du poivre noir combinés.

4

Légumes

Pommes de terre croustillantes

Portions :	4
Préparation :	10 minutes
Cuisson :	25 minutes
Degré de difficulté :	faible

Énergie : 274 cal	Protéines :	9 g
Lipides : 12 g	Cholestérol :	38 mg
Glucides : 33 g	Fibres :	2,7 g

CUISSON MIXTE

1   l (4 tasses) de pommes
de terre pelées et coupées
en tranches de 0,6 cm (¼ po)

———

30   ml (2 c. à soupe)
de beurre fondu

———

Sel et poivre

———

250   ml (1 tasse) de fromage râpé,
au choix

———

125   ml (½ tasse) de flocons
de maïs broyés

———

Paprika, au goût

Préchauffer le four à 180 °C (350 °F).

———

Mélanger les pommes de terre et le beurre dans un plat conçu pour cuisson mixte (four et micro-ondes).

———

Saler et poivrer.

———

Couvrir d'une pellicule de plastique et cuire environ 15 minutes, à puissance maximale.

———

Découvrir et saupoudrer de fromage râpé, de flocons de maïs et de paprika.

———

Cuire au four 10 minutes environ, jusqu'à ce que les pommes de terre soient tendres et dorées.

———

Muguette Dubé,
St-Luc

Pommes de terre enneigées

Portions :	4
Préparation :	20 minutes
Cuisson :	32 minutes
Degré de difficulté :	faible

Énergie : 395 cal	Protéines :	9 g
Lipides : 31 g	Cholestérol :	263 mg
Glucides : 22 g	Fibres :	2 g

4   pommes de terre, pelées

———

75   ml (⅓ tasse) de beurre

———

4   œufs

———

75   ml (⅓ tasse) d'échalotes
hachées finement

———

5   ml (1 c. à thé) de sel

———

Poivre, au goût

———

60   ml (¼ tasse) de mayonnaise

———

5   ml (1 c. à thé)
de jus de citron

Préchauffer le four à 180 °C (350 °F).

———

Cuire les pommes de terre 20 minutes environ, dans une casserole d'eau bouillante salée, jusqu'à tendreté.

———

Égoutter les pommes de terre, puis les réduire en purée dans un bol, avec le beurre.

———

Disposer les pommes de terre en quatre monticules, sur une plaque à pâtisserie beurrée, puis creuser une cavité en leur centre.

———

Verser un jaune d'œuf dans chacune des cavités, en ayant soin de réserver les blancs dans un bol. Parsemer d'échalotes. Saler et poivrer.

———

Battre les blancs d'œufs jusqu'à formation de pics fermes. Incorporer la mayonnaise et le jus de citron, en pliant délicatement à l'aide d'une spatule de caoutchouc.

———

Couvrir entièrement les pommes de terre de cette préparation. Cuire 12 minutes, jusqu'à ce que la meringue soit dorée.

———

Christiane Beaudoin,
Masson-Angers

S i Parmentier avait découvert cette recette avant de populariser la pomme de terre, il y a fort à parier que sa tâche aurait grandement été simplifiée.

S ur ce monticule de pommes de terre enneigées, un œuf de poule s'est délicatement niché, intact. Mais pour combien de temps?

Pommes de terre farcies au fromage

Portions :	10
Préparation :	30 minutes
Refroidissement :	8 heures
Cuisson :	1 heure 40 minutes
Degré de difficulté :	moyen

Énergie : 417 cal	Protéines :	11 g
Lipides : 18 g	Cholestérol : 58 mg
Glucides : 54 g	Fibres :	4,3 g

10   pommes de terre (non pelées)

250 g (½ lb) de fromage à la
     crème, ramolli, en morceaux

60   ml (¼ tasse) de beurre

250 ml (1 tasse), environ, de lait

45   ml (3 c. à soupe) d'oignon
     en flocons

15   ml (1 c. à soupe) de persil
     haché finement

1   ml (¼ c. à thé)
     de poudre d'ail

     Sel et poivre

     Paprika, au goût

375 ml (1½ tasse)
     de mozzarella râpée

Préchauffer le four à 200 °C (400 °F).

Bien nettoyer les pommes de terre, puis en piquer la pelure en maints endroits, à la fourchette. Déposer sur une plaque à pâtisserie beurrée et cuire environ 1 heure.

Mélanger le fromage, le beurre et le lait dans un grand bol, jusqu'à consistance homogène. Assaisonner d'oignon en flocons, de persil et de poudre d'ail. Saler et poivrer.

Retirer les pommes de terre du four, puis les couper en deux, sur la longueur. À l'aide d'une cuillère, en prélever la chair sans abîmer la pelure, puis l'ajouter à la préparation précédente. Fouetter au batteur électrique jusqu'à homogénéité.

Farcir les pelures de cette préparation et les déposer dans un plat allant au four. Saupoudrer de paprika et de mozzarella. Couvrir d'une pellicule de plastique et réfrigérer 8 heures.

Préchauffer le four à 200 °C (400 °F).

Découvrir les pommes de terre, puis les cuire 40 minutes.

Jeannette St-Amand,
Sabrevois

U n séjour au frigo est tout indiqué pour permettre aux saveurs de bien s'amalgamer, et pour nous autoriser à tout préparer à l'avance.

Pommes de terre St-Émile

Portions :	8
Préparation :	15 minutes
Cuisson :	1 heure 15 minutes
Repos :	10 minutes
Degré de difficulté :	faible

Énergie : 258 cal	Protéines :	9 g
Lipides : 11 g	Cholestérol : 25 mg
Glucides : 32 g	Fibres :	2,1 g

1,5 l (6 tasses) de pommes de
     terre (non pelées) tranchées
     finement

½   oignon, haché

180 ml (¾ tasse) de gruyère ou
     d'emmenthal râpé

60   ml (¼ tasse)
     de parmesan râpé

125 ml (½ tasse)
     de sauce à salade

30   ml (2 c. à soupe) de farine

430 ml (1 ¾ tasse) de lait

     Sel et poivre

Préchauffer le four à 190 °C (375 °F).

Dans un plat à gratin beurré d'une contenance de 2 l (8 tasses), superposer, en rangs successifs, le tiers des pommes de terre, le tiers de l'oignon et le tiers des fromages.

Répéter deux fois l'opération, jusqu'à épuisement des ingrédients.

Dans un bol, mélanger la sauce à salade et la farine.

Ajouter graduellement le lait, tout en fouettant jusqu'à consistance lisse.

Saler et poivrer.

Verser sur les pommes de terre.

Couvrir et cuire 1 heure.

Découvrir et poursuivre la cuisson 15 minutes, jusqu'à ce que le tout soit doré.

Laisser reposer 10 minutes avant de servir.

Huguette Verret,
St-Émile

P our servir fièrement ce régal, sans aucun souci d'ordre nutritif, il suffit de le protéiner par l'apport de jambon, de poulet, de porc ou de poisson.

Légumes

Marinades et ketchups

Fèves et légumineuses marinées

Portions :	3 l (12 tasses)
Préparation :	10 minutes
Cuisson :	–
Refroidissement :	24 heures
Degré de difficulté :	faible

Par 60 ml (¼ tasse) :

Énergie : 80 cal	Protéines :		2 g
Lipides :	4 g	Cholestérol :	0 mg
Glucides :	11 g	Fibres :	2,2 g

1 boîte de 540 ml (19 oz)
   de fèves vertes, égouttées

1 boîte de 540 ml (19 oz)
   de fèves jaunes, égouttées

1 boîte de 540 ml (19 oz)
   de haricots rouges, égouttés

1 boîte de 540 ml (19 oz)
   de haricots de Lima, égouttés

1 boîte de 540 ml (19 oz)
   de pois chiches, égouttés

1 oignon, haché

1 poivron vert, haché

250 ml (1 tasse) de sucre

180 ml (¾ tasse) d'huile

250 ml (1 tasse) de vinaigre

5 ml (1 c. à thé) de sel

5 ml (1 c. à thé) de poivre

Dans un bol, mélanger les fèves vertes et jaunes, les haricots rouges et de Lima, les pois chiches, l'oignon et le poivron. Réserver.

Dans un autre bol, fouetter le sucre, l'huile et le vinaigre jusqu'à consistance homogène. Saler et poivrer.

Verser sur la préparation précédente et mélanger délicatement.

Verser dans des pots chauds et stérilisés. Bien sceller.

Avant de servir, laisser reposer au moins 24 heures, au réfrigérateur.

Monique Campagna,
St-Damien

Sitôt les fèves cuisinées, vous n'aurez pas à inviter toute la parenté puisqu'elles se conservent un long mois, au réfrigérateur.

Ketchup aux courgettes

Portions :	2 l (8 tasses)
Préparation :	30 minutes
Cuisson :	20 minutes
Dégorgement :	2 heures
Égouttage :	1 heure
Degré de difficulté :	faible

Par 60 ml (¼ tasse) :

Énergie : 139 cal	Protéines :		1 g
Lipides :	0 g	Cholestérol :	0 mg
Glucides :	36 g	Fibres :	1,3 g

2,5 l (10 tasses)
   de courgettes tranchées

1,25 l (5 tasses) d'oignons hachés

2 branches de céleri, en dés

2 poivrons rouges, en dés

2 poivrons verts, en dés

15 ml (1 c. à soupe) de gros sel

625 ml (2 ½ tasses) de vinaigre

1,25 l (5 tasses) de sucre

5 ml (1 c. à thé) de curcuma

5 ml (1 c. à thé)
   de graines de céleri

5 ml (1 c. à thé)
   de graines de moutarde

45 ml (3 c. à soupe) de fécule
   de maïs, délayée dans une
   égale quantité d'eau froide

Dans un grand bol, déposer les courgettes, les oignons, le céleri et les poivrons.

Saupoudrer de gros sel, bien mélanger et laisser dégorger 2 heures. Égoutter les légumes 1 heure, dans une passoire, pour les débarrasser de leur excédent d'eau. Rincer les légumes et les essuyer dans un linge propre.

Dans une casserole, mélanger le vinaigre et le sucre. Assaisonner de curcuma, ainsi que de graines de céleri et de moutarde. Amener à ébullition.

Ajouter les légumes réservés et laisser bouillir 20 minutes. Ajouter la fécule de maïs et poursuivre la cuisson tout en mélangeant, jusqu'à léger épaississement.

Verser dans des pots chauds et stérilisés. Bien sceller.

Laurée Poupart,
St-Michel

Courgette, oignons, céleri et poivrons : voilà les légumes aux tons doux que l'artiste, dans une envolée culinaire et lyrique, a tenu à réunir dans un même pot.

Q uand les courges rigolotes exhibent leurs bosses au marché, les étalages s'animent de couleurs vives, hantés par d'invisibles sorcières.

Carottes marinées St-Ferdinand

Portions :	2 l (8 tasses)
Préparation :	15 minutes
Cuisson :	10 minutes
Repos :	1 heure
Degré de difficulté :	faible

Par 60 ml (¼ tasse) :

Énergie : 46 cal	Protéines :	0,5 g
Lipides : 2 g	Cholestérol :	0 mg
Glucides : 8 g	Fibres :	1,1 g

15   carottes, en rondelles

½   boîte de 284 ml (10 oz) de soupe aux tomates concentrée

1   poivron vert, en dés

1   oignon, haché finement

60   ml (¼ tasse) d'huile

125   ml (½ tasse) de sucre

75   ml (⅓ tasse) de vinaigre

5   ml (1 c. à thé) de moutarde préparée

5   ml (1 c. à thé) de sauce anglaise (Worcestershire)

   Sel et poivre

Faire cuire les carottes 10 minutes environ, dans une casserole d'eau bouillante salée, jusqu'à ce qu'elles soient attendries, mais encore légèrement croquantes.

Dans un bol, mélanger la soupe aux tomates, le poivron, l'oignon, l'huile, le sucre et le vinaigre.

Assaisonner de moutarde et de sauce anglaise.

Saler et poivrer.

Égoutter les carottes et les ajouter à la sauce. Mélanger délicatement.

Verser dans des pots chauds et stérilisés. Bien sceller.

Laisser reposer au moins 1 heure avant de servir.

Rachel Provencher,
St-Ferdinand

Fèves marinées

Portions :	1,5 l (6 tasses)
Préparation :	30 minutes
Cuisson :	45 minutes
Degré de difficulté :	faible

Par 60 ml (¼ tasse) :

Énergie : 132 cal	Protéines :	1 g
Lipides : 0,5 g	Cholestérol :	0 mg
Glucides : 33 g	Fibres :	1 g

1   l (4 tasses) de fèves parées et coupées en tronçons

125   ml (½ tasse) de moutarde sèche

250   ml (1 tasse) de farine

125   ml (½ tasse) d'eau froide

30   ml (2 c. à soupe) de graines de céleri

15   ml (1 c. à soupe) de curcuma

1,5   l (6 tasses) de vinaigre

750   ml (3 tasses) de sucre

Cuire les fèves de 5 à 7 minutes dans une casserole d'eau bouillante salée, jusqu'à ce qu'elles soient attendries, mais encore croquantes. Égoutter et réserver dans un bol.

Dans un autre bol, mélanger la moutarde, la farine et l'eau froide jusqu'à consistance homogène.

Assaisonner de graines de céleri et de curcuma. Réserver.

Dans une grande casserole, amener le vinaigre à ébullition.

Ajouter le sucre, ainsi que la préparation précédente.

Laisser bouillir de 30 à 35 minutes, en mélangeant de temps en temps.

Ajouter les fèves et poursuivre la cuisson 2 ou 3 minutes.

Verser dans des pots chauds et stérilisés. Bien sceller.

Anonyme,
Roquemaure

*Q*uand les pots de carottes orangées s'alignent sur les clayettes du frigo, on se surprend souvent à en ouvrir inutilement la porte.

*N*arines qui se trémoussent, papilles qui frétillent, estomacs qui palpitent... la seule vue du pot de fèves assaisonnées de moutarde provoque une série de symptômes inquiétants.

Ketchup vert de tante Germaine

Portions :	4 l (16 tasses)
Préparation :	30 minutes
Cuisson :	3 heures
Degré de difficulté :	faible

Par 60 ml (¼ tasse) :

Énergie :	77 cal	Protéines :	1 g
Lipides :	0 g	Cholestérol :	0 mg
Glucides :	20 g	Fibres :	1,4 g

30	grosses tomates vertes sur le point de rougir, hachées
6	gros oignons, hachés
10	pommes, pelées, épépinées et coupées en dés
2	branches de céleri, hachées
1	l (4 tasses) de sucre
1,2	l (5 tasses) de vinaigre
5	ml (1 c. à thé) de sel
30	ml (2 c. à soupe) d'épices pour marinades

Dans une grande casserole, mélanger les tomates, les oignons, les pommes, le céleri et le sucre.

———

Arroser de vinaigre et saler.

———

Déposer les épices pour marinades sur un carré d'étamine ou sur un tissu propre, refermer en une pochette et bien ficeler.

Déposer dans la casserole.

———

Amener à ébullition et réduire la chaleur.

———

Laisser mijoter de 2 à 3 heures, à feu très doux.

———

Verser dans des pots chauds et stérilisés.

———

Bien sceller.

Lucille Cloutier,
St-Odilon

Ketchup aux fruits

Portions :	4 l (16 tasses)
Préparation :	30 minutes
Cuisson :	20 minutes
Degré de difficulté :	faible

Par 60 ml (¼ tasse) :

Énergie :	41 cal	Protéines :	0,5 g
Lipides :	0 g	Cholestérol :	0 mg
Glucides :	10 g	Fibres :	0,9 g

250	ml (1 tasse) de céleri en dés
2	boîtes de 796 ml (28 oz) de tomates
375	ml (1 ½ tasse) de sucre
5	pommes, épépinées et tranchées
8	oignons, hachés
4	poires, épépinées et tranchées
250	ml (1 tasse) de vinaigre
1	ml (¼ c. à thé) d'épices mélangées
30	ml (2 c. à soupe) de sel

Dans une grande casserole, mélanger le céleri, les tomates, le sucre, les pommes, les oignons et les poires.

———

Arroser de vinaigre et assaisonner d'épices mélangées et de sel.

———

Amener à ébullition et laisser bouillir 20 minutes.

———

Verser dans des pots chauds et stérilisés. Bien sceller.

Anonyme,
St-Paul-du-Nord

S i l'impatience de la récolte rend insupportable l'attente, trompez-la en vous précipitant sur les tomates vertes. Cette recette vous évitera d'ailleurs d'avoir à en déplorer le geste.

C onfectionner un ketchup maison nécessite, bien sûr, quelques heures. Mais quelle exquise façon de mettre en pot le verger et d'emprisonner ainsi tout l'été ?

4

Marinades et ketchups

Marinades de rhubarbe

Portions :	1,5 l (6 tasses)
Préparation :	20 minutes
Cuisson :	2 heures
Degré de difficulté :	faible

Par 60 ml (¼ tasse) :

Énergie : 88 cal	Protéines :	1 g
Lipides : 0 g	Cholestérol :	0 mg
Glucides : 23 g	Fibres :	1,3 g

1 l (4 tasses) de rhubarbe tranchée finement

1 l (4 tasses) d'oignons hachés

1 boîte de 796 ml (28 oz) de tomates

750 ml (3 tasses) de cassonade

500 ml (2 tasses) de vinaigre

5 ml (1 c. à thé) de clou de girofle moulu

5 ml (1 c. à thé) d'épices mélangées

5 ml (1 c. à thé) de cannelle

15 ml (1 c. à soupe) de sel

5 ml (1 c. à thé) de poivre

Dans une grande casserole, mélanger la rhubarbe, les oignons, les tomates et la cassonade.

———

Arroser de vinaigre, puis assaisonner de clou de girofle, d'épices mélangées et de cannelle.

———

Saler et poivrer.

———

Amener à ébullition et réduire la chaleur.

———

Laisser mijoter de 1 heure 30 minutes à 2 heures.

———

Verser dans des pots chauds et stérilisés.

———

Bien sceller.

Françoise Beaudin,
Port-Daniel

Marinades dorées Bromont

Portions :	3 l (12 tasses)
Préparation :	30 minutes
Cuisson :	1 heure
Dégorgement :	3 heures
Égouttage :	1 heure
Degré de difficulté :	faible

Par 60 ml (¼ tasse) :

Énergie : 80 cal	Protéines :	1 g
Lipides : 0,1 g	Cholestérol :	0 mg
Glucides : 21 g	Fibres :	0,9 g

6 l (24 tasses) de concombres en cubes

12 oignons, tranchés

2 poivrons verts, en cubes

2 poivrons rouges, en cubes

125 ml (½ tasse) de gros sel

875 ml (3 ½ tasses), ou plus, de sucre

1,5 l (6 tasses) de vinaigre

60 ml (¼ tasse) de graines de moutarde

10 ml (2 c. à thé) de curcuma

30 clous de girofle

Dans un grand bol, déposer les concombres, les oignons et les poivrons.

Saupoudrer de gros sel, bien mélanger et laisser dégorger 3 heures.

———

Égoutter les légumes 1 heure, dans une passoire, pour les débarrasser de leur excédent d'eau.

———

Rincer les légumes et les essuyer dans un linge propre.

———

Déposer les légumes dans une grande casserole.

———

Ajouter le sucre et le vinaigre.

———

Assaisonner de graines de moutarde, de curcuma et de clous de girofle.

———

Amener à ébullition. Réduire la chaleur et laisser mijoter environ 1 heure, jusqu'à ce que les concombres soient transparents.

———

Verser dans des pots chauds et stérilisés. Bien sceller.

Anonyme,
Bromont

On croyait devoir la confiner aux compotes, et voilà que la rhubarbe mijote, avec tomates et oignons, le plus savoureux des ketchups!

De scintillants joyaux en bocaux! C'est du moins l'illusion que ces marinades créeront quand le soleil pâlot de septembre y aura plongé ses rayons.

Relish aux courgettes

Portions :	1 l (4 tasses)
Préparation :	30 minutes
Cuisson :	25 minutes
Dégorgement :	8 heures
Égouttage :	1 heure
Degré de difficulté :	faible

Par 60 ml (¼ tasse) :

Énergie : 246 cal	Protéines :	1 g
Lipides : 0 g	Cholestérol :	0 mg
Glucides : 63 g	Fibres :	1,6 g

2,5 l (10 tasses)
de courgettes râpées

1 l (4 tasses) d'oignons hachés

75 ml (⅓ tasse) de gros sel

625 ml (2 ½ tasses) de vinaigre

1,2 l (4 ¾ tasses) de sucre

15 ml (1 c. à soupe) de fécule
de maïs, délayée dans une
égale quantité d'eau froide

15 ml (1 c. à soupe)
de moutarde sèche

15 ml (1 c. à soupe) de curcuma

10 ml (2 c. à thé) de sel au céleri

10 ml (2 c. à thé)
de graines de moutarde

1 ml (¼ c. à thé) de poivre noir

Déposer les courgettes et les oignons dans un grand bol.

Saupoudrer de gros sel, bien mélanger et laisser dégorger 8 heures.

Égoutter les légumes 1 heure, dans une passoire, pour les débarrasser de leur excédent d'eau.

Rincer les légumes et les essuyer dans un linge propre. Déposer les légumes dans une grande casserole.

Ajouter le vinaigre, le sucre et la fécule de maïs.

Assaisonner de moutarde, de curcuma, de sel au céleri, de graines de moutarde et de poivre noir.

Amener à ébullition et réduire la chaleur. Laisser mijoter 25 minutes.

Verser dans des pots chauds et stérilisés. Bien sceller.

Mariette Brochu,
St-Fabien

Relish aux légumes

Portions :	4 l (16 tasses)
Préparation :	1 heure
Cuisson :	3 heures 30 minutes
Dégorgement :	4 heures
Égouttage :	1 heure
Degré de difficulté :	faible

Par 60 ml (¼ tasse) :

Énergie : 73 cal	Protéines :	1 g
Lipides : 0 g	Cholestérol :	0 mg
Glucides : 18 g	Fibres :	1 g

1 l (4 tasses) de tomates vertes
en quartiers

1 l (4 tasses) de concombres
en tranches

1 l (4 tasses) d'oignons
en quartiers

1 l (4 tasses) de carottes
en tranches

1 l (4 tasses) de céleri
en tranches

1 l (4 tasses) de chou-fleur
en fleurons (facultatif)

1 l (4 tasses) de pommes
en quartiers

45 ml (3 c. à soupe) de sel

1,25 l (5 tasses) d'eau

750 ml (3 tasses) de vinaigre

1 l (4 tasses) de sucre

Épices mélangées, au goût

250 ml (1 tasse) de farine

30 ml (2 c. à soupe) de curcuma

125 ml (1/2 tasse)
de moutarde sèche

Mélanger les légumes et les pommes dans un bol. Saupoudrer de sel et ajouter 500 ml (2 tasses) d'eau. Laisser dégorger 4 heures. Égoutter 1 heure. Rincer et essuyer.

Déposer dans une grande casserole. Ajouter le vinaigre, 500 ml (2 tasses) d'eau, le sucre et les épices mélangées. Amener à ébullition. Laisser mijoter 3 heures 30 minutes.

Dans un bol, délayer la farine, le curcuma et la moutarde dans 250 ml (1 tasse) d'eau. Ajouter au contenu de la casserole. Faire mijoter en mélangeant jusqu'à épaississement. Passer au robot jusqu'à consistance lisse. Verser dans des pots chauds et stérilisés. Bien sceller.

Blanche Fortier,
St-Évariste

Quoi de plus grisant que de collectionner les marinades de très grands crus ? Toute l'année, ces produits racontent que la démesure... a parfois meilleur goût.

Dans les petits pots les meilleurs condiments ? Pas forcément ! Mais il est plus sage de conserver cette relish en petites portions, question de refréner les élans.

Relish de betteraves beauharnoise

Portions :	1,5 l (6 tasses)
Préparation :	30 minutes
Cuisson :	1 heure 15 minutes
Degré de difficulté :	faible

Par 60 ml (¼ tasse) :

Énergie : 129 cal	Protéines :		2 g
Lipides : 0 g	Cholestérol :	0 mg
Glucides : 33 g	Fibres :		2,3 g

 4

2   kg (4 lb) de betteraves

4   oignons

2   poivrons rouges,
    coupés en morceaux
    et épépinés

750 ml (3 tasses) de vinaigre

625 ml (2 ½ tasses) de sucre

10   ml (2 c. à thé) de sel

10   ml (2 c. à thé)
     d'épices mélangées

Cuire les betteraves 45 minutes environ dans une casserole d'eau bouillante salée, jusqu'à tendreté, puis les peler.

Hacher grossièrement les betteraves, les oignons et les poivrons, de préférence au hache-viande ou au robot.

Verser le vinaigre dans une grande casserole, puis ajouter le sucre et le sel.

Déposer les épices dans un carré d'étamine ou de tissu propre, refermer ce dernier en une pochette et bien ficeler.

Déposer dans la casserole et amener à ébullition.

Ajouter les légumes et laisser bouillir 30 minutes, en remuant de temps en temps.

Verser dans des pots chauds et stérilisés. Bien sceller.

Jeannette Bergeron,
St-Étienne-de-Beauharnois

*L**a tentation est parfois bien forte d'exhiber ses marinades sur le rebord des fenêtres. Mais quand il s'agit de rubis, pourquoi torturer les voisines ?*

La gaieté champêtre emprunte des sentiers éloignés de la ville et gambade sans ambages à travers les ruisseaux, les cailloux, les herbes folles et les farfadets.

Marinades et ketchups

Les confitures maison

Autrefois, les confitures étaient précieuses. Seul moyen de conserver les petits fruits, elles avaient l'avantage de prolonger les bienfaits de l'été tout au long de l'année. On les fabriquait, au fil du temps, de fraises, de framboises, de bleuets, de groseilles et de gadelles. La recette la plus simple consistait à placer les fruits et le sucre dans des pots de terre et à faire chauffer ces derniers dans le four à pain. Les pots étaient ensuite conservés au sec, dans la cave ou au grenier.

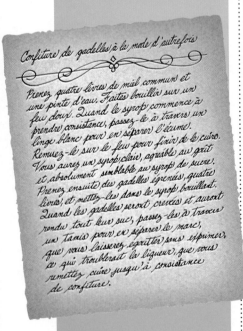

Confiture de gadelles à la mode d'autrefois

Prenez quatre livres de miel commun et une pinte d'eau. Faites bouillir sur un feu doux. Quand le syrop commence à prendre consistance, passez-le à travers un linge blanc pour en séparer l'écume. Remuez-le sur le feu pour finir de le cuire. Vous aurez un syrop clair, agréable au goût et absolument semblable au syrop de sucre. Prenez ensuite des gadelles égrenées, quatre livres, et mettez-les dans le syrop bouillant. Quand les gadelles seront crevées et auront rendu tout leur suc, passez-les à travers un tamis pour en séparer le marc, que vous laisserez égoutter sans exprimer ce qui troublerait la liqueur, que vous remettrez cuire jusqu'à consistance de confiture.

Bas-St-Laurent • Gaspésie

Les régions de la Gaspésie et du Bas-St-Laurent sont particulièrement tributaires de l'eau. Sur leurs rives, le fleuve grandiose, majestueux témoin de l'histoire, y remplit avec conviction un rôle d'employeur-pourvoyeur depuis plusieurs générations. Ces régions, à elles seules, constituent un véritable réservoir où abondent non seulement les trésors de la mer, mais ceux des lacs et des rivières aux eaux limpides et poissonneuses.

Le Bas-St-Laurent, au fil de l'eau

Bien avant l'arrivée de Jacques Cartier en 1534, les Basques venaient pêcher la baleine à l'embouchure du fleuve St-Laurent, près de Cacouna, d'Isle-Verte et de Trois-Pistoles. À vivre au rythme des marées, les habitants des villages littoraux se sont bâti un riche patrimoine maritime, celui-là même qui a fait du Bas-St-Laurent le pays des constructeurs de goélettes.

Le Bas-St-Laurent, c'est aussi des sites aux noms évocateurs: Kamouraska, lieu de résidence et d'inspiration de l'auteure Anne Hébert; Rivière-du-Loup, carrefour entre les Maritimes, la Gaspésie et le reste de la province; Trois-Pistoles, par exemple, doit son nom à un gobelet d'argent qu'un marin français y perdit. L'objet valait alors trois pistoles, la monnaie de l'époque, c'est-à-dire trois pièces d'or.

La péninsule gaspésienne

La péninsule gaspésienne est devenue, depuis une centaine d'années, un lieu de villégiature très recherché, ne serait-ce que pour le célèbre rocher Percé, ou encore, pour l'un de ses deux sites admirables: le parc national Forillon et celui de la Gaspésie.

Le rocher Percé, long de 500 mètres et haut de 100 mètres, est constitué de craie, ce qui fait de cette vénérable éminence l'un des phénomènes naturels les plus courus au Canada. Au cœur de la péninsule, entre le fleuve et la Baie des Chaleurs, le parc provincial de la Gaspésie exhibe un paysage mon-

CHAPITRE 5

Salades

Pendant que vos idées germent, tout un jardin attend que vous décidiez de son sort. Comment établir un verdict qui rende justice à chaque feuille, et qui tienne compte à la fois de l'harmonie des saveurs et de l'agencement des couleurs ? C'est là que l'imagination intervient à la barre.

La salade verte, fraîche et bien croquante, sera idéalement servie à l'entrée ou à la fin du repas, assaisonnée d'une vinaigrette ou d'une mayonnaise. Pour plaider sa cause gourmande, elle devra être constituée de plusieurs variétés de laitue bien croquante, et chercher son inspiration du côté des feuilles d'épinards, de cresson, de scarole, d'endive et de radicchio.

Quant à la salade composée, elle devra justifier son nom par l'apport nutritif d'ingrédients variés – viandes, fromages, pâtes et légumes – ce qui ne manquera pas de l'élever au rang des salades repas. En ce qui concerne le choix des aromates, des vinaigres et des huiles fines, vous demeurez le seul juge.

Dans ce chapitre :

tagneux qu'on ne se lasse d'admirer, à l'instar d'un troupeau de caribous qui y a trouvé refuge.

Quant au parc national Forillon, il compte parmi les sites les plus extraordinaires du Québec. Il abrite une faune abondante constituée, entre autres, d'ours, d'orignaux, de renards et de castors, ainsi que de milliers d'oiseaux marins que chaque année ramène nicher au creux des falaises. Comme eux, le regard plongé dans la profonde baie de Gaspé, l'explorateur des sommets conservera très longtemps l'image des phoques loufoques et des imposantes baleines.

5

Salades

Verdures de Havre-Aubert au petit croûton de chèvre chaud

Portions :			6
Préparation :			15 minutes
Cuisson :			5 minutes
Degré de difficulté :			faible

Énergie : 343 cal	Protéines :		11 g
Lipides :	28 g	Cholestérol :	34 mg
Glucides :	12 g	Fibres :	0,8 g

100 ml (⅓ tasse + 5 c. à thé) de vinaigre de framboise

180 ml (¾ tasse) d'huile d'arachide

Sel et poivre

Herbes salées ou de Provence, au goût

Menthe fraîche hachée, au goût

8 feuilles de laitue frisée

8 feuilles de laitue Boston

8 feuilles de laitue romaine

8 feuilles de radicchio

8 feuilles de chicorée frisée

8 feuilles d'endive

6 tranches de pain baguette

1 fromage de chèvre à pâte molle d'environ 7,5 cm (3 po)

Dans un bol, mélanger le vinaigre de framboise et l'huile d'arachide.

———

Saler et poivrer.

———

Assaisonner d'herbes salées ou d'herbes de Provence, ainsi que de menthe fraîche hachée, au goût.

———

Déchiqueter les feuilles de laitue, puis les répartir dans six assiettes.

———

Arroser de vinaigrette.

———

Réserver.

———

Déposer les tranches de pain sur une plaque à pâtisserie.

———

Trancher le fromage de chèvre en rondelles d'environ 1 cm (½ po) d'épaisseur, puis en garnir chaque tranche de pain.

———

Cuire de 3 à 5 minutes environ, sous le gril du four, jusqu'à ce que le fromage soit doré et coulant.

———

Déposer un croûton bien chaud dans chaque assiette.

Suzanne Milot,
Îles-de-la-Madeleine

*L*es convives couperont le croûton bien chaud dans la salade, agrémentant celle-ci de tout le velouté du fromage coulant.

Salades

Choucroute

Portions :	8
Préparation :	5 minutes
Cuisson :	–
Degré de difficulté :	faible

Énergie : 185 cal	Protéines :	5 g
Lipides : 14 g	Cholestérol :	12 mg
Glucides : 13 g	Fibres :	4,8 g

1   boîte de 540 ml (19 oz) de choucroute

15   radis, tranchés finement

8   carottes, tranchées finement

20   olives, dénoyautées et hachées

90   g (3 oz) d'emmenthal ou de cheddar, en dés

75   ml (⅓ tasse) d'huile d'olive ou de mayonnaise (votre recette ou du commerce)

Bien rincer la choucroute et l'égoutter.

———

Déposer dans un bol.

———

Ajouter les radis, les carottes, les olives, le fromage et l'huile.

———

Bien mélanger.

———

Servir frais.

———

Anonyme,
Richmond

La choucroute est un chou blanc fermenté que l'on peut se procurer fraîche chez certains saucissiers. Ici, ce qu'elle revendique surtout, c'est d'être traitée comme un chou.

Chou à la mayonnaise Val-des-Bois

Portions :	8
Préparation :	15 minutes
Cuisson :	5 minutes
Degré de difficulté :	faible

Énergie : 151 cal	Protéines :	3 g
Lipides : 3 g	Cholestérol :	32 mg
Glucides : 31 g	Fibres :	3,5 g

1   chou vert

125   ml (½ tasse) de vinaigre

60   ml (¼ tasse) d'eau

15   ml (1 c. à soupe) de beurre

1   œuf

30   ml (2 c. à soupe) de fécule de maïs

60   ml (¼ tasse) de lait

250   ml (1 tasse) de cassonade

15   ml (1 c. à soupe) de moutarde sèche

   Sel, au goût

1   ml (¼ c. à thé) de poivre

Hacher grossièrement le chou et le réserver dans un bol.

———

Dans une casserole, mélanger le vinaigre, l'eau et le beurre, puis amener à ébullition. Réserver.

———

Dans un bol, battre l'œuf avec la fécule de maïs, le lait et la cassonade.

———

Assaisonner de moutarde.

———

Saler et poivrer.

———

Ajouter graduellement à la préparation précédente tout en mélangeant, jusqu'à obtention d'une mayonnaise crémeuse.

———

Laisser refroidir complètement.

———

Verser la mayonnaise sur le chou haché et bien mélanger.

———

Lucille St-Jean,
Val-des-Bois

Plus ils sont fermes, plus ils sont choux ! Avant de les traiter comme tels, les couper en quartiers, en conservant juste ce qu'il faut du cœur pour maintenir les feuilles.

Salade de coquilles et de crevettes

Portions :	8
Préparation :	30 minutes
Cuisson :	12 minutes
Degré de difficulté :	faible

Énergie : 602 cal	Protéines :	21 g
Lipides :	27 g	Cholestérol : 89 mg
Glucides :	70 g	Fibres : 3,1 g

1,5 l (6 tasses) de coquilles ou de coudes

3 boîtes de 113 g (4 oz) de crevettes nordiques, égouttées

1 boîte de 340 ml (19 oz) d'ananas en morceaux, égouttés

250 ml (1 tasse) de céleri en dés

250 ml (1 tasse) d'échalotes tranchées

1 poivron vert, en dés

1 poivron rouge, en dés

180 ml (¾ tasse) de persil frais haché

Sel et poivre

250 ml (1 tasse) de mayonnaise

Jus de ½ citron

5 ml (1 c. à thé) de sucre

5 ml (1 c. à thé) d'huile d'olive

5 ml (1 c. à thé) de vinaigre de vin

2 ml (½ c. à thé) de moutarde forte

2 ml (½ c. à thé) de poudre d'ail

Quelques gouttes de sauce au piment fort (type Tabasco)

Quelques gouttes de sauce anglaise (Worcestershire)

Poivre, au goût

Cuire les pâtes dans une casserole d'eau bouillante salée, selon les indications du fabricant.

Rincer, égoutter, puis déposer dans un grand bol.

Ajouter les crevettes, les ananas, le céleri, les échalotes, les poivrons et le persil. Saler et poivrer. Réserver.

Dans un bol, mélanger la mayonnaise, le jus de citron, le sucre, l'huile d'olive et le vinaigre de vin.

Assaisonner de moutarde, de poudre d'ail, de sauces au piment fort et anglaise, ainsi que de poivre.

Juste avant de servir, mélanger la sauce et les pâtes. (Cette salade constitue un plat principal.)

Annette De Bulle,
St-Mathias-sur-Richelieu

Salade de légumes St-Pie

Portions :	3 l (12 tasses)
Préparation :	35 minutes
Cuisson :	10 minutes
Repos :	8 heures
Égouttage :	15 minutes
Degré de difficulté :	faible

Pour 60 ml (¼ tasse) :

Énergie : 46 cal	Protéines :	1 g
Lipides :	0 g	Cholestérol : 0 mg
Glucides :	11 g	Fibres : 0,7 g

750 ml (3 tasses) de chou-fleur défait en petits bouquets

750 ml (3 tasses) de céleri tranché

500 ml (2 tasses) de concombres tranchés

500 ml (2 tasses) de tomates vertes tranchées

500 ml (2 tasses) de carottes tranchées

1 oignon, tranché

10 ml (2 c. à thé) de gros sel

Eau bouillante, au besoin

500 ml (2 tasses) de vinaigre

500 ml (2 tasses) de sucre

125 ml (½ tasse) de farine

5 ml (1 c. à thé) de moutarde sèche

5 ml (1 c. à thé) de curcuma

5 ml (1 c. à thé) de sel au céleri

Déposer le chou-fleur, le céleri, les concombres, les tomates, les carottes et l'oignon dans un bol. Saupoudrer de gros sel et couvrir d'eau bouillante. Laisser reposer 8 heures.

Jeter l'eau des légumes et les égoutter 15 minutes dans une passoire. Transvaser dans un bol.

Mélanger le vinaigre, le sucre et la farine dans une casserole. Assaisonner de moutarde, de curcuma et de sel au céleri. Tout en mélangeant, amener à ébullition à feu moyen. Poursuivre la cuisson en remuant jusqu'à épaississement.

Verser la vinaigrette sur les légumes et bien mélanger. Verser dans des pots chauds et stérilisés.

Bien sceller.

Réjeanne Perreault,
St-Pie-de-Bagot

*L*a fraîcheur de l'ananas combinée à une sauce pimentée d'exotisme, voilà qui peut glorifier la rose crevette nordique, toujours vendue cuite et décortiquée.

*S*i ses trophées de chasse meublent la cheminée, pourquoi ne serait-ce pas le cas de vos conserves de légumes ? Leur confection exige autant de patience et de doigté !

5

Salades

Salade d'endives aux achards de maïs

Portions :	4
Préparation :	5 minutes
Cuisson :	–
Refroidissement :	30 minutes
Degré de difficulté :	faible

Énergie : 155 cal	Protéines :	4 g
Lipides : 9 g	Cholestérol :	12 mg
Glucides : 19 g	Fibres :	3,1 g

1   boîte de 340 ml (12 oz)
     de maïs, égoutté

4   échalotes, hachées

½   poivron rouge, haché

75   ml (⅓ tasse) de vinaigrette
     espagnole (type Catalina)

2   gousses d'ail,
     hachées très finement

20   feuilles d'endives

Dans un bol, mélanger le maïs, les échalotes, le poivron rouge, la vinaigrette et les gousses d'ail hachées.

Réfrigérer 30 minutes.

Pour chaque portion, disposer harmonieusement cinq feuilles d'endive sur le pourtour d'un petit bol.

Garnir le centre de 125 ml (½ tasse) de la préparation de maïs.

Lucille Noël,
Ste-Thérèse

Salade César

Portions :	6
Préparation :	15 minutes
Cuisson :	–
Degré de difficulté :	moyen

Énergie : 388 cal	Protéines :	4 g
Lipides : 40 g	Cholestérol :	45 mg
Glucides : 4 g	Fibres :	0,7 g

1   œuf

15   ml (1 c. à soupe)
     de moutarde forte

15   ml (1 c. à soupe)
     de vinaigre de vin

1   gousse d'ail, ou plus, écrasée

250 ml (1 tasse) d'huile

1   laitue romaine,
     essorée et déchiquetée

15   ml (1 c. à soupe)
     de bacon cuit et émietté

125 ml (½ tasse)
     de croûtons à l'ail

125 ml (½ tasse)
     de mozzarella râpée

Dans un bol, battre l'oeuf avec la moutarde, le vinaigre et l'ail.

Ajouter l'huile en un très mince filet, tout en fouettant vigoureusement jusqu'à épaississement, pour obtenir une mayonnaise.

Juste avant de servir, déposer la laitue dans un bol et l'arroser de mayonnaise.

Garnir de bacon émietté et de croûtons, puis saupoudrer de mozzarella râpée. Bien mélanger.

Joane Lamothe,
St-Célestin

S i l'auguste laitue romaine détrône les lauriers de César dans cette nouvelle version de la célèbre diva, le vinaigre de vin et la mozzarella y sont sans doute pour quelque chose.

D ans l'assiette étoilée de pétales d'endive, les achards de maïs à la vinaigrette et à l'ail suffiront à ensoleiller l'humeur de chacun.

Salade d'épinards Pont-Rouge

Portions:	4
Préparation:	5 minutes
Cuisson:	–
Refroidissement:	4 heures
Degré de difficulté:	faible

Énergie:	85 cal	Protéines:	3 g
Lipides:	5 g	Cholestérol:	12 mg
Glucides:	8 g	Fibres:	2,5 g

100 ml (⅓ tasse + 5 c. à thé)
de crème sure

30 ml (2 c. à soupe)
de mayonnaise légère

5 ml (1 c. à thé)
de jus de citron

1 gousse d'ail, écrasée

150 ml (⅔ tasse)
d'oignons hachés

10 radis, tranchés finement
(ou au goût)

Sel et poivre

1 paquet de 300 g (10 oz)
d'épinards

Dans un bol, mélanger la crème sure, la mayonnaise, le jus de citron, l'ail, les oignons et les radis.

Saler et poivrer.

Réfrigérer 3 ou 4 heures.

Couper la tige des épinards, les rincer et bien les essorer.

Déposer les épinards dans un bol, puis les arroser de la vinaigrette. Bien mélanger.

Louise Hardy,
Pont-Rouge

*S*ervir la vinaigrette à part, dans une coquille d'oignon, permettra à vos convives d'admirer les pétales de radis roses égayer le vert sombre des feuilles.

Salade de betteraves Montmagny

Portions:	10
Préparation:	15 minutes
Cuisson:	–
Degré de difficulté:	faible

Énergie:	29 cal	Protéines:	1 g
Lipides:	0,5 g	Cholestérol:	2 mg
Glucides:	6 g	Fibres:	0,6 g

500 ml (2 tasses) de céleri en dés

30 ml (2 c. à soupe)
d'oignon haché

125 ml (½ tasse) de yogourt
ou de crème 35 %

Sel et poivre

375 ml (1 ½ tasse) de dés
de betteraves marinées

250 ml (1 tasse) de pommes
en dés (non pelées)

2 ml (½ c. à thé) de sucre

Dans un bol, mélanger le céleri, l'oignon et le yogourt.

Saler et poivrer.

Juste avant de servir, ajouter les dés de betteraves et de pommes, ainsi que le sucre.

Bien mélanger.

Servir avec le ragoût de porc, le jambon et la saucisse, ou encore, en entrée.

Simone Langlois,
St-Paul-de-Montmagny

*L*a betterave a le don de tout peindre en rose. Additionnée de yogourt et relevée d'oignon, elle fait bon ménage avec le céleri et la pomme.

5

Salade de chou piquante

Portions :	8
Préparation :	20 minutes
Cuisson :	10 minutes
Refroidissement :	2 heures
Degré de difficulté :	faible

Énergie :	79 cal	Protéines :	3 g
Lipides :	3 g	Cholestérol :	34 mg
Glucides :	11 g	Fibres :	2 g

23   ml (1 ½ c. à soupe)
de fécule de maïs

180   ml (¾ tasse) de lait

15   ml (1 c. à soupe) de beurre

90   ml (⅓ tasse + 1 c. à soupe)
de vinaigre

15   ml (1 c. à soupe)
de moutarde forte

1   œuf, battu

15   ml (1 c. à soupe) de sucre

1   pincée de sel

½   chou, haché finement

1   oignon, haché finement

Dans un verre, délayer la fécule de maïs dans un peu de lait. Réserver.

Faire fondre le beurre dans une casserole.

Tout en brassant, ajouter le vinaigre, la moutarde, l'œuf battu, le sucre, le sel, la fécule de maïs et le reste du lait.

Cuire à feu doux, tout en mélangeant, jusqu'à épaississement. Ajouter le chou et l'oignon.

Poursuivre la cuisson 3 ou 4 minutes, à feu moyen, en remuant constamment.

Laisser tiédir à température ambiante, puis réfrigérer au moins 2 heures avant de servir.

Luce Desjardins,
Donnacona

*S*a présentation inusitée donne du piquant à cette salade.

Salade de coudes de Mingan

Portions :	6
Préparation :	20 minutes
Cuisson :	5 minutes
Refroidissement :	2 heures
Degré de difficulté :	faible

Énergie :	269 cal	Protéines :	10 g
Lipides :	7 g	Cholestérol :	149 mg
Glucides :	42 g	Fibres :	1,6 g

6   tranches de bacon cuit,
émiettées

30   ml (2 c. à soupe)
de chapelure

750   ml (3 tasses) de coudes cuits

2   œufs durs

60   ml (¼ tasse) de céleri haché

60   ml (¼ tasse)
de poivron vert haché

60   ml (¼ tasse) de persil haché

125   ml (½ tasse)
de radis tranchés

30   ml (2 c. à soupe)
d'oignon haché

Sel

125   ml (½ tasse) de sucre

125   ml (½ tasse) de vinaigre

125   ml (½ tasse) d'eau

5   ml (1 c. à thé)
de moutarde sèche

15   ml (1 c. à soupe) de farine

2   œufs, battus

2   ml (½ c. à thé) de sel

1   ml (¼ c. à thé) de poivre

Mayonnaise, au goût
(facultatif)

Dans un grand bol, mélanger le bacon et la chapelure.

Ajouter les coudes, les œufs, le céleri, le poivron, le persil, les radis, l'oignon et le sel. Réserver.

Dans la partie supérieure du bain-marie, mélanger le sucre, le vinaigre, l'eau, la moutarde, la farine et les œufs battus. Saler et poivrer.

Faire chauffer en remuant constamment, jusqu'à épaississement. Retirer du feu.

Si désiré, ajouter de la mayonnaise, au goût, tout en mélangeant.

Verser la vinaigrette sur les coudes et légumes. Bien mélanger.

Réfrigérer au moins 2 heures avant de servir.

Anonyme,
Mingan

*Q*uand un hachis de légumes paillette de couleurs éclatantes le blanc crémeux des pâtes, il faut jouer du coude pour être servi le premier.

Les énigmatiques rochers de Mingan, sentinelles imperturbables, se sont figés pour toujours sur les secrets d'un passé obscur, chargé de mythes et peuplé de légendes.

Cassolettes gourmandes

Portions :	12
Préparation :	40 minutes
Cuisson :	5 minutes
Refroidissement :	4 heures
Degré de difficulté :	moyen

Énergie : 366 cal	Protéines :	3 g
Lipides : 15 g	Cholestérol : 27 mg
Glucides : 16 g	Fibres : 1,8 g

180 g (6 oz) de chocolat mi-sucré

15 ml (1 c. à soupe) de graisse végétale

60 ml (¼ tasse) d'eau froide

1 ½ sachet de gélatine

284 g (10 oz) de fraises décongelées

60 ml (¼ tasse) de sucre

2 blancs d'œufs

250 ml (1 tasse) de crème 35 %

12 fraises fraîches

Tout en mélangeant, faire fondre le chocolat et la graisse dans la partie supérieure d'un bain-marie, jusqu'à consistance lisse. Retirer du feu.

À l'aide d'un pinceau, badigeonner de chocolat fondu l'intérieur de 12 coupelles de papier d'aluminium d'une contenance d'environ 125 ml (½ tasse).

Réfrigérer au moins 1 heure, jusqu'à ce que le chocolat ait durci.

Pendant ce temps, verser l'eau froide dans un bol. Saupoudrer de gélatine et laisser gonfler 5 minutes.

Réduire les fraises en purée au mélangeur. Verser dans une casserole. Ajouter la gélatine et la moitié du sucre.

Tout en mélangeant, faire chauffer à feu doux jusqu'à ce que la gélatine soit dissoute.

Réfrigérer 15 minutes environ, jusqu'à consistance de blancs d'œufs.

Dans un bol, monter les blancs d'œufs en neige, en incorporant graduellement le reste du sucre.

Dans un autre bol, fouetter la crème jusqu'à formation de pics fermes.

Incorporer délicatement aux blancs d'œufs en pliant à l'aide d'une spatule de caoutchouc.

Ajouter à la préparation aux fraises et mélanger.

Retirer le papier d'aluminium des cassolettes de chocolat et y répartir le bavarois aux fraises.

Garnir chaque cassolette d'une fraise.

Réfrigérer au moins 4 heures, jusqu'à fermeté.

Marie-Paule Desjardins,
Montmagny

Petits flans au citron

Portions :	4
Préparation :	20 minutes
Cuisson :	45 minutes
Degré de difficulté :	moyen

Énergie : 366 cal	Protéines :	9 g
Lipides : 13 g	Cholestérol : 189 mg
Glucides : 56 g	Fibres : 0,3 g

30 ml (2 c. à soupe) de beurre

210 ml (¾ tasse + 2 c. à soupe) de sucre

1 ml (¼ c. à thé) de sel

60 ml (¼ tasse) de farine

Zeste de 1 citron

75 ml (⅓ tasse) de jus de citron

3 jaunes d'œufs

340 ml (1 ⅓ tasse + 1 c. à soupe) de lait

3 blancs d'œufs

Préchauffer le four à 160 °C (300 °F).

Dans un bol, défaire le beurre en crème.

Ajouter le tiers du sucre, le sel, la farine, le zeste et le jus de citron.

Dans un autre bol, battre les jaunes d'œufs avec un autre tiers du sucre.

Ajouter le lait.

Incorporer à la préparation précédente.

Monter les blancs d'œufs en neige avec le reste du sucre.

Ajouter à la préparation en pliant délicatement à l'aide d'une spatule de caoutchouc.

Verser dans 4 ramequins beurrés et déposer ceux-ci dans une lèchefrite contenant de l'eau.

Couvrir de papier d'aluminium.

Faire cuire environ 45 minutes, dans le four préchauffé.

Marie-Paule Desjardins,
Montmagny

Bavarois, flans et mousses

Mousse aux fraises

Portions :	10
Préparation :	20 minutes
Cuisson :	–
Congélation :	1 heure 30 minutes
Refroidissement :	3 heures
Degré de difficulté :	faible

Énergie : 130 cal	Protéines :		4 g
Lipides :	3 g	Cholestérol :	11 mg
Glucides :	23 g	Fibres :	1 g

1   boîte de 350 ml (12 oz)
     de lait évaporé

1   paquet de 170 g (6 oz)
     de poudre pour gelée
     à la fraise

180 ml (¾ tasse) d'eau bouillante

454 g (1 lb) de fraises décongelées

     Crème fouettée, pour décorer

     Fraises fraîches, au goût,
     pour décorer

Verser le lait évaporé dans un bol et congeler 1 heure 30 minutes.

Tout en mélangeant, faire dissoudre la poudre pour gelée dans l'eau bouillante.

Réfrigérer 15 minutes environ, jusqu'à consistance de blancs d'œufs.

Fouetter le lait congelé au batteur électrique jusqu'à consistance crémeuse.

Ajouter la gelée à la fraise, ainsi que les fraises décongelées.

Continuer de battre jusqu'à consistance homogène.

Verser la préparation dans un moule d'une contenance de 1,5 l (6 tasses), ou dans des moules individuels.

Réfrigérer 3 heures, jusqu'à fermeté.

Décorer de crème fouettée et de fraises fraîches.

Madeleine Lafrance-Thériault,
Havre-aux-Maisons

Mousse fraîche aux pommes

Portions :	8
Préparation :	20 minutes
Cuisson :	12 minutes
Refroidissement :	1 heure
Degré de difficulté :	moyen

Énergie : 370 cal	Protéines :		3 g
Lipides :	23 g	Cholestérol :	82 mg
Glucides :	41 g	Fibres :	3,1 g

10   grosses pommes

250 ml (1 tasse) d'eau

280 ml (1 tasse + 2 c. à soupe)
     de sucre glace

23   ml (1 ½ c. à soupe) de jus
     de citron

75   ml (⅓ tasse) d'eau froide

2   sachets de gélatine

30   ml (2 c. à soupe) de rhum

500 ml (2 tasses) de crème
     fouettée

Peler les pommes, les épépiner et les couper en tranches de 1 cm (½ po).

Verser l'eau dans une casserole. Ajouter le sucre glace, le jus de citron et les pommes. Faire mijoter de 10 à 12 minutes, en mélangeant souvent, jusqu'à consistance de compote épaisse.

Pendant ce temps, verser l'eau froide dans un bol. Saupoudrer de gélatine et laisser gonfler 5 minutes. Faire chauffer au bain-marie, jusqu'à ce que la gélatine soit dissoute.

Retirer la compote de pommes du feu.

Incorporer la gélatine dissoute et battre vigoureusement.

Verser dans un plat et réfrigérer 15 minutes environ, en mélangeant de temps à autre, jusqu'à consistance de blancs d'œufs.

Incorporer le rhum et la crème fouettée, en pliant délicatement à l'aide d'une spatule de caoutchouc.

Verser la mousse aux pommes dans des coupes à champagne et réfrigérer 1 heure environ, jusqu'à fermeté.

Georgette Blais-Grondin,
Maniwaki

6

Pour un envol gourmand tout en légèreté, former de jolis papillons avec des tranches de pomme et des demi-cerises.

Le lait évaporé, congelé puis battu explique la texture de cette mousse.

Beignets

Beignets au cognac St-Norbert

Portions :	40 beignets
Préparation :	35 minutes
Cuisson :	20 minutes
Refroidissement :	6 heures
Degré de difficulté :	moyen

Énergie : 227 cal	Protéines :		3 g
Lipides :	13 g	Cholestérol :	40 mg
Glucides :	25 g	Fibres :	0,5 g

1,5 l (6 tasses) de farine

30 ml (2 c. à soupe) de poudre à pâte

125 ml (½ tasse) de beurre

500 ml (2 tasses) de sucre

6 jaunes d'œufs

30 ml (2 c. à soupe) de cognac

6 blancs d'œufs

250 ml (1 tasse) de lait

Huile d'arachide, pour friture

Mélanger la farine et la poudre à pâte. Réserver.

Dans un bol, défaire le beurre en crème. Ajouter le sucre et mélanger jusqu'à consistance homogène. Incorporer les jaunes d'œufs et le cognac.

Dans un autre bol, monter les blancs d'œufs en neige. Incorporer à la préparation précédente en pliant délicatement à l'aide d'une spatule de caoutchouc. Tout en mélangeant, ajouter la farine et le lait en alternance, à raison d'environ 310 ml (1 ¼ tasse) à la fois pour la farine et de 60 ml (¼ tasse) pour le lait. Terminer par la farine. Réfrigérer de 5 à 6 heures.

Dans une friteuse, faire chauffer l'huile d'arachide à 190 °C (375 °F).

Pendant ce temps, abaisser la pâte à 0,6 cm (¼ po) d'épaisseur sur une surface farinée. Y découper des beignets à l'emporte-pièce.

Faire frire quelques beignets à la fois, de 2 à 3 minutes de chaque côté, jusqu'à ce qu'ils soient dorés.

Jaclyne Lambert,
St-Norbert

*P*our parfumer agréablement les beignets, il suffit d'ajouter une noix de muscade au bain de friture.

Beignets aux pommes

Portions :	12 beignets
Préparation :	25 minutes
Cuisson :	12 minutes
Macération :	3 heures
Degré de difficulté :	moyen

Énergie : 176 cal	Protéines :		2 g
Lipides :	12 g	Cholestérol :	21 mg
Glucides :	15 g	Fibres :	0,7 g

2 pommes

15 ml (1 c. à soupe) de sucre

15 ml (1 c. à soupe) de brandy

250 ml (1 tasse) de farine

15 ml (1 c. à soupe) de fécule de maïs

15 ml (1 c. à soupe) de poudre à pâte

1 pincée de sel

250 ml (1 tasse) de lait

1 œuf

15 ml (1 c. à soupe) d'huile

15 ml (1 c. à soupe) de vanille

Huile, pour friture

Peler les fruits et les évider à l'aide d'un vide-pommes. Trancher en rondelles de 1 cm (½ po) d'épaisseur. Déposer côte à côte dans un plat.

Mélanger le sucre et le brandy, puis en arroser les pommes. Laisser macérer de 2 à 3 heures à température ambiante.

Dans un bol, mélanger la farine, la fécule de maïs, la poudre à pâte et le sel. Tout en fouettant, ajouter le lait, l'œuf, l'huile et la vanille. Mélanger jusqu'à consistance lisse et homogène.

Dans une friteuse, faire chauffer l'huile à 190 °C (375 °F).

Égoutter les pommes, puis les arroser de pâte. Mélanger délicatement pour bien les enrober.

Frire les beignets de pomme dans l'huile, 2 minutes environ de chaque côté, à raison de quatre à la fois.

Égoutter au fur et à mesure sur du papier absorbant. Déposer dans un plat et saupoudrer de sucre glace, si désiré.

Myriam Brette,
Roxton Pond

*L*es beignets seront d'autant plus délicats que les fruits seront juteux. On peut d'ailleurs substituer aux pommes tout autre fruit de saison.

6

Beignets de Berthier glacés au sirop

Portions:	45 beignets
Préparation:	45 minutes
Cuisson:	30 minutes
Repos:	2 heures
Degré de difficulté:	moyen

Énergie: 291 cal	Protéines:		4 g
Lipides: 16 g	Cholestérol:	23 mg
Glucides: 33 g	Fibres:		0,9 g

125 ml (½ tasse) d'eau tiède

280 ml (1 tasse + 2 c. à soupe) de sucre

2 sachets de levure sèche

625 ml (2 ½ tasses) d'eau bouillante

250 ml (1 tasse) de graisse

250 ml (1 tasse) de lait

Vanille ou autre essence, au goût

4 œufs battus

2,75 l (11 tasses) de farine

5 ml (1 c. à thé) de sel

250 ml (1 tasse) de sucre

60 ml (¼ tasse) de beurre

60 ml (¼ tasse) d'eau

Vanille, au goût

Huile, pour friture

Dans un bol, mélanger l'eau tiède, 30 ml (2 c. à soupe) de sucre et la levure. Laisser reposer 10 minutes.

Verser l'eau bouillante dans un autre bol. Y faire fondre la graisse tout en mélangeant.

Ajouter le reste du sucre, le lait et la vanille. Bien mélanger.

Incorporer les œufs battus et la levure. Tout en mélangeant, ajouter graduellement la farine et le sel, jusqu'à obtention d'une pâte lisse et ferme.

Sur une surface farinée, abaisser la pâte en un rectangle de 0,6 cm (¼ po) d'épaisseur. Y découper des beignets à l'emporte-pièce.

Laisser lever 2 heures sur du papier ciré fariné.

Dans une casserole, faire chauffer le sucre, le beurre et l'eau tout en mélangeant, jusqu'à ce que le sucre soit dissous.

Laisser mijoter 5 minutes. Ajouter la vanille. Réserver au chaud.

Dans une friteuse, faire chauffer l'huile à 190 °C (375 °F).

Frire les beignets quelques-uns à la fois, environ 2 minutes de chaque côté. Les tremper dans le sirop au fur et à mesure qu'ils sont cuits.

Carmelle Gagnon,
Mistassini

Beignets glacés

Portions:	55 beignets
Préparation:	45 minutes
Cuisson:	40 minutes
Repos:	2 heures 30 minutes
Degré de difficulté:	moyen

Énergie: 367 cal	Protéines:		4 g
Lipides: 17 g	Cholestérol:	21 mg
Glucides: 50 g	Fibres:		1 g

10 ml (2 c. à thé) de sel

375 ml (1 ½ tasse) de sucre

1 l (4 tasses) d'eau tiède

250 ml (1 tasse) de lait tiède

5 œufs battus

375 ml (1 ½ tasse) de graisse

45 ml (3 c. à soupe) de levure sèche

15 ml (1 c. à soupe) de vanille

3,75 l (15 tasses), ou plus, de farine

Huile, pour friture

30 ml (2 c. à soupe) de beurre fondu

1 kg (2 lb) de sucre glace

Eau bouillante, au besoin

Dans un bol, mélanger le sel, le sucre et l'eau tiède.

Ajouter le lait tiède (chaud au toucher), les œufs battus, la graisse, la levure et la vanille.

Tout en mélangeant, incorporer graduellement la farine, à raison de 250 ml (1 tasse) à la fois, jusqu'à ce que la pâte ne colle plus.

Mettre dans un plat huilé et déposer celui-ci dans le four. Placer un plat d'eau tiède sur la clayette inférieure du four et allumer la lumière.

Laisser lever la pâte 1 heure 30 minutes.

Huiler la surface de travail et y abaisser la pâte en un rectangle de 1 cm (½ po) d'épaisseur. Y découper des beignets à l'emporte-pièce. Laisser lever 1 heure.

Dans une friteuse, faire chauffer l'huile à 190 °C (375 °F).

Y frire les beignets quelques-uns à la fois, 2 minutes environ de chaque côté.

Dans un bol, mélanger le beurre fondu, le sucre glace et juste assez d'eau bouillante pour que la glace s'étende bien.

Glacer les beignets pendant qu'ils sont encore chauds.

Colette B. Couture,
Lyster

S i le sirop devient trop épais, l'allonger d'un peu d'eau bouillante, au besoin.

L a lumière du four assurera la chaleur voulue pour faire lever la pâte, bien à l'abri des courants d'air.

Biscuits et carrés

Biscuits «après l'école»

Portions :	30 biscuits
Préparation :	15 minutes
Cuisson :	10 minutes
Degré de difficulté :	faible

Énergie :	79 cal	Protéines :	1 g
Lipides :	5 g	Cholestérol :	14 mg
Glucides :	8 g	Fibres :	0,4 g

250 ml (1 tasse) de farine

2 ml (½ c. à thé) de sel

2 ml (½ c. à thé) de cannelle

2 ml (½ c. à thé)
de bicarbonate de soude

125 ml (½ tasse) de noix de
Grenoble hachées

125 ml (½ tasse) de raisins secs

125 ml (½ tasse) de margarine

125 ml (½ tasse) de cassonade

2 œufs

Préchauffer le four à 200 °C (400 °F).

Mélanger la farine, le sel, la cannelle et le bicarbonate de soude. Ajouter les noix et les raisins. Bien mélanger.

Dans un bol, défaire la margarine en crème. Incorporer la cassonade et les œufs.

Ajouter la préparation précédente et bien mélanger à l'aide d'une spatule de caoutchouc.

Déposer la pâte par petites cuillerées sur une plaque à pâtisserie beurrée, en espaçant celles-ci de 2,5 cm (1 po).

Cuire les biscuits environ 10 minutes, dans la partie supérieure du four. Les retirer de la plaque et les laisser refroidir sur un linge propre.

Claudette Turpin,
St-Valérien

Pour que les biscuits maison demeurent moelleux, il suffit de les conserver dans un contenant hermétique, avec un quartier de pomme ou de poire.

Biscuits à la gelée

Portions :	30 biscuits
Préparation :	40 minutes
Cuisson :	20 minutes
Degré de difficulté :	faible

Énergie :	135 cal	Protéines :	1 g
Lipides :	8 g	Cholestérol :	31 mg
Glucides :	15 g	Fibres :	0,3 g

227 g (½ lb) de beurre

180 ml (¾ tasse) de sucre

2 jaunes d'œufs battus

2 ml (½ c. à thé) de vanille

500 ml (2 tasses) de farine
à pâtisserie, tamisée

2 blancs d'œufs

Noix hachées finement,
au besoin

Gelée de fruits, au besoin

Préchauffer le four à 175 °C (335 °F).

Dans un bol, défaire le beurre en crème. Ajouter graduellement le sucre tout en mélangeant bien. Incorporer les jaunes d'œufs battus, la vanille et la farine.

Façonner la préparation en boulettes.

Tremper les boulettes dans les blancs d'œufs, puis les enrober de noix finement hachées. À l'aide d'un dé à coudre, former une cavité au centre des biscuits. Placer les biscuits sur une plaque à pâtisserie beurrée, en ayant soin de les espacer de 2,5 cm (1 po).

Cuire les biscuits 5 minutes. Les retirer du four et creuser de nouveau leur cavité avec le dé. Poursuivre la cuisson de 12 à 15 minutes.

Au sortir du four, remplir immédiatement la cavité des biscuits de gelée.

Cécile d'Arcy,
St-Patrice-de-Magog

On peut choisir de façonner des biscuits miniatures et de les servir en bouchées, à l'heure du thé ou à la pause-café.

6

Biscuits à la cannelle

Portions:	40 biscuits
Préparation:	30 minutes
Cuisson:	10 minutes
Refroidissement:	1 heure
Degré de difficulté:	faible

Énergie: 110 cal	Protéines:	1 g
Lipides: 5 g	Cholestérol:	23 mg
Glucides: 15 g	Fibres:	0,4 g

680 ml (2 ¾ tasses) de farine

10 ml (2 c. à thé) de crème de tartre

5 ml (1 c. à thé) de bicarbonate de soude

2 ml (½ c. à thé) de sel

250 ml (1 tasse) de beurre

375 ml (1 ½ tasse) de sucre

2 œufs battus

5 ml (1 c. à thé) de vanille

30 ml (2 c. à soupe) de sucre

30 ml (2 c. à soupe) de cannelle

Préchauffer le four à 190 °C (375 °F).

Mélanger la farine, la crème de tartre, le bicarbonate de soude et le sel. Réserver.

Dans un bol, défaire le beurre en crème. Ajouter le sucre et bien mélanger. Incorporer les œufs et la vanille. Ajouter graduellement la farine réservée, tout en mélangeant. Réfrigérer 1 heure.

Mélanger le sucre et la cannelle.

Façonner la pâte en 40 boulettes et rouler celles-ci dans la préparation de sucre et de cannelle. Déposer les boulettes sur une plaque à pâtisserie (non beurrée), en espaçant celles-ci de 2,5 cm (1 po). Cuire les biscuits environ 10 minutes.

Anonyme,
Chandler

L a réfrigération permet le raffermissement de la pâte, d'où une manipulation plus aisée.

Biscuits à l'érable

Portions:	60 biscuits
Préparation:	20 minutes
Cuisson:	10 minutes
Degré de difficulté:	faible

Énergie: 93 cal	Protéines:	2 g
Lipides: 5 g	Cholestérol:	19 mg
Glucides: 12 g	Fibres:	1,1 g

750 ml (3 tasses) de farine de blé entier

5 ml (1 c. à thé) de poudre à pâte

5 ml (1 c. à thé) de bicarbonate de soude

250 ml (1 tasse) de noix hachées

250 ml (1 tasse) de dattes hachées

250 ml (1 tasse) de beurre

375 ml (1 ½ tasse) de sirop d'érable

3 œufs

Préchauffer le four à 180 °C (350 °F).

Mélanger la farine, la poudre à pâte et le bicarbonate de soude.

Ajouter les noix et les dattes. Bien mélanger.

Dans un bol, défaire le beurre en crème.

Incorporer le sirop d'érable et les œufs.

Ajouter la préparation précédente et bien mélanger.

Déposer la pâte par petites cuillerées sur une plaque à pâtisserie (non beurrée), en espaçant celles-ci de 2,5 cm (1 po). Garnir de morceaux de dattes, si désiré.

Cuire les biscuits environ 10 minutes.

Anonyme,
St-Élie-d'Orford

C es biscuits seront encore meilleurs s'ils vieillissent quelques jours.

Biscuits à la mélasse

Portions :	50 biscuits
Préparation :	20 minutes
Cuisson :	15 minutes
Degré de difficulté :	faible

Énergie : 100 cal	Protéines :	1 g
Lipides :	3 g	Cholestérol :	9 mg
Glucides :	16 g	Fibres :	0,3 g

1 l (4 tasses) de farine

5 ml (1 c. à thé) de sel

5 ml (1 c. à thé)
de bicarbonate de soude

5 ml (1 c. à thé) de gingembre

180 ml (¾ tasse)
de graisse végétale

250 ml (1 tasse) de sucre

2 œufs

180 ml (¾ tasse)
de café fort refroidi

250 ml (1 tasse) de mélasse

Préchauffer le four à 160 °C (300 °F).

Mélanger la farine, le sel, le bicarbonate de soude et le gingembre. Réserver.

Dans un bol, défaire la graisse en crème avec le sucre.

Incorporer les œufs, le café et la mélasse.

Ajouter la farine réservée et bien mélanger.

Déposer la pâte par petites cuillerées sur une plaque à pâtisserie beurrée, en espaçant celles-ci de 2,5 cm (1 po).

Cuire les biscuits 15 minutes environ.

Denise Pellerin-Paris,
Plessisville

Biscuits sandwichs à la mélasse et à la gelée

Portions :	30 biscuits
Préparation :	45 minutes
Cuisson :	15 minutes
Degré de difficulté :	faible

Énergie : 176 cal	Protéines :	2 g
Lipides :	6 g	Cholestérol :	7 mg
Glucides :	30 g	Fibres :	0,4 g

875 ml (3 ½ tasses), environ,
de farine

5 ml (1 c. à thé)
de poudre à pâte

180 ml (¾ tasse) de graisse

1 œuf, battu

125 ml (½ tasse) de sucre

5 ml (1 c. à thé)
de bicarbonate de soude

45 ml (3 c. à soupe)
d'eau bouillante

375 ml (1 ½ tasse) de mélasse

5 ml (1 c. à thé) de vanille

Gelée de pomme, au goût

Préchauffer le four à 170 °C (325 °F).

Mélanger la farine et la poudre à pâte. Réserver.

Dans un autre bol, défaire la graisse en crème. Tout en battant, ajouter l'œuf et le sucre.

Dissoudre le bicarbonate de soude dans l'eau bouillante, puis l'ajouter à la préparation de graisse, avec la mélasse et la vanille.

Incorporer graduellement la farine. (La pâte doit être suffisamment ferme pour être abaissée.)

Façonner la pâte en boule et l'abaisser sur une surface farinée. Découper à l'emporte-pièce des biscuits de formes variées.

Les déposer sur une plaque à pâtisserie beurrée, en ayant soin de les espacer de 5 cm (2 po).

Cuire les biscuits de 10 à 15 minutes. Laisser refroidir.

Pour confectionner des biscuits sandwichs à la gelée, tartiner des biscuits de gelée de pomme et placer dessus un biscuit de forme identique. Si désiré, perforer le biscuit du dessus pour laisser entrevoir la gelée. Saupoudrer de sucre glace, si désiré.

Cécile Pouliot,
La Durantaye

*I*l faudra peut-être cuire les biscuits en deux fournées.

À défaut d'emporte-pièces, on peut découper les biscuits à l'aide d'un verre, ou encore, avec le couvercle d'un bocal de diamètre approprié.

6

Biscuits au beurre d'arachide

Portions :	35 biscuits
Préparation :	20 minutes
Cuisson :	10 minutes
Refroidissement :	1 heure
Degré de difficulté :	faible

Énergie : 87 cal	Protéines :	2 g
Lipides : 5 g	Cholestérol :	14 mg
Glucides : 10 g	Fibres :	0,4 g

325 ml (1 ⅓ tasse) de farine

2 ml (½ c. à thé)
de poudre à pâte

1 ml (¼ c. à thé) de sel

125 ml (½ tasse) de beurre

125 ml (½ tasse) de cassonade
(légèrement tassée)

125 ml (½ tasse) de sucre

1 œuf

2 ml (½ c. à thé) de vanille

125 ml (½ tasse) de beurre
d'arachide crémeux

Préchauffer le four à 190 °C (375 °F).

Mélanger la farine, la poudre à pâte
et le sel.

Dans un bol, défaire le beurre en
crème.

Tout en battant, incorporer la cassonade et le sucre.

Ajouter l'œuf, la vanille et le beurre
d'arachide.

Bien battre. Tout en mélangeant,
ajouter graduellement la farine.

Façonner la pâte en un rouleau
d'environ 5 cm (2 po) de diamètre.

Réfrigérer au moins 1 heure, puis
couper en tranches de 0,8 cm (⅓ po)
d'épaisseur.

Déposer les biscuits sur une plaque à
pâtisserie beurrée, en les espaçant
d'environ 5 cm (2 po).

Cuire les biscuits de 8 à 10 minutes.

Laisser refroidir.

Anonyme,
St-Cyprien

Biscuits au gingembre

Portions :	30 biscuits
Préparation :	15 minutes
Cuisson :	10 minutes
Degré de difficulté :	faible

Énergie : 92 cal	Protéines :	1 g
Lipides : 5 g	Cholestérol :	7 mg
Glucides : 12 g	Fibres :	0,2 g

180 ml (¾ tasse) de margarine

250 ml (1 tasse) de cassonade
foncée

60 ml (¼ tasse) de mélasse

1 œuf

500 ml (2 tasses) de farine
à pâtisserie

10 ml (2 c. à thé)
de bicarbonate de soude

2 ml (½ c. à thé) de sel

5 ml (1 c. à thé) de gingembre

2 ml (½ c. à thé) de cannelle

Préchauffer le four à 190 °C (375 °F).

Dans un grand bol, battre la margarine, la cassonade, la mélasse et
l'œuf jusqu'à consistance mousseuse.

Ajouter la farine, le bicarbonate de
soude, le sel, le gingembre et la
cannelle.

Façonner la préparation en boulettes.

Déposer les boulettes sur une plaque
à pâtisserie beurrée, en les espaçant
de 5 cm (2 po).

Aplatir les boulettes, si désiré.

Cuire les biscuits de 8 à 10 minutes.

Anonyme,
Ste-Jeanne-d'Arc

Pour égayer les jeunes frimousses, dessiner d'amusantes figures sur les biscuits par le truchement de grains de chocolat.

Que les vertus aphrodisiaques du gingembre soient réelles ou imaginaires, il est certain qu'avec ces biscuits qui en contiennent, vous flatterez au moins... son estomac.

6

Biscuits au jus d'orange

Portions :	60 biscuits
Préparation :	35 minutes
Cuisson :	15 minutes
Degré de difficulté :	faible

Énergie :	98 cal	Protéines :	2 g
Lipides :	2 g	Cholestérol :	14 mg
Glucides :	18 g	Fibres :	0,3 g

1,25 l (5 tasses) de farine

40 ml (8 c. à thé)
de poudre à pâte

1 ml (¼ c. à thé) de sel

125 ml (½ tasse) de graisse

4 œufs

500 ml (2 tasses) de sucre

250 ml (1 tasse) de jus d'orange

Sucre glace, au goût

Cerises, au besoin

Préchauffer le four à 190 °C (375 °F).

Mélanger la farine, la poudre à pâte et le sel. Réserver.

Dans un bol, défaire la graisse en crème.

Tout en battant, incorporer les œufs et le sucre. Ajouter graduellement le jus d'orange, tout en mélangeant.

Incorporer peu à peu la farine réservée.

Façonner la pâte en 60 boulettes et les rouler dans du sucre glace.

Déposer les biscuits sur une plaque à pâtisserie beurrée, en les espaçant de 2,5 cm (1 po). Garnir chaque biscuit d'une demi-cerise.

Cuire de 10 à 15 minutes.

Germaine Allard,
Causapscal

Puisque les biscuits cuisent très rapidement, il faut en surveiller attentivement la cuisson. Dès qu'ils sont secs au toucher, les retirer du four.

Biscuits au miel

Portions :	80 biscuits
Préparation :	25 minutes
Cuisson :	12 minutes
Refroidissement :	8 heures
Degré de difficulté :	faible

Énergie :	53 cal	Protéines :	1 g
Lipides :	3 g	Cholestérol :	5 mg
Glucides :	6 g	Fibres :	0,1 g

750 ml (3 tasses) de farine

10 ml (2 c. à thé)
de bicarbonate de soude

250 ml (1 tasse)
de graisse végétale

250 ml (1 tasse) de cassonade

2 œufs

75 ml (⅓ tasse) de miel

5 ml (1 c. à thé) de vanille

Préchauffer le four à 180 °C (350 °F).

Mélanger la farine et le bicarbonate de soude. Réserver.

Dans un bol, défaire la graisse en crème.

Tout en battant, ajouter la cassonade et les œufs. Ajouter le miel et la vanille. Bien mélanger.

Incorporer la farine réservée, puis mélanger jusqu'à consistance ferme et lisse. Réfrigérer 8 heures.

Façonner la pâte en 80 boulettes. Disposer celles-ci sur une plaque à pâtisserie (non beurrée) en les espaçant d'environ 5 cm (2 po). Aplatir légèrement les boulettes à l'aide d'une fourchette rincée à l'eau froide.

Cuire environ 12 minutes.

Nicole Deschênes,
St-Alexandre-de-Kamouraska

Les biscuits se conservent environ six mois au congélateur. Avant de les servir, il suffit alors de les décongeler à température ambiante.

6

Biscuits et carrés

Biscuits aux amandes

Portions :	35 biscuits
Préparation :	15 minutes
Cuisson :	9 minutes
Degré de difficulté :	faible

Énergie :	66 cal	Protéines :	1 g
Lipides :	3 g	Cholestérol :	6 mg
Glucides :	8 g	Fibres :	0,1 g

310 ml (1 ¼ tasse) de farine

2 ml (½ c. à thé)
de poudre à pâte

1 ml (¼ c. à thé) de sel

125 ml (½ tasse) de graisse
végétale

180 ml (¾ tasse) de sucre

1 œuf

30 ml (2 c. à soupe) de lait

15 ml (1 c. à soupe) d'extrait
d'amande

Préchauffer le four à 190 °C (375 °F).

Mélanger la farine, la poudre à pâte
et le sel. Réserver.

Dans un bol, battre la graisse avec
le sucre, l'œuf, le lait et l'extrait
d'amande. Incorporer à la préparation précédente.

Déposer la pâte par petites cuillerées
sur des plaques à pâtisserie beurrées,
en espaçant celles-ci de 2,5 cm
(1 po).

Cuire les biscuits de 7 à 9 minutes,
jusqu'à ce que leurs pourtours soient
légèrement dorés.

Si désiré, décorer d'une demi-
amande.

Sylvie-Anne Cotey,
Desbiens

Biscuits au miel et aux amandes

Portions :	80 biscuits
Préparation :	20 minutes
Cuisson :	45 minutes
Degré de difficulté :	faible

Énergie :	91 cal	Protéines :	1 g
Lipides :	2 g	Cholestérol :	0 mg
Glucides :	18 g	Fibres :	0,5 g

750 ml (3 tasses) de farine

5 ml (1 c. à thé)
de poudre à pâte

4 oranges (non pelées) hachées
et leur jus

430 ml (1 ¾ tasse) de sucre

5 ml (1 c. à thé) de gingembre

250 ml (1 tasse) de miel

180 ml (¾ tasse) d'amandes
hachées

125 ml (½ tasse) d'huile

Le zeste d'un citron, râpé

7 ml (½ c. à soupe) de cannelle

4 ml (¾ c. à thé) de clou
de girofle

1 pincée de muscade moulue

1 l (4 tasses) de sucre glace

90 ml (⅓ tasse + 1 c. à soupe)
de jus de citron

Mélanger la farine et la poudre à
pâte. Réserver.

Mettre les oranges, 250 ml (1 tasse)
de sucre et le gingembre dans une
casserole.

Laisser mijoter de 20 à 30 minutes,
jusqu'à ce que les oranges soient
tendres.

Mesurer 250 ml (1 tasse) de cette préparation et laisser dans la casserole.
(Conserver le reste pour un usage
ultérieur.)

Ajouter le miel, le reste du sucre, les
amandes et l'huile.

Faire mijoter, tout en mélangeant,
jusqu'à ce que le sucre ait fondu.
Retirer du feu.

Ajouter le zeste, la cannelle, le clou
de girofle et la muscade. Incorporer
graduellement la farine réservée.

Mélanger jusqu'à consistance lisse et
homogène.

Préchauffer le four à 180 °C (350 °F).

Verser la préparation dans deux
plaques à pâtisserie beurrées. Faire
cuire 15 minutes.

Laisser tiédir un peu.

Mélanger le sucre glace et le jus de
citron. Étaler sur la pâte, puis couper
celle-ci en carrés de 2 cm (¾ po) de
côté avant qu'elle ne refroidisse
complètement. Si désiré, garnir de
chocolat fondu.

Magdaléna Kundert,
Gentilly

Puisqu'ils se conservent longtemps dans une boîte de métal hermétique, ces biscuits
peuvent se préparer à l'avance, pour être offerts à Noël et au Nouvel An.

Distancer les cuillerées
de pâte pour permettre
aux biscuits de gonfler.

Biscuits aux bananes St-Aubert

Portions :	75 biscuits
Préparation :	20 minutes
Cuisson :	15 minutes
Degré de difficulté :	faible

Énergie : 53 cal	Protéines :	1 g
Lipides : 2 g	Cholestérol :	6 mg
Glucides : 8 g	Fibres :	0,2 g

680 ml (2 ¾ tasses) de farine

10 ml (2 c. à thé)
de poudre à pâte

1 ml (¼ c. à thé)
de bicarbonate de soude

2 ml (½ c. à thé) de sel

2 œufs

250 ml (1 tasse) de sucre

5 ml (1 c. à thé) de vanille

150 ml (⅔ tasse) de margarine
ramollie

250 ml (1 tasse) de bananes
en purée

125 ml (½ tasse) de grains
de chocolat

Préchauffer le four à 190 °C (375 °F).

Mélanger la farine, la poudre à pâte, le bicarbonate de soude et le sel. Réserver.

Dans un bol, battre les œufs.

Tout en battant, incorporer graduellement le sucre, la vanille et la margarine.

Verser sur la farine réservée et bien mélanger.

Ajouter les bananes et les grains de chocolat. Bien mélanger à la cuillère de bois.

Déposer la pâte par petites cuillerées sur une plaque à pâtisserie beurrée, en espaçant celles-ci de 2,5 cm (1 po).

Cuire les biscuits 15 minutes, dans la partie centrale du four.

Marielle Pelletier,
St-Aubert

Saupoudrés de sucre d'érable râpé, ces biscuits disparaîtront comme par enchantement.

Biscuits aux grains de chocolat

Portions :	50 biscuits
Préparation :	20 minutes
Cuisson :	15 minutes
Degré de difficulté :	faible

Énergie : 92 cal	Protéines :	2 g
Lipides : 4 g	Cholestérol :	11 mg
Glucides : 13 g	Fibres :	0,3 g

680 ml (2 ¾ tasses) de farine

2 ml (½ c. à thé) de sel

125 ml (½ tasse) de graisse
végétale

2 œufs

250 ml (1 tasse) de cassonade

125 ml (½ tasse) de sucre

250 ml (1 tasse) de lait évaporé

5 ml (1 c. à thé) de vanille

250 ml (1 tasse) de grains
de chocolat

Préchauffer le four à 200 °C (400 °F).

Mélanger la farine et le sel. Réserver.

Dans un bol, défaire la graisse en crème.

Tout en battant, ajouter les œufs, un à la fois.

Incorporer la cassonade et le sucre.

Tout en mélangeant, incorporer la farine réservée, le lait et la vanille, en alternance.

Bien répartir les grains de chocolat dans la pâte.

Déposer la pâte par petites cuillerés sur une plaque à pâtisserie beurrée, en espaçant celles-ci de 2,5 cm (1 po).

Cuire les biscuits de 12 à 15 minutes, jusqu'à ce qu'ils soient dorés.

Aline C. Dupéré,
St-Rosaire-de-Jonquière

Pour des biscuits bicolores, tel qu'illustré, ajouter 90 ml (6 c. à soupe) de cacao à la moitié de la pâte. Avant de cuire, aplatir deux boules côte à côte.

Biscuits et carrés

Biscuits au cacao

Portions :	60 biscuits
Préparation :	20 minutes
Cuisson :	15 minutes
Degré de difficulté :	faible

Énergie : 52 cal	Protéines :	1 g
Lipides : 2 g	Cholestérol :	4 mg
Glucides : 8 g	Fibres :	0,6 g

250 ml (1 tasse)
de céréales de son

250 ml (1 tasse) de lait

15 ml (1 c. à soupe) de vinaigre

500 ml (2 tasses) de farine

10 ml (2 c. à thé)
de poudre à pâte

2 ml (½ c. à thé) de sel

60 ml (¼ tasse) de cacao

5 ml (1 c. à thé)
de bicarbonate de soude

125 ml (½ tasse)
de graisse végétale

250 ml (1 tasse) de sucre

1 œuf

10 ml (2 c. à thé) de vanille

Préchauffer le four à 180 °C (350 °F).

Dans un bol, faire tremper les céréales dans le lait et le vinaigre, jusqu'à ce qu'elles ramollissent.

Mélanger la farine, la poudre à pâte, le sel, le cacao et le bicarbonate de soude. Réserver.

Dans un autre bol, défaire la graisse en crème avec le sucre.

Tout en battant, ajouter l'œuf, puis la vanille.

Incorporer graduellement la farine réservée.

Ajouter les céréales et mélanger jusqu'à consistance homogène.

Déposer la pâte par cuillerées sur une plaque à pâtisserie beurrée et farinée, en espaçant celles-ci de 2,5 cm (1 po).

Cuire les biscuits de 10 à 15 minutes, jusqu'à ce qu'un cure-dent en ressorte sec.

Lucie D. Gagné,
St-Cœur-de-Marie

S i désiré, tartiner les biscuits d'une glace, au choix.

Biscuits aux cerises

Portions :	24 biscuits
Préparation :	20 minutes
Cuisson :	12 minutes
Degré de difficulté :	faible

Énergie : 57 cal	Protéines :	1 g
Lipides : 2 g	Cholestérol :	13 mg
Glucides : 9 g	Fibres :	0,2 g

250 ml (1 tasse) de farine

5 ml (1 c. à thé)
de poudre à pâte

45 ml (3 c. à soupe) de beurre

125 ml (½ tasse) de sucre

1 œuf

30 ml (2 c. à soupe) de lait

5 ml (1 c. à thé) de vanille

Cerises rouges ou vertes
coupées en deux, au besoin

Préchauffer le four à 180 °C (350 °F).

Mélanger la farine et la poudre à pâte. Réserver.

Dans un autre bol, défaire le beurre en crème.

Ajouter le sucre et l'œuf, tout en mélangeant.

Incorporer la farine réservée, le lait et la vanille. Bien mélanger jusqu'à consistance homogène.

Déposer la pâte par petites cuillerées sur une plaque à pâtisserie beurrée, en espaçant celles-ci de 2,5 cm (1 po).

Garnir chaque portion d'une demi-cerise.

Cuire les biscuits environ 12 minutes.

Micheline Pilon,
Masson-Angers

U ne poche à pâtisserie munie d'une douille cannelée, par exemple, convient pour disposer harmonieusement la pâte à biscuits sur la plaque.

Biscuits aux courgettes

Portions :	40 biscuits
Préparation :	30 minutes
Cuisson :	20 minutes
Degré de difficulté :	faible

Énergie : 149 cal	Protéines :	2 g
Lipides : 9 g	Cholestérol :	25 mg
Glucides : 16 g	Fibres :	0,4 g

500 ml (2 tasses) de farine

5 ml (1 c. à thé)
   de poudre à pâte

2 ml (½ c. à thé) de sel

180 ml (¾ tasse) de beurre

180 ml (¾ tasse) de sucre

1 œuf

250 ml (1 tasse)
   de courgettes hachées

250 ml (1 tasse) de pacanes
   ou de noix hachées

125 ml (½ tasse)
   de beurre ramolli

625 ml (2 ½ tasses)
   de sucre glace

125 g (4 oz) de fromage
   à la crème

5 ml (1 c. à thé) de vanille

Préchauffer le four à 190 °C (375 °F).

Mélanger la farine, la poudre à pâte et le sel. Réserver.

Dans un bol, fouetter le beurre avec le sucre.

Ajouter l'œuf et bien mélanger.

Ajouter graduellement la farine réservée et mélanger jusqu'à consistance lisse.

Incorporer les courgettes et les pacanes.

Déposer la pâte par cuillerées sur une plaque à pâtisserie beurrée, en espaçant celles-ci de 2,5 cm (1 po).

Cuire les biscuits de 15 à 20 minutes, jusqu'à ce qu'ils soient dorés.

Dans un bol, battre le beurre avec le sucre glace, le fromage et la vanille, jusqu'à consistance lisse et crémeuse.

En glacer les biscuits.

Anonyme,
Ste-Cécile-de-Lévrard

*P**uisque la garniture au fromage ramollit au contact de la chaleur, il est beaucoup plus facile d'en tartiner les biscuits dès la sortie du four.*

Biscuits de grand-mère

Portions :	60 biscuits
Préparation :	20 minutes
Cuisson :	12 minutes
Degré de difficulté :	faible

Énergie : 71 cal	Protéines :	1 g
Lipides : 2 g	Cholestérol :	8 mg
Glucides : 12 g	Fibres :	0,2 g

2 œufs

250 ml (1 tasse) de sucre

250 ml (1 tasse) de cassonade

60 ml (¼ tasse)
   de graisse végétale fondue

60 ml (¼ tasse)
   de beurre fondu

1 l (4 tasses) de farine

180 ml (¾ tasse) de lait

Préchauffer le four à 180 °C (350 °F).

Battre les œufs en ajoutant graduellement le sucre.

Tout en battant, ajouter la cassonade, la graisse et le beurre.

Ajouter 250 ml (1 tasse) de farine et bien mélanger.

Incorporer le lait, puis la farine restante, peu à peu.

Déposer la pâte par petites cuillerées sur une plaque à pâtisserie beurrée, en espaçant celles-ci de 2,5 cm (1 po).

Cuire les biscuits de 10 à 12 minutes.

Marie-Rose Laframboise,
Masson-Angers

*C**es biscuits restent blancs et légèrement moelleux. Pour varier, les agrémenter de raisins secs, de grains de chocolat ou d'épices.*

Biscuits et carrés

Biscuits roulés aux dattes et aux noix

Portions :	35 biscuits
Préparation :	40 minutes
Cuisson :	25 minutes
Refroidissement :	1 heure
Degré de difficulté :	moyen

Énergie : 76 cal	Protéines :	1 g
Lipides : 3 g	Cholestérol :	6 mg
Glucides : 13	Fibres :	0,6 g

60 ml (¼ tasse) de noix hachées finement

250 ml (1 tasse) de dattes hachées finement

75 ml (⅓ tasse) de sucre

75 ml (⅓ tasse) d'eau

375 ml (1 ½ tasse) de farine

1 ml (¼ c. à thé) de bicarbonate de soude

1 pincée de sel

75 ml (⅓ tasse) de graisse végétale

150 ml (⅔ tasse) de cassonade

1 œuf battu

Mettre les noix, les dattes, le sucre et l'eau dans une casserole. Faire mijoter de 8 à 10 minutes environ, jusqu'à épaississement. Laisser refroidir complètement cette garniture.

Dans un bol, mélanger la farine, le bicarbonate de soude et le sel.

Dans un autre bol, défaire la graisse en crème. Ajouter la cassonade et l'œuf battu. Bien mélanger.

Incorporer graduellement la farine réservée, en mélangeant bien après chaque addition.

Façonner la pâte en deux boules.

Sur une surface farinée, abaisser chaque boule en un rectangle de 0,3 cm (⅛ po) d'épaisseur. Étendre la garniture sur la pâte et rouler les abaisses. Envelopper dans du papier ciré et réfrigérer environ 1 heure.

Préchauffer le four à 180 °C (350 °F).

Couper les rouleaux en tranches de 0,6 cm (¼ po) d'épaisseur et déposer celles-ci sur une plaque à pâtisserie beurrée, en les espaçant d'environ 5 cm (2 po).

Cuire de 12 à 15 minutes.

Ruth Guévremont,
St-François-du-Lac

Biscuits aux fruits

Portions :	40 biscuits
Préparation :	25 minutes
Cuisson :	17 minutes
Degré de difficulté :	faible

Énergie : 91 cal	Protéines :	1 g
Lipides : 4 g	Cholestérol :	12 mg
Glucides : 13 g	Fibres :	1 g

250 ml (1 tasse) de dattes hachées

250 ml (1 tasse) d'abricots secs hachés

5 ml (1 c. à thé) de zeste de citron râpé

5 ml (1 c. à thé) de jus de citron

125 ml (½ tasse) de beurre

250 ml (1 tasse) de cassonade (tassée)

1 œuf

45 ml (3 c. à soupe) d'huile végétale

10 ml (2 c. à thé) de vanille

375 ml (1 ½ tasse) de flocons d'avoine

250 ml (1 tasse) de farine

2 ml (½ c. à thé) de poudre à pâte

2 ml (½ c. à thé) de bicarbonate de soude

1 ml (¼ c. à thé) de sel

Préchauffer le four à 170 °C (325 °F).

Dans un bol, mélanger les dattes, les abricots, le zeste et le jus de citron. Réserver.

Dans un autre bol, défaire le beurre en crème avec la cassonade. Tout en battant, ajouter l'œuf, puis l'huile et la vanille.

Dans un autre bol, mélanger les flocons d'avoine, la farine, la poudre à pâte, le bicarbonate de soude et le sel.

Incorporer graduellement à la préparation précédente. Ajouter les fruits secs et bien mélanger.

Déposer la pâte par cuillerées sur une plaque à pâtisserie beurrée, en espaçant celles-ci de 5 cm (2 po).

Cuire les biscuits de 15 à 17 minutes, jusqu'à ce qu'ils soient bien dorés.

Jeannine Ouellet,
St-Alexandre-de-Kamouraska

La congélation des biscuits en sachets individuels permet d'agrémenter la boîte à lunch, les matins où l'inspiration fait défaut.

Le simple fait de fariner les fruits secs avant de les incorporer à la pâte permet de les y répartir de façon uniforme.

6

Biscuits aux noix

Portions :	30 biscuits
Préparation :	8 minutes
Cuisson :	12 minutes
Degré de difficulté :	moyen

Énergie : 118 cal	Protéines :	2 g
Lipides : 11 g	Cholestérol :	0 mg
Glucides : 5 g	Fibres :	0,7 g

2 ml (½ c. à thé)
de bicarbonate de soude

15 ml (1 c. à soupe)
d'eau chaude

125 ml (½ tasse) de cassonade

125 ml (½ tasse)
de graisse fondue

125 ml (½ tasse)
d'amandes broyées

125 ml (½ tasse) de noix broyées

125 ml (½ tasse)
de graines de tournesol

125 ml (½ tasse)
d'arachides broyées

1 pincée de sel

Préchauffer le four à 190 °C (375 °F).

Dissoudre le bicarbonate de soude dans l'eau chaude. Réserver.

Mettre la cassonade dans un bol et l'arroser de graisse fondue. Tout en mélangeant, ajouter le bicarbonate dissous, ainsi que les amandes, les noix, les graines de tournesol, les arachides et le sel.

Disposer la pâte par petites cuillerées sur une plaque à pâtisserie (non beurrée), en espaçant celles-ci de 2,5 cm (1 po).

Cuire les biscuits de 10 à 12 minutes, jusqu'à ce qu'ils soient dorés.

Hélène B. St-Pierre,
St-Aubert

Pour une note colorée, tartiner les biscuits d'une glace crémeuse à la vanille, et les coiffer de morceaux de cerise.

Biscuits aux fruits confits

Portions :	36 biscuits
Préparation :	20 minutes
Cuisson :	12 minutes
Degré de difficulté :	faible

Énergie : 66 cal	Protéines :	1 g
Lipides : 2 g	Cholestérol :	16 mg
Glucides : 11 g	Fibres :	0,3 g

430 ml (1 ¾ tasse) de farine

10 ml (2 c. à thé)
de poudre à pâte

1 ml (¼ c. à thé) de sel

2 ml (½ c. à thé)
de bicarbonate de soude

180 ml (¾ tasse)
de fruits confits

60 ml (¼ tasse) de beurre

250 ml (1 tasse) de cassonade

2 œufs

2 ml (½ c. à thé) de vanille

125 ml (½ tasse) de lait

Préchauffer le four à 170 °C (325 °F).

Mélanger la farine, la poudre à pâte, le sel et le bicarbonate de soude. Ajouter les fruits confits et mélanger.

Dans un bol, défaire le beurre en crème. Ajouter la cassonade, les œufs et la vanille.

Bien mélanger. Incorporer la préparation précédente et le lait, en alternance.

Déposer la pâte par petites cuillerées, sur une plaque à pâtisserie beurrée, en espaçant celles-ci de 2,5 cm (1 po).

Cuire les biscuits de 10 à 12 minutes.

Anonyme,
Terrebonne

Pour une présentation haute en couleur, opter pour plusieurs variétés de fruits confits en harmonisant les teintes.

6

Biscuits et carrés

Biscuits aux pruneaux

Portions:	16 biscuits
Préparation:	1 heure
Cuisson:	30 minutes
Degré de difficulté:	faible

Énergie: 105 cal	Protéines:		2 g
Lipides:	4 g	Cholestérol:	1 mg
Glucides:	16 g	Fibres:	1,6 g

10 pruneaux, cuits, égouttés, dénoyautés et hachés

60 ml (¼ tasse) de cassonade

250 ml (1 tasse) de farine tout usage

20 ml (4 c. à thé) de poudre à pâte

2 ml (½ c. à thé) de sel

250 ml (1 tasse) de farine de blé entier

Le zeste d'un citron, râpé

60 ml (¼ tasse) de graisse végétale

150 ml (⅔ tasse) de lait

Préchauffer le four à 190 °C (375 °F).

Dans un bol, mélanger les pruneaux et la cassonade. Réserver.

Dans un autre bol, mélanger la farine tout usage, la poudre à pâte et le sel.

Ajouter la farine de blé entier et le zeste de citron. Mélanger.

Ajouter la graisse et la couper dans la farine à l'aide d'un coupe-pâte ou de deux couteaux, jusqu'à consistance grumeleuse.

Ajouter le lait et mélanger à la fourchette, jusqu'à ce que la pâte forme une boule molle.

Sur une surface farinée, abaisser la pâte en un rectangle de 0,3 cm (⅛ po) d'épaisseur, puis y étendre les pruneaux réservés.

Rouler l'abaisse en un cylindre et le couper en rondelles de 2,5 cm (1 po) d'épaisseur. Placer les rondelles debout dans des moules à muffins graissés.

Cuire environ 30 minutes.

Huguette Pépin,
Cap-Santé

Biscuits aux pacanes

Portions:	30 biscuits
Préparation:	15 minutes
Cuisson:	15 minutes
Refroidissement:	1 heure
Degré de difficulté:	faible

Énergie: 85 cal	Protéines:		1 g
Lipides:	5 g	Cholestérol:	16 mg
Glucides:	10 g	Fibres:	0,3 g

125 ml (½ tasse) de beurre

60 ml (¼ tasse) de cassonade

1 jaune d'œuf, battu

250 ml (1 tasse) de farine

1 blanc d'œuf, battu

180 ml (¾ tasse) de pacanes hachées

Confiture, au goût

Dans un bol, défaire le beurre en crème.

Ajouter la cassonade et battre jusqu'à consistance mousseuse.

Incorporer le jaune d'œuf battu.

Ajouter graduellement la farine, en battant après chaque addition.

Réfrigérer 1 heure.

Préchauffer le four à 180 °C (350 °F).

Façonner la pâte en 30 boulettes.

Rouler celles-ci dans le blanc d'œuf battu, puis dans les pacanes hachées.

Déposer les boulettes sur une plaque à pâtisserie beurrée, en les espaçant de 5 cm (2 po) environ.

Les aplatir et former une cavité en leur centre à l'aide d'un dé à coudre.

Cuire environ 15 minutes. Laisser refroidir.

Remplir la cavité des biscuits de confiture, au choix.

Jeannine St-Hilaire,
St-Gilles

Il est toujours plus facile d'abaisser une pâte à biscuits si on la réfrigère au moins 1 heure au préalable.

Les biscuits étant généralement peu épais, il importe de surveiller attentivement la cuisson pour éviter qu'ils ne brûlent.

Biscuits
aux raisins

Portions:	40 biscuits
Préparation:	20 minutes
Cuisson:	10 minutes
Degré de difficulté:	faible

Énergie:	65 cal	Protéines:	1 g
Lipides:	3 g	Cholestérol:	7 mg
Glucides:	10 g	Fibres:	0,3 g

500 ml (2 tasses) de farine

150 ml (⅔ tasse) de sucre

10 ml (2 c. à thé)
de poudre à pâte

125 ml (½ tasse) de beurre

180 ml (¾ tasse) de lait

Raisins secs, au goût

Préchauffer le four à 180 °C (350 °F).

Mélanger la farine, le sucre et la poudre à pâte.

Ajouter le beurre et le couper dans la préparation à l'aide de deux couteaux ou d'un coupe-pâte, jusqu'à consistance grumeleuse.

Ajouter le lait et mélanger à la fourchette jusqu'à ce que la pâte forme une boule.

Incorporer les raisins sec.

Sur une surface farinée, abaisser la pâte en un rectangle de 40 cm x 25 cm (16 po x 10 po).

Découper la pâte en 40 rectangles.

Placer les rectangles sur une plaque à pâtisserie beurrée.

Cuire les biscuits environ 10 minutes.

Marthe Légaré,
Giffard

Biscuits aux raisins et aux noix

Portions:	60 biscuits
Préparation:	35 minutes
Cuisson:	15 minutes
Degré de difficulté:	faible

Énergie:	101 cal	Protéines:	1 g
Lipides:	4 g	Cholestérol:	21 mg
Glucides:	14 g	Fibres:	0,4 g

125 ml (½ tasse) de sucre

125 ml (½ tasse) d'eau

15 ml (1 c. à soupe) de fécule
de maïs

375 ml (1 ½ tasse) de raisins secs

60 ml (¼ tasse) de beurre

60 ml (¼ tasse) de noix hachées

750 ml (3 tasses) de farine

5 ml (1 c. à thé) de sel

5 ml (1 c. à thé)
de bicarbonate de soude

250 ml (1 tasse) de beurre

500 ml (2 tasses) de cassonade

3 œufs

5 ml (1 c. à thé) de vanille

Préchauffer le four à 180 °C (350 °F).

Mettre le sucre, l'eau, la fécule de maïs et les raisins secs dans une casserole.

Amener à ébullition et réduire la chaleur.

Laisser mijoter 2 minutes.

Retirer du feu et incorporer le beurre et les noix.

Laisser refroidir complètement cette garniture.

Mélanger la farine, le sel et le bicarbonate de soude. Réserver.

Dans un bol, défaire le beurre en crème avec la cassonade. Tout en battant, ajouter les œufs et la vanille. Incorporer graduellement la farine.

Déposer la pâte par cuillerées, sur une plaque à pâtisserie beurrée, en espaçant celles-ci de 2,5 cm (1 po).

Creuser une cavité au centre de chaque biscuit et la remplir de 2 ml (½ c. à thé) de garniture.

Cuire les biscuits de 10 à 12 minutes.

Cécile Fillion,
St-Nazaire

6

*A**ucun parfum n'est plus suggestif que celui de biscuits chauds.**

*S**i les biscuits commencent à rassir, les réduire en chapelure et utiliser celle-ci pour confectionner des fonds de tarte.**

Biscuits et carrés

Biscuits roulés bicolores

Portions :	36 biscuits
Préparation :	40 minutes
Cuisson :	10 minutes
Refroidissement :	4 heures
Degré de difficulté :	moyen

Énergie :	57 cal	Protéines :	1 g
Lipides :	3 g	Cholestérol :	13 mg
Glucides :	7 g	Fibres :	0,2 g

375 ml (1 ½ tasse) de farine

7 ml (1 ½ c. à thé)
de poudre à pâte

1 jaune d'œuf

45 ml (3 c. à soupe) de lait

125 ml (½ tasse) de beurre
ou de margarine

125 ml (½ tasse) de sucre

1 goutte de vanille

10 ml (2 c. à thé) de cacao

Mélanger la farine et la poudre à pâte. Réserver.

Dans un petit bol, battre le jaune d'œuf avec le lait. Réserver.

Dans un grand bol, défaire le beurre en crème avec le sucre. Tout en fouettant, ajouter le jaune d'œuf battu. Incorporer graduellement la farine. Ajouter la vanille et mélanger. Verser les deux tiers de la pâte dans un bol, puis le tiers dans un autre bol.

Dissoudre le cacao dans un peu d'eau bouillante et l'incorporer au tiers de la préparation.

Façonner séparément les deux variétés de pâte en boule. Placer isolément les boules de pâte entre deux feuilles de papier ciré, puis les abaisser en deux rectangles de mêmes dimensions. Retirer le papier ciré. Disposer les abaisses l'une sur l'autre, puis les rouler en un cylindre. Réfrigérer de 2 à 4 heures.

Préchauffer le four à 190 °C (375 °F).

Couper le cylindre en tranches de 0,3 cm (⅛ po) d'épaisseur et disposer celles-ci sur une plaque à pâtisserie beurrée, en les espaçant de 5 cm (2 po).

Cuire de 8 à 10 minutes.

Anonyme,
St-Philémon

On peut remplacer le cacao par 30 g (1 oz) de chocolat fondu.

Biscuits à la citrouille

Portions :	35 biscuits
Préparation :	20 minutes
Cuisson :	10 minutes
Degré de difficulté :	faible

Énergie :	48 cal	Protéines :	1 g
Lipides :	2 g	Cholestérol :	10 mg
Glucides :	8 g	Fibres :	0,3 g

310 ml (1 ¼ tasse) de farine

2 ml (½ c. à thé) de cannelle

1 ml (¼ c. à thé) de sel

2 ml (½ c. à thé) de muscade

1 pincée de gingembre

7 ml (1 ½ c. à thé)
de poudre à pâte

125 ml (½ tasse) de raisins secs

60 ml (¼ tasse) de beurre

125 ml (½ tasse) de cassonade

1 œuf

180 ml (¾ tasse) de purée
de citrouille

Préchauffer le four à 200 °C (400 °F).

Mélanger la farine avec la cannelle, le sel, la muscade, le gingembre et la poudre à pâte.

Ajouter les raisins secs et mélanger.

Dans un bol, défaire le beurre en crème.

Ajouter la cassonade et l'œuf. Bien battre.

Incorporer la purée de citrouille.

Ajouter la farine et bien mélanger.

Déposer la pâte par petites cuillerées sur une plaque à pâtisserie beurrée, en espaçant celles-ci de 2,5 cm (1 po).

Faire cuire les biscuits de 8 à 10 minutes dans la partie supérieure du four.

Les retirer de la plaque et les laisser refroidir sur un linge propre.

Claudette Turpin,
St-Valérien

Pour une purée maison, laisser mijoter 2 kg (4 lb) de morceaux de citrouille dans leur écorce, 30 minutes environ, dans 1 litre (4 tasses) d'eau. Réduire la chair en purée.

Biscuits roulés aux dattes

Portions:	48 biscuits
Préparation:	20 minutes
Cuisson:	15 minutes
Refroidissement:	2 heures
Degré de difficulté:	moyen

Énergie: 76 cal	Protéines:	1 g
Lipides: 3 g	Cholestérol:	9 mg
Glucides: 12 g	Fibres:	0,5 g

650 ml (2 ⅔ tasses) de farine

1 ml (¼ c. à thé) de sel

2 ml (½ c. à thé)
de bicarbonate de soude

150 ml (⅔ tasse) de margarine

310 ml (1 ¼ tasse) de cassonade

2 œufs, battus

7 ml (½ c. à soupe) de vanille

125 ml (½ tasse) de purée de
dattes cuites, sucrée au goût
et refroidie

Dans un bol, mélanger la farine,
le sel et le bicarbonate de soude.
Réserver.

Dans un autre bol, défaire la margarine en crème avec la cassonade.

Tout en battant, ajouter les œufs,
puis la vanille.

Ajouter la farine réservée et bien
mélanger. Façonner la pâte en boule.
Envelopper dans une pellicule de
plastique et réfrigérer au moins
1 heure.

Sur une surface farinée, abaisser la
pâte en un rectangle, puis y étendre
la purée de dattes.

Rouler en un cylindre.

Envelopper dans une pellicule de
plastique et réfrigérer au moins
1 heure. Couper en 48 tranches.

Préchauffer le four à 190 °C (375 °F).

Placer les biscuits sur une plaque à
pâtisserie beurrée et cuire environ
15 minutes.

Gilberte Aubin-Laflamme,
Buckland

Biscuits sandwichs à la gelée

Portions:	40 biscuits
Préparation:	45 minutes
Cuisson:	15 minutes
Degré de difficulté:	faible

Énergie: 158 cal	Protéines:	2 g
Lipides: 5 g	Cholestérol:	24 mg
Glucides: 26 g	Fibres:	0,4 g

1,125 l (4 ½ tasses)
de farine, environ

20 ml (4 c. à thé)
de poudre à pâte

10 ml (2 c. à thé)
de bicarbonate de soude

5 ml (1 c. à thé) de sel

250 ml (1 tasse) de beurre ou
de graisse végétale

500 ml (2 tasses) de sucre

2 œufs

250 ml (1 tasse) de lait

10 ml (2 c. à thé) de vanille

Gelée, au goût

Préchauffer le four à 180 °C (350 °F).

Mélanger la farine, la poudre à pâte,
le bicarbonate de soude et le sel.

Dans un bol, défaire le beurre en
crème. Tout en battant, ajouter le
sucre et les œufs, puis le lait et la
vanille.

Incorporer graduellement la farine
réservée et mélanger jusqu'à consistance homogène.

Sur une surface farinée, abaisser la
pâte en un rectangle d'environ
40 cm x 30 cm (16 po x 12 po). À
l'aide d'un verre, découper environ
40 cercles dans la pâte. Perforer le
centre de la moitié des cercles, avec
un dé à coudre.

Étendre 5 ml (1 c. à thé) de gelée sur
chaque cercle de pâte entier. Couvrir
des cercles de pâte perforés.

Disposer les biscuits sur une plaque à
pâtisserie beurrée, en les espaçant de
2,5 cm (1 po).

Cuire de 10 à 15 minutes, jusqu'à ce
que les biscuits soient dorés.

Anonyme,
St-Norbert

*On peut congeler la pâte à biscuits, puis la décongeler à
température ambiante 1 heure environ, avant de
l'abaisser.*

*Voilà l'occasion idéale d'utiliser un reste de gelée ou de
confiture maison. Et pourquoi pas de la confiture de
citrouille?*

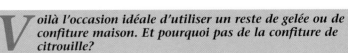

Biscuits sandwichs à la vanille

Portions :	20 biscuits
Préparation :	20 minutes
Cuisson :	10 minutes
Degré de difficulté :	faible

Énergie : 256 cal	Protéines :	3 g
Lipides : 14 g	Cholestérol :	34 mg
Glucides : 32 g	Fibres :	1,2 g

250 ml (1 tasse) de lait

15 ml (1 c. à soupe) de vinaigre

500 ml (2 tasses) de farine

5 ml (1 c. à thé)
de bicarbonate de soude

30 ml (2 c. à soupe)
de poudre à pâte

125 ml (½ tasse) de cacao

125 ml (½ tasse)
de graisse végétale

250 ml (1 tasse) de sucre

1 œuf entier

2 jaunes d'œufs

2 blancs d'œufs

150 ml (⅔ tasse)
de graisse végétale

500 ml (2 tasses) de sucre glace

5 ml (1 c. à thé) de vanille

Préchauffer le four à 180 °C (350 °F).

Mélanger le lait et le vinaigre dans un verre. Laisser surir 10 minutes.

Dans un bol, mélanger la farine, le bicarbonate de soude, la poudre à pâte et le cacao. Réserver.

Dans un autre bol, défaire la graisse en crème. Ajouter le sucre, ainsi que l'œuf et les jaunes d'œufs. Bien mélanger. Incorporer la farine réservée et le lait, en alternance.

Déposer la pâte par petites cuillerées, sur une plaque à pâtisserie beurrée, en espaçant celles-ci de 2,5 cm (1 po). Cuire 10 minutes.

Dans un bol, monter les blancs d'œufs en neige.

Dans un autre bol, défaire la graisse en crème. Incorporer le sucre et la vanille.

Ajouter les blancs d'œufs en neige et mélanger délicatement.

Tartiner la moitié des biscuits de glace vanillée et couvrir des autres biscuits.

Thérèse G. Lemay,
Leclercville

Ê tre prise en sandwich entre deux biscuits au cacao, c'est encore la meilleure chose qui puisse arriver à une glace onctueuse, subtilement vanillée.

Biscuits aux noix et aux raisins

Portions :	60 biscuits
Préparation :	20 minutes
Cuisson :	15 minutes
Degré de difficulté :	faible

Énergie : 96 cal	Protéines :	2 g
Lipides : 4 g	Cholestérol :	14 mg
Glucides : 13 g	Fibres :	1,4 g

250 ml (1 tasse)
de farine de blé entier

5 ml (1 c. à thé)
de bicarbonate de soude

2 ml (½ c. à thé) de sel

500 ml (2 tasses)
de flocons d'avoine

60 ml (¼ tasse)
de germe de blé

180 ml (¾ tasse)
de noix de coco râpée

180 ml (¾ tasse)
de raisins secs

125 ml (½ tasse)
de noix hachées

180 ml (¾ tasse)
de beurre ou de margarine

375 ml (1 ½ tasse) de cassonade

2 œufs

5 ml (1 c. à thé) de vanille

Préchauffer le four à 180 °C (350 °F).

Dans un bol, mélanger la farine, le bicarbonate de soude, le sel, les flocons d'avoine, le germe de blé, la noix de coco, les raisins secs et les noix hachées. Réserver.

Dans un autre bol, défaire le beurre en crème avec la cassonade.

Tout en battant, incorporer les œufs et la vanille.

Ajouter la préparation précédente et bien mélanger.

Façonner la pâte en 60 boulettes.

Déposer les boulettes sur des plaques à pizza beurrées et farinées, en les espaçant de 5 cm (2 po).

Cuire environ 15 minutes.

Suzanne Bergeron,
Délisle

C es biscuits ont moins tendance à brûler s'ils cuisent sur des plaques à pizza plutôt que sur des plaques à pâtisserie.

Biscuits roulés à la cannelle

Portions :	36 biscuits
Préparation :	30 minutes
Cuisson :	20 minutes
Degré de difficulté :	moyen

Énergie :	112	Protéines :	2 g
Lipides :	4 g	Cholestérol :	7 mg
Glucides :	19 g	Fibres :	0,8 g

1	l (4 tasses) de farine	
15	ml (1 c. à soupe) de poudre à pâte	
1	ml (¼ c. à thé) de sel	
60	ml (¼ tasse) de graisse végétale	
250	ml (1 tasse) de sucre	
1	œuf	
2	ml (½ c. à thé) de vanille	
250	ml (1 tasse) de lait	
75	ml (⅓ tasse) de beurre fondu	
75	ml (⅓ tasse) de cassonade	
75	ml (⅓ tasse) de cannelle	

Préchauffer le four à 230 °C (450 °F).

Mélanger la farine, la poudre à pâte et le sel. Réserver.

Dans un bol, défaire la graisse en crème avec le sucre.

Tout en battant, ajouter l'œuf, puis la vanille.

Tout en mélangeant, incorporer graduellement la farine réservée et le lait, en alternance.

Diviser en deux boules.

Sur une surface farinée, abaisser chaque boule de pâte en un rectangle.

Badigeonner la pâte de beurre fondu, puis la saupoudrer de cassonade et de cannelle.

Rouler les abaisses, puis les trancher finement pour obtenir 36 biscuits.

Placer les biscuits sur une plaque à pâtisserie beurrée en les espaçant de 5 cm (2 po).

Cuire les biscuits 20 minutes, jusqu'à ce qu'ils soient dorés.

Colette Montigny,
Îles-de-la-Madeleine

S i la pâte à biscuits semble trop collante, ajouter un peu de farine, au besoin.

Carrés aux raisins

Portions :	16 carrés
Préparation :	20 minutes
Cuisson :	35 minutes
Degré de difficulté :	faible

Énergie : 221 cal		Protéines :	2 g
Lipides :	10 g	Cholestérol :	27 g
Glucides :	32 g	Fibres :	0,8 g

375	ml (1 ½ tasse) de farine	
30	ml (2 c. à soupe) de sucre	
125	ml (½ tasse) de margarine	
2	œufs	
375	ml (1 ½ tasse) de cassonade	
60	ml (¼ tasse) de margarine ramollie	
15	ml (1 c. à soupe) de vinaigre	
250	ml (1 tasse) de raisins secs farinés	

Préchauffer le four à 180 °C (350 °F).

Dans un bol, mélanger la farine et le sucre.

À l'aide d'un coupe-pâte ou de deux couteaux, couper la margarine dans la farine jusqu'à consistance grumeleuse.

Presser contre le fond d'un moule de 23 cm (9 po) de côté.

Cuire 10 minutes et laisser refroidir.

Dans un bol, battre les œufs et la cassonade, jusqu'à consistance légère et mousseuse.

Ajouter la margarine et le vinaigre. Bien mélanger.

Incorporer les raisins secs farinés.

Verser la garniture sur la croûte et cuire de 20 à 25 minutes.

Laisser refroidir complètement et couper en carrés.

Solange Breton,
Marieville

C es carrés énergisants, qui se glissent aisément dans le sac à dos, seront fort prisés au cours d'une randonnée pédestre.

6

Biscuits et carrés

Carrés à la guimauve

Portions :	32 carrés
Préparation :	25 minutes
Cuisson :	–
Refroidissement :	1 heure
Congélation :	24 heures
Degré de difficulté :	faible

Énergie : 142 cal	Protéines :	2 g
Lipides : 8 g	Cholestérol :	25 mg
Glucides : 18 g	Fibres :	0,2 g

32 grosses guimauves

15 ml (1 c. à soupe) d'eau

1 boîte de 300 ml (10 oz)
de lait concentré sucré

500 ml (2 tasses) de crème 35 %

Biscuits carrés,
au besoin (type Graham)

Faire fondre les guimauves au bain-marie avec 15 ml (1 c. à soupe) d'eau. Retirer du feu.

Tout en fouettant, incorporer le lait concentré sucré. Réfrigérer 1 heure.

Dans un bol, fouetter la crème 35 % jusqu'à formation de pics fermes.

Incorporer à la préparation précédente en pliant délicatement à l'aide d'une spatule de caoutchouc.

Dans un plat beurré de 23 cm (9 po) de côté, superposer en alternance des rangs de biscuits et de garniture à la guimauve.

Congeler 24 heures, puis couper en 32 carrés.

Colette Montigny,
Îles-de-la-Madeleine

*C*es carrés veloutés, sucrés à souhait, se conservent au congélateur.

Carrés à la rhubarbe

Portions :	64 carrés
Préparation :	20 minutes
Cuisson :	1 heure
Degré de difficulté :	faible

Énergie : 60 cal	Protéines :	1 g
Lipides : 3 g	Cholestérol :	18 mg
Glucides : 7 g	Fibres :	0,3 g

180 ml (¾ tasse) de beurre

60 ml (¼ tasse) de cassonade

375 ml (1 ½ tasse) de farine

1 l (4 tasses) de rhubarbe
en morceaux

375 ml (1 ½ tasse) de cassonade

3 œufs, bien battus

45 ml (3 c. à soupe) de farine

1 ml (¼ c. à thé) de sel

60 ml (¼ tasse) de lait

60 ml (¼ tasse)
de beurre fondu

Préchauffer le four à 190 °C (375 °F).

Dans un bol, défaire le beurre en crème. Incorporer la cassonade et la farine. Presser cette préparation contre le fond et les parois d'un moule à gâteau de 20 cm (8 po) de côté, beurré.

Dans une casserole, cuire la rhubarbe 15 minutes avec la cassonade, à feu moyen. Laisser refroidir.

Dans un bol, mélanger les œufs battus, la farine, le sel, le lait, le beurre fondu et la rhubarbe cuite. Verser délicatement dans le moule.

Cuire 45 minutes et laisser refroidir. Couper en 64 carrés.

Louise Lambert,
Montréal

*P*ourquoi ne pas cultiver la rhubarbe? Elle n'a besoin que d'un petit coin de jardin, ne nécessite qu'un minimum de soins, et sa tige repousse quand on la coupe.

6

Carrés aux canneberges

Portions:	40 carrés
Préparation:	20 minutes
Cuisson:	45 minutes
Degré de difficulté:	faible

Énergie: 73 cal	Protéines:	1 g
Lipides: 2 g	Cholestérol:	9 mg
Glucides: 13 g	Fibres:	0,6 g

310 ml (1 ¼ tasse) de farine

10 ml (2 c. à thé)
de poudre à pâte

1 pincée de sel

250 ml (1 tasse) de canneberges

250 ml (1 tasse) de raisins secs

125 ml (½ tasse) de sucre

125 ml (½ tasse) d'amandes
hachées

60 ml (¼ tasse) de beurre
ou de margarine

150 ml (⅔ tasse) de sucre

1 œuf, battu

75 ml (⅓ tasse) de lait

Préchauffer le four à 180 °C (350 °F).

Mélanger la farine, la poudre à pâte et le sel. Réserver.

Dans un bol, mélanger les canneberges, les raisins secs, le sucre et les amandes. Réserver.

Dans un autre bol, défaire le beurre en crème avec le sucre.

Ajouter l'œuf battu et bien mélanger.

Incorporer graduellement la farine réservée, ainsi que le lait, en alternance.

Ajouter la préparation de canneberges et bien mélanger.

Verser dans un moule de 25 cm x 20 cm (10 po x 8 po), beurré.

Cuire environ 45 minutes.

Laisser refroidir et couper en 40 carrés.

Francine Gagnon,
Drummondville

Carrés aux dattes

Portions:	16 carrés
Préparation:	30 minutes
Cuisson:	1 heure
Refroidissement:	15 minutes
Degré de difficulté:	faible

Énergie: 175 cal	Protéines:	3 g
Lipides: 3 g	Cholestérol:	33 mg
Glucides: 35 g	Fibres:	2,6 g

250 ml (1 tasse) d'eau

500 ml (2 tasses) de dattes
hachées

125 ml (½ tasse) de cassonade

30 ml (2 c. à soupe) de farine

250 ml (1 tasse) de farine

5 ml (1 c. à thé)
de poudre à pâte

1 pincée de sel

250 ml (1 tasse) de flocons
d'avoine

45 ml (3 c. à soupe) de beurre
mou

60 ml (¼ tasse) de sucre

2 œufs, battus

5 ml (1 c. à thé) de vanille

Préchauffer le four à 180 °C (350 °F).

Dans une casserole, amener l'eau à ébullition avec les dattes.

Réduire la chaleur et laisser mijoter 15 minutes environ.

Mélanger la cassonade et la farine, puis incorporer aux dattes.

Tout en mélangeant, poursuivre la cuisson 1 ou 2 minutes, jusqu'à épaississement. Réserver.

Dans un bol, mélanger la farine, la poudre à pâte, le sel et les flocons d'avoine.

Couper le beurre dans cette préparation à l'aide d'un coupe-pâte ou de deux couteaux, jusqu'à consistance grumeleuse.

Ajouter le sucre, les œufs battus et la vanille.

Mélanger jusqu'à ce que la pâte soit consistante.

Réfrigérer 15 minutes.

Diviser la pâte en trois portions égales.

Entre deux feuilles de papier ciré beurré, abaisser chaque portion en un carré de 20 cm (8 po) de côté.

Placer l'une des abaisses dans un moule en pyrex de mêmes dimensions, beurré.

Étendre sur la pâte la moitié de la garniture aux dattes.

Répéter l'opération.

Couvrir de la troisième abaisse.

Cuire 45 minutes.

Laisser refroidir et couper en 16 carrés.

Georgette Lambert,
Laverlochère

On trouve les canneberges du Québec dans les « ato-catières », de l'amérindien « atoca », vastes terrains semés de marécages et de tourbières.

Pour varier, parfumer la préparation aux dattes de zeste d'orange ou de citron.

6

Biscuits et carrés

Carrés aux fruits meringués

Portions :	32 carrés
Préparation :	25 minutes
Cuisson :	30 minutes
Degré de difficulté :	faible

Énergie : 86 cal	Protéines :	1 g	
Lipides : 3 g	Cholestérol :	19 mg	
Glucides : 15 g	Fibres :	0,4 g	

375 ml (1 ½ tasse) de farine

5 ml (1 c. à thé)
de poudre à pâte

125 ml (½ tasse) de sucre

90 ml (6 c. à soupe) de beurre
ou de margarine

2 jaunes d'œufs

Vanille, au goût

500 ml (2 tasses), environ, d'un
assortiment de fruits frais

2 blancs d'œufs

250 ml (1 tasse) de sucre
ou de cassonade

Préchauffer le four à 180 ºC (350 ºF).

Dans un bol, mélanger la farine, la poudre à pâte et le sucre.

À l'aide d'un coupe-pâte ou de deux couteaux, couper le beurre dans la farine jusqu'à consistance grumeleuse.

Ajouter les jaunes d'œufs et la vanille, puis mélanger jusqu'à ce que la pâte forme une boule ferme.

Étendre la pâte dans un moule de 20 cm (8 po) de côté, beurré.

Garnir d'un assortiment de fruits, au choix.

Dans un bol, battre les blancs d'œufs en ajoutant graduellement le sucre, jusqu'à formation de pics fermes.

Étaler la meringue dans le moule.

Cuire 30 minutes environ.

Couper en 32 carrés.

Réjeanne Ostiguy-Tétrault,
St-Mathias-sur-le-Richelieu

Cette recette, facile à préparer, permet de cuisiner les fruits frais de saison.

Carrés aux dattes St-Élie

Portions :	16 carrés
Préparation :	25 minutes
Cuisson :	35 minutes
Degré de difficulté :	faible

Énergie : 256 cal	Protéines :	4 g	
Lipides : 11 g	Cholestérol :	14 mg	
Glucides : 39 g	Fibres :	5 g	

250 ml (1 tasse) d'eau

750 ml (3 tasses) de dattes

1 œuf

60 ml (¼ tasse) d'eau froide

375 ml (1 ½ tasse) de farine
de blé entier

375 ml (1 ½ tasse) de flocons
d'avoine

1 ml (¼ c. à thé) de sel

15 ml (1 c. à soupe)
de poudre à pâte

150 ml (⅔ tasse) d'huile
végétale

5 ml (1 c. à thé) de vanille

60 ml (¼ tasse) de noix
hachées finement

Préchauffer le four à 190 ºC (375 ºF).

Dans une casserole, amener l'eau à ébullition avec les dattes. Réduire la chaleur et laisser mijoter 10 minutes environ, tout en mélangeant, jusqu'à épaississement. Laisser refroidir.

Dans un bol, battre l'œuf avec l'eau froide. Réserver. Dans un autre bol, mélanger la farine, les flocons d'avoine, le sel et la poudre à pâte. Tout en mélangeant, ajouter graduellement l'huile, la vanille, l'œuf battu et les noix.

Étendre la moitié de la pâte dans un moule de 20 cm (8 po) de côté, beurré. Couvrir uniformément de la garniture de dattes. Étendre tout le reste de la pâte. Cuire environ 25 minutes. Couper en 16 carrés.

Anonyme,
St-Élie-d'Orford

Ces carrés aux dattes, naturellement édulcorés, ne requièrent aucun ajout de sucre.

Carrés à l'ananas et aux dattes

Portions :	16 carrés
Préparation :	30 minutes
Cuisson :	20 minutes
Degré de difficulté :	faible

Énergie : 105 cal	Protéines :	1 g
Lipides : 3 g	Cholestérol :	21 mg
Glucides : 18 g	Fibres :	1,1 g

180 ml (¾ tasse) de farine
de blé entier

2 ml (½ c. à thé)
de poudre à pâte

15 ml (1 c. à soupe)
de cassonade

1 œuf, battu

2 ml (½ c. à thé) de vanille

60 ml (¼ tasse) de margarine ou
de beurre fondu

300 ml (1 tasse + 10 c. à thé)
d'ananas séchés émiettés
(non sucrés)

100 ml (⅓ tasse + 5 c. à thé)
de dattes séchées hachées

125 ml (½ tasse) d'eau

125 ml (½ tasse) de jus d'ananas

Préchauffer le four à 160 °C (300 °F).

Dans un bol, mélanger la farine, la poudre à pâte et la cassonade.

Dans un autre bol, mélanger l'œuf, la vanille et la margarine.

Ajouter à la préparation précédente et mélanger jusqu'à formation d'une pâte.

Étendre celle-ci dans un moule de 20 cm (8 po) de côté, beurré.

Cuire 15 minutes.

Pendant ce temps, préparer la garniture.

Dans une casserole, mélanger les ananas, les dattes, l'eau et le jus. Amener à ébullition.

Couvrir et laisser mijoter environ 20 minutes, jusqu'à ce que tout le liquide ait été absorbé.

Étendre uniformément sur la croûte cuite.

Laisser refroidir avant de servir.

Simone Veillette,
Macamic

*I*l est possible de substituer aux dattes et aux ananas d'autres fruits séchés tels que les abricots, les pommes et les bananes.

Boissons et sorbets

Barbotine à la vodka

Portions : 32 verres de 125 ml (½ tasse)	
Préparation :	10 minutes
Infusion :	5 minutes
Congélation :	4 heures
Degré de difficulté :	faible

Énergie : 130 cal	Protéines :	0,5 g
Lipides : 0 g	Cholestérol :	0 mg
Glucides : 24 g	Fibres :	0,1 g

4 sachets de thé vert

2,25 l (9 tasses) d'eau bouillante

500 ml (2 tasses) de sucre

340 ml (12 oz) de jus d'orange
congelé

340 ml (12 oz) de citronnade
congelée

500 ml (2 tasses) de vodka
ou autre alcool

Faire infuser le thé 5 minutes dans 500 ml (2 tasses) d'eau bouillante. Retirer les sachets.

Ajouter le reste de l'eau bouillante, le sucre et les jus congelés.

Bien mélanger.

Ajouter la vodka ou autre alcool.

Congeler au moins 4 heures.

Garnir d'une cerise et de tranches de limette.

Mirelle Brodeur,
St-Bruno-de-Montarville

*P*our un rafraîchissement digne de ce nom, servir 30 ml (2 c. à soupe) de barbotine dans une boisson gazeuse incolore.

Liqueur de framboise

Portions :	2,5 l (10 tasses)
Préparation :	30 minutes
Cuisson :	20 minutes
Degré de difficulté :	faible

Par 30 ml (1 oz) :

Énergie :	55 cal	Protéines :	0,5 g
Lipides :	0 g	Cholestérol :	0 mg
Glucides :	6 g	Fibres :	0,4 g

3,5 l (14 tasses) de framboises

1   l (4 tasses) d'eau

500 ml (2 tasses), ou plus,
        de sucre

1   l (4 tasses) de vodka

Écraser les framboises et les déposer dans une grande casserole.

Amener lentement à ébullition et laisser mijoter 5 minutes. Écumer, puis ajouter l'eau. Bien mélanger.

Filtrer la préparation et réserver le résidu des framboises pour un usage ultérieur.

Ajouter 500 ml (2 tasses) de sucre par 1 l (4 tasses) de jus obtenu.

Laisser mijoter 15 minutes. Refroidir complètement.

Ajouter la vodka.

Bien mélanger.

Embouteiller la liqueur et sceller hermétiquement.

Servir sur glaçons.

Cécile Kerr,
Nouvelle

> **P**our ne rien perdre de la framboise au goût unique, on peut en incorporer le résidu à des gâteaux ou à des muffins.

Punch pétillant

Portions :	90 verres de 120 ml (4 oz)
Préparation :	5 minutes
Cuisson :	–
Degré de difficulté :	faible

Par 120 ml (4 oz) :

Énergie :	104 cal	Protéines :	0,5 g
Lipides :	0 g	Cholestérol :	0 mg
Glucides :	13 g	Fibres :	0,1 g

1,14 l (40 oz) de vodka

710 ml (25 oz) de rhum

750 ml (3 tasses) de vin blanc

3   l (12 tasses) de jus d'orange

1,5   l (6 tasses) de jus d'ananas

500 ml (2 tasses) de jus de limette

500 ml (2 tasses) de sucre

2,5   l (10 tasses) de boisson
        gazeuse incolore
        (type Seven-Up)

Dans un grand bol à punch, mélanger la vodka, le rhum, le vin, les jus de fruits et le sucre.

Juste avant de servir, ajouter la boisson gazeuse incolore.

Servir froid, avec des glaçons.

Garnir chaque portion d'une cerise.

Fernande Viel,
St-Alexandre-de-Kamouraska

> **P**our conserver le punch bien frais, y plonger un bloc de glace tricolore d'environ 15 cm (6 po) de côté, obtenu par la congélation, en superposition, de jus de fruits variés.

Sangria au vin blanc

Portions :	20 verres de 120 ml (4 oz)
Préparation :	5 minutes
Cuisson :	–
Refroidissement :	2 heures
Degré de difficulté :	faible

Par 120 ml (4 oz) :

Énergie :	64 cal	Protéines :	0,5 g
Lipides :	0 g	Cholestérol :	0 mg
Glucides :	10 g	Fibres :	0,4 g

750 ml (3 tasses) de vin blanc sec

2 kiwis, pelés et tranchés

375 ml (1 ½ tasse) de raisins verts sans pépins

1 l (4 tasses) de jus de raisin blanc

500 ml (2 tasses) d'eau gazéifiée froide « club soda »

Glaçons

Mélanger le vin, les kiwis, les raisins et le jus dans un bol à punch ou dans un grand pichet.

Couvrir et réfrigérer au moins 2 heures.

Ajouter l'eau gazéifiée juste avant de servir.

Agrémenter de glaçons.

Monique Brassard,
Ste-Catherine-de-la-Jacques-Cartier

Pour des glaçons rigolos, plonger une cerise dans chaque alvéole d'un bac à glaçons rempli d'eau ou de jus d'orange. Congeler.

Sorbet à la banane

Portions :	4
Préparation :	10 minutes
Cuisson :	5 minutes
Congélation :	8 heures
Degré de difficulté :	faible

Énergie : 253 cal	Protéines :	2 g
Lipides : 17 g	Cholestérol :	62 mg
Glucides : 26 g	Fibres :	0,6 g

75 ml (⅓ tasse) d'eau

12 guimauves

125 ml (½ tasse) de bananes écrasées

30 ml (2 c. à soupe) de jus de citron

180 ml (¾ tasse) de crème 35 %

Amener l'eau à ébullition dans une casserole. Ajouter les guimauves et faire fondre à feu doux, tout en mélangeant. Laisser refroidir.

Ajouter la purée de bananes et le jus de citron. Laisser reposer quelques minutes.

Fouetter la crème dans un bol jusqu'à formation de pics fermes.

Incorporer à la préparation précédente en pliant délicatement à l'aide d'une spatule de caoutchouc.

Verser dans un moule d'une capacité de 500 ml (2 tasses). Congeler de 6 à 8 heures.

Servir sur des tranches d'ananas.

Décorer de tranches de banane, ainsi que de cerises ou de kiwis tranchés en éventail.

Madeleine J. Frenette,
Cap-Santé

Pour rendre le sorbet encore plus onctueux, le hacher grossièrement au mélangeur à mi-temps de la congélation.

Sorbet à la mélisse et au champagne

Portions :	32 coupes
Préparation :	10 minutes
Cuisson :	5 minutes
Infusion :	5 minutes
Congélation :	3 heures
Degré de difficulté :	moyen

Par 125 ml (½ tasse) :

Énergie : 61 cal	Protéines :	0 g
Lipides : 0 g	Cholestérol :	0 mg
Glucides : 12 g	Fibres :	0 g

2,25 l (9 tasses) d'eau

Feuilles de mélisse ou
de menthe fraîche, au goût

430 ml (1 ¾ tasse) de sucre

750 ml (3 tasses) de champagne
ou de vin mousseux

1 blanc d'œuf (facultatif)

Dans une casserole, amener 750 ml (3 tasses) d'eau à ébullition. Retirer du feu et ajouter des feuilles de mélisse ou de menthe. Laisser infuser 5 minutes et refroidir.

Mélanger le reste de l'eau et le sucre dans une casserole. Amener à ébullition et laisser mijoter ce sirop 5 minutes. Retirer du feu et laisser refroidir.

Retirer les feuilles de l'infusion. Mélanger l'infusion et le champagne.

Incorporer le sirop refroidi. Verser dans un contenant hermétique et congeler de 2 à 3 heures.

Au moment de servir, monter le blanc d'œuf en neige, si désiré, et l'incorporer au sorbet en fouettant au batteur électrique. Garnir de feuilles de mélisse ou de menthe.

Josée Dupuis,
Notre-Dame-de-Pitié

*P*our un sorbet aussi léger que les bulles de champagne,
ne pas oublier d'incorporer le blanc d'œuf.

Sorbet aux fraises fraîches

Portions :	12 coupes
Préparation :	10 minutes
Cuisson :	–
Congélation :	10 heures
Degré de difficulté :	faible

Par 125 ml (½ tasse) :

Énergie : 91 cal	Protéines :	2 g
Lipides : 0,5 g	Cholestérol :	1 mg
Glucides : 21 g	Fibres :	1,1 g

500 ml (2 tasses) de lait écrémé

250 ml (1 tasse) de sucre

750 ml (3 tasses) de purée
de fraises non sucrée

Mélanger le lait et le sucre jusqu'à ce que ce dernier soit dissous.

Incorporer la purée de fraises.

Verser dans un moule à gâteau de 33 cm x 23 cm (13 po x 9 po).

Couvrir et congeler de 4 à 8 heures, jusqu'à fermeté.

Laisser reposer à température ambiante quelques minutes, jusqu'à ce que le tout soit légèrement ramolli.

Réduire en purée lisse au robot culinaire.

Congeler de 3 à 5 heures.

Laisser reposer 15 minutes au réfrigérateur avant de servir.

Doris Allen,
Lévis

*Q*u'importe le repas qui le précède, le sorbet le clôture
toujours avec brio par sa fraîcheur et sa légèreté.

Bouchées et friandises

Friandises à l'avoine et aux dattes

Portions :	36 friandises
Préparation :	10 minutes
Cuisson :	30 minutes
Degré de difficulté :	faible

Énergie : 131 cal	Protéines :	3 g
Lipides : 6 g	Cholestérol :	8 mg
Glucides : 17 g	Fibres :	1,4 g

750 ml (3 tasses) de flocons d'avoine

250 ml (1 tasse) d'arachides ou d'amandes hachées

250 ml (1 tasse) de raisins secs

250 ml (1 tasse) de grains de chocolat mi-sucré

1 boîte de 300 ml (10 oz) de lait concentré sucré

60 ml (¼ tasse) de beurre fondu

Préchauffer le four à 170 °C (325 °F).

Chemiser une plaque à pâtisserie d'une feuille de papier d'aluminium beurrée.

Dans un grand bol, mélanger les flocons d'avoine, les arachides, les raisins secs, le chocolat, le lait concentré et le beurre fondu. Presser cette préparation contre le fond de la plaque à pâtisserie.

Cuire de 20 à 30 minutes, jusqu'à ce que le tout soit doré.

Laisser tiédir un peu et renverser sur un linge propre.

Retirer le papier d'aluminium et couper en 36 rectangles.

Conserver à température ambiante.

Jeannette L. Benoît,
St-Léonard-de-Portneuf

Pour varier, on peut agrémenter ces friandises de graines de citrouille, ou encore, remplacer le chocolat par des grains de caroube.

Fudge aux noix

Portions :	36 morceaux
Préparation :	15 minutes
Cuisson :	5 minutes
Refroidissement :	2 heures
Degré de difficulté :	faible

Énergie : 114 cal	Protéines :	2 g
Lipides : 8 g	Cholestérol :	4 mg
Glucides : 13 g	Fibres :	0,5 g

511 g (18 oz) de chocolat mi-sucré

1 boîte de 300 ml (10 oz) de lait concentré sucré

1 pincée de sel

7 ml (1 ½ c. à thé) de vanille

125 ml (½ tasse) de noix hachées

Faire fondre le chocolat au bain-marie, en mélangeant de temps en temps. Retirer du feu.

Incorporer le lait concentré, le sel, la vanille et les noix.

Verser dans un moule de 20 cm (8 po) de côté, beurré.

Réfrigérer au moins 2 heures, jusqu'à ce que la préparation soit ferme.

Couper en 36 carrés.

Conserver dans un contenant hermétique.

Claudette Gagné,
Délisle

Une cassolette de papier juponne ces carrés avec élégance, empêchant du coup les petits doigts fureteurs de se barbouiller.

6

Bouchées aux cerises

Portions :	30 bouchées
Préparation :	15 minutes
Cuisson :	15 minutes
Degré de difficulté :	faible

Énergie :	48 cal	Protéines :	0,5 g
Lipides :	2 g	Cholestérol :	8 mg
Glucides :	7 g	Fibres :	0,4 g

500 ml (2 tasses) de flocons
de maïs

250 ml (1 tasse) de noix
de coco râpée

6 cerises confites,
finement hachées

125 ml (½ tasse) de sucre

1 œuf

5 ml (1 c. à thé) de vanille
ou autre essence

1 pincée de sel

15 ml (1 c. à soupe) de beurre
fondu

Préchauffer le four à 180 °C (350 °F).

Dans un bol, écraser très finement les flocons de maïs à l'aide d'une fourchette.

Ajouter la noix de coco, les cerises, le sucre, l'œuf, la vanille, le sel et le beurre. Bien mélanger.

Déposer par cuillerées sur une plaque à pâtisserie beurrée, en espaçant celles-ci de 2,5 cm (1 po).

Cuire environ 15 minutes, jusqu'à ce que les friandises soient légèrement dorées.

Jacqueline Éthier,
Ste-Thérèse

Bouchées aux fruits

Portions :	35 bouchées
Préparation :	30 minutes
Cuisson :	1 heure
Degré de difficulté :	moyen

Énergie :	86 cal	Protéines :	1 g
Lipides :	2 g	Cholestérol :	6 mg
Glucides :	16 g	Fibres :	1,3 g

PÂTE DE FRUITS

500 ml (2 tasses) d'eau

250 ml (1 tasse) de dattes hachées

250 ml (1 tasse) d'abricots secs
hachés

250 ml (1 tasse) de pruneaux
hachés

60 ml (¼ tasse) de cassonade
(tassée)

5 ml (1 c. à thé) de jus
de citron

PÂTE D'AVOINE

250 ml (1 tasse) de farine

2 ml (½ c. à thé)
de bicarbonate de soude

2 ml (½ c. à thé) de sel

250 ml (1 tasse) de flocons
d'avoine à cuisson rapide

90 ml (6 c. à soupe) de beurre
fondu

90 ml (6 c. à soupe)
de cassonade (bien tassée)

30 ml (2 c. à soupe) de sirop
de maïs

2 ml (½ c. à thé) de vanille

PÂTE DE FRUITS

Verser l'eau dans une casserole. Ajouter les dattes, les abricots, les pruneaux et la cassonade. Amener à ébullition et réduire la chaleur.

Laisser mijoter 30 minutes, en mélangeant souvent, jusqu'à consistance épaisse.

Retirer du feu et incorporer le jus de citron. Laisser refroidir.

PÂTE D'AVOINE

Préchauffer le four à 180 °C (350 °F).

Mélanger la farine, le bicarbonate de soude et le sel. Ajouter les flocons d'avoine, le beurre, la cassonade, le sirop de maïs et la vanille en mélangeant d'abord à la fourchette, avec les doigts ensuite, jusqu'à consistance grumeleuse.

Rouler une cuillerée de pâte de fruits dans la pâte d'avoine pour l'en enduire d'une couche épaisse. Répéter pour chaque bouchée.

Déposer sur des plaques beurrées, en espaçant les bouchées de 2,5 cm (1 po).

Cuire 30 minutes, jusqu'à ce que les bouchées soient légèrement dorées.

Edmée Blais,
St-Alphonse-de-Thetford-Mines

Les jeunes affamés trouveront en ces friandises non seulement matière à se régaler, mais également tout ce qu'il leur faut pour se constituer des réserves d'énergie.

Ce ne sont pas les essences qui manquent. Pourquoi ne pas en profiter?

6

Bouchées aux amandes

Portions :	36 bouchées
Préparation :	15 minutes
Cuisson :	10 minutes
Degré de difficulté :	moyen

Énergie : 57 cal	Protéines :	1 g
Lipides : 4 g	Cholestérol :	7 mg
Glucides : 5 g	Fibres :	0,3 g

12 biscuits environ
   (type Graham)

125 ml (½ tasse) de beurre

180 ml (¾ tasse) de cassonade

180 ml (¾ tasse) d'amandes
   ou de pacanes tranchées

Préchauffer le four à 180 °C (350 °F).

Disposer les biscuits dans un plat de 20 cm (8 po) de côté, chemisé de papier ciré, de façon qu'ils en couvrent complètement le fond. (Au besoin, combler les interstices avec des morceaux de biscuits.)

Dans une petite casserole, faire fondre le beurre et la cassonade tout en mélangeant. Amener à ébullition et laisser bouillir 2 minutes. Retirer du feu.

Ajouter les amandes et bien mélanger. Étendre uniformément sur les biscuits.

Faire cuire 8 minutes au four. Laisser tiédir 5 minutes et couper aussitôt en 36 bouchées.

Si désiré, acccompagner de yogourt nature.

Louise Caron,
Boucherville

*C*es friandises seront encore meilleures si l'on utilise des amandes grillées.

Bouchées aux flocons de maïs

Portions :	60 bouchées
Préparation :	20 minutes
Cuisson :	2 minutes
Degré de difficulté :	faible

Énergie : 69 cal	Protéines :	0,5 g
Lipides : 3 g	Cholestérol :	5 mg
Glucides : 12 g	Fibres :	0,3 g

125 ml (½ tasse) de lait

500 ml (2 tasses) de sucre

125 ml (½ tasse) de beurre

2 l (8 tasses) de flocons de maïs

250 ml (1 tasse) de noix
   de coco râpée

90 ml (6 c. à soupe) de sirop
   de maïs

1 pincée de sel

Dans une casserole, amener le lait à ébullition avec le sucre et le beurre.

Laisser bouillir 2 minutes et retirer du feu.

Ajouter les flocons de maïs, la noix de coco, le sirop de maïs et le sel.

Bien mélanger.

Déposer par cuillerées sur une feuille de papier ciré, en espaçant celles-ci de 2,5 cm (1 po).

Laisser complètement refroidir.

Georgette Landry,
Nouvelle

*P*résentées dans un écrin de papier, ces friandises exquises s'offriront comme de véritables joyaux.

Bouchées et friandises

Carrés au chocolat maison

Portions :	36 carrés
Préparation :	10 minutes
Cuisson :	5 minutes
Refroidissement :	12 heures
Degré de difficulté :	faible

Énergie : 61 cal	Protéines :	0,5 g
Lipides :	3 g	Cholestérol :	4 mg
Glucides :	10 g	Fibres :	0,1 g

30   ml (2 c. à soupe) de beurre
        fondu

30   ml (2 c. à soupe)
        de crème 35 %

1   blanc d'œuf

5   ml (1 c. à thé) de vanille

2   ml (½ c. à thé) de sel

750 ml (3 tasses), environ, de
        sucre glace

120 g (4 oz) de chocolat mi-sucré

60   g (2 oz) de paraffine

15   ml (1 c. à soupe) de beurre

Dans un bol, mélanger le beurre, la crème, le blanc d'œuf, la vanille et le sel.

Tout en battant, incorporer suffisamment de sucre glace pour obtenir une pâte ferme.

Étendre dans un moule de 20 cm (8 po) de côté.

Réfrigérer au moins 8 heures.

Couper en 36 carrés.

Faire fondre le chocolat au bain-marie, avec la paraffine et le beurre.

Mélanger jusqu'à consistance lisse.

Piquer les carrés d'un cure-dent et les tremper dans le chocolat fondu.

Déposer sur une plaque à pâtisserie chemisée de papier ciré. Décorer, au goût.

Réfrigérer 3 ou 4 heures.

Fernande Viel,
St-Alexandre-de-Kamouraska

Carrés à la guimauve et au beurre d'arachide

Portions :	60 carrés
Préparation :	20 minutes
Cuisson :	7 minutes
Degré de difficulté :	faible

Énergie : 101 cal	Protéines :	2 g
Lipides :	5 g	Cholestérol :	0,5 mg
Glucides :	13 g	Fibres :	0,6 g

150 ml (⅔ tasse) de lait

500 ml (2 tasses) de sucre

1   pot de 342 g (12 oz) de crème
        de guimauve

1   pot de 500 g (1 lb) de beurre
        d'arachide crémeux

125 ml (½ tasse) de noix
        de Grenoble hachées

Dans une casserole, amener le lait à ébullition avec le sucre.

Faire bouillir 7 minutes. Laisser reposer 1 ou 2 minutes.

Ajouter la crème de guimauve, le beurre d'arachide et les noix de Grenoble.

Mélanger jusqu'à consistance homogène.

Verser la préparation dans un moule de 28 cm x 23 cm (11 po x 9 po), beurré.

Laisser refroidir complètement et découper en 60 carrés. Décorer, au goût.

Laurette Charron,
Isle-Verte

L *es carrés seront d'autant plus délicieux si on utilise un chocolat à cuire de qualité supérieure, habituellement vendu dans les confiseries, les pâtisseries et les épiceries fines.*

S *i les noix de Grenoble volent ici la vedette, ce n'est pas une raison pour bouder les pacanes, les arachides et les amandes mondées. Vive la variété!*

Carrés au sirop d'érable

Portions :	50 carrés
Préparation :	30 minutes
Cuisson :	30 minutes
Degré de difficulté :	moyen

Énergie : 66 cal	Protéines :	0,5 g
Lipides : 3 g	Cholestérol :	8 mg
Glucides : 9 g	Fibres :	0,1 g

500 ml (2 tasses) de sirop d'érable

45 ml (3 c. à soupe) de beurre

250 ml (1 tasse) de crème 35 %
(à température ambiante)

30 ml (2 c. à soupe) de rhum

125 ml (½ tasse) de noix hachées

Dans une casserole, faire chauffer le sirop et le beurre 5 minutes environ.

Incorporer la crème et poursuivre la cuisson jusqu'à ce que le thermomètre à bonbons indique 125 °C (245 °F), ou jusqu'à ce que la préparation forme une boule molle dans de l'eau froide.

Ajouter le rhum et les noix.

Retirer du feu.

Brasser environ 10 minutes, jusqu'à épaississement.

Verser dans un plat beurré de 20 cm (8 po) de côté et laisser refroidir complètement.

Couper en 50 carrés.

Monique B. Dumais,
St-Alexandre-de-Kamouraska

Carrés au riz croustillant et aux dattes

Portions :	16 carrés
Préparation :	15 minutes
Cuisson :	5 minutes
Refroidissement :	1 heure
Degré de difficulté :	faible

Énergie : 155 cal	Protéines :	1 g
Lipides : 6 g	Cholestérol :	14 mg
Glucides : 25 g	Fibres :	1 g

250 ml (1 tasse) de dattes hachées

250 ml (1 tasse) de cassonade

125 ml (½ tasse) de margarine

1 œuf, battu

5 ml (1 c. à thé) de vanille

10 grosses guimauves

625 ml (2 ½ tasses) de céréales de riz croustillantes (type Rice Krispies)

Mettre les dattes, la cassonade, la margarine, l'œuf, la vanille et les guimauves dans une casserole.

Cuire à feu doux 5 minutes, en mélangeant constamment, jusqu'à ce que les guimauves soient fondues.

Retirer du feu et incorporer aussitôt les céréales de riz.

Verser dans un moule de 20 cm (8 po) de côté, graissé.

Réfrigérer au moins 1 heure.

Couper en 16 carrés.

Anonyme,
Joliette

Tant qu'à se sucrer le bec, autant le faire sagement en optant pour les friandises à base de céréales ou de fruits secs.

Sauf pour les virtuoses, le thermomètre à bonbons s'avère indispensable en confiserie. Une cuisson quelque peu écourtée ou prolongée explique bien des déconfitures.

6

Pêches au rhum

Portions :	4
Préparation :	10 minutes
Cuisson :	15 minutes
Degré de difficulté :	faible

Énergie : 253 cal	Protéines :	2 g
Lipides : 12 g	Cholestérol :	16 mg
Glucides : 27 g	Fibres :	2,3 g

4 demi-pêches en conserve

30 ml (2 c. à soupe) d'amandes effilées

30 ml (2 c. à soupe) de beurre fondu

150 ml (⅔ tasse) de macarons en petits morceaux

5 ml (1 c. à thé) de jus de citron

60 ml (¼ tasse) de rhum ou de brandy

15 ml (1 c. à soupe) de cassonade

Préchauffer le four à 180 °C (350 °F).

Égoutter les demi-pêches en recueillant 125 ml (½ tasse) de leur jus.

Les déposer dans un plat allant au four.

Mélanger les amandes, le beurre et les morceaux de macaron.

En farcir les demi-pêches.

Dans un bol, mélanger le jus des pêches, le jus de citron, le rhum et la cassonade.

Verser sur les pêches.

Cuire 15 minutes.

Servir les pêches chaudes, avec de la crème Chantilly ou de la crème glacée.

Gloria D. Cayer,
Chandler

Fruits en coupe royale

Portions :	4
Préparation :	15 minutes
Cuisson :	–
Macération :	8 heures
Degré de difficulté :	faible

Énergie : 134 cal	Protéines :	1 g
Lipides : 0,5 g	Cholestérol :	0 mg
Glucides : 25 g	Fibres :	3,1 g

250 ml (1 tasse) de fraises

250 ml (1 tasse) de framboises

125 ml (½ tasse) de bleuets

125 ml (½ tasse) de cerises

60 ml (¼ tasse) de sucre

60 ml (¼ tasse), ou moins, de cognac ou autre alcool

Équeuter et dénoyauter les fruits, si requis.

Les déposer dans un grand bol.

Ajouter le sucre et le cognac.

Laisser macérer 8 heures à température ambiante.

Mélanger et réfrigérer jusqu'au moment de servir.

Servir dans des coupes, avec des biscuits.

Michèle Galipeau,
Mont-St-Grégoire

Une crème Chantilly diffère de la crème fouettée en ce sens qu'elle comporte à la fois du sucre et de la vanille.

À défaut de fruits frais, on peut utiliser des fruits congelés, en ayant soin de les égoutter. Utiliser le jus recueilli pour allonger une boisson à l'orange, par exemple.

Poires pochées aux marrons

Portions :	8
Préparation :	20 minutes
Cuisson :	15 minutes
Degré de difficulté :	faible

Énergie : 316 cal	Protéines :	1 g
Lipides : 1 g	Cholestérol :	0 mg
Glucides : 80 g	Fibres :	3,2 g

4   poires fraîches

500   ml (2 tasses) d'eau

250   ml (1 tasse) de sucre

250   g (8 oz) de crème de marrons

1   boîte de 398 ml (14 oz)
     d'abricots en conserve

    Sucre, au besoin

    Marrons entiers, pour décorer

Peler les poires et les évider par en dessous à l'aide d'un vide-pomme.

Dans une casserole, amener l'eau à ébullition avec le sucre.

Faire pocher les poires environ 5 minutes dans le sirop frémissant, en les arrosant souvent.

Retirer les poires de la casserole.

Couper les poires en deux et en farcir chaque moitié de crème de marrons.

Déposer dans une petite assiette.

Au mélangeur, réduire les abricots en purée avec leur jus.

Mesurer la purée obtenue et lui ajouter une égale quantité de sucre.

Verser dans une casserole et faire bouillir 10 minutes.

Napper les poires du sirop d'abricot.

Décorer de marrons.

Rita Laplante,
Rouyn-Noranda

*P*arce que les poires sont farcies d'une riche crème de marrons, une moitié suffira par personne. Mais rien n'empêche les plus gourmands de savourer le fruit entier.

Rhubarbe en gelée au vin blanc

Portions :	8
Préparation :	20 minutes
Cuisson :	20 minutes
Refroidissement :	4 heures
Degré de difficulté :	faible

Énergie : 217 cal	Protéines :	2 g
Lipides : 0 g	Cholestérol :	0 mg
Glucides : 52 g	Fibres :	0,9g

750   ml (3 tasses) d'eau

500   ml (2 tasses) de sucre

500   ml (2 tasses), environ,
     de rhubarbe en petits cubes

15   ml (1 c. à soupe) de zeste
     de citron râpé

15   ml (1 c. à soupe) de zeste
     d'orange râpé

60   ml (¼ tasse) d'eau froide

2   sachets de gélatine

125   ml (½ tasse) de vin blanc

Amener l'eau à ébullition dans une casserole.

Ajouter le sucre, la rhubarbe et les zestes.

Laisser mijoter 20 minutes.

Verser 60 ml (¼ tasse) d'eau froide dans un bol.

Saupoudrer de gélatine et laisser gonfler 5 minutes.

Égoutter la rhubarbe en ayant soin de récupérer le jus de cuisson.

Dissoudre la gélatine dans le jus de cuisson et laisser reposer 5 minutes.

Ajouter la rhubarbe et le vin blanc.

Verser dans de petits moules individuels et réfrigérer environ 4 heures, jusqu'à fermeté.

Pierrette Savard-Roy,
Bromont

*U*ne garniture de crème fouettée et quelques fraises fraîches complètent à merveille ce dessert estival.

Rhubarbe et ananas en gelée

Portions :	16
Préparation :	15 minutes
Cuisson :	25 minutes
Refroidissement :	4 heures
Degré de difficulté :	faible

Énergie : 349 cal	Protéines :	2 g
Lipides : 0 g	Cholestérol :	0 mg
Glucides : 89 g	Fibres :	1,3 g

1,25   l (5 tasses) de rhubarbe
      en morceaux

1,5   l (6 tasses) de sucre

1   boîte de 540 ml (19 oz)
    d'ananas égouttés

1   boîte de 170 g (6 oz)
    de poudre pour gelée
    à la fraise

Dans une casserole, cuire la rhubarbe, le sucre et les ananas 20 minutes, à feu doux.

Ajouter la poudre pour gelée et poursuivre la cuisson 5 minutes.

Verser dans un moule d'une contenance d'environ 3 l (12 tasses).

Réfrigérer au moins 4 heures, jusqu'à fermeté.

Anonyme,
Port-Daniel

Salade de fruits Ragueneau

Portions :	10
Préparation :	20 minutes
Cuisson :	2 minutes
Refroidissement :	4 heures
Degré de difficulté :	faible

Énergie : 141 cal	Protéines :	1 g
Lipides : 0 g	Cholestérol :	0 mg
Glucides : 37 g	Fibres :	3,4 g

2   poires, en morceaux

2   pommes, en morceaux

125   ml (½ tasse) de bananes
      tranchées

125   ml (½ tasse) de cerises

125   ml (½ tasse) de raisins verts
      ou rouges

125   ml (½ tasse) de fraises

125   ml (½ tasse) de melon
      Honeydew en cubes

3   clémentines, en sections

4   kiwis, tranchés

250   ml (1 tasse) d'eau

125   ml (½ tasse) de miel

Dans un bol, mélanger les poires, les pommes, les bananes, les cerises, les raisins, les fraises, le melon, les clémentines et les kiwis.

Dans une casserole, amener l'eau à ébullition avec le miel.

Dès les premiers bouillons, retirer du feu et verser sur les fruits.

Réfrigérer au moins 4 heures avant de servir.

Anonyme,
Ragueneau

La poudre pour gelée à la fraise étant déjà sucrée, on peut réduire de moitié la quantité de sucre requise, sans modifier de façon significative la saveur de ce dessert.

On peut substituer certains fruits à d'autres, en respectant toutefois les proportions de fruits et de sirop.

Gâteaux

Petits gâteaux maison au germe de blé

Portions :	12 gâteaux
Préparation :	20 minutes
Cuisson :	20 minutes
Degré de difficulté :	faible

Énergie : 172 cal	Protéines :	4 g
Lipides :	4 g	Cholestérol : 20 mg
Glucides :	32 g	Fibres : 1,4 g

30 ml (2 c. à soupe) de graisse

1   œuf

125 ml (½ tasse) de sucre

125 ml (½ tasse) de cassonade

1   pincée de sel

10 ml (2 c. à thé) de poudre à pâte

180 ml (¾ tasse) de lait

250 ml (1 tasse) de farine

125 ml (½ tasse) de germe de blé

5   ml (1 c. à thé) de vanille

125 ml (½ tasse) de grains de chocolat ou de raisins secs

Préchauffer le four à 180 °C (350 °F).

Dans un bol, mélanger la graisse, l'œuf, le sucre et la cassonade jusqu'à consistance homogène.

Ajouter le sel, la poudre à pâte et le lait. Bien mélanger.

Incorporer graduellement la farine et le germe de blé.

Ajouter la vanille, ainsi que les grains de chocolat ou les raisins secs. Mélanger.

Verser la préparation dans 12 moules à gâteau individuels, beurrés et farinés.

Cuire 20 minutes.

Géraldine Laforge,
Edmunston

Petits gâteaux au gingembre

Portions :	24 gâteaux
Préparation :	30 minutes
Cuisson :	25 minutes
Degré de difficulté :	faible

Énergie : 168 cal	Protéines :	2 g
Lipides :	6 g	Cholestérol : 12 mg
Glucides :	27 g	Fibres : 0,4 g

125 ml (½ tasse) de graisse végétale fondue

310 ml (1 ¼ tasse) de mélasse

1   œuf, battu

625 ml (2 ½ tasses) de farine

5   ml (1 c. à thé) de bicarbonate de soude

5   ml (1 c. à thé) de cannelle

5   ml (1 c. à thé) de gingembre

2   ml (½ c. à thé) de sel

5   ml (1 c. à thé) de poudre à pâte

180 ml (¾ tasse) d'eau chaude

60 ml (¼ tasse) de fromage à la crème

250 ml (1 tasse) de sucre glace

    Un peu de lait, au besoin

Préchauffer le four à 180 °C (350 °F).

Dans un bol, mélanger la graisse fondue et la mélasse.

Incorporer l'œuf.

Dans un autre bol, mélanger la farine, le bicarbonate de soude, la cannelle, le gingembre, le sel et la poudre à pâte.

Incorporer à la préparation précédente avec l'eau chaude, en alternance.

Répartir la pâte dans 24 moules à muffins, beurrés.

Cuire les gâteaux environ 25 minutes, ou jusqu'à ce qu'un cure-dent en ressorte sec.

Laisser refroidir avant de démouler.

Dans un bol, mélanger le fromage à la crème et le sucre glace.

Incorporer juste assez de lait pour que la glace s'étende bien.

Démouler les gâteaux et les glacer.

Anonyme,
St-Nazaire

6

Gâteau à la citrouille, glacé à l'orange

Portions :	16
Préparation :	10 minutes
Cuisson :	1 heure
Degré de difficulté :	faible

Énergie : 145 cal	Protéines :	3 g
Lipides : 5 g	Cholestérol :	27 mg
Glucides : 25 g	Fibres :	1,6 g

250 ml (1 tasse)
de farine de blé entier

150 ml (²/₃ tasse)
de farine tout usage

7 ml (1 ½ c. à thé) de cannelle

5 ml (1 c. à thé)
de bicarbonate de soude

2 ml (½ c. à thé)
de poudre à pâte

2 ml (½ c. à thé) de muscade

1 ml (¼ c. à thé) de sel

75 ml (¹/₃ tasse) de margarine

150 ml (²/₃ tasse) de sucre

2 ml (½ c. à thé) de vanille

2 œufs

250 ml (1 tasse) de purée
de citrouille

75 ml (¹/₃ tasse) d'eau

180 ml (¾ tasse) de raisins secs

30 ml (2 c. à soupe)
de sucre glace

60 ml (¼ tasse) de jus d'orange

Préchauffer le four à 180 °C (350 °F).

Mélanger les farines avec la cannelle, le bicarbonate de soude, la poudre à pâte, la muscade et le sel. Réserver

Dans un grand bol, défaire la margarine en crème avec le sucre et la vanille. Ajouter les œufs, un à la fois, en battant entre chaque addition. Ajouter la purée de citrouille et mélanger. Incorporer la farine réservée avec l'eau, en alternance.

Mélanger jusqu'à consistance lisse. Fariner légèrement les raisins secs et les répartir dans la pâte.

Verser la préparation dans un moule à pain de 23 cm x 13 cm (9 po x 5 po), beurré et fariné. Cuire le gâteau environ 1 heure, jusqu'à ce qu'un cure-dent en ressorte sec. Laisser reposer 10 minutes.

Démouler le gâteau et le placer sur une grille. Le piquer ça et là, à la fourchette.

Mélanger le sucre glace et le jus d'orange, puis verser sur le gâteau. Laisser refroidir complètement.

Pierrette Provost,
Anjou

*P*arce qu'ils sont bourrés de vitamine C, quelques losanges d'orange suffiront à ensoleiller chaque portion.

6

Gâteau à la crème de marrons

Portions :	14
Préparation :	30 minutes
Cuisson :	10 minutes
Degré de difficulté :	moyen

Énergie : 449 cal	Protéines :	5 g
Lipides : 30 g	Cholestérol :	194 mg
Glucides : 40 g	Fibres :	0,5 g

180 ml (¾ tasse) de farine

1 ml (¼ c. à thé) de sel

30 ml (2 c. à soupe)
de cacao

10 ml (2 c. à thé)
de poudre à pâte

6 œufs

250 ml (1 tasse) de sucre

454 g (1 lb) de beurre doux

1 boîte de 426 g (15 oz) de
crème de marrons vanillée

375 ml (1 ½ tasse) de sucre glace

2 jaunes d'œufs

60 ml (¼ tasse) de rhum brun
ou quelques gouttes d'essence
de rhum

Préchauffer le four à 200 °C (400 °F).

Mélanger la farine, le sel, le cacao et la poudre à pâte. Réserver.

Dans un bol, battre les œufs et le sucre, jusqu'à ce que la préparation pâlisse et épaississe. Ajouter la farine et mélanger jusqu'à consistance homogène.

Verser la préparation dans deux moules à gâteau de 23 cm (9 po) de diamètre, beurrés. Faire cuire les gâteaux de 9 à 10 minutes, jusqu'à ce qu'un cure-dent en ressorte sec.

Démouler sur une grille et laisser refroidir complètement. Trancher chaque gâteau en deux, sur l'épaisseur, de façon à obtenir quatre disques.

Mettre le beurre, la crème de marrons et le sucre glace dans un bol.

Fouetter 15 secondes environ au batteur électrique, jusqu'à consistance crémeuse. Ajouter les jaunes d'œufs et le rhum. Continuer de battre jusqu'à consistance lisse.

Tartiner le dessus des gâteaux de crème de marrons, puis les superposer. Crémer tout le pourtour du gâteau.

Madeleine Tremblay,
Île-Maligne

*U*ne mosaïque d'arachides et de noix concassées suffit à promouvoir cette œuvre d'art au rang de star.

Gâteau au cacao

Portions :	20
Préparation :	20 minutes
Cuisson :	40 minutes
Degré de difficulté :	faible

Énergie : 306 cal	Protéines :	4 g
Lipides : 17 g	Cholestérol :	46 mg
Glucides : 37 g	Fibres :	2,2 g

650 ml (2 ⅔ tasses) de farine

500 ml (2 tasses) de sucre

250 ml (1 tasse) de cacao

12 ml (2 ½ c. à thé)
de bicarbonate de soude

2 ml (½ c. à thé) de sel

10 ml (2 c. à thé)
de crème de tartre

325 ml (1 ⅓ tasse)
de graisse végétale

375 ml (1 ½ tasse) de lait

4 œufs

Préchauffer le four à 180 °C (350 °F).

Dans un bol, mélanger la farine, le sucre, le cacao, le bicarbonate de soude, le sel et la crème de tartre.

Ajouter la graisse et le lait.

Fouetter 2 minutes au batteur électrique.

Ajouter les œufs et battre 2 minutes.

Verser la préparation dans un moule de 33 cm x 23 cm (13 po x 9 po), beurré et fariné.

Cuire le gâteau de 30 à 40 minutes, jusqu'à ce qu'il reprenne sa forme suite à une légère pression du doigt.

Anonyme,
Beaumont

*O*n peut également faire cuire la pâte dans trois moules à gâteau de 23 cm (9 po) de diamètre.

Gâteau au chocolat

Portions :	10
Préparation :	20 minutes
Cuisson :	40 minutes
Degré de difficulté :	faible

Énergie : 392 cal	Protéines :	4 g
Lipides : 23 g	Cholestérol :	73 mg
Glucides : 44 g	Fibres :	1,4 g

125 ml (½ tasse) de beurre

125 ml (½ tasse)
de graisse végétale

5 ml (1 c. à thé)
de vanille (ou autre)

310 ml (1 ¼ tasse) de sucre

60 ml (¼ tasse)
de cacao, tamisé

2 œufs, battus

500 ml (2 tasses)
de farine à pâtisserie

2 ml (½ c. à thé) de sel

10 ml (2 c. à thé)
de poudre à pâte

250 ml (1 tasse) d'eau ou de lait

Préchauffer le four à 180 °C (350 °F).

Dans un bol, défaire le beurre et la graisse en crème, avec la vanille.

Ajouter le sucre graduellement, tout en battant.

Incorporer le cacao tamisé, puis les œufs. Battre jusqu'à ce que la préparation soit très légère.

Tamiser la farine avec le sel et la poudre à pâte.

Incorporer à la préparation précédente avec l'eau ou le lait, en alternance.

Verser la pâte dans un moule à gâteau de 23 cm (9 po) de diamètre, beurré.

Cuire le gâteau de 30 à 40 minutes, jusqu'à ce qu'un cure-dent en ressorte sec. Laisser refroidir avant de démouler.

Suzanne Fortin,
St-Omer

*U*n arc-en-ciel de fruits multicolores compose toujours, dans l'assiette à dessert, le plus beau des décors santé.

Gâteaux

Gâteau à l'orange et au chocolat

Portions :	10
Préparation :	20 minutes
Cuisson :	30 minutes
Degré de difficulté :	faible

Énergie : 371 cal	Protéines :	5 g
Lipides : 18 g	Cholestérol :	47 mg
Glucides : 50 g	Fibres :	1,6 g

250 ml (1 tasse) de farine

2 ml (½ c. à thé) de sel

1 ml (¼ c. à thé)
de bicarbonate de soude

125 ml (½ tasse)
de graisse végétale

125 ml (½ tasse) de sucre

2 œufs

125 ml (½ tasse) de cassonade

250 ml (1 tasse)
de flocons d'avoine

5 ml (1 c. à thé) de vanille

250 ml (1 tasse)
de grains de chocolat

125 ml (½ tasse) de jus d'orange

60 ml (¼ tasse) de sucre

Préchauffer le four à 180 °C (350 °F).

Mélanger la farine, le sel et le bicarbonate de soude. Réserver.

Dans un bol, ramollir la graisse. Ajouter graduellement le sucre et les œufs, tout en battant entre chaque addition.

Incorporer la farine réservée, la cassonade, les flocons d'avoine, la vanille et les grains de chocolat.

Verser dans un moule à gâteau de 23 cm (9 po) de côté, beurré.

Cuire le gâteau 30 minutes environ, jusqu'à ce qu'un cure-dent en ressorte sec.

Dans une casserole, amener le jus d'orange à ébullition avec le sucre.

Verser sur le gâteau chaud. Laisser refroidir et couper en carrés.

Anonyme,
Vaudreuil

*U*ne fine lanière d'orange, prélevée à l'aide d'un zesteur, suffit à raffiner chaque portion d'une touche d'élégance.

Gâteau à la pistache et à la crème fouettée

Portions :	16
Préparation :	20 minutes
Cuisson :	40 minutes
Degré de difficulté :	faible

Énergie : 344 cal	Protéines :	3 g
Lipides : 19 g	Cholestérol :	41 mg
Glucides : 41 g	Fibres :	1,1 g

1 boîte d'environ 500 g (1 lb)
de préparation
pour gâteau blanc

180 ml (¾ tasse) d'huile

3 œufs

250 ml (1 tasse) de boisson
gazeuse incolore (type 7-UP)

2 boîtes de 106 g (3 ¾ oz)
de préparation pour crème-
dessert instantanée
à la pistache

1 boîte de 500 ml (2 tasses)
de garniture à fouetter
(type Nutrifil)

250 ml (1 tasse) de noix de coco
râpée, légèrement grillée

Préchauffer le four à 180 °C (350 °F).

Dans un bol, mélanger la préparation pour gâteau, l'huile et les œufs jusqu'à consistance homogène.

Dans un autre bol, mélanger la boisson gazeuse et une boîte de préparation pour crème-dessert. Incorporer à la préparation précédente et brasser jusqu'à consistance lisse et homogène.

Verser dans deux moules à gâteau de 23 cm (9 po) de côté, beurrés. Cuire les gâteaux de 30 à 40 minutes environ, jusqu'à ce qu'un cure-dent en ressorte sec. Laisser refroidir.

Dans un bol, fouetter la garniture et la seconde boîte de préparation pour crème-dessert, jusqu'à formation de pics fermes. Remplir de cette préparation une poche à pâtisserie munie d'une douille.

Étendre une partie de la garniture à la douille, sur les gâteaux. En tartiner du reste les pourtours, puis enrober de noix de coco râpée.

Gisèle Fontaine,
St-Guillaume

*A*vant cuisson de la pâte, on peut lui incorporer des pacanes ou, mieux encore, respecter le concept initial en optant pour des pistaches broyées.

Gâteau à la mélasse

Portions :	10
Préparation :	20 minutes
Cuisson :	1 heure
Degré de difficulté :	faible

Énergie :	459 cal	Protéines :	6 g
Lipides :	12 g	Cholestérol :	72 mg
Glucides :	84 g	Fibres :	1,9 g

180 ml (¾ tasse) de lait

5 ml (1 c. à thé) de vinaigre

750 ml (3 tasses) de farine

5 ml (1 c. à thé) de bicarbonate de soude

5 ml (1 c. à thé) de gingembre moulu

5 ml (1 c. à thé) de cannelle

2 ml (½ c. à thé) de clou de girofle

2 ml (½ c. à thé) de sel

125 ml (½ tasse) de beurre

250 ml (1 tasse) de sucre

2 œufs, battus

250 ml (1 tasse) de mélasse

250 ml (1 tasse) de raisins secs légèrement farinés

Préchauffer le four à 180 °C (350 °F).

Mélanger le lait et le vinaigre.

Laisser surir 10 minutes.

Mélanger la farine, le bicarbonate de soude, le gingembre, la cannelle, le clou de girofle et le sel. Réserver.

Dans un bol, défaire le beurre en crème et incorporer graduellement le sucre.

Ajouter les œufs battus et la mélasse.

Bien mélanger.

Incorporer graduellement la farine et le lait sur, en alternance.

Ajouter les raisins, puis mélanger pour les répartir uniformément dans la pâte.

Cuire le gâteau 1 heure environ, dans un moule à cheminée ou dans tout autre moule de contenance équivalente, jusqu'à ce qu'un cure-dent en ressorte sec.

Anonyme,
Leeds Village

our cette recette, on peut tout aussi bien remplacer les raisins par une égale quantité de dattes.

Gâteau à la mousse de chocolat

Portions :	10
Préparation :	45 minutes
Cuisson :	25 minutes
Refroidissement :	8 heures
Degré de difficulté :	moyen

Énergie :	440 cal	Protéines :	12 g
Lipides :	23 g	Cholestérol :	48 mg
Glucides :	49 g	Fibres :	3 g

180 ml (¾ tasse) d'amandes moulues

180 ml (¾ tasse) de sucre

5 ml (1 c. à thé) de farine

2 blancs d'œufs

2 ml (½ c. à thé) de vanille

90 ml (6 c. à soupe) d'eau froide

2 sachets de gélatine

3 boîtes de 37,5 g (1 ¼ oz) de poudre pour mousse au chocolat réduite en calories

500 ml (2 tasses) de lait 2%

1 boîte de 300 g (10 oz) de framboises, décongelées et égouttées

180 ml (¾ tasse) de crème 35 %

4 tablettes de chocolat au lait de 43 g (1 ½ oz)

30 ml (2 c. à soupe) de beurre

Préchauffer le four à 180 °C (350 °F).

Mélanger les amandes, le sucre, la farine, les blancs d'œufs et la vanille.

Presser dans un moule à fond amovible de 23 cm (9 po) de diamètre.

Cuire 20 minutes.

Laisser refroidir complètement.

Verser l'eau froide dans un bol et y laisser gonfler la gélatine 5 minutes.

Pendant ce temps, fouetter la poudre avec le lait, au batteur électrique, jusqu'à consistance de mousse.

Fondre la gélatine au bain-marie et l'incorporer délicatement à la préparation.

Étaler la moitié de la mousse dans le moule.

Recouvrir de la totalité des framboises, puis de la mousse restante.

Réserver au réfrigérateur.

Faire chauffer la crème avec le chocolat et le beurre, tout en mélangeant jusqu'à consistance lisse.

Laisser tiédir et verser sur la mousse.

Réfrigérer au moins 8 heures.

Si désiré, décorer de quelques framboises fraîches.

Bertille Lagacé,
Matapédia

our varier la présentation, on peut utiliser des moules individuels et napper chaque assiette de crème anglaise.

6

Gâteaux

Gâteau au fromage et aux amandes

Portions :	12
Préparation :	30 minutes
Cuisson :	1 heure 12 minutes
Degré de difficulté :	moyen

Énergie : 361 cal		Protéines :	7 g
Lipides :	24 g	Cholestérol :	114 mg
Glucides :	29 g	Fibres :	1 g

500 ml (2 tasses) de chapelure
   de biscuits

60 ml (¼ tasse) de sucre

75 ml (⅓ tasse)
    de beurre fondu

45 ml (3 c. à soupe) de farine

150 ml (⅔ tasse) de cassonade

15 ml (1 c. à soupe) de piment
    de la Jamaïque

500 g (1 lb) de fromage
    à la crème

75 ml (⅓ tasse)
    de beurre fondu

3   œufs, battus

    Jus de 2 oranges

    Zeste de 1 orange

5   ml (1 c. à thé)
    d'essence d'amande

75 ml (⅓ tasse)
    d'amandes tranchées

Préchauffer le four à 180 °C (350 °F).

Mélanger la chapelure, le sucre et le beurre fondu.

Presser dans un moule à fond amovible de 23 cm (9 po) de diamètre.

Cuire 12 minutes. Laisser refroidir.

Dans un bol, mélanger la farine, la cassonade et le piment de la Jamaïque. Réserver.

Dans un autre bol, battre le fromage avec le beurre, les œufs, le jus, le zeste d'orange et l'essence d'amande.

Ajouter la farine réservée et battre jusqu'à consistance crémeuse.

Verser dans le moule et couvrir d'amandes tranchées.

Cuire le gâteau environ 1 heure, ou jusqu'à ce qu'un cure-dent en ressorte sec.

Laisser refroidir 30 minutes.

Démouler et réfrigérer.

Rita Grenier-Drouin,
Granada

6

Rien de tel que la carambole pour étoiler un gâteau, d'autant plus que sa chair, tendre et juteuse, regorge de vitamine C.

Gâteau au sirop d'érable

Portions :	10
Préparation :	30 minutes
Cuisson :	45 minutes
Degré de difficulté :	faible

Énergie : 361 cal		Protéines :	4 g
Lipides :	19 g	Cholestérol :	36 mg
Glucides :	46 g	Fibres :	2 g

250 ml (1 tasse) de farine

5   ml (1 c. à thé) de cannelle

5   ml (1 c. à thé) de bicarbonate
    de soude

1   ml (¼ c. à thé) de sel

75 ml (⅓ tasse) d'huile

1   œuf

250 ml (1 tasse) de sirop d'érable

250 ml (1 tasse) de carottes râpées

125 ml (½ tasse) de pommes
    pelées et râpées

125 ml (½ tasse) de noix hachées

125 ml (½ tasse) de noix
    de coco râpée

125 ml (½ tasse) de lait

125 ml (½ tasse) de sucre d'érable
    râpé ou de cassonade

1   ml (¼ c. à thé)
    de bicarbonate de soude

60 ml (¼ tasse) de beurre

Préchauffer le four à 180 °C (350 °F).

Dans un bol, mélanger la farine, la cannelle, le bicarbonate de soude et le sel. Réserver.

Dans un autre bol, mélanger l'huile, l'œuf et le sirop d'érable.

Ajouter les carottes, les pommes, les noix hachées et les noix de coco.

Incorporer la préparation précédente.

Verser dans un moule à gâteau de 20 cm (8 po) de côté, beurré.

Cuire environ 40 minutes.

Retirer le gâteau du four et le piquer à plusieurs reprises, à la fourchette.

Verser le lait dans une casserole.

Ajouter le sucre d'érable, le bicarbonate de soude et le beurre.

Laisser bouillir 5 minutes.

Verser sur le gâteau chaud.

Couper en 10 carrés. Si désiré, décorer chaque portion d'une rosette de crème fouettée assortie d'une pacane et d'un bouquet de menthe fraîche.

Anne Montambault,
Deschambault

Le sirop chaud imbibera plus facilement le gâteau si l'on prend soin, avant de l'en arroser, de le piquer à maintes reprises.

Gâteau aux avelines

Portions :	12
Préparation :	25 minutes
Cuisson :	30 minutes
Degré de difficulté :	faible

Énergie : 281 cal	Protéines :	4 g
Lipides : 20 g	Cholestérol :	115 mg
Glucides : 22 g	Fibres :	1,3 g

4 œufs

180 ml (¾ tasse) de sucre

250 ml (1 tasse) d'avelines

30 ml (2 c. à soupe) de farine

12 ml (2 ½ c. à thé)
de poudre à pâte

45 ml (3 c. à soupe) de rhum

5 ml (1 c. à thé)
de café instantané

375 ml (1 ½ tasse) de crème 35 %

60 ml (¼ tasse) de sucre

60 ml (¼ tasse) de cacao

5 ml (1 c. à thé) de vanille

1 ml (¼ c. à thé) de sel

Préchauffer le four à 180 °C (350 °F).

Mélanger les œufs, le sucre et les avelines au robot culinaire.

Tout en actionnant l'appareil, ajouter la farine et la poudre à pâte.

Mélanger jusqu'à consistance de pâte épaisse.

Chemiser de papier ciré deux moules à gâteau de 23 cm (9 po) de diamètre et y répartir la pâte.

Cuire les gâteaux de 25 à 30 minutes, jusqu'à ce qu'un cure-dent en ressorte sec.

Laisser refroidir complètement et démouler.

Arroser de rhum.

Diluer le café instantané dans une goutte d'eau chaude.

Fouetter la crème jusqu'à formation de pics fermes, en ajoutant graduellement le café, le sucre, le cacao, la vanille et le sel.

Glacer harmonieusement chacun des gâteaux. Les servir séparément ou les superposer.

Anita Boudreau-Toner,
St-Joseph-de-Kamouraska

*P*our rendre ce gâteau irrésistible, le garnir d'un trio d'avelines et de feuilles, puis en agrémenter les pourtours de granules de chocolat.

Gâteau aux bananes

Portions :	12
Préparation :	30 minutes
Cuisson :	40 minutes
Degré de difficulté :	faible

Énergie : 330 cal	Protéines :	4 g
Lipides : 15 g	Cholestérol :	75 mg
Glucides : 46 g	Fibres :	1,9 g

125 ml (½ tasse) de beurre

250 ml (1 tasse) de sucre

2 œufs

250 ml (1 tasse)
de bananes écrasées

250 ml (1 tasse)
de farine tout usage

250 ml (1 tasse) de farine
de blé entier

7 ml (1 ½ c. à thé)
de poudre à pâte

5 ml (1 c. à thé)
de bicarbonate de soude

2 ml (½ c. à thé) de sel

125 ml (½ tasse) de lait

75 ml (⅓ tasse)
de beurre fondu

180 ml (¾ tasse) de cassonade

45 ml (3 c. à soupe) de crème 15 %

Préchauffer le four à 180 °C (350 °F).

Dans un bol, défaire le beurre en crème avec le sucre.

Ajouter les œufs, un à la fois, en battant après chaque addition.

Incorporer les bananes.

Dans un autre bol, mélanger les farines, la poudre à pâte, le bicarbonate de soude et le sel.

Incorporer à la préparation précédente, ainsi que le lait, en alternance.

Verser la pâte dans un moule de 33 cm x 23 cm (13 po x 9 po), beurré.

Cuire le gâteau 40 minutes, jusqu'à ce qu'un cure-dent en ressorte sec.

Laisser refroidir avant de démouler.

Mélanger le beurre, la cassonade et la crème.

En glacer le gâteau refroidi.

Mélanie Millette,
Lawrenceville

*S*ubstituer du lait écrémé au lait entier trompe les plus fins palais, mais pas le cadran du pèse-personne.

6

Gâteau aux betteraves
et aux carottes

Portions :	18
Préparation :	20 minutes
Cuisson :	1 heure
Degré de difficulté :	faible

Énergie : 176 cal	Protéines :	3 g
Lipides :	9 g	Cholestérol : 24 mg
Glucides : 21 g	Fibres :	0,6 g

125 ml (½ tasse) d'huile

250 ml (1 tasse) de sucre

2 jaunes d'œufs

5 ml (1 c. à thé) de vanille

30 ml (2 c. à soupe)
d'eau chaude

180 ml (¾ tasse)
de betteraves crues râpées

180 ml (¾ tasse)
de carottes crues râpées

375 ml (1 ½ tasse) de farine

10 ml (2 c. à thé)
de poudre à pâte

1 ml (¼ c. à thé) de sel

2 ml (½ c. à thé) de cannelle

125 ml (½ tasse)
de noix hachées

2 blancs d'œufs

Préchauffer le four à 180 °C (350 °F).

Dans un bol, mélanger l'huile, le sucre, les jaunes d'œufs, la vanille et l'eau chaude. Incorporer les betteraves et les carottes râpées.

Dans un autre bol, mélanger la farine, la poudre à pâte, le sel et la cannelle. Ajouter les noix hachées. Incorporer à la préparation précédente.

Dans un autre bol, monter les blancs d'œufs en neige. Incorporer à la pâte, en pliant délicatement à l'aide d'une spatule de caoutchouc.

Verser dans deux moules d'environ 20 cm (8 po) de côté, beurrés et tapissés de papier ciré.

Cuire les gâteaux environ 1 heure, ou jusqu'à ce qu'un cure-dent en ressorte sec.

Laisser refroidir avant de démouler. Glacer, au goût.

Bertha Asselin,
St-Charles-de-Bellechasse

Gâteau aux canneberges

Portions :	12
Préparation :	20 minutes
Cuisson :	1 heure
Degré de difficulté :	faible

Énergie : 240 cal	Protéines :	5 g
Lipides :	6 g	Cholestérol : 41 mg
Glucides :	43 g	Fibres :	2,3 g

30 ml (2 c. à soupe) de beurre

250 ml (1 tasse) de sucre

2 œufs

375 ml (1 ½ tasse)
de farine tout usage

125 ml (½ tasse)
de farine de blé entier

2 ml (½ c. à thé)
de bicarbonate de soude

2 ml (½ c. à thé) de sel

10 ml (2 c. à thé)
de poudre à pâte

180 ml (¾ tasse) de jus d'orange

15 ml (1 c. à soupe)
de zeste d'orange râpé

125 ml (½ tasse) de raisins secs

125 ml (½ tasse) de noix hachées

375 ml (1 ½ tasse) de canneberges

Cannelle ou muscade, au goût

Préchauffer le four à 180 °C (350 °F).

Dans un bol, défaire le beurre en crème. Incorporer le sucre. Ajouter les œufs et bien battre.

Dans un autre bol, mélanger les farines, le bicarbonate de soude, le sel et la poudre à pâte. Incorporer à la préparation précédente, ainsi que le jus d'orange, en alternance.

Ajouter le zeste d'orange, les raisins, les noix et les canneberges. Bien mélanger. Parfumer, au goût, de cannelle ou de muscade.

Verser dans un moule à pain beurré.

Cuire le gâteau 1 heure, jusqu'à ce qu'un cure-dent en ressorte sec.

Laisser refroidir avant de démouler.

Béatrice Arsenau,
Îles-de-la-Madeleine

L a canneberge n'est plus l'apanage de la dinde.
Au fil des ans, il lui a fallu se contraindre au partage,
générosité dont les desserts ne sauraient se plaindre.

A près avoir passé sous terre la majeure partie de leur existence, la betterave et la carotte connaissent enfin leurs heures de gloire.

6

Gâteau au caramel

Portions :	16
Préparation :	20 minutes
Cuisson :	30 minutes
Degré de difficulté :	faible

Énergie : 150 cal	Protéines :	2 g
Lipides : 5 g	Cholestérol :	38 mg
Glucides : 26 g	Fibres :	0,2 g

250 ml (1 tasse) de farine

5 ml (1 c. à thé)
de poudre à pâte

1 ml (¼ c. à thé) de sel

15 ml (1 c. à soupe)
de cassonade

2 œufs

60 ml (¼ tasse) de lait

5 ml (1 c. à thé) de vanille

75 ml (⅓ tasse) de beurre

250 ml (1 tasse) de cassonade

60 ml (¼ tasse) de lait

375 ml (1 ½ tasse) de sucre
glace

Préchauffer le four à 170 °C (325 °F).

Mélanger la farine, la poudre à pâte
et le sel.

Dans un bol, battre la cassonade et
les œufs.

Incorporer graduellement le lait et la
vanille, ainsi que la farine tamisée,
en alternance.

Verser dans un moule à gâteau de
20 cm (8 po) de côté, beurré.

Cuire le gâteau de 25 à 30 minutes,
jusqu'à ce qu'un cure-dent en
ressorte sec.

Faire fondre le beurre dans une
casserole, avec la cassonade.

Laisser caraméliser 2 minutes.

Tout en mélangeant, ajouter graduellement le lait. Retirer la casserole du feu. Incorporer le sucre glace.

Étendre la glace sur le gâteau dès la
sortie du four.

Louisa Lessard,
Lac-Etchemin

Gâteau aux cerises

Portions :	12
Préparation :	30 minutes
Cuisson :	45 minutes
Degré de difficulté :	faible

Énergie : 303 cal	Protéines :	5 g
Lipides : 13 g	Cholestérol :	1 mg
Glucides : 43 g	Fibres :	1 g

560 ml (2 ¼ tasses) de farine

15 ml (1 c. à soupe)
de poudre à pâte

3 ml (¾ c. à thé) de sel

125 ml (½ tasse)
de graisse végétale

250 ml (1 tasse) de sucre

125 ml (½ tasse) de lait

2 ml (½ c. à thé)
d'essence d'amande

250 ml (1 tasse) de cerises
au marasquin hachées,
farinées (conserver le jus)

125 ml (½ tasse)
de noix hachées, farinées

60 ml (¼ tasse)
du jus des cerises égouttées

4 blancs d'œufs

Préchauffer le four à 170 °C (325 °F).

Mélanger la farine, la poudre à pâte
et le sel. Réserver.

Dans un bol, défaire la graisse en
crème. Ajouter le sucre et bien
mélanger.

Incorporer la farine réservée et le
lait, en alternance.

Ajouter l'essence d'amande, les cerises et les noix farinées, ainsi que le
jus des cerises. Bien mélanger.

Dans un autre bol, monter les blancs
d'œufs en neige. Incorporer à la préparation précédente, en pliant délicatement à l'aide d'une spatule de
caoutchouc.

Verser la pâte dans un moule en
couronne beurré et fariné. Cuire le
gâteau 45 minutes environ, jusqu'à
ce qu'un cure-dent en ressorte sec.

Anonyme,
Mont-St-Grégoire

On peut utiliser tout autre moule d'égale contenance en ayant soin, toutefois, de rectifier la durée de cuisson du gâteau selon sa profondeur.

Il est parfois bien difficile de résister à la tentation de goûter un gâteau avant de le glacer. Pas cette fois, puisque l'opération s'effectue dès la sortie du four!

Gâteau aux dattes, aux noix et à l'orange

Portions :	10
Préparation :	20 minutes
Cuisson :	45 minutes
Degré de difficulté :	faible

Énergie : 273 cal	Protéines :		6 g
Lipides :	11 g	Cholestérol :	22 mg
Glucides :	41 g	Fibres :	4 g

75 ml (⅓ tasse) de sucre

1 œuf

30 ml (2 c. à soupe)
d'huile végétale

5 ml (1 c. à thé) de vanille

10 ml (2 c. à thé) de bicarbonate
de soude

Le zeste d'une orange

Le jus d'une orange

250 ml (1 tasse)
de farine tout usage

250 ml (1 tasse) de farine
de blé entier

250 ml (1 tasse) de dattes hachées

250 ml (1 tasse) de noix hachées

125 ml (½ tasse) d'eau

Préchauffer le four à 180 °C (350 °F).

Dans un bol, mélanger le sucre, l'œuf, l'huile, la vanille, le bicarbonate de soude, le zeste et le jus d'orange.

Dans un autre bol, mélanger les farines, les dattes et les noix.

Incorporer graduellement à la préparation précédente, ainsi que l'eau, en alternance.

Verser la préparation dans un moule à pain beurré de 18 cm x 13 cm (7 ½ po x 5 po).

Cuire le gâteau de 35 à 45 minutes, jusqu'à ce qu'un cure-dent en ressorte sec.

Marcelle Légaré,
St-Philippe-de-Néri

Un couteau électrique permet de couper facilement un gâteau en belles tranches fines.

Gâteaux au caramel de Lac-Etchemin

Portions :	12
Préparation :	20 minutes
Cuisson :	30 minutes
Degré de difficulté :	faible

Énergie : 331 cal	Protéines :		5 g
Lipides :	14 g	Cholestérol :	62 mg
Glucides :	49 g	Fibres :	0,8 g

500 ml (2 tasses) de farine

5 ml (1 c. à thé)
de poudre à pâte

1 ml (¼ c. à thé) de sel

60 ml (¼ tasse) de beurre

125 ml (½ tasse) de cassonade

2 œufs

125 ml (½ tasse) de lait

5 ml (1 c. à thé) de vanille

125 ml (½ tasse)
de pistaches hachées

75 ml (⅓ tasse) de beurre

250 ml (1 tasse) de cassonade

75 ml (⅓ tasse) de lait

375 ml (1 ½ tasse)
de sucre glace

30 ml (2 c. à soupe)
de jus de citron

Sucre glace, pour saupoudrer

Préchauffer le four à 170 °C (325 °F).

Dans un bol, mélanger la farine, la poudre à pâte et le sel. Réserver.

Dans un autre bol, mélanger le beurre, la cassonade, les œufs, le lait et la vanille. Ajouter graduellement la farine réservée, jusqu'à consistance homogène. Incorporer les pistaches. Verser dans douze moules à muffins beurrés. Cuire de 20 à 25 minutes.

Faire fondre le beurre dans une casserole. Ajouter la cassonade et bien mélanger. Cuire à feu moyen-vif 2 minutes environ, jusqu'à caramélisation. Ajouter graduellement le lait, tout en mélangeant jusqu'à consistance lisse. Retirer du feu et incorporer le sucre glace et le jus de citron.

Laisser refroidir les gâteaux, puis les démouler. Les soulever à l'aide d'une fourchette et les tremper dans la glace au caramel. Saupoudrer de sucre glace. Si désiré, garnir de pacanes hachées.

Louisa Lessard,
Lac-Etchemin

Les gâteaux n'ont pas leur place qu'au dessert. Ceux-ci, accompagnés d'un bon verre de lait frais, feront beaucoup d'heureux à l'heure de la collation.

Gâteau aux fruits et aux jujubes

Portions :	20
Préparation :	1 heure
Cuisson :	3 heures
Degré de difficulté :	moyen

Énergie : 318 cal	Protéines :	5 g
Lipides : 14 g	Cholestérol :	57 mg
Glucides : 46 g	Fibres :	2,4 g

750 ml (3 tasses) de farine

5   ml (1 c. à thé) de sel

5   ml (1 c. à thé) de cannelle

5   ml (1 c. à thé)
     de bicarbonate de soude

5   ml (1 c. à thé) de muscade

2   ml (½ c. à thé) de clou
     de girofle moulu

250 ml (1 tasse) de beurre
     ou de margarine

250 ml (1 tasse) de sucre

3   œufs

250 ml (1 tasse) de purée de
     pommes non sucrée

250 ml (1 tasse) de raisins secs

250 ml (1 tasse) de dattes hachées

250 ml (1 tasse) de cerises au
     marasquin égouttées et
     hachées

250 ml (1 tasse) de noix hachées

375 ml (1 ½ tasse)
     de jujubes hachés

Préchauffer le four à 150 °C (275 °F).

Y placer un plat d'eau pour assurer un certain degré d'humidité pendant la cuisson.

Mélanger la farine, le sel, la cannelle, le bicarbonate de soude, la muscade et le clou de girofle. Réserver.

Dans un bol, défaire le beurre en crème. Ajouter graduellement le sucre, les œufs et la purée de pommes, en battant bien après chaque addition.

Dans un autre bol, mélanger les raisins, les dattes, les cerises, les noix et les jujubes. Fariner légèrement.

Incorporer à la préparation précédente, de même que la farine réservée, en alternance.

Couvrir le fond de deux moules à pain d'une double épaisseur de papier ciré, en ayant soin de le laisser dépasser d'environ 8 cm (3 po) tout autour. Beurrer le papier.

Verser la préparation dans les moules.

Cuire les gâteaux de 2 heures 30 minutes à 3 heures, jusqu'à ce qu'un cure-dent en ressorte sec.

Laisser refroidir les gâteaux et les envelopper dans leur papier de cuisson, puis dans du papier d'aluminium.

Réserver au réfrigérateur.

Lucette Cloutier,
Mont-St-Pierre

Pour de meilleurs résultats, laisser vieillir les gâteaux aux fruits 15 jours au réfrigérateur et les en retirer deux heures avant de servir.

Gâteau aux fruits et aux courgettes

Portions :	16
Préparation :	30 minutes
Cuisson :	1 heure
Degré de difficulté :	faible

Énergie : 444 cal	Protéines :	6 g
Lipides : 24 g	Cholestérol :	40 mg
Glucides : 55 g	Fibres :	5,1 g

750 ml (3 tasses) de farine
     de blé entier

15   ml (1 c. à soupe)
     de poudre à pâte

5   ml (1 c. à thé)
     de bicarbonate de soude

5   ml (1 c. à thé) de cannelle

5   ml (1 c. à thé) de muscade

2   ml (½ c. à thé) de sel

250 ml (1 tasse) de dattes hachées

250 ml (1 tasse) de raisins secs

250 ml (1 tasse) de cerises
     confites hachées

250 ml (1 tasse) de noix hachées

250 ml (1 tasse)
     d'ananas frais broyés

     Un peu de farine

3   œufs

315 ml (1 ¼ tasse) d'huile

250 ml (1 tasse) de cassonade

750 ml (3 tasses)
     de courgettes râpées

5   ml (1 c. à thé) de vanille

Préchauffer le four à 180 °C (350 °F).

Mélanger la farine, la poudre à pâte, le bicarbonate de soude, la cannelle, la muscade et le sel. Réserver.

Dans un bol, mélanger les dattes, les raisins, les cerises, les noix et les ananas. Fariner légèrement et mélanger.

Dans un autre bol, battre les œufs avec l'huile et la cassonade, jusqu'à consistance homogène. Incorporer les courgettes et la vanille, puis la farine et les fruits réservés. Bien mélanger.

Verser la préparation dans un moule à cheminée (ou en couronne), beurré. Cuire le gâteau environ 1 heure, jusqu'à ce qu'un cure-dent en ressorte sec.

Pauline Cardinal et Nicole B. Séguin,
Très-St-Rédempteur

Pour s'assurer que les fruits secs soient uniformément répartis dans la pâte, les fariner au préalable.

Gâteaux

Gâteau aux grains de chocolat

Portions:	12
Préparation:	30 minutes
Cuisson:	40 minutes
Degré de difficulté:	faible

Énergie: 416 cal	Protéines:	5 g
Lipides:	22 g	Cholestérol: 78 mg
Glucides:	51 g	Fibres: 1,4 g

430 ml (1 ¾ tasse) de farine

5 ml (1 c. à thé) de bicarbonate
de soude

125 ml (½ tasse) de beurre

250 ml (1 tasse) de sucre

2 œufs

250 ml (1 tasse) de crème sure

250 ml (1 tasse) de grains
de chocolat à la framboise
(type chipits)

60 ml (¼ tasse) de beurre

125 ml (½ tasse) de cassonade

125 ml (½ tasse) de farine

10 ml (2 c. à thé) de cacao

125 ml (½ tasse)
de pacanes moulues

Préchauffer le four à 180 °C (350 °F).

Mélanger la farine et le bicarbonate
de soude. Réserver.

Dans un bol, battre le beurre avec le
sucre et les œufs.

Incorporer la farine réservée, la crème
sure et les grains de chocolat à la
framboise.

Verser la préparation dans un moule à
gâteau beurré de 33 cm x 23 cm
(13 po x 9 po).

Dans un bol, mélanger le beurre, la
cassonade, la farine et le cacao à
l'aide de deux couteaux, jusqu'à
consistance grumeleuse.

Saupoudrer la pâte à gâteau de cette
garniture.

Couvrir uniformément de pacanes
moulues.

Cuire le gâteau de 35 à 40 minutes,
jusqu'à ce qu'un cure-dent en
ressorte sec.

Servir tiède, avec de la crème glacée.

Ghislaine Lachance,
Ste-Monique

On peut également utiliser des grains de chocolat mi-sucré ou amer, selon les humeurs gourmandes de chacun.

Gâteau aux noix et à l'orange

Portions:	10
Préparation:	30 minutes
Cuisson:	1 heure
Degré de difficulté:	moyen

Énergie: 237 cal	Protéines:	5 g
Lipides:	9 g	Cholestérol: 58 mg
Glucides:	36 g	Fibres: 0,8 g

430 ml (1 ¾ tasse) de farine

7 ml (1 ½ c. à thé)
de poudre à pâte

5 ml (1 c. à thé) de sel

60 ml (¼ tasse) de beurre

180 ml (¾ tasse) de sucre

2 œufs

10 ml (2 c. à thé)
de zeste d'orange râpé

125 ml (½ tasse) de lait

75 ml (⅓ tasse)
de noix hachées

10 ml (2 c. à thé)
de jus d'orange

15 ml (1 c. à soupe) de sucre

Préchauffer le four à 180 °C (350 °F).

Mélanger la farine, la poudre à pâte
et le sel. Réserver.

Dans un bol, défaire le beurre en
crème. Ajouter graduellement le sucre.

Incorporer les œufs, un à la fois, en
battant bien après chaque addition.
Ajouter le zeste d'orange. Tout en
battant, ajouter la farine réservée et
le lait, en alternance.

Fariner légèrement les noix et les
répartir uniformément dans la pâte.

Verser la préparation dans un moule
à pain beurré de 23 cm x 13 cm
(9 po x 5 po).

Cuire le gâteau de 50 à 60 minutes,
jusqu'à ce qu'un cure-dent en
ressorte sec.

Mélanger le jus d'orange et le sucre,
puis en badigeonner le gâteau, à
l'aide d'un pinceau.

Enfourner le gâteau 1 minute. Laisser
refroidir complètement. Démouler et
trancher.

Carmelle Landreville-Tremblay,
Évain

Ses procédés de fabrication ayant évolué, il est désormais inutile de tamiser la farine, sauf s'il s'agit de farine à pâtisserie.

Gâteau aux oranges

Portions :	10
Préparation :	30 minutes
Cuisson :	40 minutes
Degré de difficulté :	faible

Énergie : 382 cal	Protéines :	6 g
Lipides : 11 g	Cholestérol :	43 mg
Glucides : 67 g	Fibres :	2,9 g

2   oranges (non pelées),
    épépinées et finement hachées

375 ml (1 ½ tasse) de raisins secs

5   ml (1 c. à thé)
     de bicarbonate de soude

375 ml (1 ½ tasse)
     d'eau bouillante

125 ml (½ tasse) de graisse
     végétale ou de margarine
     (ou moitié-moitié)

250 ml (1 tasse) de sucre

2   œufs

5   ml (1 c. à thé) de vanille

625 ml (2 ½ tasses) de farine

10   ml (2 c. à thé)
     de poudre à pâte

5   ml (1 c. à thé) de cannelle

2   ml (½ c. à thé) de sel

Préchauffer le four à 190 °C (375 °F).

Déposer les oranges et les raisins dans un bol. Ajouter le bicarbonate de soude et l'eau bouillante. Laisser tremper les fruits jusqu'à ce qu'ils aient absorbé tout le liquide.

Dans un autre bol, défaire la graisse en crème. Ajouter le sucre et les œufs. Bien battre. Incorporer la vanille.

Mélanger la farine, la poudre à pâte, la cannelle et le sel. Ajouter à la préparation précédente, ainsi que les fruits, en alternance.

Verser la préparation dans un moule de 23 cm (9 po) de diamètre et cuire le gâteau de 35 à 40 minutes, ou jusqu'à ce qu'un cure-dent en ressorte sec.

Noëlla L. Berrouard,
St-Léonard

> *On peut également, tel qu'illustré, trancher le gâteau en trois étages et y répartir uniformément les fruits, après les avoir laissés tremper quelques minutes.*

Gâteau à la pistache

Portions :	10
Préparation :	15 minutes
Cuisson :	55 minutes
Degré de difficulté :	faible

Énergie : 485 cal	Protéines :	6 g
Lipides : 31 g	Cholestérol :	45 mg
Glucides : 47 g	Fibres :	1,1 g

1   boîte d'environ 500 g (1 lb)
     de préparation pour
     gâteau blanc

1   boîte de 106 g (3 ¾ oz) de
     préparation pour
     crème-dessert instantanée
     à la pistache

125 ml (½ tasse) d'huile

250 ml (1 tasse) de soda
     (club soda)

4   œufs

250 ml (1 tasse) de noix hachées

Préchauffer le four à 180 °C (350 °F).

Dans un bol, mélanger les préparations pour gâteau et crème-dessert instantanée.

Y verser l'huile, le soda et les œufs. Bien mélanger.

Incorporer les noix hachées.

Verser la pâte dans un moule en couronne, beurré et fariné.

Cuire le gâteau de 45 à 55 minutes ou jusqu'à ce qu'un cure-dent en ressorte sec.

Glacer au goût, si désiré.

Béatrice Parent,
Beauport

> *On peut également faire cuire la pâte dans des moules à muffins. Dans ce cas, réduire à 25 minutes, environ, la durée de cuisson.*

6

Gâteau sauterelle

Portions :	8
Préparation :	30 minutes
Cuisson :	–
Congélation :	24 heures
Degré de difficulté :	faible

Énergie : 360 cal	Protéines :	3 g
Lipides : 19 g	Cholestérol :	41 mg
Glucides : 42 g	Fibres :	0,6 g

60 ml (¼ tasse)
de margarine fondue

375 ml (1 ½ tasse) de chapelure
de biscuits au chocolat

1 pot de 199 g (7 oz)
de crème de guimauve

60 ml (¼ tasse)
de crème de menthe verte

5 gouttes de colorant
alimentaire vert

500 ml (2 tasses)
de crème fouettée

Dans un bol, mélanger la margarine et la chapelure de biscuits.

Presser contre le fond d'un moule à gâteau de 20 cm (8 po) de diamètre, beurré.

Dans un autre bol, mélanger la crème de guimauve, la crème de menthe, le colorant et la crème fouettée.

Verser dans le moule, sur la croûte.

Congeler 24 heures avant de servir.

Corinne Audet,
Maria

6

C e gâteau, typique des Îles-de-la-Madeleine, doit son nom à sa couleur caractéristique. Il n'en est pas moins appétissant pour autant.

Gâteau aux pommes de terre

Portions :	8
Préparation :	20 minutes
Cuisson :	1 heure
Degré de difficulté :	faible

Énergie : 325 cal	Protéines :	4 g
Lipides : 23 g	Cholestérol :	148 mg
Glucides : 26 g	Fibres :	1,2 g

125 ml (½ tasse) de raisins secs

3 pommes de terre, pelées

125 ml (½ tasse) de beurre

200 ml (¾ tasse + 4 c. à thé)
de crème 35%

1 pincée de sel

15 ml (1 c. à soupe) de farine

180 ml (¾ tasse) de sucre glace

7 ml (1 ½ c. à thé)
de cannelle

Noix de muscade, au goût

3 jaunes d'œufs

3 blancs d'œufs

Sucre glace, pour saupoudrer

Préchauffer le four à 180 °C (350 °F).

Mettre les raisins secs dans un bol et couvrir d'eau tiède. Laisser gonfler.

Pendant ce temps, cuire les pommes de terre 20 minutes environ dans une casserole d'eau bouillante, jusqu'à tendreté.

Réduire en purée dans un bol. Ajouter le beurre, la crème, le sel, la farine, le sucre glace, la cannelle et de la muscade, au goût. Mélanger jusqu'à consistance lisse et homogène. Incorporer les jaunes d'œufs.

Dans un autre bol, monter les blancs d'œufs en neige ferme. Incorporer à la préparation précédente, en pliant délicatement à l'aide d'une spatule de caoutchouc. Égoutter les raisins et les incorporer à la préparation.

Verser dans un moule à gâteau de 23 cm (9 po) de diamètre. Cuire le gâteau 40 minutes, jusqu'à ce qu'un cure-dent en ressorte sec.

Saupoudrer de sucre glace. Servir tiède.

Suzanne Béliveau,
St-Célestin

P ourquoi les légumes ne pourraient-ils pas agrémenter les desserts? Ce gâteau, par exemple, doit son originalité à l'intrépide pomme de terre.

Gâteau aux fruits à la beauceronne

Portions :	30
Préparation :	1 heure 30 minutes
Cuisson :	3 heures 15 minutes
Repos :	25 heures
Degré de difficulté :	moyen

Énergie :	290 cal	Protéines :	3 g
Lipides :	6 g	Cholestérol :	24 mg
Glucides :	58 g	Fibres :	2,3 g

250 ml (1 tasse) de raisins
    de Smyrne

250 ml (1 tasse)
    de raisins secs dorés

250 ml (1 tasse) de raisins
    de Corinthe

250 ml (1 tasse) de sirop
    d'érable bouillant

125 ml (½ tasse)
    de dattes émincées

250 ml (1 tasse)
    d'ananas confits émincés

250 ml (1 tasse) de cerises
    confites coupées en deux

125 ml (½ tasse) d'écorces
    d'orange confites

125 ml (½ tasse) d'écorces
    de citron confites

250 ml (1 tasse) d'amandes
    en fins bâtonnets

150 ml (⅔ tasse) de lait

5 ml (1 c. à thé) de vinaigre

750 ml (3 tasses) de farine

5 ml (1 c. à thé) de bicarbonate
    de soude

5 ml (1 c. à thé) de cannelle

1 ml (¼ c. à thé) de clou
    de girofle

1 ml (¼ c. à thé) de muscade

2 ml (½ c. à thé) de sel

125 ml (½ tasse) de beurre

150 ml (⅔ tasse) de cassonade

2 œufs

125 ml (½ tasse) de sirop d'érable

125 ml (½ tasse) de gelée
    de pomme

    Un peu de farine

Mettre les trois variétés de raisins secs dans un bol.

Arroser du sirop d'érable bouillant.

Mélanger et laisser reposer 1 heure, en brassant à quelques reprises.

Ajouter les dattes, les ananas, les cerises, les écorces d'oranges et de citron, ainsi que les amandes.

Laisser reposer 24 heures, en mélangeant de temps en temps.

Préchauffer le four à 130 °C (250 °F).

Mélanger le lait et le vinaigre. Laisser surir 10 minutes.

Beurrer trois moules de 17 cm x 10 cm x 6 cm (6 ½ po x 4 po x 2 ½ po) et les chemiser d'une double épaisseur de papier ciré, également beurré, que l'on aura pris soin de laisser dépasser de 9 cm (3 ½ po) tout autour.

Placer un plat d'eau chaude sur la grille inférieure du four.

Mélanger la farine, le bicarbonate de soude, la cannelle, le clou de girofle, la muscade et le sel. Réserver.

Tout en battant, défaire le beurre en crème dans un bol et incorporer graduellement la cassonade.

Ajouter les œufs, un à la fois, en battant bien entre chaque addition.

Ajouter le sirop d'érable et la gelée de pomme. Bien battre.

Incorporer graduellement le lait sur et la farine réservée, en alternance.

Fariner les fruits et les amandes. Les incorporer peu à peu à la pâte pour les y répartir uniformément.

Verser la pâte dans les moules.

Cuire les gâteaux 3 heures 15 minutes au centre du four, en ayant soin d'en retirer le plat d'eau 45 minutes avant la fin de la cuisson.

Laisser tiédir les gâteaux 20 minutes.

Retirer le papier, mais le conserver.

Laisser refroidir les gâteaux complètement, puis les envelopper dans leur papier de cuisson, puis dans du papier d'aluminium.

Conserver dans un endroit sec et frais.

Gisèle Bolduc,
St-Georges-Ouest

*C*es gâteaux, qui aguichent malicieusement notre convoitise, mettent à l'épreuve notre patience. Eh oui! Il est préférable de les laisser maturer tout un mois pour qu'ils puissent développer leur pleine saveur.

Gâteau québécois à l'érable

Portions:	12
Préparation:	45 minutes
Cuisson:	30 minutes
Degré de difficulté:	faible

Énergie: 469 cal	Protéines:	6 g
Lipides: 16 g	Cholestérol:	44 mg
Glucides: 76 g	Fibres:	0,8 g

750 ml (3 tasses) de farine

15 ml (1 c. à soupe) de poudre à pâte

250 ml (1 tasse) de beurre

250 ml (1 tasse) de sucre d'érable râpé

250 ml (1 tasse) de sucre

250 ml (1 tasse) de lait

5 ml (1 c. à thé) d'essence d'érable

6 blancs d'œufs

2 ml (½ c. à thé) de sel

Glace au sirop d'érable (p. 434)

Préchauffer le four à 180 °C (350 °F).

Mélanger la farine et la poudre à pâte. Réserver.

Dans un bol, défaire le beurre en crème.

Incorporer le sucre d'érable et le sucre. Tout en battant, ajouter la farine et le lait, en alternance. Incorporer l'essence d'érable.

Dans un autre bol, monter les blancs d'œufs en neige avec le sel. Incorporer à la préparation précédente, en pliant délicatement à l'aide d'une spatule de caoutchouc.

Répartir la préparation dans trois moules à gâteau de 23 cm (9 po) de diamètre, beurrés.

Cuire les gâteaux 30 minutes ou jusqu'à ce qu'un cure-dent en ressorte sec.

Démouler les gâteaux. En tartiner le dessus de glace au sirop d'érable et les superposer.

Étendre la glace au sirop d'érable restante sur le pourtour du gâteau. Décorer, au goût.

Ange-Marie Harvey,
St-Sulpice

Il est permis de remplacer le sucre d'érable râpé par de la cassonade, bien que la saveur typique du gâteau s'en trouverait atténuée.

*S*e sucrer le bec! Cette seule perspective ravive la sève,
secoue l'hiver de ses brumes, précipite le retour du
printemps et donne lieu à de joyeuses boustifailles.

Gâteau aux trois fruits

Portions :	10
Préparation :	20 minutes
Cuisson :	1 heure
Degré de difficulté :	faible

Énergie : 295 cal	Protéines :		4 g
Lipides :	13 g	Cholestérol :	74 mg
Glucides :	43 g	Fibres :	2,4 g

1   orange, pelée

1   banane

250 ml (1 tasse) de raisins frais
    sans pépins

500 ml (2 tasses) de farine
    à pâtisserie tamisée

1   pincée de sel

5   ml (1 c. à thé)
    de bicarbonate de soude

125 ml (½ tasse) de lait

140 ml (½ tasse + 1 c. à soupe)
    de beurre ou de graisse végétale

250 ml (1 tasse) de sucre

2   œufs

2   ml (½ c. à thé) de vanille

Préchauffer le four à 180 °C (350 °F).

Hacher l'orange, la banane et les raisins. Fariner légèrement. Réserver.

Tamiser la farine avec le sel et 3 ml (¾ c. à thé) de bicarbonate de soude. Réserver.

Mélanger le lait et le bicarbonate de soude qui reste. Réserver.

Dans un bol, défaire le beurre en crème. Tout en battant, incorporer graduellement le sucre, puis les œufs. Ajouter le cinquième de la farine, ainsi que tous les fruits. Bien mélanger. Tout en battant, incorporer graduellement la farine restante et le lait, en alternance. Ajouter la vanille.

Verser la préparation dans un moule à gâteau de 23 cm (9 po) de diamètre, beurré et fariné.

Cuire le gâteau environ 1 heure, ou jusqu'à ce qu'un cure-dent en ressorte sec.

Cécile Gagné,
Ste-Apolline

*E*n moule rond ou carré, taillé en cubes ou en pointe, ce gâteau produira immanquablement l'effet escompté : étonner par son trio de fruits frais.

Gâteau chiffon à l'érable

Portions :	12
Préparation :	45 minutes
Cuisson :	1 heure 10 minutes
Degré de difficulté :	moyen

Énergie : 223 cal	Protéines :		4 g
Lipides :	6 g	Cholestérol :	53 mg
Glucides :	39 g	Fibres :	0,3 g

250 ml (1 tasse) de farine

7   ml (1 ½ c. à thé)
    de poudre à pâte

180 ml (¾ tasse) de sucre

2   ml (½ c. à thé) de sel

60 ml (¼ tasse) d'huile

3   jaunes d'œufs

90 ml (6 c. à soupe) d'eau froide

5   ml (1 c. à thé) d'essence
    d'érable ou de rhum

    4 blancs d'œufs

1   ml (¼ c. à thé) de crème
    de tartre

250 ml (1 tasse) de sirop d'érable

2   blancs d'œufs

Préchauffer le four à 170 °C (325 °C).

Dans un bol, mélanger la farine, la poudre à pâte, le sucre et le sel. Faire un puits au centre des ingrédients secs et y verser l'huile. Ajouter les jaunes d'œufs, l'eau et l'essence. Battre jusqu'à consistance lisse.

Dans un autre bol, battre les blancs d'œufs avec la crème de tartre jusqu'à formation de pics fermes. Verser lentement la préparation précédente sur les blancs et mélanger en pliant délicatement à l'aide d'une spatule de caoutchouc.

Verser dans un moule en couronne beurré et fariné.

Cuire le gâteau 50 minutes ou jusqu'à ce qu'un cure-dent en ressorte sec. Laisser refroidir complètement.

Faire bouillir le sirop d'érable 20 minutes environ, jusqu'à ce que le thermomètre à bonbons indique 114 °C (240 °F), ou jusqu'à ce que le sirop d'érable forme une boule molle dans l'eau froide.

Dans un bol, monter les blancs d'œufs en neige. Tout en battant continuellement, ajouter le sirop en un mince filet. Continuer de battre jusqu'à ce que la préparation soit ferme et satinée.

Démouler le gâteau et le glacer.

Anonyme,
St-Nazaire

*P*our couronner royalement ce gâteau léger, un assortiment de fruits frais est tout indiqué.

6

Gâteau collation au chocolat

Portions :	10
Préparation :	20 minutes
Cuisson :	30 minutes
Degré de difficulté :	faible

Énergie : 397 cal	Protéines :	4 g
Lipides : 20 g	Cholestérol :	2 mg
Glucides : 54 g	Fibres :	2,1 g

250 ml (1 tasse) de farine

250 ml (1 tasse) de chapelure
de craquelins (type Ritz)
ou de biscuits

60 ml (¼ tasse) de cacao

250 ml (1 tasse) de sucre

5 ml (1 c. à thé)
de bicarbonate de soude

125 ml (½ tasse) d'huile

15 ml (1 c. à soupe) de vinaigre

5 ml (1 c. à thé) de vanille

250 ml (1 tasse) d'eau froide

125 ml (½ tasse)
de noix hachées (facultatif)

90 g (environ 3 oz) de grains
de chocolat

Caramel à tartiner, au goût

Préchauffer le four à 180 °C (350 °F).

Dans un bol, mélanger la farine, la chapelure, le cacao, le sucre et le bicarbonate de soude.

Dans un autre bol, mélanger l'huile, le vinaigre, la vanille et l'eau. Ajouter à la préparation précédente et mélanger jusqu'à consistance homogène. Incorporer les noix.

Verser la préparation dans un moule à gâteau de 23 cm (9 po) de diamètre, beurré.

Cuire le gâteau de 25 à 30 minutes, jusqu'à ce qu'un cure-dent en ressorte sec.

Sortir le gâteau du four et en parsemer aussitôt la surface de grains de chocolat. Une fois le chocolat fondu, tartiner de caramel, au goût.

Yolande Lebel,
Rouyn-Noranda

Le chocolat fondu se mêle au caramel, d'où l'ingéniosité de cette glace marbrée.

Gâteau croustillant

Portions :	10
Préparation :	20 minutes
Cuisson :	30 minutes
Degré de difficulté :	faible

Énergie : 240 cal	Protéines :	3 g
Lipides : 7 g	Cholestérol :	2 mg
Glucides : 41 g	Fibres :	0,7 g

500 ml (2 tasses) de farine

60 ml (¼ tasse)
de poudre à pâte

5 ml (1 c. à thé) de sel

250 ml (1 tasse) de sucre

75 ml (⅓ tasse)
de graisse végétale

125 ml (½ tasse) de lait, environ

Préchauffer le four à 190 °C (375 °F).

Mélanger la farine, la poudre à pâte, le sel et le sucre.

Ajouter la graisse et la couper dans la farine à l'aide d'un coupe-pâte ou de deux couteaux, jusqu'à consistance grumeleuse.

Tout en mélangeant à la spatule, ajouter le lait, peu à peu. (Si la pâte semble trop épaisse, ajouter du lait, au besoin.)

Pétrir la pâte jusqu'à consistance homogène.

Beurrer une plaque à pâtisserie.

Sur une surface farinée, étendre la pâte en un rectangle de mêmes dimensions que la plaque et l'y déposer.

Cuire le gâteau de 25 à 30 minutes, jusqu'à ce qu'il soit doré.

Alice Côté,
Cléricy

Si désiré, tailler des marguerites dans les retailles de pâte et en garnir le gâteau.

Gâteau de Savoie à la mélasse

Portions :	10
Préparation :	30 minutes
Cuisson :	45 minutes
Degré de difficulté :	faible

Énergie : 160 cal	Protéines :	4 g
Lipides : 3 g	Cholestérol : 108 mg	
Glucides : 30 g	Fibres :	0,3 g

5   jaunes d'œufs

125 ml (½ tasse) de sucre

125 ml (½ tasse) de mélasse

15   ml (1 c. à soupe)
     de zeste d'orange râpé

7   ml (1 ½ c. à thé) de zeste
     de citron râpé

10   ml (2 c. à thé) de jus de citron

250 ml (1 tasse) de farine
     à pâtisserie tamisée

2   ml (½ c. à thé) de sel

5   blancs d'œufs

Préchauffer le four à 170 °C (325 °F).

Dans un bol, fouetter les jaunes d'œufs jusqu'à ce qu'ils soient épais et pâles.

Ajouter graduellement le sucre et la mélasse, en fouettant après chaque addition.

Incorporer les zestes d'orange et de citron, ainsi que le jus de citron.

Ajouter alternativement la farine et le sel, en trois étapes successives. Bien fouetter entre chaque addition.

Dans un autre bol, monter les blancs d'œufs en neige ferme.

Incorporer à la préparation précédente en pliant délicatement à l'aide d'une spatule de caoutchouc. Verser dans un moule en couronne non beurré.

Cuire le gâteau environ 45 minutes, ou jusqu'à ce qu'il reprenne sa forme suite à une légère pression du doigt.

J. Auger,
La Durantaye

Le gâteau de Savoie est couramment désigné, à cause de sa texture, par le terme de « gâteau-éponge », calqué de l'anglais « sponge cake ».

Gâteau marbré au fromage

Portions :	12
Préparation :	40 minutes
Cuisson :	50 minutes
Degré de difficulté :	moyen

Énergie : 371 cal	Protéines :	7 g
Lipides : 28 g	Cholestérol : 123 mg	
Glucides : 25 g	Fibres :	0,6 g

250 ml (1 tasse) de chapelure
     de biscuits

45   ml (3 c. à soupe) de sucre

45   ml (3 c. à soupe)
     de margarine fondue

3   paquets de 250 g (½ lb)
     de fromage à la crème,
     ramolli

180 ml (¾ tasse) de sucre

5   ml (1 c. à thé) de vanille

3   œufs

30   g (1 oz) de chocolat amer,
     fondu

Préchauffer le four à 180 °C (350 °F).

Dans un bol, mélanger la chapelure, le sucre et la margarine.

Presser dans un moule à fond amovible de 23 cm (9 po) de diamètre. Cuire 10 minutes et laisser refroidir.

Hausser la température du four à 230 °C (450 °F).

Fouetter le fromage à la crème, le sucre et la vanille au batteur électrique, à vitesse moyenne. Ajouter les œufs, un à la fois, en battant bien après chaque addition.

Verser 250 ml (1 tasse) de cette préparation dans un autre bol. Y incorporer le chocolat fondu.

Déposer dans le moule, par cuillerées, la préparation nature et la préparation chocolatée, en alternance. Pour marbrer le gâteau, le zébrer à l'aide d'un couteau.

Cuire 10 minutes. Réduire la température du four à 130 °C (250 °F) et poursuivre la cuisson 30 minutes. Retirer du four et glisser la lame fine d'un couteau sur le pourtour du moule.

Laisser refroidir complètement avant de démouler. Conserver au réfrigérateur.

Gertrude Turcotte,
Ste-Rose-de-Watford

Pour donner à ce dessert une allure pimpante, le décorer tout simplement d'une fleur du jardin.

Gâteau doré aux fruits

Portions :	20
Préparation :	1 heure 30 minutes
Cuisson :	3 heures
Macération :	8 heures
Repos :	12 heures
Degré de difficulté :	moyen

Énergie : 451 cal	Protéines :	7 g
Lipides : 19 g	Cholestérol :	90 mg
Glucides : 66 g	Fibres :	2,7 g

500 ml (2 tasses) de cerises confites

250 ml (1 tasse) d'ananas confits

375 ml (1 ½ tasse) de raisins de Smyrne ou de Corinthe

250 ml (1 tasse) de raisins secs dorés

75 ml (⅓ tasse) de rhum, amaretto ou autre alcool

375 ml (1 ½ tasse) de noix de Grenoble

125 ml (½ tasse) d'amandes mondées

635 ml (2 ½ tasses + 2 c. à thé) de farine

5 ml (1 c. à thé) de poudre à pâte

5 ml (1 c. à thé) de sel

2 ml (½ c. à thé) de muscade

2 ml (½ c. à thé) de piment de la Jamaïque

2 ml (½ c. à thé) de clou de girofle moulu

2 ml (½ c. à thé) de gingembre moulu

250 ml (1 tasse) de beurre ou de margarine

180 ml (¾ tasse) de sucre

125 ml (½ tasse) de cassonade pâle

6 œufs, à température ambiante

5 ml (1 c. à thé) de vanille

Rhum, amaretto ou autre liqueur, au goût

Hacher les cerises et les ananas, puis les mettre dans un bol avec les raisins. Arroser de rhum. Couvrir d'une pellicule de plastique et laisser macérer de 2 à 8 heures.

Préchauffer le four à 150 °C (275 °F).

Placer un plat d'eau chaude sur la grille inférieure pour assurer un certain degré d'humidité pendant la cuisson.

Beurrer deux moules à pain de 20 cm x 11 cm (8 po x 4 ½ po), les chemiser de papier ciré et beurré. Réserver.

Hacher les noix et les amandes, puis les ajouter aux fruits réservés.

Saupoudrer de 75 ml (⅓ tasse) de farine et mélanger. Réserver.

Mélanger la farine restante, la poudre à pâte, le sel, la muscade, le piment de la Jamaïque, le clou de girofle et le gingembre. Réserver.

Dans un grand bol, défaire le beurre en crème.

Incorporer le sucre et la cassonade.

Ajouter les œufs un à un, en mélangeant entre chaque addition.

Battre jusqu'à consistance homogène.

Incorporer la vanille.

Tout en mélangeant, ajouter graduellement la farine réservée.

Incorporer les fruits et les noix.

Verser la préparation dans les moules à pain préparés, puis en lisser le dessus à la spatule.

Placer les gâteaux au milieu du four et les faire cuire 3 heures, jusqu'à ce qu'un cure-dent en ressorte sec. (Retirer le plat d'eau du four 30 minutes avant la fin de la cuisson.)

Laisser tiédir les gâteaux 10 minutes, les démouler et en retirer le papier.

Couvrir les gâteaux d'un linge propre et les laisser reposer de 10 à 12 heures.

Humecter les gâteaux de rhum, au goût.

Les laisser sécher 2 ou 3 heures et les envelopper hermétiquement dans du papier d'aluminium.

Yvette McDuff,
Marieville

6

Q uand on veut à la fois régaler ses amis et vanter, mine de rien, ses talents culinaires, Noël est l'occasion rêvée. Congelés ou remisés dans un endroit frais et sec, quelques gâteaux aux fruits feraient bien des heureux, le jour «J», sur le coup de minuit.

Gâteau étagé aux pommes

Portions:	16
Préparation:	30 minutes
Cuisson:	35 minutes
Degré de difficulté:	faible

Énergie: 462 cal	Protéines:	5 g
Lipides: 23 g	Cholestérol:	42 mg
Glucides: 60 g	Fibres:	1,6 g

250 ml (1 tasse) d'huile

375 ml (1 ½ tasse) de sucre

2 œufs

30 ml (2 c. à soupe) de vanille

Jus de ½ citron

680 ml (2 ¾ tasses) de farine

2 ml (½ c. à thé) de sel

7 ml (1 ½ c. à thé) de bicarbonate de soude

750 ml (3 tasses) de pommes pelées et coupées en cubes

180 ml (¾ tasse) de noix hachées

Zeste de 1 citron

60 ml (¼ tasse) de farine

125 ml (½ tasse) de raisins secs (facultatif)

Glace au fromage à la crème (p. 434)

15 ml (1 c. à soupe) de sucre glace

Préchauffer le four à 180 °C (350 °F).

Dans un bol, fouetter l'huile, le sucre, les œufs, la vanille et le jus de citron au batteur électrique. Réserver.

Dans un second bol, mélanger la farine, le sel et le bicarbonate de soude. Réserver.

Déposer les pommes, les noix et le zeste de citron dans un troisième bol.

Ajouter 60 ml (¼ tasse) de farine et mélanger délicatement à la fourchette. Si désiré, ajouter des raisins secs.

Incorporer au contenu du premier bol, avec la farine réservée, en alternance.

Verser dans trois moules de 23 cm (9 po) de diamètre, beurrés et farinés.

Cuire les gâteaux 35 minutes ou jusqu'à ce qu'un cure-dent en ressorte sec.

Laisser refroidir et démouler sur une grille.

Tartiner le dessus des gâteaux de glace au fromage à la crème, puis les superposer.

Saupoudrer légèrement de sucre glace, ou décorer au goût.

Rita Vigneault,
Îles-de-la-Madeleine

L a pomme doit à sa remarquable polyvalence et à ses qualité de conservation son omniprésence en cuisine. En toute saison, elle demeure le fruit le plus croqué qui soit, et le plus cuisiné, de l'entrée au dessert.

Gâteau doré étagé

Portions :	12
Préparation :	30 minutes
Cuisson :	40 minutes
Degré de difficulté :	faible

Énergie : 581 cal	Protéines :	5 g
Lipides :	21 g	Cholestérol :	58 mg
Glucides :	94 g	Fibres :	0,7 g

625 ml (2 ½ tasses) de farine

15 ml (1 c. à soupe)
de poudre à pâte

5 ml (1 c. à thé) de sel

150 ml (⅔ tasse)
de graisse végétale

400 ml (1 ⅔ tasse) de sucre

3 œufs

5 ml (1 c. à thé) de vanille

325 ml (1 ⅓ tasse) de lait

Glace au sirop d'érable (p. 434)

Copeaux de sucre d'érable,
pour décorer

Préchauffer le four à 180 °C (350 °F).

Dans un bol, mélanger la farine, la poudre à pâte et le sel. Réserver.

Dans un autre bol, ramollir la graisse au batteur électrique. Incorporer graduellement le sucre et les œufs. Continuer de battre environ 2 minutes. Ajouter la vanille. Incorporer la farine réservée et le lait, en alternance, en mélangeant bien entre chaque addition (commencer et terminer par la farine).

Verser la pâte dans deux moules à gâteau de 20 cm (8 po) de côté, chemisés de papier ciré beurré et fariné.

Cuire les gâteaux environ 40 minutes, jusqu'à ce qu'un cure-dent en ressorte sec. Laisser tiédir et démouler sur une grille.

Tartiner de glace au sirop d'érable le dessus des gâteaux, puis les superposer. Glacer tout le pourtour du gâteau étagé. Garnir de copeaux de sucre d'érable.

Gisèle Bolduc,
St-Georges-Ouest

On peut constater qu'un gâteau est cuit quand un cure-dent en ressort sec, mais aussi quand il reprend sa forme suite à une légère pression du doigt.

Gâteau étagé au sirop

Portions :	12
Préparation :	1 heure
Cuisson :	15 minutes
Degré de difficulté :	moyen

Énergie : 404 cal	Protéines :	5 g
Lipides :	10 g	Cholestérol :	3 mg
Glucides :	75 g	Fibres :	1,1 g

375 ml (1 ½ tasse) d'eau

375 ml (1 ½ tasse) de cassonade

45 ml (3 c. à soupe) de fécule
de maïs

125 ml (½ tasse)
de graisse végétale

500 ml (2 tasses) de cassonade

250 ml (1 tasse) de lait

10 ml (2 c. à thé)
de bicarbonate de soude

930 ml (3 ¾ tasses) de farine

Préchauffer le four à 200 °C (400 °F).

Amener l'eau à ébullition avec la cassonade. Aux premiers bouillons, diluer la fécule de maïs dans 45 ml (3 c. à soupe) d'eau et l'ajouter au sirop.

Laisser mijoter 2 minutes environ, jusqu'à épaississement.

Retirer du feu et laisser refroidir complètement à température ambiante.

Beurrer et fariner cinq plats à tarte en aluminium de 20 cm (8 po) de diamètre. Réserver.

Dans un bol, battre la graisse avec la cassonade. Ajouter un peu de lait. Dissoudre le bicarbonate de soude dans le reste du lait.

Incorporer graduellement à la préparation, ainsi que la farine, en alternance. Mélanger jusqu'à consistance homogène.

Diviser la pâte en 14 boules d'égale grosseur.

Abaisser chaque boule en une galette de même diamètre que le fond des plats à tarte. En foncer les plats.

Faire cuire les galettes 5 minutes en procédant en trois fournées, et en ayant soin de démouler à la sortie du four.

À l'aide d'un pinceau à pâtisserie, badigeonner sept galettes de sirop et les superposer dans une assiette de service.

Procéder de la même façon avec les galettes et le sirop restants, pour former deux gâteaux étagés.

Gisèle F. Gagnon,
St-Pierre

Cinq plats à tarte pourront suffire, pour peu qu'on ait soin de les graisser et de les fariner avant chaque fournée.

Gâteaux

6

Gâteau marbré de grand-mère

Portions :		14
Préparation :		30 minutes
Cuisson :		50 minutes
Degré de difficulté :		faible

Énergie : 425 cal	Protéines :	6 g
Lipides : 18 g	Cholestérol :	35 mg
Glucides : 61 g	Fibres :	1,7 g

500 ml (2 tasses) de farine

10 ml (2 c. à thé)
de poudre à pâte

2 ml (½ c. à thé) de sel

2 blancs d'œufs

125 ml (½ tasse)
de graisse végétale

250 ml (1 tasse) de sucre

250 ml (1 tasse) de lait

5 ml (1 c. à thé) de vanille

500 ml (2 tasses) de farine

2 ml (½ c. à thé) de sel

2 ml (½ c. à thé) de clou
de girofle

5 ml (1 c. à thé) de cannelle

60 ml (¼ tasse) de cacao

250 ml (1 tasse) de lait

5 ml (1 c. à thé)
de bicarbonate de soude

125 ml (½ tasse)
de graisse végétale

250 ml (1 tasse) de mélasse

2 jaunes d'œufs

Préchauffer le four à 180 °C (350 °F).

Mélanger la farine, la poudre à pâte et le sel. Réserver.

Dans un bol, monter les blancs d'œufs en neige. Réserver.

Dans un autre bol, défaire la graisse en crème avec le sucre.

Incorporer graduellement le lait et la farine réservée, en alternance.

Incorporer les œufs en neige, en pliant délicatement à l'aide d'une spatule de caoutchouc.

Ajouter la vanille. Réserver.

Mélanger la farine, le sel, le clou de girofle, la cannelle et le cacao. Réserver.

Dans un bol, mélanger le lait et le bicarbonate de soude. Réserver.

Dans un autre bol, défaire la graisse en crème.

Ajouter la mélasse et les jaunes d'œufs.

Bien mélanger.

Incorporer graduellement la farine réservée et le lait, en alternance.

Graisser un moule de 33 cm x 23 cm x 5 cm (13 po x 9 po x 2 ½ po).

Y déposer alternativement, par cuillerées, les pâtes à la vanille et au chocolat.

Pour marbrer le gâteau, promener la lame d'un couteau en zigzag, d'un bout à l'autre du moule.

Cuire le gâteau environ 50 minutes, jusqu'à ce qu'un cure-dent en ressorte sec.

Thérèse Arseneau,
Carleton

Au lieu d'utiliser un moule rectangulaire, on peut opter pour un plat à quiche, tel qu'illustré. Cependant, on veillera à prolonger de quelques minutes à peine le temps de cuisson pour compenser l'épaisseur accrue de la pâte, le cas échéant.

Gâteau glacé au fromage et aux pêches

Portions :	12
Préparation :	30 minutes
Cuisson :	–
Congélation :	8 heures
Degré de difficulté :	faible

Énergie : 302 cal	Protéines :		10 g
Lipides : 12 g	Cholestérol :		18 mg
Glucides : 40 g	Fibres :		0,9 g

75   ml (⅓ tasse) de beurre fondu

310   ml (1 ¼ tasse) de chapelure
       de biscuits

60   ml (¼ tasse) de sucre

750   ml (3 tasses) de pêches pelées
       et tranchées

500   g (1 lb) de cottage crémeux

1   boîte de 300 ml (10 oz)
    de lait concentré

30   ml (2 c. à soupe)
     de jus de citron

30   ml (2 c. à soupe) d'extrait
     d'amande

1   boîte de 500 ml (2 tasses)
    de garniture à fouetter

Dans un bol, mélanger le beurre, la chapelure et le sucre.

Presser cette préparation dans un moule de 30 cm (12 po) de diamètre, à fond amovible. Réserver.

Réduire les pêches en purée au mélangeur. Réserver.

Dans un bol, battre le cottage au batteur électrique jusqu'à consistance crémeuse.

Tout en battant, ajouter graduellement le lait concentré, le jus de citron, l'extrait d'amande et la purée de pêches réservée.

Battre la garniture à fouetter dans un autre bol et l'incorporer délicatement à la préparation, en pliant à l'aide d'une spatule de caoutchouc.

Verser dans le moule et congeler 8 heures.

Déposer au réfrigérateur 15 minutes avant de servir et décorer de tranches de pêche ou de kiwi.

Laurette Charron,
Isle-Verte

On peut remplacer les pêches fraîches par une boîte de 796 ml (28 oz) de demi-pêches en conserve, égouttées.

Gâteau héritage

Portions :	14
Préparation :	30 minutes
Cuisson :	35 minutes
Degré de difficulté :	moyen

Énergie : 385 cal	Protéines :		6 g
Lipides : 24 g	Cholestérol :		139 mg
Glucides : 40 g	Fibres :		1,1 g

6   blancs d'œufs

250   ml (1 tasse) de sucre

6   jaunes d'œufs

30   ml (2 c. à soupe) d'huile

75   ml (⅓ tasse) de farine

5   ml (1 c. à thé)
    de poudre à pâte

5   ml (1 c. à thé) de cannelle

250   ml (1 tasse) de chapelure
       de biscuits

250   ml (1 tasse) de noix hachées

30   g (1 oz) de chocolat
     mi-sucré, râpé

5   ml (1 c. à thé) de vanille

500   ml (2 tasses) de crème 35 %

100   ml (⅓ tasse + 5 c. à thé)
       de sucre

15   ml (1 c. à soupe) de vanille

1   boîte de 540 g (19 oz)
    de garniture pour tarte
    aux cerises

Cerises, pour décorer

Préchauffer le four à 180 °C (350 °F).

Dans un bol, monter les blancs d'œufs en neige très ferme, tout en incorporant graduellement 125 ml (½ tasse) de sucre. Réserver.

Dans un autre bol, fouetter les jaunes d'œufs et l'huile au batteur électrique, à vitesse réduite. Ajouter le sucre restant, la farine, la poudre à pâte et la cannelle. Battre encore 1 minute.

Incorporer à la préparation précédente en pliant délicatement à l'aide d'une spatule de caoutchouc. Ajouter la chapelure, les noix, le chocolat et la vanille. Mélanger délicatement.

Verser la préparation dans deux moules à gâteau de 23 cm (9 po) de diamètre, chemisés de papier ciré.

Cuire les gâteaux 35 minutes, jusqu'à ce qu'un cure-dent en ressorte sec. Laisser refroidir complètement.

Dans un bol, fouetter la crème avec le sucre et la vanille, jusqu'à formation de pics fermes.

Démouler les gâteaux et les trancher en deux, sur l'épaisseur, de façon à obtenir quatre disques.

Étendre sur chaque disque le quart de la garniture aux cerises, puis le quart de la crème fouettée. Superposer les disques en pressant légèrement pour que la garniture déborde sur les pourtours. Garnir de cerises.

Louise Hardy,
St-Basile

Pour un gâteau à faible teneur en calories, utiliser de la garniture à fouetter plutôt que de la crème 35 %.

6

Gâteau froid au chocolat

Portions:	10
Préparation:	15 minutes
Cuisson:	–
Refroidissement:	8 heures
Degré de difficulté:	faible

Énergie: 314 cal	Protéines:		4 g
Lipides: 21 g	Cholestérol:	53 mg	
Glucides: 31 g	Fibres:		1,4 g

375 ml (1 ½ tasse) de crème 35 %

180 ml (¾ tasse) de sirop
au chocolat

5 ml (1 c. à thé) de vanille

27 biscuits Graham (environ)

Grains ou copeaux
de chocolat, pour décorer

Fouetter la crème 35 % en incorporant graduellement le sirop au chocolat et la vanille.

Dans un moule beurré de 20 cm (8 po) de côté, étager des rangs de crème et de biscuits en alternance, en terminant par la crème.

Décorer de grains ou de copeaux de chocolat.

Réfrigérer au moins 8 heures.

Annette Lemieux,
Mont-Louis

Pour décorer, on peut faire fondre 30 g (1 oz) du chocolat mi-sucré avec un peu de beurre, puis se servir d'une fourchette pour en garnir le gâteau.

Gâteau santé aux céréales

Portions:	10
Préparation:	15 minutes
Cuisson:	45 minutes
Degré de difficulté:	faible

Énergie: 221 cal	Protéines:		7 g
Lipides: 2 g	Cholestérol:	22 mg	
Glucides: 49 g	Fibres:		6,5 g

250 ml (1 tasse) de raisins secs

125 ml (½ tasse) d'eau
bouillante

1 œuf

250 ml (1 tasse) de cassonade,
ou moins

250 ml (1 tasse) de babeurre

250 ml (1 tasse) de farine
de blé entier

250 ml (1 tasse) de flocons
d'avoine

250 ml (1 tasse) de céréales
de son

60 ml (¼ tasse) de germe
de blé

7 ml (1 ½ c. à thé) de
bicarbonate de soude

2 ml (½ c. à thé) de sel

Préchauffer le four à 180 °C (350 °F).

Mélanger les raisins et l'eau bouillante dans un bol. Laisser refroidir complètement.

Ajouter l'œuf, la cassonade et le babeurre. Bien mélanger.

Dans un autre bol, mélanger la farine, les flocons d'avoine, les céréales de son, le germe de blé, le bicarbonate de soude et le sel. Ajouter la préparation précédente et mélanger jusqu'à consistance homogène.

Verser la préparation dans un moule à pain de 23 cm x 13 cm (9 po x 5 po), légèrement beurré.

Cuire le gâteau environ 45 minutes, jusqu'à ce qu'un cure-dent en ressorte sec. Laisser refroidir complètement avant de démouler.

Jeannette Allie,
Grantham

Parce que ce gâteau nutritif se suffit à lui-même, il est contre-indiqué de l'inonder d'une épaisse glace sucrée.

Gâteau aux bananes et aux abricots

Portions :	8
Préparation :	20 minutes
Cuisson :	55 minutes
Degré de difficulté :	faible

Énergie : 238 cal	Protéines :	5 g
Lipides : 11 g	Cholestérol :	36 mg
Glucides : 32 g	Fibres :	3,2 g

500 ml (2 tasses) de farine
de blé entier

15 ml (1 c. à soupe)
de poudre à pâte

150 ml (²/₃ tasse) de lait
en poudre écrémé

125 ml (½ tasse) de cassonade
(légèrement tassée)

75 ml (¹/₃ tasse) de germe de blé

75 ml (¹/₃ tasse) de son de blé

2 ml (½ c. à thé)
de bicarbonate de soude

1 ml (¼ c. à thé) de sel

125 ml (½ tasse) d'arachides
finement moulues
(non salées)

60 ml (¼ tasse) de noix ou
d'amandes finement moulues

125 ml (½ tasse) de raisins secs
hachés

3 œufs

250 ml (1 tasse) de jus d'orange

125 ml (½ tasse) de mélasse

125 ml (½ tasse) d'huile végétale

125 ml (½ tasse) d'abricots secs
hachés

2 bananes en purée (facultatif)

Préchauffer le four à 170 °C (325 °F).

Dans un grand bol, mélanger la farine, la poudre à pâte, le lait en poudre, la cassonade, le germe de blé, le son, le bicarbonate de soude et le sel. Incorporer les arachides, les noix et les raisins.

Dans un autre bol, battre les œufs jusqu'à ce qu'ils soient mousseux. Tout en battant, ajouter le jus d'orange, la mélasse et l'huile végétale. Incorporer les abricots et, si désiré, les bananes en purée. Verser sur la préparation précédente et bien mélanger.

Verser la pâte dans deux moules à pain de 20 cm x 10 cm (8 po x 4 po), généreusement beurrés et légèrement farinés.

Cuire les gâteaux environ 55 minutes, jusqu'à ce qu'un cure-dent en ressorte sec. Laisser tiédir 20 minutes. Démouler et laisser refroidir complètement sur une grille. Envelopper dans du papier d'aluminium et laisser reposer 8 heures avant de déguster.

Rita Sylvain,
Thetford-Mines

*P*arce qu'il regroupe des aliments des quatre groupes essentiels, ce gâteau est une véritable «mine d'or» pour la santé.

Gâteau Reine-Élisabeth

Portions :	10
Préparation :	20 minutes
Cuisson :	18 minutes
Degré de difficulté :	faible

Énergie : 348 cal	Protéines :	4 g
Lipides : 13 g	Cholestérol :	47 mg
Glucides : 57 g	Fibres :	2,6 g

CUISSON AU MICRO-ONDES

375 ml (1 ½ tasse) de farine

5 ml (1 c. à thé)
de bicarbonate de soude

5 ml (1 c. à thé)
de poudre à pâte

1 pincée de sel

250 ml (1 tasse) de dattes hachées

250 ml (1 tasse) d'eau

60 ml (¼ tasse) de beurre

250 ml (1 tasse) de sucre

1 œuf, battu

5 ml (1 c. à thé) de vanille

125 ml (½ tasse) de cassonade

125 ml (½ tasse) de noix
de coco râpée

30 ml (2 c. à soupe) de lait

60 ml (¼ tasse) de beurre

Mélanger la farine, le bicarbonate de soude, la poudre à pâte et le sel. Réserver.

Mettre les dattes dans un plat de cuisson et y verser l'eau. Couvrir et faire cuire 2 minutes au micro-ondes, à puissance maximale. Laisser reposer 10 minutes.

Pendant ce temps, défaire le beurre en crème. Incorporer le sucre, l'œuf battu, la vanille et la farine réservée.

Ajouter la préparation de dattes et mélanger jusqu'à consistance homogène.

Placer un papier absorbant au fond d'un moule à gâteau de 23 cm (9 po) de diamètre (ou de contenance similaire), conçu pour four à micro-ondes.

Y verser la préparation. Cuire 14 minutes à puissance moyenne-élevée, sans couvrir, en ayant soin de tourner le gâteau à mi-cuisson. Laisser reposer 10 minutes.

Mélanger la cassonade, la noix de coco, le lait et le beurre.

Faire cuire environ 2 minutes à puissance maximale, sans couvrir, en brassant à mi-cuisson.

Glacer le gâteau. Décorer au goût.

Hélène D. Gingras,
Bourg-Royal

*U*n papier absorbant, placé au fond du moule à gâteau, absorbera l'excédent d'humidité pendant la cuisson au micro-ondes.

Gâteau renversé au sirop d'érable et aux pommes

Portions :	10
Préparation :	30 minutes
Cuisson :	50 minutes
Degré de difficulté :	faible

Énergie : 415 cal	Protéines :	4 g
Lipides : 21 g	Cholestérol :	62 mg
Glucides : 55 g	Fibres :	1,1 g

250	ml (1 tasse) de sirop d'érable
180	ml (¾ tasse) de beurre
1	pincée de sel
375	ml (1 ½ tasse) de farine
12	ml (2 ½ c. à thé) de poudre à pâte
1	pincée de sel
60	ml (¼ tasse) de graisse ou de margarine
150	ml (⅔ tasse) de sucre
1	œuf
180	ml (¾ tasse) de lait
2	ml (½ c. à thé) de vanille
500	ml (2 tasses) de pommes pelées et tranchées

Préchauffer le four à 180 °C (350 °F).

Verser le sirop d'érable dans une casserole. Ajouter le beurre et le sel. Laisser bouillir de 5 à 8 minutes.

Pendant ce temps, mélanger la farine, la poudre à pâte et le sel. Réserver.

Dans un bol, battre la graisse avec le sucre.

Ajouter l'œuf et continuer de battre quelques minutes.

Incorporer le lait et la farine réservée, en alternance.

Ajouter la vanille.

Verser le sirop dans un moule à gâteau de 23 cm (9 po) de diamètre, beurré.

Disposer les tranches de pommes au fond du moule, puis y verser la pâte.

Cuire 50 minutes.

Laisser reposer 15 minutes avant de démouler.

Micheline Massé,
St-Bruno

*A*lliant saveur et vitamines, les fruits du verger sont les meilleurs complices des desserts à la fois nutritifs et gourmands.

Gâteau aux fruits et à la noix de coco

Portions :	12
Préparation :	1 heure 30 minutes
Cuisson :	50 minutes
Degré de difficulté :	moyen

Énergie : 398 cal	Protéines :	4 g
Lipides : 19 g	Cholestérol :	1 mg
Glucides : 55 g	Fibres :	2,9 g

1	boîte de 540 ml (19 oz) de garniture pour tarte, au choix
1	boîte de 540 ml (19 oz) d'ananas broyés
1	boîte de 515 g (18 oz) de préparation pour gâteau blanc ou doré
500	ml (2 tasses) de noix de coco râpée
180	ml (¾ tasse) de pacanes en morceaux (facultatif)
60	ml (¼ tasse) de beurre fondu

Préchauffer le four à 180 °C (350 °F).

Verser la garniture pour tarte dans un moule en pyrex de 33 cm x 23 cm (13 po x 9 po), vaporisé d'huile en aérosol.

Verser les ananas et leur jus sur la garniture.

Préparer la pâte à gâteau selon les indications données sur l'emballage.

Sans mélanger, l'étendre sur le tout.

Saupoudrer de noix de coco râpée.

Garnir de pacanes, si désiré.

Arroser de beurre fondu.

Cuire environ 50 minutes.

Gisèle Fontaine,
St-Guillaume

L'huile en vaporisateur, utilisée à la place du beurre pour graisser les plats, contribue à réduire la teneur calorique des mets.

Gâteau roulé à la crème glacée

Portions :	8
Préparation :	30 minutes
Cuisson :	15 minutes
Degré de difficulté :	moyen

Énergie : 280 cal	Protéines :		6 g
Lipides :	6 g	Cholestérol :	122 mg
Glucides :	50 g	Fibres :	1,8 g

250 ml (1 tasse)
de farine à pâtisserie

5 ml (1 c. à thé)
de poudre à pâte

1 ml (¼ c. à thé) de sel

4 blancs d'œufs

250 ml (1 tasse) de sucre

4 jaunes d'œufs

30 ml (2 c. à soupe)
de jus de citron

Sucre glace, pour saupoudrer

500 ml (2 tasses) de crème glacée
légèrement ramollie, au choix

500 ml (2 tasses) de framboises,
fraîches ou dégelées

75 ml (⅓ tasse) de sucre glace

15 ml (1 c. à soupe) de kirsch

Préchauffer le four à 180 °C (350 °F).

Tamiser la farine avec la poudre à pâte et le sel. Réserver.

Dans un bol, monter les blancs d'œufs en neige. Ajouter la moitié du sucre et battre jusqu'à formation de pics fermes.

Dans un autre bol, fouetter les jaunes d'œufs jusqu'à ce qu'ils soient mousseux. Incorporer le sucre restant et battre jusqu'à ce que la préparation pâlisse et épaississe. Ajouter le jus de citron. Incorporer la préparation précédente en pliant à l'aide d'une spatule de caoutchouc. Ajouter la farine réservée en mélangeant délicatement.

Verser la pâte dans une plaque à pâtisserie chemisée de papier ciré beurré. Cuire le gâteau 15 minutes ou jusqu'à ce qu'il soit doré. Renverser sur un linge propre saupoudré de sucre glace. Rouler et laisser complètement refroidir. Dérouler le gâteau et y étaler la crème glacée légèrement ramollie. Rouler de nouveau et envelopper dans du papier d'aluminium. Congeler.

Réduire les framboises en purée au mélangeur. Passer la purée au tamis pour la débarrasser de ses graines. Ajouter le sucre et le kirsch.

Pour servir, verser un peu de coulis dans les assiettes et y déposer une tranche de gâteau.

Huguette Lefebvre,
Oka

I *l n'est pas obligatoire de passer le coulis de framboises au tamis, bien que cette opération permette d'en éliminer facilement tous les petits grains.*

Gâteau roulé à la gelée de groseille

Portions :	8
Préparation :	45 minutes
Cuisson :	12 minutes
Degré de difficulté :	moyen

Énergie : 274 cal	Protéines :		4 g
Lipides :	2 g	Cholestérol :	81 mg
Glucides :	60 g	Fibres :	0,7 g

250 ml (1 tasse) de farine

5 ml (1 c. à thé)
de poudre à pâte

2 ml (½ c. à thé) de sel

3 jaunes d'œufs

180 ml (¾ tasse) de sucre

30 ml (2 c. à soupe) de lait
ou d'eau

3 blancs d'œufs

5 ml (1 c. à thé) de vanille
ou d'essence de citron

5 ml (1 c. à thé) d'anis

250 ml (1 tasse)
de gelée de groseille

Sucre, pour saupoudrer

Préchauffer le four à 190 °C (375 °F).

Graisser une plaque à pâtisserie de 38 cm x 25 cm (15 po x 10 po) et la chemiser de papier ciré beurré.

Tamiser la farine deux ou trois fois, avec la poudre à pâte et le sel. Réserver.

Dans un bol, battre les jaunes d'œufs et le sucre environ 10 minutes, jusqu'à ce que la préparation pâlisse et épaississe. Ajouter le lait, ainsi que la farine tamisée, et mélanger jusqu'à consistance homogène.

Dans un autre bol, monter les blancs d'œufs en neige. Incorporer à la préparation précédente en pliant délicatement à l'aide d'une spatule de caoutchouc. Ajouter la vanille et l'anis.

Verser la préparation dans la plaque. Cuire le gâteau 12 minutes ou jusqu'à ce qu'il soit doré. Renverser le gâteau sur un linge propre et retirer le papier ciré. (Si les contours du gâteau ont durci, les trancher au couteau.) Rouler le gâteau dans le linge, sur la longueur. Dérouler aussitôt et y étaler la gelée de groseille jusqu'à 1 cm (½ po) des bords. Rouler de nouveau et saupoudrer de sucre.

Lucille Paquette,
St-Charles-Borromée

P *our confectionner une bûche de Noël, trancher deux rondelles aux extrémités du rouleau, les déposer sur le gâteau et les y maintenir à l'aide de cure-dents.*

6

Gâteaux

Gâteau roulé aux fraises

Portions :	10
Préparation :	45 minutes
Cuisson :	15 minutes
Degré de difficulté :	moyen

Énergie : 327 cal	Protéines :	5 g
Lipides : 20 g	Cholestérol :	151 mg
Glucides : 33 g	Fibres :	1 g

250 ml (1 tasse) de farine

2 ml (½ c. à thé)
de poudre à pâte

1 ml (¼ c. à thé) de sel

4 œufs

250 ml (1 tasse) de sucre

75 ml (⅓ tasse) d'eau

5 ml (1 c. à thé) de vanille

500 ml (2 tasses) de crème 35 %

500 ml (2 tasses) de fraises
fraîches tranchées, au goût

Sucre glace, pour saupoudrer

Préchauffer le four à 180 °C (350 °F).

Beurrer une plaque à pâtisserie et la
chemiser de papier ciré beurré.

Mélanger la farine, la poudre à pâte
et le sel. Réserver.

Fouetter les œufs au batteur électrique, jusqu'à ce qu'ils soient
mousseux. Incorporer graduellement le sucre. Ajouter l'eau et la
vanille. Ajouter la farine et mélanger
à l'aide d'une cuillère de bois.

Verser la préparation sur la plaque à
pâtisserie. Cuire de 12 à 15 minutes
ou jusqu'à ce que le gâteau soit doré.

Renverser le gâteau sur un linge
propre et retirer le papier ciré. Rouler
le gâteau dans le linge, sur la
longueur. Le laisser complètement
refroidir sur une grille.

Dans un bol, fouetter la crème,
jusqu'à formation de pics fermes.

Ajouter les fraises tranchées.

Dérouler le gâteau. Y étaler la crème
fouettée aux fraises jusqu'à 1 cm
(½ po) des bords. Rouler de nouveau
le gâteau et le saupoudrer de sucre.

Aline C. Dupéré,
Jonquière

*Remplacer la crème fouettée aux fraises par de la
confiture de fraises ou de framboises, ou encore, par du
sucre à la crème mou.*

Gâteau aux carottes et aux fruits

Portions :	10
Préparation :	30 minutes
Cuisson :	30 minutes
Degré de difficulté :	faible

Énergie : 173 cal	Protéines :	2 g
Lipides : 9 g	Cholestérol :	0 mg
Glucides : 23 g	Fibres :	2,1 g

250 ml (1 tasse) de farine

7 ml (1 ½ c. à thé)
de bicarbonate de soude

2 ml (½ c. à thé) de cannelle

1 ml (¼ c. à thé) de sel

150 ml (⅔ tasse) de raisins,
dattes, pruneaux
ou abricots secs hachés

60 ml (¼ tasse) de noix hachées

60 ml (¼ tasse) de noix
de coco râpée

60 ml (¼ tasse) d'huile végétale

310 ml (1 ¼ tasse) de carottes
râpées finement

5 ml (1 c. à thé) de vanille

½ pomme, pelée et râpée

2 œufs ou 1 banane

Préchauffer le four à 200 °C (400 °F).

Mélanger la farine, le bicarbonate de
soude, la cannelle et le sel. Réserver.

Mettre les fruits séchés dans une
casserole et couvrir d'eau.

Cuire de 5 à 8 minutes, à feu moyen,
jusqu'à tendreté.

Réduire en purée au mélangeur.

Mélanger la purée, les noix, la noix
de coco, l'huile, les carottes, la
vanille, la pomme et les œufs.
Incorporer la farine réservée.

Verser dans un moule à pain d'une
capicité de 1,5 l (6 tasses).

Cuire de 20 à 25 minutes. Décorer,
au goût.

Yolande Cloutier-Labelle,
Châteauguay

*Pour limiter la teneur en sucre d'un gâteau, on peut
remplacer 250 ml (1 tasse) du sucre requis par 75 ml
(⅓ tasse) de purée de fruits secs.*

6

Gâteaux moka au pralin

Portions :	25 gâteaux
Préparation :	45 minutes
Cuisson :	30 minutes
Degré de difficulté :	moyen

Énergie : 187 cal	Protéines :		3 g
Lipides :	8 g	Cholestérol :	49 mg
Glucides :	27 g	Fibres :	1,1 g

150 ml (⅔ tasse) de farine

1 pincée de sel

4 jaunes d'œufs

150 ml (⅔ tasse) de sucre

10 ml (2 c. à thé) de jus de citron

2 ml (½ c. à thé) de zeste de citron râpé

10 ml (2 c. à thé) d'eau froide

4 blancs d'œufs, à température ambiante

Glace au beurre (p. 436)

Pralin (p. 435)

Préchauffer le four à 180 °C (350 °F).

Mélanger la farine et le sel. Réserver.

Dans un bol, battre les jaunes d'œufs jusqu'à ce qu'ils soient épais et pâles.

Ajouter graduellement le sucre, en battant bien après chaque addition.

Incorporer le jus, le zeste de citron et l'eau.

Ajouter la farine et mélanger jusqu'à consistance homogène.

Dans un autre bol, monter les blancs d'œufs en neige ferme.

Incorporer à la préparation précédente en pliant délicatement à l'aide d'une spatule de caoutchouc.

Étendre dans un moule de 20 cm (8 po) de côté, non beurré.

Cuire le gâteau de 25 à 30 minutes, jusqu'à ce qu'il reprenne sa forme suite à une légère pression du doigt.

Renverser sur une grille et laisser refroidir complètement.

Démouler, puis tailler en 25 carrés.

Crémer les côtés des gâteaux de glace au beurre et enrober de pralin.

Glacer le dessus des gâteaux à la douille.

Conserver au réfrigérateur.

Mélina Dubé,
St-François

L es sous-recettes de pralin et de glace au beurre suggérées peuvent également agrémenter un autre type de dessert. On peut, par exemple, utiliser la glace dans des biscuits sandwichs et saupoudrer de pralin les coupes glacées.

Tarte aux ananas de Jonquière

Portions :	8
Préparation :	25 minutes
Cuisson :	15 minutes
Degré de difficulté :	faible

Énergie : 369 cal	Protéines :	3 g
Lipides : 13 g	Cholestérol :	0 mg
Glucides : 63 g	Fibres :	0,9 g

375	ml (1 ½ tasse) de chapelure de biscuits
125	ml (½ tasse) de beurre fondu
75	ml (⅓ tasse) de sucre
1	boîte de 540 ml (19 oz) d'ananas
250	ml (1 tasse) de sucre
45	ml (3 c. à soupe) de fécule de maïs
1	ml (¼ c. à thé) de sel
2	blancs d'œufs

Préchauffer le four à 180 °C (350 °F).

Mélanger la chapelure, le beurre et le sucre. Presser contre le fond et les parois d'un plat à tarte. Cuire de 8 à 10 minutes. Laisser refroidir.

Égoutter les ananas en récupérant 250 ml (1 tasse) de leur sirop.

Hacher suffisamment d'ananas pour en obtenir 250 ml (1 tasse) et en réserver quelques morceaux pour la décoration.

Dans une casserole, mélanger le sucre, la fécule de maïs et le sel.

Incorporer le sirop et les ananas. Tout en mélangeant, cuire à feu doux quelques minutes, jusqu'à épaississement. Laisser refroidir.

Dans un bol, battre les blancs d'œufs jusqu'à formation de pics fermes.

Incorporer à la préparation précédente en pliant délicatement à l'aide d'une spatule de caoutchouc.

Verser dans la croûte refroidie et décorer de morceaux d'ananas.

Monique Marier,
Jonquière

*C*uite dans un plat à parois gondolées qui moule sa croûte en relief, la tarte aux ananas a beaucoup de panache.

Tarte aux fruits

Portions :	8
Préparation :	25 minutes
Cuisson :	15 minutes
Refroidissement :	30 minutes
Degré de difficulté :	moyen

Énergie : 295 cal	Protéines :	6 g
Lipides : 6 g	Cholestérol : 174 mg
Glucides : 54 g	Fibres :	2 g

Pâte brisée pour 1 abaisse (p. 445)

500	ml (2 tasses) de lait
5	jaunes d'œufs
75	ml (⅓ tasse) de sucre
60	ml (¼ tasse) de farine
5	ml (1 c. à thé) de vanille
500	ml (2 tasses) de fruits frais, au choix
125	ml (½ tasse) de gelée de pomme
30	ml (2 c. à soupe) d'eau

Préchauffer le four à 220 °C (425 °F).

Abaisser la pâte sur une surface farinée et en foncer un moule de 28 cm x 20 cm (11 po x 8 po), ou de petits moules individuels, au choix. Piquer la pâte à la fourchette et réfrigérer 30 minutes. Cuire 10 minutes et laisser refroidir.

Faire chauffer le lait dans une casserole. Réserver au chaud.

Dans un bol, battre les jaunes d'œufs avec le sucre, jusqu'à ce que la préparation pâlisse et épaississe.

Tout en battant, ajouter peu à peu la farine, puis le lait chaud, graduellement. Transvaser dans la partie supérieure d'un bain-marie et cuire à feu doux quelques minutes, jusqu'à épaississement. Ajouter la vanille. Laisser refroidir complètement.

Verser la préparation dans l'abaisse et garnir de fruits frais.

Faire fondre la gelée de pomme et incorporer l'eau. À l'aide d'un pinceau, badigeonner les fruits de gelée. Réfrigérer avant de servir.

Éliane Péquignot,
Leclercville

*O*n peut remplacer l'abaisse par un fond de tarte de type « gâteau ». Noter que les valeurs nutritives de cette recette ont été calculées selon ce type de fond.

6

Tartes

Tarte aux fruits quatre étages

Portions :	16
Préparation :	1 heure
Cuisson :	15 minutes
Refroidissement :	8 heures
Degré de difficulté :	moyen

Énergie : 388 cal	Protéines :	6 g
Lipides : 21 g	Cholestérol :	52 mg
Glucides : 46 g	Fibres :	2 g

Pâte brisée pour 4 abaisses (p. 445)

1	boîte de 796 ml (28 oz) de salade de fruits
2	sachets de gélatine
180	ml (¾ tasse) de sucre
2	ml (½ c. à thé) de sel
3	jaunes d'œufs, légèrement battus
500	ml (2 tasses) de crème sure
5	ml (1 c. à thé) de zeste de citron râpé
60	ml (¼ tasse) de jus de citron
2	ml (½ c. à thé) d'extrait d'amande
3	blancs d'œufs
1	boîte de 540 ml (19 oz) de salade de fruits, égouttée

6

Préchauffer le four à 240 °C (475 °F).

Sur une surface farinée, abaisser la pâte en 4 cercles de 25 cm (10 po) de diamètre. Former un rebord de 1 cm (½ po) à chaque abaisse. Piquer à la fourchette et cuire de 8 à 10 minutes. Laisser refroidir.

Égoutter la boîte de 796 ml (28 oz) de salade de fruits en récupérant 250 ml (1 tasse) du sirop. Réserver.

Verser 125 ml (½ tasse) du sirop dans un bol et saupoudrer de gélatine. Laisser gonfler 5 minutes.

Dans une casserole, mélanger la gélatine, 125 ml (½ tasse) de sucre et le sel. Ajouter le reste du sirop et les jaunes d'œufs. Tout en mélangeant, faire cuire de 5 à 7 minutes à feu moyen, jusqu'à épaississement. Verser dans un grand bol. Tout en battant, ajouter la crème sure. Incorporer ensuite le zeste et le jus de citron, l'extrait d'amande et les fruits égouttés. Réfrigérer la préparation, en mélangeant de temps en temps, jusqu'à ce qu'elle ait la consistance de blancs d'œufs.

Dans un bol, monter les blancs d'œufs en neige. Ajouter graduellement le reste du sucre en battant continuellement, jusqu'à formation de pics fermes. Incorporer à la préparation précédente en pliant délicatement à l'aide d'une spatule de caoutchouc.

Déposer une abaisse dans un moule à fond amovible de 23 cm (9 po) de diamètre. Y étaler le quart de la garniture aux fruits. Répéter jusqu'à épuisement des ingrédients.

Garnir de l'autre boîte de salade de fruits. Réfrigérer au moins 8 heures.

Lucille Bastien,
Rosemont

Il est préférable que les abaisses soient plutôt épaisses. Dans ce cas, on peut réaliser trois abaisses avec la quantité de pâte requise pour quatre.

Tarte des anges

Portions :	8
Préparation :	25 minutes
Cuisson :	5 minutes
Degré de difficulté :	faible

Énergie : 270 cal	Protéines :	3 g
Lipides : 8 g	Cholestérol :	0 mg
Glucides : 48 g	Fibres :	0,4 g

67	ml (¼ tasse + ½ c. à soupe) de fécule de maïs
210	ml (¾ tasse + 2 c. à soupe) de sucre
375	ml (1 ½ tasse) d'eau bouillante
3	blancs d'œufs
2	ml (½ c. à thé) de vanille
2	ml (½ c. à thé) d'essence de rhum
1	abaisse précuite, au choix (p. 445)

Dans une casserole, mélanger la fécule de maïs, 180 ml (¾ tasse) de sucre et l'eau bouillante.

Amener à ébullition et poursuivre la cuisson tout en mélangeant, jusqu'à consistance lisse.

Laisser refroidir.

Dans un bol, monter les blancs d'œufs en neige.

Incorporer graduellement le reste du sucre, la vanille et l'essence de rhum, tout en continuant de battre jusqu'à consistance homogène.

Incorporer à la préparation précédente en pliant délicatement à l'aide d'une spatule de caoutchouc.

Verser dans une abaisse précuite, au choix.

Lisette Bisson,
Rouyn-Noranda

Cette tarte ne doit pas uniquement son nom à sa blancheur immaculée. Une seule bouchée suffit à transporter aux nues les plus fins gourmets.

Tarte aux pommes et au sirop d'érable

Portions :	8
Préparation :	30 minutes
Cuisson :	8 minutes
Degré de difficulté :	faible

Énergie : 331 cal	Protéines :	3 g
Lipides : 11 g	Cholestérol :	9 mg
Glucides : 57 g	Fibres :	1,4 g

1,5 l (6 tasses) de pommes pelées et tranchées

60 ml (¼ tasse) d'eau

150 ml (⅔ tasse) de sirop d'érable

1 abaisse précuite (p. 445)

30 ml (2 c. à soupe) de beurre

60 ml (¼ tasse) de farine

60 ml (¼ tasse) de yogourt nature

250 ml (1 tasse) de sucre glace

5 ml (1 c. à thé) de vanille

Dans une casserole, mélanger les pommes, l'eau et le sirop d'érable.

Laisser mijoter 3 ou 4 minutes.

Égoutter les pommes en récupérant le sirop, puis les disposer dans l'abaisse précuite. Réserver.

Dans une casserole, mélanger le sirop, le beurre et la farine.

Amener à ébullition. Tout en mélangeant, poursuivre la cuisson 2 ou 3 minutes, jusqu'à épaississement.

Verser sur les pommes et laisser refroidir.

Dans un bol, mélanger le yogourt, le sucre glace et la vanille jusqu'à consistance homogène.

Étendre sur la tarte.

Georgette St-Pierre,
Laflèche

Tarte aux poires

Portions :	8
Préparation :	20 minutes
Cuisson :	35 minutes
Degré de difficulté :	faible

Énergie : 430 cal	Protéines :	3 g
Lipides : 24 g	Cholestérol :	41 mg
Glucides : 54 g	Fibres :	2,4 g

310 ml (1 ¼ tasse) de chapelure de biscuits

60 ml (¼ tasse) de sucre

125 ml (½ tasse) de beurre fondu

1 boîte de 796 ml (28 oz) de poires, égouttées et tranchées

150 ml (⅔ tasse) de sucre

45 ml (3 c. à soupe) de farine

250 ml (1 tasse) de crème 35 %

15 ml (1 c. à soupe) de vanille

Préchauffer le four à 190 °C (375 °F).

Mélanger la chapelure, le sucre et le beurre fondu.

Presser au fond d'un moule carré de 20 cm (8 po) de côté, ou dans un moule rectangulaire de même contenance.

Disposer les poires sur la croûte. Réserver.

Dans un bol, mélanger le sucre et la farine.

Ajouter la crème et mélanger au fouet jusqu'à consistance homogène.

Incorporer la vanille. Verser sur les poires.

Cuire de 30 à 35 minutes, jusqu'à ce que la préparation soit ferme.

Cécile Pouliot,
La Durantaye

En saison, les poires fraîches, pelées et dénoyautées, sont tout indiquées.

Tout comme pour les gâteaux, on peut varier les plats à tarte au gré de sa fantaisie. L'important, c'est qu'ils soient d'une profondeur appropriée.

Tarte aux pommes et à la citrouille

Portions :	8
Préparation :	20 minutes
Cuisson :	45 minutes
Degré de difficulté :	faible

Énergie : 316 cal	Protéines :	3 g
Lipides : 16 g	Cholestérol :	0 mg
Glucides : 41 g	Fibres :	1,2 g

Pâte brisée pour 2 abaisses
(p. 445)

4 pommes

250 ml (1 tasse) d'eau

125 ml (½ tasse) de sucre

250 ml (1 tasse) de purée
de citrouille

5 ml (1 c. à thé) de garniture
à fouetter

Cannelle, au goût

Muscade, au goût

Préchauffer le four à 180 °C (350 °F).

Abaisser la pâte sur une surface farinée. Foncer un plat à tarte de l'une des abaisses. Réserver l'autre.

Évider les pommes, les peler et les trancher. Dans une casserole, amener l'eau à ébullition avec le sucre.

Ajouter les pommes et laisser mijoter de 5 à 7 minutes. Incorporer la purée de citrouille et la garniture à fouetter. Poursuivre la cuisson 3 ou 4 minutes.

Verser la préparation dans le plat à tarte. Saupoudrer de cannelle et de muscade. Couvrir de la seconde abaisse et bien sceller. Pratiquer quelques incisions sur la tarte pour permettre à la vapeur de s'échapper pendant la cuisson.

Cuire de 30 à 35 minutes environ, jusqu'à ce que la croûte soit dorée.

Thérèse Lortie,
St-Léonard

Pour éviter aux pommes de noircir, les plonger dans de l'eau citronnée dès qu'elles sont tranchées.

Tarte aux pommes et au citron

Portions :	8
Préparation :	40 minutes
Cuisson :	40 minutes
Degré de difficulté :	moyen

Énergie : 416 cal	Protéines :	4 g
Lipides : 19 g	Cholestérol :	31 mg
Glucides : 58 g	Fibres :	1,3 g

Pâte brisée pour 2 abaisses
(p. 445)

250 ml (1 tasse) de sucre

30 ml (2 c. à soupe) de farine

1 jaune d'œuf, battu

15 ml (1 c. à soupe) de zeste
de citron râpé

30 ml (2 c. à soupe) de jus
de citron

15 ml (1 c. à soupe) de beurre
fondu

60 ml (¼ tasse) d'eau chaude

500 ml (2 tasses) de pommes
pelées et tranchées

1 blanc d'œuf

Lait, pour badigeonner

15 ml (1 c. à soupe) de beurre

15 ml (1 c. à soupe) de sucre

45 ml (3 c. à soupe) de farine

Préchauffer le four à 200 °C (400 °F).

Abaisser la pâte sur une surface farinée. Foncer un plat à tarte de l'une des abaisses. Réserver l'autre.

Dans un bol, mélanger le sucre et la farine.

Incorporer le jaune d'œuf battu.

Tout en mélangeant, ajouter le zeste et le jus de citron, ainsi que le beurre fondu. (N'ajouter l'eau chaude que si les pommes ne semblent pas juteuses.)

Ajouter les pommes et bien mélanger.

Dans un bol, battre le blanc d'œuf jusqu'à formation de pics fermes. Incorporer à la préparation précédente, en pliant délicatement à l'aide d'une spatule de caoutchouc. Verser dans le plat à tarte

Couvrir de la seconde abaisse.

Bien sceller la pâte et en denteler les rebords.

Badigeonner de lait.

Mélanger le beurre, le sucre et la farine jusqu'à consistance grumeleuse. En saupoudrer la tarte.

Cuire environ 40 minutes.

Suzanne Kucharski,
St-Luc

Il existe, dans certaines boutiques spécialisées, des accessoires spécialement conçus pour tailler les abaisses en treillis, tel qu'illustré.

Tarte aux pommes et au chocolat

Portions :	8
Préparation :	20 minutes
Cuisson :	25 minutes
Degré de difficulté :	faible

Énergie : 153 cal	Protéines :	2 g
Lipides : 8 g	Cholestérol :	28 mg
Glucides : 20 g	Fibres :	0,4 g

60 ml (¼ tasse) de cassonade

60 ml (¼ tasse) de farine

60 ml (¼ tasse) de sucre

5 ml (1 c. à thé)
de poudre à pâte

1 œuf, battu

5 ml (1 c. à thé) de vanille

60 ml (¼ tasse) de beurre fondu

60 ml (¼ tasse) de grains
de chocolat

2 pommes, pelées et coupées
en morceaux

Préchauffer le four à 180 °C (350 °F).

Dans un bol, mélanger la cassonade, la farine, le sucre et la poudre à pâte.

Incorporer l'œuf battu, la vanille, le beurre fondu, les grains de chocolat et les pommes.

Verser dans une assiette à tarte de 23 cm (9 po) de diamètre, bien beurrée.

Cuire de 20 à 25 minutes.

Madeleine Bernard-Noël,
Beauport

I *l s'agit bien d'une tarte sans croûte que vous pouvez servir avec une sauce chaude au caramel, de la crème fraîche ou de la crème glacée.*

Tarte aux pommes et au fromage

Portions :	8
Préparation :	40 minutes
Cuisson :	35 minutes
Degré de difficulté :	moyen

Énergie : 418 cal	Protéines :	6 g
Lipides : 25 g	Cholestérol :	91 mg
Glucides : 45 g	Fibres :	1,5 g

125 ml (½ tasse) de beurre
ou de margarine

75 ml (⅓ tasse) de sucre

1 ml (¼ c. à thé) de vanille

250 ml (1 tasse) de farine

45 ml (3 c. à soupe) d'eau
froide, environ

227 g (8 oz) de fromage
à la crème ramolli

135 ml (½ tasse + 2 c. à thé)
de sucre

1 œuf

2 ml (½ c. à thé) de vanille

1 l (4 tasses) de pommes
en gros dés

60 ml (¼ tasse) d'amandes
émincées

2 ml (½ c. à thé) de cannelle

Préchauffer le four à 230 °C (450 °F).

Dans un bol, défaire le beurre en crème avec le sucre et la vanille.

Ajouter la farine. À l'aide d'un coupe-pâte ou de deux couteaux, couper le beurre dans la farine, jusqu'à consistance grumeleuse.

Tout en mélangeant, ajouter suffisamment d'eau froide pour que la pâte forme une boule.

Abaisser la pâte sur une surface farinée et en foncer le fond et les parois d'un moule à fond amovible de 23 cm (9 po) de diamètre. Réserver.

Dans un bol, mélanger le fromage et 60 ml (¼ tasse) de sucre.

Ajouter l'œuf et la vanille. Mélanger jusqu'à consistance lisse et crémeuse. Incorporer les pommes.

Étendre au fond du moule et saupoudrer d'amandes.

Dans un bol, mélanger le reste du sucre et la cannelle. En saupoudrer les amandes.

Cuire 10 minutes. Réduire la chaleur du four à 200 °C (400 °F) et poursuivre la cuisson 25 minutes.

Laisser refroidir avant de démouler.

Gisèle Chicoine,
Moisie

À *défaut d'un moule à fond amovible, utiliser un plat à tarte profond d'au moins 5 cm (2 po), mais ne pas démouler.*

Tartes

Tarte aux pommes Kamouraska

Portions :		8
Préparation :		35 minutes
Cuisson :		50 minutes
Degré de difficulté :		faible
Énergie : 272 cal	Protéines :	2 g
Lipides :	11 g	Cholestérol : 8 mg
Glucides :	44 g	Fibres : 1,1 g

Pâte brisée pour 1 abaisse
(p. 445)

125 ml (½ tasse) de sirop de maïs

150 ml (⅔ tasse) d'eau

75 ml (⅓ tasse) de cassonade

45 ml (3 c. à soupe) de fécule
de maïs

30 ml (2 c. à soupe) de beurre

5 ml (1 c. à thé) de cannelle

2 ml (½ c. à thé) de sel

6 pommes, coupées
en quartiers

Préchauffer le four à 190 °C (375 °F).

Abaisser la pâte sur une surface farinée et en foncer un plat à tarte. Réserver.

Dans une casserole, mélanger le sirop, l'eau, la cassonade, la fécule, le beurre, la cannelle et le sel.

Cuire de 7 à 8 minutes environ, tout en mélangeant, jusqu'à épaississement.

Ajouter les pommes et bien mélanger.

Verser dans l'abaisse.

Cuire de 40 à 45 minutes.

Céline Boucher,
St-Alexandre-de-Kamouraska

On peut également cuire la sauce au micro-ondes, en ayant soin de mélanger à mi-cuisson.

Tarte aux pommes renversée

Portions :		8
Préparation :		30 minutes
Cuisson :		50 minutes
Degré de difficulté :		moyen
Énergie : 454 cal	Protéines :	4 g
Lipides :	27 g	Cholestérol : 16 mg
Glucides :	53 g	Fibres : 1,8 g

60 ml (¼ tasse) de beurre
ramolli

125 ml (½ tasse) de pacanes
coupées en deux

125 ml (½ tasse) de cassonade

125 ml (½ tasse) de sucre

Pâte brisée pour 2 abaisses
(p. 445)

5 pommes

15 ml (1 c. à soupe) de jus
de citron

15 ml (1 c. à soupe) de farine

2 ml (½ c. à thé) de cannelle

2 ml (½ c. à thé) de muscade

1 pincée de sel

Lait, pour badigeonner

Préchauffer le four à 200 °C (400 °F).

Étendre le beurre au fond et sur les parois d'un plat à tarte de 23 cm (9 po) de diamètre. Disposer les demi-pacanes en croix, au fond du moule (sur leur côté arrondi). Saupoudrer de cassonade et de sucre.

Abaisser la pâte sur une surface farinée. Foncer un plat à tarte de l'une des abaisses. Réserver l'autre.

Peler les pommes et les trancher. Les mettre dans un bol, puis les arroser du jus de citron.

Dans un autre bol, mélanger la farine, la cannelle, la muscade et le sel. Incorporer aux pommes.

Verser le tout dans le plat à tarte.

Couvrir de la seconde abaisse.

Badigeonner de lait les rebords de l'abaisse du fond et bien sceller. Piquer la pâte à la fourchette.

Cuire environ 50 minutes. Laisser refroidir 5 minutes et renverser délicatement sur une assiette de service. Démouler. Servir tiède.

Thérèse Thivierge,
Sherbrooke

Tel qu'illustré, on peut déposer dans la première abaisse tous les ingrédients de la garniture, couvrir de la seconde abaisse, puis rabattre l'excédent de pâte dessus.

Tarte aux pommes sans fond

Portions :	8
Préparation :	20 minutes
Cuisson :	45 minutes
Degré de difficulté :	faible

Énergie : 188 cal	Protéines :	2 g
Lipides : 4 g	Cholestérol :	35 mg
Glucides : 38 g	Fibres :	0,7 g

4 ou 5	pommes tranchées, plongées dans de l'eau citronnée
125	ml (½ tasse) de sucre ou de cassonade
2	ml (½ c. à thé) de cannelle
30	ml (2 c. à soupe) de beurre
125	ml (½ tasse) de sucre
1	œuf
125	ml (½ tasse) de farine
2	ml (½ c. à thé) de poudre à pâte

Préchauffer le four à 180 °C (350 °F).

Disposer les tranches de pommes dans un plat à tarte chemisé de papier ciré graissé, en les surélevant légèrement au centre pour former un dôme.

Saupoudrer uniformément de sucre et de cannelle. Réserver.

Battre le beurre avec le sucre et l'œuf, jusqu'à consistance crémeuse.

Ajouter la farine et la poudre à pâte.

Bien mélanger.

Verser la pâte sur les pommes.

Cuire la tarte 45 minutes.

Gisèle Durand,
Lorretteville

*P*our un effet particulier, trancher les pommes en minces feuilles. Elles deviendront ainsi, en cuisant, presque translucides.

Tarte à la citrouille de Masham

Portions :	8
Préparation :	20 minutes
Cuisson :	30 minutes
Degré de difficulté :	faible

Énergie : 353 cal	Protéines :	4 g
Lipides : 16 g	Cholestérol :	0 mg
Glucides : 51 g	Fibres :	0,8 g

Pâte brisée pour 2 abaisses (p. 445)

150	ml (⅔ tasse) de sucre
125	ml (½ tasse) de cassonade
10	ml (2 c. à thé) de farine
1	ml (¼ c. à thé) de muscade
10	ml (2 c. à thé) de miel (facultatif)
625	ml (2 ½ tasses) de purée de citrouille (égouttée, au besoin)

Préchauffer le four à 190 °C (375 °F).

Abaisser la pâte sur une surface farinée.

Foncer un plat à tarte beurré de l'une des abaisses. Réserver l'autre.

Étendre dans le moule, en rangs successifs, le tiers de chacun des ingrédients suivants : sucre, cassonade, farine, muscade et miel.

Couvrir de la moitié de la purée de citrouille. Répéter l'opération.

Saupoudrer des ingrédients restants.

Couvrir de la seconde abaisse. Sceller les rebords de la pâte.

Cuire de 25 à 30 minutes, jusqu'à ce que la croûte soit dorée.

Évelyne Proulx,
Ste-Cécile-de-Masham

*E*n cuisine, rien ne se perd et tout se crée. Tailler des formes géométriques dans les retailles de pâte permet de décorer une tarte d'ingénieuse façon.

Tarte aux raisins St-Sébastien

Portions :	8
Préparation :	20 minutes
Cuisson :	5 minutes
Degré de difficulté :	faible

Énergie : 285 cal	Protéines :		2 g
Lipides : 8 g	Cholestérol :		0 mg
Glucides : 53 g	Fibres :		1,1 g

375 ml (1 ½ tasse) de cassonade (tassée)

90 ml (6 c. à soupe) de fécule de maïs

1 ml (¼ c. à thé) de muscade

500 ml (2 tasses) d'eau bouillante

1 ml (¼ c. à thé) d'essence d'érable

150 ml (⅔ tasse) de raisins secs

1 abaisse précuite (p. 445)

Dans une casserole, mélanger la cassonade, la fécule de maïs et la muscade.

Tout en mélangeant, ajouter l'eau bouillante.

Laisser bouillir 5 minutes environ, jusqu'à épaississement.

Ajouter l'essence d'érable et retirer du feu.

Incorporer les raisins.

Verser dans l'abaisse précuite (dans un moule rectangulaire, si désiré).

Laisser refroidir avant de servir.

Pierrette Fiset,
Venise-en-Québec

Tarte aux pommes et aux noix

Portions :	8
Préparation :	20 minutes
Cuisson :	35 minutes
Degré de difficulté :	faible

Énergie : 270 cal	Protéines :		4 g
Lipides : 13 g	Cholestérol :		27 mg
Glucides : 36 g	Fibres :		1 g

60 ml (¼ tasse) de sucre

125 ml (½ tasse) de cassonade

125 ml (½ tasse) de farine

5 ml (1 c. à thé) de poudre à pâte

1 pincée de sel

250 ml (1 tasse) de pommes pelées et tranchées

15 ml (1 c. à soupe) de beurre fondu

1 œuf

75 ml (⅓ tasse) de noix

1 abaisse précuite (p. 445)

Préchauffer le four à 180 °C (350 °F).

Dans un bol, mélanger le sucre, la cassonade, la farine, la poudre à pâte et le sel.

Dans un autre bol, mélanger les pommes, le beurre fondu et l'œuf.

Incorporer à la préparation précédente, ainsi que les noix.

Verser la préparation dans l'abaisse précuite.

Cuire environ 35 minutes.

Jeanne Marcoux,
St-Évariste

L es pommes et les noix s'accordent avec leur complément direct : le sirop d'érable. Pourquoi se priver d'en arroser la tarte ?

P our un effet de contraste, garnir la tarte d'un mince filet de crème ou de fondant.

6

Tarte aux raisins et au suif

Portions :	8
Préparation :	15 minutes
Cuisson :	35 minutes
Degré de difficulté :	faible

Énergie : 439 cal	Protéines :	3 g
Lipides : 24 g	Cholestérol :	9 mg
Glucides : 55 g	Fibres :	1,7 g

Pâte brisée pour 2 abaisses
(p. 445)

250 ml (1 tasse) de raisins secs

180 ml (¾ tasse) de sucre

75 ml (⅓ tasse) de suif haché
très finement

75 ml (⅓ tasse) d'eau froide

1 pincée de cannelle

1 pincée de clou de girofle

1 pincée de muscade

Préchauffer le four à 180 °C (350 °F).

Abaisser la pâte sur une surface farinée et foncer un plat à tarte de l'une des abaisses. Réserver l'autre.

Mélanger les raisins et le sucre.

Ajouter le suif et l'eau froide.

Assaisonner de cannelle, de clou de girofle et de muscade. Bien mélanger.

Verser cette préparation dans le plat à tarte et couvrir de la seconde abaisse.

Sceller la pâte et en denteler les pourtours.

Cuire de 30 à 35 minutes, jusqu'à ce que la croûte soit dorée.

Cécile Beauregard,
Farnham

Tarte aux raisins et à la crème sure

Portions :	8
Préparation :	20 minutes
Cuisson :	45 minutes
Degré de difficulté :	faible

Énergie : 345 cal	Protéines :	5 g
Lipides : 13 g	Cholestérol :	65 mg
Glucides : 54 g	Fibres :	1,4 g

Pâte brisée pour 1 abaisse
(p. 445)

250 ml (1 tasse) de crème sure

280 ml (1 tasse + 2 c. à soupe)
de sucre

250 ml (1 tasse) de raisins secs

2 jaunes d'œufs

1 pincée de cannelle

2 blancs d'œufs

Préchauffer le four à 180 °C (350 °F).

Abaisser la pâte sur une surface farinée et en foncer un plat à tarte.

Dans un bol, mélanger la crème sure, 250 ml (1 tasse) de sucre, les raisins, les jaunes d'œufs et la cannelle.

Verser dans l'abaisse et cuire environ 35 minutes. Laisser refroidir.

Hausser la chaleur du four à 200 °C (400 °F).

Dans un bol, battre les blancs d'œufs jusqu'à formation de pics fermes, en ajoutant graduellement le reste du sucre.

Couvrir la tarte de cette meringue et dorer au four 10 minutes.

Gaby Larochelle,
Farnham

Le suif et le saindoux sont tous deux synonymes de graisse. Dans le premier cas, il s'agit de graisse de bœuf et dans le second, de graisse de porc.

Pour qu'une tarte attise la convoitise, tout comme celle-ci, il lui faut laisser entrevoir juste ce qu'il faut de sa garniture.

6

Tarte au sirop d'érable des Cantons

Portions :	8
Préparation :	20 minutes
Cuisson :	7 minutes
Degré de difficulté :	faible

Énergie : 373 cal	Protéines :	3 g
Lipides : 10 g	Cholestérol :	57 mg
Glucides : 69 g	Fibres :	0,4 g

45 ml (3 c. à soupe)
de fécule de maïs

45 ml (3 c. à soupe) d'eau

500 ml (2 tasses) de sirop d'érable

250 ml (1 tasse) de lait

2 jaunes d'œufs

1 abaisse précuite (p. 445)

Délayer la fécule de maïs dans l'eau. Réserver.

Dans une casserole, faire chauffer le sirop et le lait (le lait semblera tourner ; c'est normal).

Tout en mélangeant, ajouter graduellement la fécule de maïs.

Poursuivre la cuisson 4 ou 5 minutes à feu doux, jusqu'à épaississement.

Tout en fouettant, verser un peu de cette préparation sur les jaunes d'œufs et transvaser dans la casserole.

Poursuivre la cuisson 2 ou 3 minutes.

Laisser refroidir un peu et verser dans l'abaisse précuite.

Conserver au réfrigérateur.

Cécile Beauregard,
Farnham

*P**our varier, couvrir la tarte de meringue et dorer 10 minutes, au four préchauffé à 200 °C (400 °F).*

Tarte au sirop d'érable et aux noix

Portions :	8
Préparation :	20 minutes
Cuisson :	10 minutes
Degré de difficulté :	faible

Énergie : 399 cal	Protéines :	3 g
Lipides : 18 g	Cholestérol :	16 mg
Glucides : 59 g	Fibres :	0,9 g

Pâte brisée pour 1 abaisse
(p. 445)

60 ml (¼ tasse) de beurre

90 ml (⅓ tasse + 1 c. à soupe)
de farine

375 ml (1 ½ tasse)
de sirop d'érable

125 ml (½ tasse) d'eau chaude

Crème fouettée (facultatif)

Noix de Grenoble, au goût

Abaisser la pâte sur une surface farinée et en foncer un plat à tarte de 23 cm (9 po) de diamètre.

Faire fondre le beurre dans une casserole.

Ajouter la farine et cuire 5 minutes, à feu doux, tout en mélangeant.

Ajouter le sirop d'érable et l'eau chaude.

Poursuivre la cuisson quelques minutes en brassant, jusqu'à ce que le sirop épaississe et devienne translucide. Laisser tiédir.

Verser le sirop dans l'abaisse.

Garnir de crème fouettée et de noix de Grenoble, au goût.

Simonne Rochette,
St-Gilles

*B**ien en évidence sur une garniture à l'érable veloutée et dorée, la noble noix de Grenoble peut s'enorgueillir à juste titre.*

Tarte du fond des bois

Portions :	8
Préparation :	20 minutes
Cuisson :	40 minutes
Degré de difficulté :	faible

Énergie : 506 cal	Protéines :		4 g
Lipides :	20 g	Cholestérol :	12 mg
Glucides :	79 g	Fibres :	0,9 g

Pâte brisée pour 2 abaisses
(p. 445)

60　ml (¼ tasse) de farine

500　ml (2 tasses) de sirop d'érable

250　ml (1 tasse) de lait

30　ml (2 c. à soupe) de beurre

Préchauffer le four à 190 °C (375 °F).

Abaisser la pâte sur une surface farinée.

Foncer un plat à tarte de l'une des abaisses. Réserver l'autre.

Dans une casserole, mélanger la farine, le sirop et le lait.

Ajouter le beurre et amener à ébullition.

Laisser bouillir de 5 à 8 minutes, jusqu'à épaississement.

Verser dans le plat à tarte.

Couvrir de la seconde abaisse.

Cuire de 30 à 35 minutes environ.

Colette B. Couture,
Lyster

*P**our dorer une tarte à souhait, la badigeonner de dorure avant la cuisson, soit d'un jaune d'œuf mélangé à 15 ml (1 c. à soupe) d'eau.*

Tarte des demoiselles d'honneur

Portions :	8
Préparation :	40 minutes
Cuisson :	1 heure
Degré de difficulté :	moyen

Énergie : 441 cal	Protéines :		4 g
Lipides :	22 g	Cholestérol :	64 mg
Glucides :	59 g	Fibres :	1,4 g

Pâte brisée pour 1 abaisse
(p. 445)

1　boîte de 540 ml (19 oz)
　de pêches en moitiés
　(ou en quartiers)

60　ml (¼ tasse) de beurre

60　ml (¼ tasse) de cassonade
　légèrement pressée

60　ml (¼ tasse) de sirop de maïs

180　ml (¾ tasse) de farine

7　ml (1 ½ c. à thé)
　de poudre à pâte

1　ml (¼ c. à thé) de sel

75　ml (⅓ tasse) de beurre

150　ml (⅔ tasse) de sucre

1　œuf

75　ml (⅓ tasse) de lait

5　ml (1 c. à thé) de vanille

Préchauffer le four à 180 °C (350 °F).

Abaisser la pâte sur une surface farinée et en foncer un plat à tarte. Réserver.

Égoutter les pêches en versant 45 ml (3 c. à soupe) de leur sirop dans une casserole.

Ajouter le beurre, la cassonade et le sirop de maïs.

Amener à ébullition et laisser bouillir deux minutes, jusqu'à ce que la cassonade soit fondue.

Retirer du feu et incorporer les pêches. Laisser tiédir.

Mélanger la farine, la poudre à pâte et le sel. Réserver.

Dans un bol, défaire le beurre en crème. Tout en battant, ajouter le sucre et l'œuf.

Mélanger le lait et la vanille, puis incorporer graduellement à la préparation, ainsi que la farine, en alternance.

Verser dans l'abaisse. Couvrir uniformément de la garniture aux pêches réservée.

Cuire de 50 à 60 minutes.

Rolande Gauthier,
Ste-Cécile-de-Jonquière

*S**i désiré, agrémenter cette tarte de 75 ml (⅓ tasse) d'amandes effilées.*

6

Tarte crémeuse au sirop d'érable

Portions :	8
Préparation :	15 minutes
Cuisson :	30 minutes
Degré de difficulté :	faible

Énergie : 603 cal	Protéines :		7 g
Lipides : 20 g	Cholestérol :	16 mg
Glucides : 101 g	Fibres :		0,8 g

Pâte brisée pour 2 abaisses
(p. 445)

1 boîte de 300 ml (10 oz)
de lait concentré sucré

500 ml (2 tasses) de sirop d'érable

Préchauffer le four à 200 °C (400 °F).

Abaisser la pâte sur une surface farinée.

Foncer un plat à tarte de l'une des abaisses. Réserver l'autre.

Dans un bol, mélanger le lait concentré et le sirop d'érable.

Verser dans le plat à tarte.

Couvrir de la seconde abaisse.

Cuire 30 minutes.

Angèle Mercier,
St-Adrien-d'Irlande

P*our alléger cette tarte, en ce qui concerne les calories, n'utiliser qu'une abaisse.*

Tarte spéciale au sirop d'érable

Portions :	10
Préparation :	40 minutes
Cuisson :	1 heure
Degré de difficulté :	moyen

Énergie : 827 cal	Protéines :		6 g
Lipides : 37 g	Cholestérol :	34 mg
Glucides : 123 g	Fibres :		1,6 g

125 ml (½ tasse) de beurre doux

125 ml (½ tasse)
de graisse végétale

310 ml (1 ¼ tasse) de sucre

15 ml (1 c. à soupe)
de poudre à pâte

4 œufs

250 ml (1 tasse) de crème 35 %

1,375 l (5 ½ tasses) de farine

1 l (4 tasses) de sirop d'érable

250 ml (1 tasse) de crème 35 %

250 ml (1 tasse) de noix

150 ml (⅔ tasse) de sucre glace

Lait, au besoin

Préchauffer le four à 190 °C (375 °F).

Dans un bol, défaire le beurre et la graisse en crème. Tout en battant, ajouter graduellement le sucre et la poudre à pâte. Incorporer les œufs et la crème. Tout en mélangeant, ajouter suffisamment de farine pour que la pâte forme une boule ferme. Diviser la pâte en deux portions.

Abaisser la pâte sur une surface farinée. Foncer un plat à tarte de l'une des abaisses. Réserver l'autre. (Pour réaliser plus d'une tarte, tel qu'illustré, foncer plusieurs petits plats.)

Dans une casserole, amener le sirop d'érable à ébullition. Laisser bouillir jusqu'à ce que le thermomètre à bonbons indique 130 °C (250 °F), ou jusqu'à ce qu'une goutte du sirop, dans de l'eau, durcisse immédiatement. Retirer du feu. Ajouter la crème, tout en mélangeant. Laisser refroidir. Incorporer les noix.

Verser la préparation dans le plat à tarte. Couvrir de la seconde abaisse. Bien sceller la pâte et en denteler les pourtours. Cuire de 40 à 45 minutes, ou jusqu'à ce que la croûte soit dorée. Laisser refroidir complètement.

Incorporer au sucre glace juste assez de lait pour former une pâte. En garnir le dessus de la tarte. Décorer de noix entières.

Suzanne Ouellette,
St-Jérôme

Q*uoique savoureuse, la croûte de cette tarte à l'érable est particulièrement riche en calories. Les gens soucieux de leur ligne pourront lui en substituer une autre, au choix.*

Tarte magique à la noix de coco

Portions :	8
Préparation :	10 minutes
Cuisson :	1 heure
Degré de difficulté :	faible

Énergie : 371 cal	Protéines :	7 g
Lipides : 23 g	Cholestérol :	116 mg
Glucides : 37 g	Fibres :	1,6 g

125 ml (½ tasse) de farine

250 ml (1 tasse)
de noix de coco râpée

4 œufs

500 ml (2 tasses) de lait

250 ml (1 tasse) de sucre

1 pincée de muscade

5 ml (1 c. à thé) de vanille

125 ml (½ tasse)
de margarine fondue

Préchauffer le four à 180 °C (350 °F).

Dans un bol, mélanger la farine et la noix de coco.

Ajouter les œufs, le lait, le sucre, la muscade et la vanille.

Bien mélanger.

Incorporer la margarine fondue.

Verser la préparation dans un plat à tarte beurré, profond d'au moins 5 cm (2 po).

Cuire de 50 à 60 minutes dans la partie centrale du four, jusqu'à ce que la noix de coco soit dorée.

Laisser refroidir.

Madeleine Duhaime,
St-Wenceslas

Pendant la cuisson, les ingrédients se sépareront mystérieusement pour former la croûte et le flan, tandis que la noix de coco couronnera le tout.

Tarte au sirop de pomme et à l'anis

Portions :	8
Préparation :	20 minutes
Cuisson :	25 minutes
Degré de difficulté :	faible

Énergie : 416 cal	Protéines :	3 g
Lipides : 13 g	Cholestérol :	1 mg
Glucides : 74 g	Fibres :	1,8 g

180 ml (¾ tasse) de farine de blé entier

180 ml (¾ tasse) de farine tout usage

125 ml (½ tasse) de graisse ou de margarine

75 ml (⅓ tasse) d'eau ou de lait froid

45 ml (3 c. à soupe) de fécule de maïs

45 ml (3 c. à soupe) d'eau froide

2 ml (½ c. à thé), ou plus, d'anis

500 ml (2 tasses) de sirop de pomme

Préchauffer le four à 190 °C (375 °F).

Mélanger les deux variétés de farine. À l'aide d'un coupe-pâte ou de deux couteaux, couper la graisse dans la farine jusqu'à consistance grumeleuse.

Tout en mélangeant, verser, en un mince filet, suffisamment d'eau froide ou de lait pour que la pâte forme une boule.

Abaisser la pâte sur une surface farinée et en foncer un plat à tarte. Piquer l'abaisse à la fourchette et cuire de 15 à 20 minutes.

Délayer la fécule de maïs dans l'eau. Réserver.

Déposer l'anis dans un morceau d'étamine et bien ficeler. Plonger dans une casserole contenant le sirop de pomme. Amener à ébullition.

Dès les premiers bouillons, ajouter la fécule et réduire la chaleur. Laisser mijoter quelques minutes, jusqu'à épaississement.

Retirer la pochette d'anis. Laisser refroidir et verser dans l'abaisse cuite.

Marcelle Légaré,
Kamouraska

On trouve le sirop de pomme dans les épiceries fines, mais surtout chez les pomiculteurs qui nous proposent, au surplus, d'insurclassables produits.

Tarte aux tomates vertes

Portions :	8
Préparation :	20 minutes
Cuisson :	1 heure
Degré de difficulté :	faible

Énergie : 387 cal	Protéines :		3 g
Lipides :	17 g	Cholestérol :	4 mg
Glucides :	57 g	Fibres :	1,4 g

Pâte brisée pour 2 abaisses
(p. 445)

310 ml (1 ¼ tasse) de sucre

22 ml (1 ½ c. à soupe) de farine

2 ml (½ c. à thé) de sel

1 grosse tomate verte,
tranchée mince

½ citron, tranché mince

15 ml (1 c. à soupe) de beurre

Préchauffer le four à 180 °C (350 °F).

Abaisser la pâte sur une surface farinée.

Foncer un plat à tarte de l'une des abaisses. Réserver l'autre.

Mélanger le sucre, la farine et le sel.

Saupoudrer l'abaisse de la moitié de cette préparation, puis y disposer les tranches de tomate et de citron.

Parsemer de noisettes de beurre.

Saupoudrer du reste du sucre.

Couvrir de la seconde abaisse.

Cuire environ 1 heure.

Gisèle Martel,
Farnham

Tourte à la rhubarbe

Portions :	10
Préparation :	30 minutes
Cuisson :	50 minutes
Degré de difficulté :	moyen

Énergie : 616 cal	Protéines :		5 g
Lipides :	33 g	Cholestérol :	11 mg
Glucides :	78 g	Fibres :	2,9 g

750 ml (3 tasses) de farine

15 ml (1 c. à soupe)
de poudre à pâte

5 ml (1 c. à thé) de sel

325 ml (1 ⅓ tasse) de graisse

5 ml (1 c. à thé) de macis

75 ml (⅓ tasse) de lait, environ

1 l (4 tasses)
de rhubarbe en morceaux

500 ml (2 tasses)
de pommes en morceaux

500 ml (2 tasses) de sucre

75 ml (⅓ tasse) de farine

1 ml (¼ c. à thé) de sel

45 ml (3 c. à soupe) de beurre

Lait et sucre, pour dorer

Préchauffer le four à 200 °C (400 °F).

Beurrer un poêlon en fonte de 25 cm (10 po) de diamètre, allant au four.

Dans un bol, mélanger la farine, la poudre à pâte et le sel. Ajouter la graisse et la couper jusqu'à consistance grumeleuse. Tout en mélangeant délicatement à la fourchette, ajouter le macis et juste assez de lait pour que la pâte soit facile à manipuler. La pétrir légèrement sur une planche.

Façonner la pâte en boule et l'abaisser en un cercle suffisamment grand pour couvrir le fond du poêlon, tout en la laissant dépasser d'environ 8 cm (3 po) tout autour.

Mélanger la rhubarbe, les pommes, le sucre, la farine et le sel. Déposer dans l'abaisse. Parsemer de noisettes de beurre. Replier la pâte sur les fruits, en ménageant un espace au centre. Badigeonner la pâte de lait et la saupoudrer généreusement de sucre.

Cuire 30 minutes, puis couvrir de papier d'aluminium. Poursuivre la cuisson 20 minutes, jusqu'à ce que les fruits soient tendres.

Huguette Brunet,
St-Joachim

Pour une richesse en fibres supérieure, éviter de peler les pommes.

Rien de surprenant à ce que l'on apprête les tomates en garniture pour tarte. Ne font-elles pas partie de la famille des fruits?

*D*errière ses remparts tout blancs, Québec s'épivarde au rythme des marées, narguant le fleuve trépidant qui se trémousse et tourbillonne... jusqu'à L'Île-d'Orléans.

Index général

CHAPITRE 2

Potages et soupes

CHAPITRE 3

Plats principaux

CHAPITRE 4

Légumes et accompagnements

Index par catégories d'aliments

486